LA RÉPUBLIQUE IMMOBILE

DU MÊME AUTEUR

LE MILLÉNAIRE DE L'APOCALYPSE, *roman, avec Florence Trystam,* Flammarion, 1980.
L'AVENIR DE LA GUERRE, *essai,* Mazarine, 1985.
LE NOUVEAU MONDE, *de l'ordre de Yalta au désordre des nations,* Grasset, 1992. Prix Aujourd'hui. Hachette Pluriel, 1993.
LÉGITIME DÉFENSE, *vers une Europe en sécurité au XXIe siècle, préface de Charles Millon,* P. Banon, 1996.

Ouvrages collectifs sous la direction de l'auteur

LA SÉCURITÉ DE L'EUROPE DANS LES ANNÉES 1980, IFRI-Economica, 1980.
LA SCIENCE ET LE DÉSARMEMENT, IFRI-Economica, 1981.
PACIFISME ET DISSUASION, IFRI-Economica, 1983.
INITIATIVE DE DÉFENSE STRATÉGIQUE ET SÉCURITÉ DE L'EUROPE, IFRI-Economica, 1986.
LE COUPLE FRANCO-ALLEMAND ET LA DÉFENSE DE L'EUROPE, *avec Karl Kaiser,* IFRI-Economica, 1986.
LA GUERRE DES SATELLITES, ENJEUX POUR LA COMMUNAUTÉ INTERNATIONALE, IFRI-Economica, 1987.
POUR UNE NOUVELLE ENTENTE CORDIALE : *la relance de l'alliance franco-britannique en matière de sécurité,* Masson, 1988.

PIERRE LELLOUCHE

LA RÉPUBLIQUE IMMOBILE

BERNARD GRASSET

PARIS

A Eden

« La légèreté, l'égoïsme, la veulerie demeurent encore la règle. Il ne faut donc pas s'attendre à trouver dans le pays l'élan qui fera une France nouvelle. Il n'y aura d'élan que si on le provoque, que si on le stimule par une attitude nette, décidée, audacieuse. »

PIERRE BROSSOLETTE.
(28 avril 1942)

« Les Français sont devenus si intoxiqués de démagogie qu'ils n'entendent plus d'autre langage. »

FRANÇOIS FURET.
(1997)

SOMMAIRE

Avant-propos

L'« accouchement » d'un livre est toujours une épreuve. Solitaire et austère pour l'auteur, elle est cependant plus que compensée par le plaisir de l'écriture, la joie de décortiquer les idées ; celle de construire une démonstration pour convaincre.

Au terme de cette longue gestation de trois années, je veux ici rendre hommage à tous ceux qui m'ont aidé dans ce travail : mes collègues de l'Assemblée nationale, qui ont partagé avec moi leurs expériences recueillies aux quatre coins de la France, les chefs d'entreprise qui m'ont reçu, les agents de l'Administration de tous rangs, qui m'ont tous fait part avec beaucoup de franchise de leurs propres observations. Ma gratitude va aussi à tous ces Français rencontrés sur le terrain, ou au fil de mes permanences, qui m'ont fait partager leur lecture de notre société, leur « vécu ».

Je dis également un grand merci à Céline et Sylvia qui m'ont aidé dans la mise en forme des différentes versions du manuscrit, à Frédéric Badré, Sylvain Lambert et Jérôme Bleuchot qui m'ont assisté dans certaines recherches.

Merci également à mes éditeurs, Yves Berger et Jean-Paul Enthoven qui m'ont constamment soutenu dans cette entreprise, lorsque, effrayé par l'ampleur de la tâche, j'étais parfois découragé.

Et surtout, je veux remercier de son indulgence – et de sa patience – mon épouse, Annie-Laure, qui a su accepter, en plus de l'emploi du temps de son député de mari (et de nos trois campagnes électorales de ces trois dernières années !), tout le temps consacré à ce livre...

Paris–La Ferté-Saint-Aubin,
Janvier 1998

Introduction

Les leçons d'une invraisemblable défaite

Entre le 21 avril et le 1ᵉʳ juin 1997, en six semaines à peine, le cours de l'histoire politique de la France a une nouvelle fois basculé.

Par l'un de ces à-coups brutaux dont notre pays a le secret, la dissolution de l'Assemblée nationale, voulue par le Président de la République pour accélérer le rythme des réformes et briser les « conservatismes » français qu'il avait lui-même dénoncés lors d'une intervention télévisée quelques mois plus tôt [1], a donné les résultats exactement inverses de ceux qui étaient recherchés.

Non seulement le Président Jacques Chirac n'a-t-il pas obtenu le soutien politique qu'il souhaitait pour son « nouvel élan », non seulement une majorité sans précédent sous la Vᵉ République de 464 députés a-t-elle été sacrifiée, non seulement l'équilibre politique et institutionnel du pays s'est-il trouvé profondément déstabilisé, mais le peuple français décidait, dans une étonnante fuite en arrière, de confier ses destinées à un curieux attelage de socialistes, de communistes et de Verts, dont le seul point commun est un profond conservatisme, qui n'est que le refus obstiné de regarder la réalité du monde en face.

Qu'importe que l'Europe entière, fût-elle sociale-démocrate comme à Londres ou à Stockholm, évolue à grands pas vers la déréglementation et la compétition internationale ; qu'importe que, neuf ans après la chute du Mur de Berlin, il ne subsiste aucun contenu idéologique au communisme et au socialisme – idéologies qui auront engendré plus de 80 millions de morts au cours du siècle ; qu'importe que la terre entière soit devenue un marché capitaliste globalisé, et que la Chine elle-même annonce, lors du XVᵉ congrès de son Parti communiste à l'automne 1997, la privatisation totale de son économie : une France « autiste, obsédée par sa particularité, ses statuts, son service

---

1. Intervention télévisée du 12 décembre 1996.

public, son régime de protection sociale [1] » s'accroche désespérément à son modèle désuet fait d'étatisme, de colbertisme et de déficits publics exorbitants. Que tout cela contredise les engagements européens contractés par la France et par les socialistes eux-mêmes lors de la ratification du Traité de Maastricht en 1992, il importe peu ! La volonté de « sortir les sortants » (il est vrai impopulaires et décevants), et surtout la tentation au moins aussi forte de fuir la réalité (« encore une cohabitation, Monsieur le bourreau ! »), l'ont finalement emporté, à l'issue d'une campagne d'une effrayante vacuité.

Je n'ai pas honte de le dire : j'étais favorable à cette dissolution. Faute de l'avoir engagée au lendemain de l'élection présidentielle et faute d'avoir mené à bien le changement d'équipe ministérielle un instant envisagé au début de 1997, le Gouvernement Juppé II, impopulaire et usé, pouvait-il vraiment engager les réformes de structures indispensables au long d'une interminable année électorale, alors qu'approchaient à grands pas les échéances européennes capitales de 1998-99 ? A la certitude d'une paralysie croissante de l'Exécutif, je m'étais moi aussi convaincu que le risque d'une campagne brève mais intense était préférable. *A condition* cependant qu'elle mette en quelque sorte les Français au pied du mur, qu'elle les informe sans détour de la réalité du monde et de ses enjeux, qu'elle trace fermement le chemin des réformes *libérales* restant à accomplir.

Tel, malheureusement, n'a pas été le cas.

Le mot « libéral » étant jugé trop effrayant par les stratèges élyséens – et, pourquoi ne pas le dire, par bon nombre d'élus de l'ancienne majorité – la Droite fit campagne sur une ligne « mi-chèvre mi-chou », résumée en un « programme » de six pages, aussi illisibles que creuses. Oscillant sans cesse entre ses vieux réflexes étatistes et colbertistes, et l'appel à d'indispensables réformes libérales, elle ne réussit qu'à décevoir tout le monde : et ses propres partisans (entrepreneurs, classes moyennes, sans parler des médecins libéraux) excédés des hausses d'impôts et de la lenteur du changement depuis 1995, et ceux qu'elle cherchait en même temps à ne pas effrayer, et à conforter dans leurs « acquis » catégoriels, et qui préférèrent en fin de compte les illusions plus « authentiques » de la Gauche.

Quant à la Gauche précisément, elle sut, comme à son habitude, exploiter au mieux les ressorts de notre psychologie (devrais-je dire psychose ?) nationale : la fameuse « exception française » qui fait que chacun a droit à tout, « l'Etat » étant là pour y pourvoir indéfiniment ; nos peurs (économie de marché égale « ultralibéralisme sauvage ») ; nos approximations idéologiques (Etat-providence égale Pacte républicain). En refusant la réalité du monde, et en exploitant adroitement ces réflexes-là, les Socialistes sont parvenus à convaincre des Français

---

1. V. le remarquable article posthume de François Furet : « L'énigme française », dans *le Monde*, 23 sept. 1997, et *le Débat*, n° 96, sept.-oct. 1997.

sociologiquement à Droite et qui venaient à peine d'élire Jacques Chirac à l'Elysée, qu'ils pouvaient sans risque « changer d'avenir ». C'est-à-dire ignorer le monde autour d'eux, au besoin « renégocier l'Europe » et l'Euro, en un mot, retourner aux délices des avantages acquis et de l'Etat protecteur.

Un « style neuf » incarné par Lionel Jospin, sur « un fond archaïque » – la formule est de François Furet –, s'ajoutant au rejet d'une majorité sortante perçue comme arrogante et « illisible », et voici la France embarquée dans une cohabitation sans précédent.

Cette victoire de la Gauche est donc d'abord celle de la nostalgie française pour un passé pourtant révolu (l'Etat-providence), celle de la démagogie, et celle des peurs : peur de la Droite de s'afficher comme telle sans complexe, avec un projet clair d'une société libérale ; peur profondément ancrée dans le peuple et habilement relayée par la Gauche, du libéralisme, de la compétition mondiale et de la précarité qu'elle est censée engendrer ; peur de « l'horreur économique », best-seller de Viviane Forrester, dont le succès même, en même temps que le cri de désespoir et presque d'agonie qu'il contient, sont à l'image de notre mal-être national.

Les perdants

C'est peu dire que cette élection, comme l'a justement diagnostiqué Philippe Séguin, n'a produit que des perdants.

A commencer par la France elle-même.

Suradministrée, surtaxée mais sous-gouvernée, placée de surcroît au tout premier rang mondial des recordmen du chômage, la France vient de refuser de se réformer pour clamer à nouveau son « exception » nationale. « C'est une France qui se protège des nouvelles difficultés intérieures et mondiales », écrit Barbara Spinelli dans *la Stampa*, « qui s'enferme dans une sorte de jardin réconfortant, lénifiant et fictif... Les Socialistes ont gagné, et avec eux, le narcissisme d'un pays qui ne veut pas affronter ses véritables maux[1] ».

Autour de nous, nombreux sont ceux que ce brutal changement de cap ne manque pas de réjouir. Les Etats-Unis tout d'abord : hier inquiets de voir émerger en Europe un pôle de puissance concurrent autour d'une France forte et réformée, associée à l'Allemagne, ils se sont rapidement rassurés : au lendemain du vote du 1er juin, le *Herald Tribune* titrait, non sans ironie, sur le « *Forward to the past* » – en avant vers le passé ! – voulu par les électeurs français. Quant au dessinateur

---

1. Reproduit dans *Courrier international*, 5-11 juin 1997.

de *Newsweek*, il montrait un coq français décati, s'égosillant encore sur un tas de fumier, avec en arrière-plan une friche urbaine...

En Europe, la fausse unanimité des sociaux-démocrates réunis à Malmö en juin 1997 (12 gouvernements sur les 15 de l'Union) pour célébrer la victoire de Lionel Jospin dissimula à peine, en plus de désaccords fondamentaux sur le maintien du « modèle européen » de l'Etat-providence, la satisfaction de voir ainsi la France durablement affaiblie, donc absente de l'échiquier européen pour construire la monnaie, la défense commune, ou les institutions efficaces dont rêvait Jacques Chirac. En Allemagne, les gesticulations – il est vrai rapidement abandonnées – de MM. Jospin et Strauss-Kahn sur une hypothétique révision du « Pacte de stabilité » qui encadrera l'Euro, nourrissent tous les clichés sur une France décidément trop peu « sérieuse » pour bâtir avec elle une alternative au Mark, mais qui en définitive se pliera à la volonté allemande...

Et c'est cette France amoindrie, en déphasage complet par rapport au reste de l'Europe et à ses engagements précédents, qui s'est présentée au Sommet d'Amsterdam en juin 1997. Tout au plus lui a-t-on concédé, pour sauver la face du nouveau Premier ministre français, quelques paragraphes en forme de vœu pieux sur l'emploi et la croissance, sans changer un iota des disciplines budgétaires et fiscales consenties dans le Pacte de stabilité [1].

Voici donc la France durablement affaiblie : les débuts de réformes lancées courageusement, mais c'est vrai souvent maladroitement et sans explications suffisantes, par Alain Juppé entre 1995 et 1997, sont en train d'être enterrés ou remis en cause. Réduction des déficits publics, réforme de la protection sociale, privatisations, fonds de pension, contrôle de l'immigration, sont ou vont être érodés, retardés, voire abandonnés pour être remplacés par une politique de « Gauche » qui ne fera que repousser les échéances, et accroître entre-temps les déficits, le chômage et les délocalisations.

---

1. Le document publié à Amsterdam (17 juin 1997), intitulé « Emploi, compétitivité et croissance » précise notamment : « Un allégement de la pression fiscale globale, et plus particulièrement de la charge fiscale pesant sur la main-d'œuvre, est souhaitable dans la plupart des Etats membres. Une restructuration restrictive des dépenses publiques s'impose afin d'encourager l'investissement » etc. Le « protocole sur l'emploi » présenté comme une victoire des thèses socialistes confirme, en fait, les thèses inverses. Cinq mois plus tard, le « sommet de l'emploi » de Luxembourg présenté comme une victoire française (revendiquée d'ailleurs aussi bien par Jacques Chirac que par Lionel Jospin) s'achèvera sur le même constat de désaccord (habillé en un savant compromis) entre les tenants de l'économie de liberté et les promoteurs de solutions étatiques, chaque Etat demeurant maître de sa politique sociale et de l'emploi. On est loin du rêve d'un modèle socialiste français élargi à toute l'Europe !

La Ve République finissante

Le second grand perdant n'est autre – reconnaissons-le – que notre système démocratique.

Comment ne pas être effrayé, non seulement par ces 15 % de suffrages accordés au Front national, mais surtout par cette *moitié* de Français en âge de voter qui soit se sont abstenus, soit ont voté blanc ou nul, soit se sont détournés des partis dits « de Gouvernement » au premier tour ? Comment ne pas nous interroger – que l'on soit simple citoyen ou élu – devant cette immense lassitude du corps électoral français, et devant ce bizarre nomadisme idéologique d'une élection sur l'autre ? Comment ne pas s'inquiéter de la dérive tout aussi spectaculaire de nos institutions : conçues il y a quarante ans pour remédier à nos vieux démons nationaux (instabilité ministérielle et combinaisons des partis), et pour harmoniser majorité parlementaire et majorité présidentielle, voici ces institutions désormais installées dans un jeu à contresens, où les « alternances » se succèdent tous les deux ans, ôtant toute chance de cohérence et de vraies réformes inscrites dans la durée pour ce pays qui en a tant besoin ! Hier improbable exception, la cohabitation est désormais érigée en système, pour le troisième mandat présidentiel consécutif, la dernière en date intervenant – circonstance aggravante – non pas à la veille d'une échéance législative, mais au lendemain de celle-ci.

Si bien qu'à la fracture du chômage qui mine notre tissu citoyen, à l'affaissement de l'économie dans une Europe et un monde qui ne nous attendront pas, s'ajoute la crise politique désormais ouverte (du moins pour qui veut bien regarder la réalité en face) de notre système démocratique, donc de nos institutions. Dois-je ajouter que les dissolutions ratées ne sont pas légion dans notre histoire depuis Mac-Mahon, et qu'on est loin d'avoir pris toute la mesure institutionnelle de ce qui vient de se passer ?

Tout en faisant mine d'approuver ce régime de cohabitation, les Français, confusément, sentent bien qu'ils ont déjà changé de République : ou bien la crise éclatera dans un, deux ou trois ans, dans une configuration aujourd'hui imprévisible, ou bien la législature ira jusqu'à son terme, et dans ce cas, la fonction présidentielle en sortira durablement, sans doute irrémédiablement, affaiblie. Un « remake » en quelque sorte des premières années de la IIIe République à partir de 1877...

Dans tous les cas, la Ve République présidentielle, voire présidentialiste, survit encore dans les textes, mais elle est morte dans la pratique : ce qui naît sous nos yeux, c'est une République parlementariste hybride : les institutions servent encore le Président, en théorie tout au moins, mais la réalité du pouvoir a basculé à Matignon et au Palais-Bourbon.

Face à cette réalité-là, les troisièmes grands perdants sont évidemment nos formations politiques nationales, dites de Gouvernement, qu'elles soient de Gauche ou de Droite.

La vieille Gauche

A Gauche – et c'est bien compréhensible, après tout – les lendemains d'une victoire électorale inespérée n'incitent guère à l'autocritique. Du moins tant que tiendra la coalition gouvernementale socialo-communiste-verts, joliment appelée ces jours-ci « plurielle »... Reste que l'introspection à Gauche est aussi nécessaire qu'elle est, si j'ose dire, existentielle pour des partis peu ou prou issus du marxisme et de la Révolution d'octobre, via le Congrès de Tours de 1920.

Qu'est-ce donc en effet que le socialisme dans une économie-monde uniformément capitaliste et mondialisée ? Est-ce le refus de « la loi des marchés », de l'Euro et de « l'Europe du capital », pour reprendre les termes du congrès du Parti communiste français d'avril 1997 (à un mois du 1er tour !) ? Ou bien ce louvoiement perpétuel des socialistes, récemment illustré par Vilvorde, par l'Euro et par les privatisations, entre la réalité d'un système économique mondial que les dirigeants socialistes connaissent bien et pratiquent pour nombre d'entre eux dans la vie civile, et les promesses démagogiques qu'au nom d'un certain idéal de Gauche, l'on se croit obligé de faire à nos concitoyens ? Quant aux Verts, issus de la mosaïque des groupes de pression écologistes et d'extrême gauche, ils cherchent encore les voies d'un projet de société dépassant la protection de l'environnement, le refus du productivisme et le pluri-culturalisme naïf.

A la différence de la plupart de nos autres partenaires européens, la Gauche française ne s'est toujours pas réconciliée avec l'économie de marché. Elle continue à cultiver, comme l'écrit François Furet [1], « le vieux rêve de séparer démocratie et capitalisme, de garder l'une et de chasser l'autre, alors qu'ils forment ensemble une même histoire ». Le libéralisme n'est en effet rien d'autre que la démocratie appliquée à l'économie. Je m'empresse d'ajouter que la responsabilité principale tient moins aux leaders de la Gauche (dont on peut comprendre, après tout, la démagogie électorale et le blocage idéologique), qu'à ceux de la Droite française, dont une bonne part demeurent fondamentalement hostiles au libéralisme et qui, en tout état de cause, n'ont pas entrepris ce travail essentiel de pédagogie nationale sur les indispensables réformes de notre société. Culte national de l'affrontement idéologique, démagogie de Gauche, pauvreté conceptuelle de la Droite : le

---

1. *Op. cit.*

résultat, c'est que contrairement au SPD de Schröder, à l'Angleterre de Tony Blair, aux nations scandinaves et même aux socialistes espagnols de Felipe Gonzalez, ou à l'Italie de Romano Prodi, notre Parti communiste français reste encore le digne héritier stalinien du PCUS, tandis que notre Parti socialiste demeure profondément pénétré d'une culture de rupture avec le capitalisme.

Ce ne fut pas la moindre des ironies, en ce mois de juin 1997, que de mesurer l'écart entre les premières mesures prises par les travaillistes britanniques élus quelques semaines plus tôt de l'autre côté de la Manche, et celles annoncées par les Socialistes français[1].

Si Tony Blair, le nouveau Premier ministre britannique, accepte que la Grande-Bretagne adhère à la « Charte sociale » européenne longtemps combattue par les conservateurs, il assortit ce geste d'une condition impensable en France : « la priorité absolue à la compétitivité des entreprises britanniques ». Mieux : le même Blair n'hésite pas à annoncer qu'il entend réformer l'Etat-providence en brisant la culture d'assistance et de dépendance engendrée par les aides sociales publiques. Selon Blair, l'Etat-providence ne saurait être « passif », ce qui signifie en clair qu'il ne peut dispenser une aide sociale « sans condition autre que vérifier le changement d'adresse tous les trois ans » des personnes qui perçoivent ces aides. Le nouveau Premier ministre en appelle donc « à un changement radical de nos valeurs et de nos attitudes sur le sujet ». Ainsi, un chômeur anglais qui bénéficie d'une aide publique et qui refuse une seule offre de travail des services de l'emploi se verrait tout simplement privé de cette aide. « Notre priorité, indique le Premier ministre britannique, est d'éradiquer l'exclusion sociale non pas en augmentant les allocations pour garder les " exclus " sans emploi mais en les encourageant à travailler et à se former. Ceux qui financent avec leurs impôts l'assistance estiment que droits et responsabilités vont de pair[2]. »

Pour les Anglais, l'aide de l'Etat, financée par les contribuables, doit être un encouragement à la réinsertion sociale, et non un assistanat. De sorte que ceux qui bénéficient de cette aide ont l'obligation (quasi morale) d'accepter les propositions de travail, lesquelles proviennent d'ailleurs du secteur privé.

Il va sans dire que les travaillistes britanniques sont partisans du système privé pour les télécommunications et les transports. Il va sans dire

---

1. Les amateurs d'humour en politique ne seront pas déçus par la lecture de la préface de Martine Aubry à l'édition française du livre-programme de Tony Blair (*la Nouvelle Grande-Bretagne : vers une société de partenaires*, L'Aube, 1997), dans laquelle l'actuelle ministre du Travail et de la Solidarité expose des thèses (celles du Parti socialiste français) rigoureusement inverses de celles du Premier ministre britannique contenues dans le même ouvrage ! Mais sans doute Mme Aubry a-t-elle eu une lecture sélective ?

2. V. l'entretien du Premier ministre britannique dans *le Monde* du 7 novembre 1997.

aussi qu'il n'est pas question de rétablir une quelconque autorisation administrative de licenciement.

Le socialisme à la française, lui, est à mille lieues de tout cela.

Promettre qu'on rouvrira l'usine Renault de Vilvorde dont on juge la fermeture inacceptable (en mettant cela sur le compte du Gouvernement Juppé-actionnaire) ; faire mine de refuser les privatisations pourtant inévitables de grands services publics en secteur concurrentiel (tel France Télécom) ou de grandes entreprises publiques exsangues (telle Thomson), tout cela fait partie de notre logomachie nationale... et doit être naturellement évacué une fois la Gauche installée au pouvoir, mais à petits pas, avec des retours en arrière (Air France) et presque en catimini, puisqu'on aura préalablement promis l'inverse à l'électorat et aux salariés de ces entreprises.

Si, chez l'ensemble de nos partenaires, il y a belle lurette que les Gauches européennes se sont réconciliées avec les privatisations, la réduction des déficits et la nécessité de rendre le marché du travail flexible, la France – encore notre exception nationale ! – se paie toujours le luxe d'une Gauche qui promet tranquillement à ses électeurs de créer 700 000 emplois dont 350 000 emplois publics pour nos jeunes, de payer trente-neuf heures pour trente-cinq heures travaillées, ou de résoudre le problème de l'emploi par « une grande conférence salariale »...

Fidélité posthume au soviétisme et culture électoraliste du maintien des « avantages acquis », dans une économie mondiale qui n'autorise plus ni l'une, ni l'autre : telles sont encore les deux mamelles de notre Gauche nationale, dont la pensée économique n'a désormais plus d'équivalent au monde, sinon à Cuba et en Corée du Nord.

Tandis que partout ailleurs en Europe, y compris dans la douzaine de pays de l'Union gouvernés à Gauche, on cherche uniformément à réduire impôts et dépenses publiques, à enrayer les dérives de l'Etat-providence, la Gauche française, elle, fait mine de dire « non » pour ensuite dire « oui » à l'Euro, et s'entête dans une politique de relance par la « demande », financée bien sûr par autant de déficits publics supplémentaires et d'impôts qu'on ira prendre là où l'on crée vraiment des richesses et de l'emploi – c'est-à-dire chez les entreprises et les classes moyennes... Il est significatif que les premières décisions du Gouvernement Jospin, fin juillet 1997, prévoyaient la hausse de l'impôt sur les « grandes » entreprises [1] (22 milliards de rentrées escomptées) et la suppression d'avantages « indus » aux ménages « aisés » (les allocations familiales et les emplois familiaux), soit une quinzaine de milliards de ponctions supplémentaires contre seulement 10 milliards d'économies sur le train de vie de l'Etat (dont 8 par la réduction des achats d'armes

---

1. Le seuil retenu pour ces « grandes » entreprises est de 50 millions de francs de chiffre d'affaires, autant dire qu'on a ratissé large !

et de munitions pour nos armées, n'entraînant donc aucune contraction du périmètre de l'Etat).

On l'aura compris : je demeure plus que sceptique quant aux chances de voir la Gauche française accomplir elle-même son « Bad Godesberg », la révolution idéologique déjà ancienne de la social-démocratie européenne.

Il est en tout cas peu probable qu'un tel aggiornamento se produise tant que la Droite française n'aura pas de son côté préalablement effectué *sa* propre révolution copernicienne.

... *et la vieille Droite*

La Droite, précisément. A qui, on l'aura compris, ce livre s'adresse en tout premier lieu.

Il n'est pas facile quand on a consacré, comme c'est mon cas, dix années d'une vie à l'engagement politique, quand après un septennat dans l'opposition auprès de Jacques Chirac, la victoire est enfin venue, porteuse d'immenses espoirs de renaissance pour le pays, de voir en deux douzaines de mois à peine tous ces efforts littéralement à terre. Forte est alors la tentation de « Venise » ou d'ailleurs ; ou bien celle de renoncer en concluant que la France, décidément trop ancrée dans la religion de ses acquis sociaux, est irrémédiablement, définitivement inréformable.

C'est parce que je sais combien est répandu ce sentiment de découragement et d'impuissance que j'ai voulu écrire ce livre, en forme de contrepoison, de message d'espoir et de mobilisation contre la déprime ambiante, contre la tentation du renoncement, ou pire de l'indifférence au sort de la Nation. C'est aussi parce que – à quelque chose malheur est bon ! – cette période d'opposition offre à la Droite française l'occasion de s'interroger sur elle-même, sur les maux du pays, sur les moyens d'y porter remède, bref de se forger un contenu idéologique, un « sens » d'elle-même, de l'Etat et de notre société, adapté à notre temps. Ce qu'elle est loin d'avoir fait jusqu'à présent.

Aveuglée par le succès de 1995, par sa maîtrise de la quasi-totalité des leviers du pouvoir dans ce pays (ne dominait-elle pas en plus de l'Elysée, de Matignon, de l'Assemblée et du Sénat, l'essentiel des régions, des départements et des grandes villes ?), à aucun moment cette droite triomphante – mais si loin du peuple ! – ne s'était interrogée sur l'issue de la dissolution.

La Gauche, pensait-on alors dans les allées du pouvoir, n'était pas prête et serait prise par surprise ; son programme présenté début novembre avait certes séduit (qui serait contre gagner plus tout en travaillant moins ?) mais sans convaincre vraiment les Français, encore très sensibilisés par les échecs des socialistes au pouvoir ; enfin Lionel Jospin apparaissait comme tout sauf un leader charismatique, tandis que ses candidats souvent « parachutés », trop jeunes ou « féminisés » par décret (le quota des 30 %), paraissaient quant à eux trop inexpérimentés ou trop peu implantés pour menacer vraiment la majorité sortante.

C'est forts de ces convictions complaisamment répandues, que la plupart des députés de la majorité présidentielle accueillirent la dissolution du 21 avril. Lors de la dernière réunion du Groupe RPR, deux jours plus tard, c'est la fleur au fusil et sans se douter du désastre, que nos fantassins de l'Assemblée partirent au combat, pressés d'en découdre... et de revenir en masse au Palais-Bourbon.

On connaît la suite...

Plus grave sans doute est que cet aveuglement a largement survécu à la défaite, transformé en une sorte d'incapacité presque maladive à s'interroger courageusement sur les raisons d'une pareille déconfiture. Et à en tirer franchement, et sans retard, toutes les conséquences, en termes de renouvellement des équipes et du contenu idéologique... Si Alain Juppé a dû quitter la présidence du RPR, les principales « têtes » restent les mêmes, et les structures partisanes, du RPR à l'UDF, demeurent inchangées. Plus grave encore, à l'exception du louable travail d'introspection lancé par Philippe Séguin au RPR depuis l'automne 1997, j'attends toujours pour ma part le débat dont nous avons tant besoin sur l'état de notre Droite républicaine, les raisons de ses hémorragies électorales (vers le Front national notamment), et surtout le projet de société dont nous devrions être porteurs pour demain.

Au lieu de cela, la Droite défaite donne encore l'image assez lamentable de règlements de comptes entre différents chefs de clans et leurs entourages (qui sont autant d'écuries présidentielles sur la ligne de départ de 2002) et de mauvais « raisonnements » jetés à la hâte pour rassurer des militants sonnés par la défaite, mais en réalité moins déboussolés que leurs chefs.

Ainsi, un thème fort répandu à Droite au lendemain de la défaite consistait à affirmer que la cause de l'échec du 1er juin reviendrait d'abord... au peuple français lui-même... sans parler de nos propres électeurs, quelque peu masochistes, qui se seraient en quelque sorte infligé à eux-mêmes ce hara-kiri électoral [1].

Si nous avons perdu, a-t-on entendu ici ou là, c'est parce que les Français sont de plus en plus inconstants. Cinq Premiers ministres en six ans : voilà bien la preuve que nous vivons dans la civilisation de zapping politique, où l'électeur, désormais consommateur de politique, « sort » régulièrement les sortants, en se disant que, de toute façon, tous les partis font la même politique, que personne n'a de solu-

---

1. C'est ce que j'ai entendu de la bouche d'un ancien ministre d'Alain Juppé, lors des Assises extraordinaires du RPR, le 5 juillet 1997 !

tions au chômage, et que « tout le monde est pourri » par les affaires. Autrement dit, le RPR, l'UDF, la Droite française dans son ensemble, n'auraient rien à se reprocher, puisque la faute *est* celle... du peuple !

Un autre thème, facile à Droite, mais plus dangereux encore ces temps-ci, consiste à prétendre que nous aurions perdu parce que nous aurions nous-mêmes exclu le Front national et ses électeurs de toute alliance électorale ou de gouvernement. La malédiction du PS des années 70 serait donc aujourd'hui inversée : de même que François Mitterrand ne pouvait prétendre atteindre le pouvoir sans alliance avec le PCF (ce qu'il fit après Epinay), de même serions-nous condamnés à une perpétuelle opposition, faute d'accepter de composer avec le parti de Jean-Marie Le Pen.

Un peuple inconstant et rétif à toute réforme susceptible de remettre en cause ses habitudes et ses « acquis sociaux » ; un système politique et un mode de scrutin qui condamneraient la Droite républicaine à payer le prix de son intransigeance morale vis-à-vis du Front national : telles seraient donc les causes supposées de notre échec.

En découlent alors une série de conséquences opérationnelles, aussi hâtives que tentantes, et que certains s'empressent déjà de tirer : puisque les Français ont tellement besoin d'être rassurés par plus d'Etat et plus de protection sociale, eh bien cessons d'abord d'apparaître aux yeux des Français comme les suppôts du libéralisme mondial, et refaisons de l'étatisme façon années 60 ! Retournons aux sources d'une République interventionniste et égalitariste et laissons de côté les contraintes de Maastricht, de l'Euro ou des marchés ! La « fracture sociale » donc, plutôt que la facture européenne. L'interventionnisme public (entreprises nationales, « grands travaux », encadrement étatique de l'emploi) plutôt que l'initiative privée et la récompense fiscale et salariale en fonction des mérites de chacun.

Quant au Front national, cessons, nous disent certains, de considérer ses dirigeants comme des fascistes, négocions là où c'est possible des accords électoraux, au lieu, par nos divisions, de faire le lit de la Gauche.

De telles analyses – ai-je besoin de le préciser – sont aux antipodes de ma propre lecture de la situation présente et des mesures qu'il faudra prendre pour que les partis de la Droite républicaine puissent à nouveau retrouver le chemin du pouvoir.

Eh bien, non ! Nous n'avons pas perdu le pouvoir à cause du peuple ! Simplement, nous n'avons pas su le convaincre du bien-fondé de notre politique, laquelle d'ailleurs n'était que très partiellement libérale, et beaucoup trop empreinte de l'étatisme social-démocrate dominant. Ce n'est pas non plus en nous perdant dans une alliance contre nature avec le Front national, ce n'est pas en nous inoculant à nous-mêmes le venin de la xénophobie et du totalitarisme qui, depuis 1940, est aux antipodes du Gaullisme, que nous allons récupérer des voix... au reste perdues à cause de nos échecs répétés.

Alors, les vraies raisons de la défaite ?

Pour qui a fait campagne six semaines durant au contact de Français de tous âges, de toutes conditions et de toutes origines, les raisons sont simples. Elles sont au nombre de trois.

Passons vite sur la première puisqu'il est de bon ton de ne jamais l'énoncer : le bilan de la Gauche au pouvoir. Nous n'avons pas voulu, nous n'avons pas su le dresser, et pourtant, il est éloquent :

Le chômage a doublé sous les deux septennats de François Mitterrand. 1981 : 1,5 million de chômeurs. 1993 : 3,3 millions.

Le déficit budgétaire a été multiplié par dix en douze ans, ce qui a contribué au maintien de taux d'intérêt élevés qui ont freiné la croissance.

L'endettement de la France représente 60 000 francs par habitant et 176 000 francs par actif occupé. Les seuls intérêts de la dette représentent les 2/3 du produit de l'impôt sur le revenu (ce qui a conduit Alain Juppé à augmenter dans un premier temps les prélèvements).

Quant à la régularisation de plus de 150 000 immigrés en situation irrégulière en 1981, elle a suscité un afflux de plusieurs centaines de milliers d'immigrants clandestins les années suivantes.

Plus grave : en deux septennats socialistes, la France, loin de se réformer, a accru et rigidifié son système étatique : jamais son secteur public n'a été aussi énorme, ni aussi déficitaire ; jamais l'économie réelle (privée) n'aura été aussi réglementée, pénalisée et découragée ; ceci sans parler de la faillite flagrante, mais toujours ignorée, de son système de protection sociale, des retraites ou de l'Education.

Et pourtant, de tout cela, il n'a guère été question dans la campagne du printemps 1997.

La seconde raison tient à ce que nous n'avons pas davantage su démontrer, au cours de cette campagne, l'extraordinaire vacuité des propositions socialistes. Les propositions les plus creuses (« 700 000 emplois-jeunes » dont 350 000 emplois publics, les trente-cinq heures payées trente-neuf, la « conférence salariale » pour résoudre le problème du chômage), les contradictions flagrantes entre les communistes et les socialistes sur l'Europe, semblent être passées dans l'opinion comme une lettre à la poste. Cette fois, la dynamique était du côté de Lionel Jospin, et nos grands « leaders » nationaux n'ont pas su trouver les arguments suffisamment incisifs et percutants pour mettre à nu ce programme, mis au point pourtant dans la plus parfaite improvisation.

Ce qui nous mène à la troisième et principale raison de notre échec : notre incapacité d'une part à afficher clairement nos couleurs, sous la forme d'un vrai projet de société de *Droite libérale* à la fois cohérent et intelligible, qui ne craigne pas de s'affirmer comme tel (sans trembler devant les caricaturistes qui nous présentent comme des loups sauvages) ; notre manie, d'autre part, d'osciller sans cesse entre la défense d'un Etat colbertiste omniprésent, et la volonté de donner de l'oxygène à notre économie pour favoriser la liberté d'entreprendre.

Il faut dire que nous y mettons du nôtre, c'est incontestable ! Si d'un côté on dénonce la « mauvaise graisse » de l'Etat fonctionnaire, on recule de l'autre devant la réforme pourtant indispensable des régimes dits « spéciaux » de retraite à la SNCF et à la RATP, tout en voulant inscrire dans la Constitution le « service public à la française » ; si d'un côté on privatise France Télécom et l'on cherche à sauver Air France, on n'ose pas de l'autre toucher ni à la SNCF, ni à la RATP, ni à EDF-GDF ; si d'un côté on lance une réforme de la Sécurité sociale et l'on demande des sacrifices aux médecins libéraux (sans concertation préalable et sous la forme de sanctions collectives inacceptables !), de l'autre on hésite à toucher à la gestion publique de l'hôpital, source d'une immense gabegie tolérée au quotidien par des milliers d'élus locaux ou nationaux qui en font leur fromage politique ; si l'on agit de la sorte en ajoutant au passage une bonne dose d'impôts supplémentaires qui étouffent la consommation et l'envie d'entreprendre, et qui frappent surtout *notre* électorat, le tout agrémenté d'une méthode de gouvernement qui méprise les femmes (« les Jupettes » ont coûté fort cher !), assène ses décisions sans consultation ni pédagogie, et établit le règne de bataillons de petits marquis qui jouissent des bureaux dorés de la République au sortir de l'ENA, avec un mépris affiché pour les cris d'orfraie de ceux qui sont sur le terrain, au contact des citoyens : il est difficile à l'arrivée de s'étonner du résultat !

En face, des adversaires qui enfoncent le clou (Juppé, « incarnation physique de l'impôt »), qui promeuvent de nouvelles têtes (que l'on n'associe donc pas au passif socialiste), avec beaucoup de femmes et de jeunes, et le tour est joué ! Une France sociologiquement de Droite se retrouve avec un Premier ministre *vraiment* socialiste et des ministres communistes, deux ans après l'arrivée à l'Elysée du chef du parti gaulliste.

En somme, à la campagne des peurs (celle du « parti de l'horreur économique », comme l'a justement dénommé Luc Ferry), nous n'avons pu opposer qu'un bilan certes honnête mais très insuffisant, que des réformes partielles et parfois contradictoires et surtout l'image d'un pouvoir arrogant, distant, éloigné des Français, associant « l'aveuglement politique à l'intelligence technique [1] ». Rien en tout cas, qui vienne répondre directement à l'angoisse d'un peuple déprimé.

Le spleen français

C'est qu'en effet, les Français sont plus qu'inquiets. Ils sont démobilisés, souvent désespérés, la plupart désorientés. Ils sentent bien qu'ils

---

1. F. Furet, *op. cit.*

vivent une période bien plus grave qu'une crise (car une crise est par définition un moment inhabituel, avec une fin), mais une longue mutation douloureuse, dont ils ne perçoivent ni la fin, ni les avantages, ne serait-ce qu'à terme, pour leurs enfants.

Plus grave : s'ils n'en comprennent pas bien les tenants et les aboutissants, ils ont la désagréable impression qu'il en est de même pour leurs dirigeants, qu'ils soupçonnent pour la plupart d'être impuissants devant ces phénomènes. Du coup, la France entière subit cette crise sans fin, dans une sorte de résignation collective inquiète et frustrée.

Tous se focalisent naturellement sur le chômage, qui ronge peu à peu l'équilibre social du pays et menace désormais son équilibre politique (4 millions d'électeurs pour le Front national). Tandis que les responsables semblent avoir baissé les bras, les citoyens, pour leur part, ont cessé d'attendre des solutions de ce côté-là. Du « on a tout essayé contre le chômage » désabusé de François Mitterrand, à la lutte contre la « fracture sociale » de Jacques Chirac, en passant par le « chômage illégal » de Bernard Tapie, les promesses d'Edouard Balladur (1 million d'emplois en cinq ans), celles de Jacques Chirac (le Contrat Initiative Emploi remisé un an plus tard), les 700 000 emplois-jeunes de Jospin aujourd'hui, l'« obligation légale d'embauche des jeunes » préconisée par Jean-Pierre Chevènement [1], la critique des banques, la mise au pilori récurrente du Gouverneur de la Banque de France, le débat surréaliste sur la réduction du temps de travail, rallié par une partie de la Droite (loi Robien), jusqu'aux exhortations publiques aux Français pour qu'ils consomment, et aux médias pour qu'ils cessent une bonne fois d'entretenir la sinistrose ambiante, tout a été essayé, dit, dépensé... Et la courbe des chômeurs et des déficits ne cesse de grimper.

Alors, vient le temps des imprécations. Ici et là, on exige une « autre politique », qui ne soit pas celle du Franc fort de Maastricht ; on dénonce le mondialisme apatride, les marchés financiers, les « gnomes de Londres » ou les puissants de Davos. Tout y passe. Et toujours rien. Aucune solution. Une économie désespérément plate, déprimée, des hypothèses de croissance sans cesse revues à la baisse et des déficits publics toujours à la hausse, et toujours la pression des impôts, et des taxes en tout genre...

Alors, de plus en plus d'électeurs se tournent vers ceux qui crient le plus fort, et se laissent tenter par les solutions xénophobes du Front national qui affichait, lors des dernières élections, un programme « contre la mondialisation ». Le regretté Pierre Desproges aurait apprécié, lui qui fut l'auteur de cette formule : « Le cancer, je ne l'aurai pas. Je suis contre. »

Nation jadis conquérante et fière de son destin, la France est aujourd'hui immobile, crispée, à la fois passive et rebelle face aux bou-

---

1. *France-Allemagne : parlons Franc*, Plon, 1996.

leversements du monde. Elle contemple le spectacle des nations libérales plus agiles qu'elle, des grands bouleversements technologiques et culturels dont elle n'est plus à l'origine, en grognant, en rechignant, comme impuissante. Nation « gâtée par l'histoire et impropre à la modestie », la France s'enfonce dans une douloureuse mélancolie, mâtinée de frustration, d'incompréhension et de refus de l'inévitable changement. De doute aussi, sur elle-même et sa propre histoire, comme en témoignent la douloureuse introspection provoquée par le procès Papon et la levée de boucliers de la Gauche française face au bilan terrible du communisme que révèle un livre récent [1].

Dans ce mal-être français, Claude Imbert décèle à juste titre « l'angoisse diffuse d'un déclassement douloureux et presque énigmatique... l'impatience et le découragement, chez un peuple épris de clarté, de se voir soumis à de nouvelles et obscures fatalités [2] ». De fait, les Français en veulent à la terre entière : à leur classe politique jugée incompétente et corrompue ; aux « fourmis japonaises », chères à Edith Cresson ; aux Américains à l'insolence dominatrice ; à eux-mêmes, aux fonctionnaires, aux riches, aux patrons, aux fraudeurs, aux chasseurs de primes publiques... et naturellement aux immigrés, qui nourrissent le fonds de commerce du Front national. Voici donc les Français tantôt dressés les uns contre les autres, catégorie contre catégorie, corporation contre corporation, ambulanciers, routiers, éleveurs, pilotes de ligne ou équarrisseurs (!), tantôt unis dans une marche à pied forcée lors des grèves des transports de novembre-décembre 1995. La prise en otage des routes, autoroutes, gares et pistes d'aéroports est devenue un sport national, qui exaspère ou amuse nos voisins [3] ; la rue est devenue le grand défouloir d'une société bloquée. Ses différentes composantes semblent avoir perdu tout sentiment d'appartenance à une même communauté de destins, et ne se parlent plus.

Ce spleen français laisse présager la fin d'une République. Et c'est bien en effet à la réforme de la République dans son ensemble qu'il convient aujourd'hui de s'attacher : les institutions, la justice, la sécurité, la politique étrangère, la défense doivent être de nouveau pensées et adaptées au monde moderne, ainsi qu'à l'incontournable construction européenne. Inopinément arrivée au pouvoir, la Gauche n'a ni vision, ni programme, hormis peut-être une société vaguement « communautariste », avec au-dessus un Etat-providence en faillite perpétuelle et désormais en contradiction totale avec l'entreprise européenne. Quant à la Droite, elle demeure intellectuellement et idéologiquement inexistante, se dérobant à tous les débats, et laissant la

1. Stéphane Courtois *et al.*, *Le Livre Noir du Communisme*, Robert Laffont, 1997.
2. « La mélancolie française », *le Point*, 14 septembre 1996.
3. Au lendemain de la (nouvelle) grève des routiers de novembre 1997, l'hebdomadaire britannique *The Economist* titrait ainsi sa « Une » montrant des grévistes français : « The French Way ».

Gauche donner le ton. Ce faisant, elle laisse surtout Jean-Marie Le Pen ramener le pays à ses vieux démons de l'entre-deux-guerres. Pourtant, comme l'estime, non sans raison, Alain Gérard Slama, c'est bel et bien à la Droite qu'il incombe de reconstruire une « République moderne, universaliste, laïque, composée d'individus responsables, face à une Gauche corporatiste et identitaire [1] ».

Une voie libérale pour la France

Ce livre se veut une contribution à cette vaste entreprise de reconstruction intellectuelle et politique.

Des épreuves, des périodes de crise, de grandes mutations nationales ou internationales, la France en a connu maintes fois dans sa longue histoire. Pour ne prendre que la période récente, avec la Révolution française lorsqu'elle enseigna au monde la Liberté, la Nation, la République, en même temps que le Code civil; en 1945, après le terrible effondrement de mai 40 lorsqu'elle connut l'Occupation, mais aussi le sursaut du 18 juin; en 1958, lorsqu'une République finissante, engluée dans des guerres coloniales, céda le pas à une immense ère de réformes et de modernisation sous le général de Gaulle. Chaque fois, la France sut trouver en elle la force du sursaut; elle sut puiser dans le talent, la créativité et l'imagination d'un peuple certes rebelle, parfois même tenté par le renoncement, mais toujours capable des plus grands accomplissements.

Eh bien, ce que nous vivons en ce moment, c'est un peu tout cela à la fois! A l'extérieur tout d'abord, un nouveau partage de puissance à l'échelle de la planète tout entière, sans précédent depuis cinq siècles : une nouvelle donne mondiale faite d'une immense révolution à la fois démographique, géopolitique et économique. Dans le même temps, une révolution industrielle et technologique elle aussi planétaire, qui modifie déjà profondément le tissu économique et social des sociétés démocratiques.

Enfin, dans l'ordre interne, l'ampleur presque vertigineuse des réformes à accomplir, et en face la cascade d'obstacles, d'inertie des structures étatiques, celle des mentalités, des habitudes – autant de traits bien français qui, apparemment, rendent la tâche impossible.

Nous voici donc à nouveau en 1958. Les guerres coloniales en moins, mais avec une économie en panne, une société atomisée et un Etat à la fois surdimensionné, inefficace et englué dans des déficits intenables. Comme en 1958, la France doit prendre la mesure du monde nouveau

---

1. « La rupture culturelle », *le Figaro*, 12 juin 1997.

autour d'elle, y tailler sa place, et en même temps remobiliser son peuple, lui donner un projet neuf, une nouvelle ambition digne d'elle.

Mais, c'est la grande différence avec 1958, elle ne peut plus envisager son redressement à partir de la seule puissance étatique, du moins telle que nous en avons hérité des décennies de l'après-guerre. Ce que de Gaulle avait pu faire en s'appuyant sur les nationalisations de 1945 et l'appareil de l'Etat – le nucléaire, l'espace, l'aéronautique, la réforme des industries lourdes et de l'agriculture – *cette fois, la France devra le faire avec moins d'Etat, et en tout cas avec un Etat profondément restructuré dans ses missions, comme dans ses moyens, et à partir de l'initiative libérée de ses citoyens et de ses entrepreneurs*; le tout, dans une Europe où les destins industriels, financiers, sont désormais inextricablement liés.

S'il y a un enseignement à tirer aujourd'hui du Gaullisme, c'est bien l'adaptation aux circonstances.

En vérité – et c'est l'idée clé de ce livre – *la première, la principale réforme de ce pays, celle qui conditionnera toutes les autres, est d'abord celle de l'Etat.* Non pas qu'il s'agisse de supprimer l'Etat, tels ou tels ministères ou services publics d'un trait de plume.

Libéral, je n'en demeure pas moins convaincu de la nécessité pour la France du XXIe siècle d'un Etat efficace et fort, garant de l'intérêt général et de missions que lui seul peut et doit piloter au nom de la communauté nationale.

En fait, aucune société civilisée ne peut fonctionner sans Etat efficace, c'est-à-dire sans une bonne *gouvernance*, laquelle est à l'opposé de la société française que nous connaissons à présent : à la fois suradministrée, surtaxée, mais sous-gouvernée. Le problème, on y reviendra tout au long de ce livre, est, par une réforme ambitieuse, de redéfinir les *missions* et les *méthodes* de l'action publique, non pour la supprimer, mais pour en augmenter l'efficacité au service de l'égalité des chances.

La recherche de cette voie libérale à la française se heurtera naturellement à la coalition de tous les conservatismes. A tous ceux qui de Gauche ou de Droite, confondant République avec égalitarisme, une histoire riche et glorieuse avec le maintien d'avantages corporatistes, dits « acquis », ne donnent pour seule ambition au « génie français » que de tenter, sottement, d'arrêter le cours de l'Histoire : un peu de protectionnisme, beaucoup d'Etat et de déficits, une France qui peu à peu s'affaiblira et se marginalisera hors du concert des nations qui comptent. Tels seraient donc notre « modèle », notre « exception » nationale...

J'ai pour ma part une autre conception, une autre ambition, de l' « exception française » !

Ce livre se propose de démontrer qu'il n'existe aucune fatalité de l'Histoire qui justifierait que la France se laisse dominer par cette sinistrose ambiante, aujourd'hui érigée en système. Qu'il n'existe pas de solutions à ses problèmes, sauf si l'on choisit enfin le virage libéral que le pays n'a jamais pris malgré le référendum du Traité de Maastricht qui, lui, organise une Europe libérale. Ma conviction est qu'il est suicidaire de refuser la réalité du monde, alors qu'accepter et comprendre cette réalité nous donnerait toutes les chances de dominer cette situation nouvelle, et de retrouver notre rang. Il n'y a pas de remède magique à tous nos maux, *mais il est une voie libérale à la française* dont je tenterai de tracer ici les grandes lignes. Ce faisant, je voudrais partager un message d'espoir et de volonté étayé sur une analyse aussi rigoureuse que possible de notre société et du monde dans lequel elle doit désormais évoluer. La France a de formidables atouts humains autant qu'économiques et culturels.

A elle, à nous, de les mettre enfin en mouvement dans une société de liberté.

Pour ce faire, une première étape s'impose : nous efforcer d'abord de comprendre ce qui nous arrive : pourquoi, et de quoi souffrons-nous ? Quelle est la part des maux ou des tensions imposés de l'extérieur – et que nous partageons donc avec d'autres démocraties – et quelle est la part de *nos* travers nationaux ? Bien des Français sont aujourd'hui convaincus que le mal qu'ils doivent subir, mois après mois, gouvernement après gouvernement, leur est infligé d'ailleurs, par des forces occultes et mystérieuses : « gnomes de Londres », délocalisations, dragons asiatiques ou immigrés... A la fois par goût et par déformation professionnelle, si j'ose dire, je me suis efforcé de « trier » entre l'extérieur et l'intérieur, de comparer l'expérience d'autres démocraties qui subissent en vérité les mêmes pressions que nous, à la paralysie qui semble avoir frappé la France. Tel est le but de la première partie de ce livre.

On s'en rendra rapidement compte : la mondialisation a bon dos, et l'alibi du péril extérieur est un peu court ; si la France va mal, et si elle va plus mal que d'autres, c'est qu'on n'a pas voulu voir le monde nouveau dans lequel nous devons désormais évoluer et encore moins s'y préparer. Incompétence ou manque de courage des dirigeants, atomisation d'une société qui a perdu ses repères citoyens, étatisation de notre appareil économique, l'érosion morale et politique qui en a résulté voilà la véritable cause de la paralysie française, qu'on analysera dans les deuxième et troisième Parties. Chemin faisant, on tentera de fournir au citoyen une grille de lecture à la confusion ambiante et aux blocages de notre société.

Ces fondations ainsi établies, on s'efforcera de proposer les transformations nécessaires de notre système pour remettre la France en marche, faire en sorte que « l'Exception française » retrouve sa signification dynamique et positive, au lieu du narcissisme immobile et frustré qu'elle symbolise aujourd'hui.

Toute épreuve est par nature source de renouvellement. A condition de s'y préparer, et d'avoir la volonté de surpasser l'inertie des conservatismes et des habitudes. La France est désormais face à une telle épreuve. Face au nouveau monde, mais surtout face à elle-même.

Ma conviction, nourrie par l'irremplaçable expérience de terrain que donne le mandat de député, est que les Français, beaucoup plus lucides et matures que la plupart de leurs dirigeants font mine de le croire, ont pleinement conscience de l'épreuve qui les attend. Que si beaucoup de nos concitoyens ont pris, malheureusement, le pli de l'assistanat, ils ne sont pas pour autant « infantilisés », au point d'être fossilisés à jamais dans un conservatisme irréversible. Je sais, pour l'avoir maintes et maintes fois constaté auprès de mes concitoyens, que les Français sentent bien que l'enlisement actuel ne saurait durer éternellement ; qu'il faut donc « secouer le système » et le transformer profondément. N'est-ce d'ailleurs pas la raison de leur choix en faveur de Jacques Chirac en mai 1995 et de leur désaveu de 1997, précisément parce que le changement attendu n'était pas au rendez-vous ? Contrairement à ce que croient beaucoup des princes qui nous gouvernaient hier, sans parler de ceux qui leur succèdent aujourd'hui, les Français *sont prêts* à s'engager sur la voie de la refonte indispensable de notre société – j'allais dire de la République – y compris en consentant les efforts nécessaires, mais à condition qu'on leur explique et qu'on sache les convaincre. Qu'on leur montre, notamment, en quoi le monde nouveau qui nous attend est une chance pour notre peuple, plutôt qu'une punition ; que, de la révolution libérale à accomplir, sortira une nation plus riche, plus juste, plus forte à l'échelle de l'Europe et du monde ; que *le contrat de liberté pour la France* qui est esquissé ici fera d'eux des citoyens à part entière dans une démocratie renouvelée, plutôt que les assistés et les invalides que nous sommes tous en train de devenir dans la société étatisée et en voie d'appauvrissement qui est la nôtre aujourd'hui.

Ce chemin, il revient d'abord au politique de le tracer. Avec le courage qui est la noblesse de l'engagement dans la vie de la Cité, et sans craindre l'impopularité ou de perdre élections et positions de pouvoir (c'est déjà fait, précisément parce que ce courage-là a manqué !). Mais avec confiance dans la solidité de notre démocratie, et dans le bon sens des Français. Car la France, tiraillée à nouveau par l'antiparlementarisme et le mépris du politique, ne souffre pas d'un trop-plein de politique, mais bien au contraire de trop de politique politicienne – c'est-à-dire de frilosité, de lâcheté et de carriérisme, de trop de petites phrases en guise de programmes, et de promesses électorales « qui n'engagent que ceux qui les reçoivent ». Risquons une image qui plaira aux syndicalistes de la SNCF : les Français sont prêts à s'embarquer dans le train de la Renaissance de la République, même s'ils savent le voyage pénible, du moins dans un premier temps. Mais à condition d'en connaître la destination : le contrat social et républicain de demain, l'identité du pilote dans la locomotive et le nom des gares intermédiaires.

Tout commence donc par la pédagogie. Et c'est l'honneur, en même temps que la responsabilité la plus noble du politique, que de l'entreprendre, avec la rigueur et l'honnêteté intellectuelle qu'imposent les enjeux de la grande révolution mondiale en cours pour notre pays.

C'est en définitive cela, le but de ce livre : non pas un « programme » politique, mais les grandes lignes d'un projet de société ; un projet d'Itinéraire national, en forme de contrepoison... contre les déprimes et les impuissances ambiantes, à la recherche *d'une ambition nouvelle pour la France* ; d'une autre *exception française* : positive et conquérante, plutôt que frileuse car condamnée.

Première partie

L' « EXCEPTION FRANÇAISE »
À L'ÉPREUVE DU NOUVEAU MONDE

CHAPITRE 1

La France du repli

Ouvrir nos fenêtres sur le monde

C'est à dessein, bien entendu, que j'ai choisi de démarrer cette exploration de la France en passant... par l'étranger.

Certains ne manqueront pas sans doute de m'en faire reproche : au nom du « volontarisme politique » qui ne devrait pas céder devant de telles contingences, ou encore de l'indépendance nationale, sacrée pour un Gaulliste...

C'est que l'indépendance, précisément, s'apprécie à l'aune de la réalité – celle du monde qui nous entoure – et de la puissance économique, morale, politique que nous sommes capables, ou non, de donner à notre pays, pour lui permettre justement de dégager des marges de manœuvre.

Là réside la première raison de ce choix : la France, par son économie ouverte sur l'Europe et le monde, par le niveau de vie qu'elle entend conserver pour ses citoyens, mais aussi par le génie qui est le sien, qu'elle tire du plus profond de son histoire et qu'elle entend encore faire partager à l'humanité, la France est pleinement engagée sur la scène européenne et mondiale. Son rôle y est d'ailleurs (encore) reconnu comme très important (de par son statut de membre permanent du Conseil de Sécurité des Nations Unies ou par ses multiples interventions au service de la paix), voire fondamental : sans la France, l'idée même de la construction européenne n'aurait guère de sens, qu'il s'agisse de la monnaie, ou, beaucoup plus important, de la réconciliation franco-allemande – clé de voûte de la paix sur le Continent.

Considérations « stratosphériques », me dira-t-on, à mille lieues de la vie quotidienne des Français ? Déformation professionnelle d'un spécialiste de politique étrangère, trop éloigné des problèmes quotidiens de ses électeurs ? Parle-t-on de géopolitique – comme me l'a dit sarcastiquement l'un de mes amis – à des retraités dont la seule préoccupation est le maintien de leur revenu, ou de l'économie japonaise à des jeunes de banlieue désespérés dont le seul horizon se résume à l'ANPE ou au RMI ?

Et pourtant ! Jamais l'évolution du monde n'aura été aussi présente dans notre vie quotidienne, dans notre devenir en tant que nation. Il n'est plus un secteur de notre société (de la banque à la défense, en passant par l'art ou l'agriculture) qui ne soit de plain-pied dans la concurrence internationale. Pas un emploi (en dehors bien sûr des sacro-saints fonctionnaires) qui ne soit pas immédiatement conditionné par la compétition mondiale. Pas un bien de consommation qui ne fasse appel au commerce international. Pas une activité humaine qui, d'une façon ou d'une autre, ne soit directement conditionnée par notre appartenance à l'Union européenne – l'Europe ayant depuis longtemps cessé de relever de la « politique étrangère » : elle est en fait, au quotidien, *la* politique intérieure des Français.

Si bien qu'en effet, du devenir de nos emplois, aux dizaines de nationalités présentes sur notre sol, en passant par l'insécurité née de l'économie de la drogue – jusqu'à l'éducation prodiguée à nos enfants à l'école comme à la télévision –, *tout* est « monde » aujourd'hui. Que nous le voulions ou non, « la France », « les Français », ne constituent pas une catégorie à part, située sur je ne sais quelle planète Mars. Sans nier le moins du monde ni le concept de Nation, au sens de nos spécificités politiques et culturelles, ni notre Histoire, ni nos particularismes qui fondent notre communauté nationale, nous sommes aussi, et peut-être même d'abord, s'agissant de notre niveau de vie collectif, une parcelle de l'économie-monde, planète qui s'est installée en permanence chez chacun d'entre nous : dans notre salon, dans notre supermarché, comme sur notre lieu de travail.

Les Français s'en rendent-ils suffisamment compte ? Ont-ils mesuré les chances que cela nous donne, mais aussi l'ampleur de l'ajustement nécessaire, surtout dans nos mentalités ? Leurs responsables politiques, leurs « élites » les ont-ils aidés, comme c'est leur devoir, à parvenir à une telle prise de conscience ? C'est là, bien sûr, une tout autre affaire.

Depuis peu, et sans trop savoir pourquoi ni comment, les Français commencent à comprendre que bien plus qu'une crise, l'immense mutation qu'ils sont en train de subir dans leur société, dans leur propre vie et celle de leurs enfants, plonge pour une bonne part ses racines à l'extérieur : dans les forces considérables qui malaxent l'univers, et modifient presque à vue d'œil la planète tout entière, de la Chine à l'Amérique du Sud, bouleversant la technologie, la démographie ou l'art de la guerre.

Pour autant, appréhender dans leur globalité l'ensemble de ces grands glissements tectoniques qui, de la révolution de l'information, à la mondialisation des échanges commerciaux et financiers, en passant par les conséquences géopolitiques de la fin de la Guerre froide, sont actuellement à l'œuvre, n'est certes pas chose facile ! En mesurer les conséquences sur nos systèmes démocratiques est plus ardu encore. Politologues et experts qui évoquent volontiers ces temps-ci « une crise globale de la démocratie [1] » n'en ont eux-mêmes le plus souvent qu'une vue partielle, celle de leur domaine de prédilection : économie, sociologie politique, stratégie militaire, par exemple.

Quant à la grande masse des citoyens, elle n'a de l'Histoire qui se fait sous ses yeux, malgré une formidable curiosité et une soif d'apprendre que j'ai pu maintes fois mesurer, qu'une vision à la fois très floue, incomplète et le plus souvent caricaturale. Rien d'étonnant à cela : dans un pays qui n'aime guère sa presse écrite (hormis les hebdomadaires), les Français ne perçoivent des grands événements du monde que les quelques dizaines de secondes consacrées à ces sujets dans les journaux télévisés de vingt heures. Quant à leurs hommes politiques, hormis quelques rares exceptions, la « culture internationale » n'est certes pas la spécialité de leur profession. Dans le royaume du cumul des mandats, on ne construit pas une carrière politique en sillonnant le monde de Washington à Pékin, mais par un lent et patient labourage, toujours recommencé, du « fief » local. Combien de fois n'ai-je entendu Jacques Chirac, qui me sait écartelé entre ma circonscription et mes missions à l'étranger, me tancer gentiment : « Vous voyagez trop », en ajoutant d'un sourire : « Vous repartez au Japon ? Je vous envie... » Parenthèse en effet : passionné par l'étude des peuples et des civilisations étrangères, l'actuel Président de la République sait bien qu'il est lui-même une exception parmi ses pairs. Pour avoir beaucoup voyagé et s'être intéressé de très près depuis vingt ans aux affaires internationales, il est le premier, depuis de Gaulle, à être arrivé à l'Elysée avec un vrai bagage intellectuel sur ces sujets. Ses trois autres prédécesseurs (Pompidou, Giscard d'Estaing et Mitterrand) ont découvert, en même temps que leurs fonctions, les affaires de défense et de politique internationale.

Pascal Salin [2] écrit fort justement que « le problème français est profondément un problème intellectuel ». C'est en France, ajoute-t-il, que « le niveau de compréhension des problèmes économiques est le plus faible parmi les grands pays occidentaux ». Salin y voit la responsabilité d'une nomenklatura nourrie d'idées fausses et surtout d'un système d'éducation monopolistique et centralisé qui véhicule « les mêmes messages vagues d'égalitarisme et d'interventionnisme étatique ».

Pour être sans pitié, le diagnostic est cependant tout à fait juste s'agissant de la perception qu'ont les Français de leur modèle de société – et de leurs problèmes – par rapport au reste du monde.

---

1. V. Jean-Claude Casanova : « Situation des démocraties », *Commentaire*, n° 72, hiver 1995-1996 ; v. aussi Robert Dahl : « A democratic dilemma : System Effectiveness vs. Citizen Participation », *Political Science Quarterly* vol. 169, printemps 1994. Et du même auteur : *Democracy and its Critics*, Yale University Press, 1989.
2. In *Valeurs actuelles*, 4 janvier 1997.

Là est la seconde raison de mon choix : ouvrir toutes grandes nos fenêtres sur le monde, c'est non seulement prendre acte du fait de l' « interdépendance » évidente qui unit notre destin, notre niveau de vie, à ceux des autres nations, mais c'est aussi nous éclairer sur nos forces, et en l'occurrence sur nos faiblesses par rapport à d'autres démocraties qui subissent, en définitive, les mêmes contraintes, les mêmes mutations que nous-mêmes. Et qui, souvent, font mieux que nous...

Il est symptomatique, à cet égard, que le regard que portent les Français sur le monde tienne à la fois de l'alibi et du repoussoir.

Expliquons-nous.

L'alibi et le repoussoir

Face au mal-être national, à la « crise » qui ronge la société française depuis deux décennies, deux attitudes sont couramment répandues parmi nos concitoyens.

La première consiste à botter en touche sur l'Europe : ce n'est pas la France seulement qui est malade, mais toute l'Europe ; ce n'est pas notre système politique et social qui pose problème, mais le modèle de civilisation commun à tous les Européens qui est menacé par les assauts de nouveaux venus « ultracapitalistes », lesquels ne s'embarrasseraient pas des principes sociaux qui sont les nôtres. Ainsi, les souffrances et les échecs français seraient-ils à la fois inévitables, mais surtout communs à toute l'Europe. Pas de responsables, donc. Et bien sûr, pas de coupables.

L'autre attitude, inverse, mais qui rejoint paradoxalement la première en maints endroits, tient dans cette propension bien française – et fort équitablement répartie à Droite comme à Gauche – qui consiste à volontairement ignorer (voire à mépriser) le reste du monde, tout en reportant sur « l'étranger » la cause de tous nos maux. Ainsi, par nature pourrait-on dire, le modèle américain, ou « anglo-saxon », est-il socialement inacceptable, donc inapplicable en France, *et en plus*, il constitue une menace pour notre propre modèle.

Ces deux attitudes sont évidemment symptomatiques du mal dont nous souffrons.

Quoi de plus naturel en effet, pour une société en crise, dont les élites, faute de se renouveler, sont d'autant plus incapables de penser autrement les problèmes qu'elles sont impuissantes à les résoudre, que de considérer que nos voisins ne font guère mieux que nous, ou d'imputer la faute à d'autres ? Les boucs émissaires, au demeurant, ne manquent pas. Certains, opportunément ressortis du placard de nos vieux fantasmes nationaux, ont pour nom l'Allemagne, surpuissante et dominatrice, l'Angleterre mercantile et déloyale ; d'autres appartiennent à la catégorie de nos épouvantails de l'après-guerre : l'Amérique impériale d'un côté, la technocratie bruxelloise de l'autre ; enfin, et comme pour faire bonne mesure, nous découvrons en Asie notre péril jaune moderne : des capitalistes sans foi ni loi, exploitant des milliards d'ouvriers aux salaires de misère, tout cela pour conquérir des marchés, déclencher des « krachs » boursiers (comme en octobre 1997) et détruire notre civilisation...

Avec de tels partenaires, présentés comme autant de contre-modèles ou de dangers pour notre peuple, la défense de « l'exception française » tient alors lieu de sport national, en même temps que d'alibi politiquement très lucratif pour des élites discréditées, qui trouvent là le moyen le plus sûr pour se relégitimer.

Allié à notre vieux sentiment de supériorité culturelle sur le reste du monde, le dénigrement systématique des expériences étrangères permet également d'occulter le fait que bon nombre de nos partenaires, pourtant soumis aux mêmes contraintes que nous, sont parvenus à réduire le chômage, en même temps qu'à créer de nouvelles richesses et de nouveaux emplois.

La France schizophrène

C'est donc une France dédoublée, presque schizophrène, qui affronte aujourd'hui, en rechignant, la réalité du monde. L'une continue d'afficher une forte ambition nationale dans le monde, tandis que l'autre, beaucoup plus « hexagonale », entretient un tissu social et politique fort éloigné, sinon aux antipodes de la première. Côté face, nous nous plaisons à constater les chiffres positifs de notre balance commerciale (encore qu'il faille les relativiser, du fait de la faiblesse de notre croissance intérieure, donc des importations) ; nos gouvernants se gargarisent de notre 4e rang[1] parmi les exportateurs mondiaux ; nous sommes, à juste titre, fiers de notre rôle à l'ONU en tant que membre permanent du Conseil de Sécurité (et le sang versé par nos soldats, en Bosnie ou ailleurs, en est le prix) ; nous affichons une forte culture d'ambition nationale héritée du général de Gaulle qui nous fait nous inquiéter par exemple de voir notre influence menacée par les Etats-Unis au Moyen-Orient et en Afrique ; nous affirmons depuis Chirac un « grand dessein » asiatique ; bref, nous gardons – et c'est bien ainsi – une vraie ambition de grande puissance, au point d'ailleurs qu'au grand dam de nos partenaires européens, nous refusons le qualificatif de « puissance moyenne »...

---

1. Avec un volume d'exportations de l'ordre de 240 milliards de dollars (chiffre OCDE pour 1994), et 200 milliards de francs d'excédents de notre balance commerciale prévus pour 1998.

Mais côté pile, la réalité est toute différente. Les mêmes Français qui sont fiers de leur TGV, de la fusée Ariane ou de leurs prouesses nucléaires, des missions de paix de leurs fils en Bosnie ou en Afrique, conservent une profonde indifférence (souvent mêlée de méfiance) et beaucoup d'ignorance à l'égard du vaste monde au-delà des frontières nationales, et même souvent au-delà de leur région. Nation exportatrice, nous rechignons à nous expatrier : jusqu'à une date récente, les Français étaient infiniment moins nombreux que d'autres Européens à tenter une aventure professionnelle à l'étranger [1]. Il en va de même pour l'étude des langues ou des réalités étrangères : visitant Séoul aux côtés de Jacques Chirac alors candidat à l'Elysée, on nous fit savoir à notre grande stupeur que 330 000 jeunes Coréens (!) apprennent chaque année le français : contre 30 Français qui font l'inverse en France. Directeur adjoint de l'IFRI il y a une dizaine d'années, je m'efforçai en vain de recruter un jeune germaniste ! Dix ans plus tard la situation n'a pas changé : nous avons toujours la même demi-douzaine (!) de spécialistes français reconnus de l'Allemagne contemporaine – pourtant notre principal partenaire politique et économique –, dont deux dépassent les soixante-dix ans... Conquérante aux XVIIe et XVIIIe siècles, impériale au XIXe, la France vit une fin de XXe siècle décidément bien frileuse, dont le seul véritable horizon ambigu – hésitant et combien incertain – s'appelle « l'Europe ».

France ambitieuse ? Et pourtant, le pays apparaît tout entier tourné vers la nostalgie de son passé glorieux qu'il ressasse dans sa littérature, son cinéma, et même dans ses programmes télévisés. L'Amérique est fascinée par le monde futur de *Blade Runner* ou des envahisseurs de l'espace, la France au contraire ressasse son passé du *Dernier Métro* à la *Reine Margot*... Notre télévision elle-même sécrète sa propre nostalgie, fascinée qu'elle est par ses émissions des années 60... Plus grave : si la France se plaît à croire à ses ambitions mondiales, son tissu social quant à lui, relayé par ses élus (de toutes tendances) et par une bonne partie de la presse, se hérisse d'appels frileux ou protectionnistes, de dénonciations féroces tantôt de Maastricht, tantôt de « Davos », tantôt de la Bundesbank, pour expliquer tous nos maux !

---

1. Jean-Louis Levet (*Sortir la France de l'impasse*, Economica, 1996) compte à peine 2,5 % de Français expatriés dans le monde, alors que ce pourcentage est triple pour les Allemands, les Britanniques et les Japonais. Idem pour les étudiants français à l'étranger – quasiment inexistants hors d'Europe. Ainsi on dénombre 10 jeunes Français étudiant à Séoul, contre 5 000 Coréens dans les universités françaises... On verra plus loin, cependant, que cela est en train de changer, la pression fiscale et la stagnation du marché intérieur conduisant un nombre croissant de nos jeunes cadres et de nos entrepreneurs à chercher la réussite ailleurs.

Le narcissisme immobile

Un exemple parmi d'autres : instruit par la brusque poussée de fièvre sociale de novembre-décembre 1995 autour des statuts des salariés de la SNCF et de la RATP, le Gouvernement Juppé préféra attendre l'été suivant pour déposer le projet de loi de privatisation de France Télécom. Imposée par l'ouverture à la concurrence du marché européen, autant que par la très forte compétitivité des opérateurs américains et par l'évolution extrêmement rapide des technologies dans ce secteur, une réforme du statut de l'entreprise devenait aussi urgente qu'indispensable pour en assurer la survie. Cette fois, le Gouvernement multiplia les consultations avec les syndicats. Le compromis négocié par le ministre en charge, François Fillon, prévoyait explicitement le maintien du statut particulier des salariés, l'engagement – même ! – de nouveaux fonctionnaires pour une période de plusieurs années *après* une privatisation au demeurant partielle (en fait une simple ouverture de capital), et bien entendu le maintien des missions de service public. Malgré ce luxe de précautions – fort éloignées en tout cas de « l'ultralibéralisme » – le projet rencontra naturellement l'hostilité absolue de l'opposition de Gauche, qui, dans la plus pure tradition du conservatisme à la française, exigea qu'on ne touchât à rien. Sans autre explication d'ailleurs que le « maintien du service public » et des « avantages acquis ». Au lieu de développer une politique alternative sur les Télécoms (ce que les socialistes auraient été d'ailleurs bien en peine de faire puisque, signataires de Maastricht, ils ont voulu cette Europe de la déréglementation, sans préparer les réformes nécessaires de notre secteur public), les députés de l'opposition d'alors déposèrent plusieurs centaines d'amendements dilatoires (énumérant par exemple les départements, les villes de France ou les catégories sociales devant bénéficier du téléphone (!) au nom du principe d'égalité du service public), si bien qu'après trois jours de discussions – autre tradition bien française – l'Assemblée nationale n'entendit donc aucun débat de fond sur l'avenir des Télécoms en France. Rentré un peu frustré de l'Assemblée ce samedi soir 29 juin 1996, j'espérais donc trouver au journal télévisé, sinon un dossier complet sur le sujet, du moins un rappel des enjeux : la technologie change tous les six mois, le marché mondial des télécommunications est en train d'exploser ; d'énormes investissements sont nécessaires pour que France Télécom puisse jouer à armes égales contre ses concurrents ; les monopoles publics à l'échelle des Etats-nations volent en éclats sous la pression constante de la mise en concurrence et des progrès technologiques : satellites, téléphone cellulaire, bref, tout ce qui accompagne la grande révolution de l'information. Sans retard, France Télécom devrait pouvoir nouer des alliances au niveau international, prendre des risques, se battre : la seule chance de survie de cette société passant par sa modernisation.

Rien de tout cela bien sûr : entre deux reportages sur l'appartement du fils du maire de Paris, et les enquêtes à grand spectacle d'un célèbre juge d'instruction, la fille de l'ancien président de la Commission de Bruxelles invitée sur le plateau du 20 heures, Mme Aubry, aujourd'hui titulaire d'un énorme ministère social, nous expliqua que « l'Europe doit refuser la mondialisation », mieux : que « la France doit imposer au monde son modèle social », que tout ce qui nous oblige à « déréglementer », à nous ouvrir à la compétition mondiale, est fondamentalement mauvais.

Que par pur opportunisme – et démagogie – l'héritière de M. Delors, grand architecte de l'Europe libérale, vienne ainsi publiquement contredire les engagements souscrits par le précédent Gouvernement socialiste et que le suivant, naturellement, mettra en œuvre [1], voilà qui est regrettable, mais malheureusement assez courant en France. Mais que ces arguments rejoignent, dans leur logique de repli frileux, les thèses protectionnistes de la Droite la plus dure (FN compris), voilà qui est plus inquiétant.

La coalition des peurs

Inquiétant, mais malheureusement courant. Au nom d'un conservatisme finalement assez semblable, une coalition bien étrange s'est reconstituée dans ce pays, comme ce fut déjà le cas avant guerre, contre le « capitalisme apatride ». De la CGT au PS, en passant par les villiéristes et le FN, tous rejettent sur l'Europe de Maastricht et la libéralisation des échanges la cause de tous les malheurs français. Un mot, « mondialisation », et son synonyme, « Davos », sont ainsi devenus à la fois les bêtes noires et le véhicule de la grande peur de tout un peuple d'intellectuels de gauche (qui se réunissent en séminaire au Chiapas (!) ou en Sorbonne contre le néolibéralisme), de militants syndicalistes, et des victimes de la crise récupérées par l'extrême droite. Du flot d'articles, de discours ou de livres anti-mondialisation, dont la célébrissime *Horreur économique* de Viviane Forrester, j'ai choisi de ne retenir ici qu'un exemple. C'est en effet un homme qui se veut de gauche, Jean-François Kahn, qui résume le mieux ce discours disparate.

Un instant lucide sur les méfaits du protectionnisme, et sur le fait que la mondialisation recèle aussi « d'énormes potentiels de progrès », cet éditorialiste connu entre soudain en rage contre la libéralisation des échanges. Dans un éditorial de *l'Evénement du Jeudi* (11-17 juillet 1996) il écrit : « Mais, la mondialisation pervertie par une nationalité

---

1. L'ouverture du capital de France Télécom a finalement débuté avec succès en septembre 1997, ce qui n'empêchera pas le ministre des Finances, D. Strauss-Kahn, d'insister à l'Assemblée sur le fait que cette société resterait nationalisée...

purement pancapitaliste, elle signifie quoi ? Non seulement que les inégalités ne pourront que croître, les exclusions s'aggraver, la part de
richesse nationale reculer, le chômage peser de plus en plus lourdement
sur les salaires et les bas salaires à leur tour sur l'emploi, la notion de
service public républicain s'étioler, mais aussi, demain, si l'on se soumet
à cette logique-là, que la petite et moyenne exploitation agricole aura
disparu au seul profit de nouveaux latifundia, que le commerce de
proximité sera implacablement sacrifié au cannibalisme des intérêts
financiers qui gèrent les grandes surfaces, que l'artisanat aura vécu, que
la majorité des petites et moyennes entreprises esclavagistes ne seront
plus que des otages des hyper centrales d'achat, qu'on aura oublié
même le goût des produits naturels, que la communauté nationale sera
organisée en ghettos ethniques, que la dictature du couple audimat-
publicité aura transformé les médias audiovisuels en une infernale
machine à broyer la culture dans l'étau du sexe et de la violence, que la
presse, enfin, aura été filialisée par la grande industrie. Alors, dans une
société soumise au pouvoir implacable d'une oligarchie multinationale
sans attaches, que restera-t-il de la concurrence, du pluralisme, de la
diversité, de la propriété elle-même ? Que restera-t-il du véritable libéralisme, tel que les grands ancêtres de 1789 en avaient promulgué les
principes et jeté les bases ? Tel aussi que, en 1848, Tocqueville annonça
que sa défense impliquait une nouvelle révolution ? »

Ce discours apocalyptique mérite qu'on s'y arrête car il résume à lui
seul toutes les peurs et toutes les contradictions françaises.

Laissons un instant de côté l'argument bien connu « mondialisation = chômage ». Nous y reviendrons en détail un peu plus loin. Quant
aux autres, on ne sait où tracer la frontière entre l'ignorance, la déraison et des dérives particulièrement inquiétantes. Reprenons : les services publics condamnés à « s'étioler » ? Oui, si l'on parle des statuts
exorbitants de leurs salariés qui, dans ce pays, confondent depuis des
lustres la notion de service public – c'est-à-dire de service *du* public ! –
avec l'entretien, aux frais du contribuable, d'entreprises structurellement déficitaires au service du maintien de *leurs* avantages catégoriels.
Si l'intérêt général est le seul critère à retenir – et non le seul intérêt
des personnels – en quoi le maintien de l'obligation de service public,
sous la forme d'un cahier des charges spécifique imposé par l'Etat ou
les collectivités locales, s'opposerait-il à ce que l'entreprise exploitante
soit une société purement privée – et rentable ? La notion de service
public ne préjuge *pas* du statut de l'entreprise : cette distinction de
simple bon sens ne méritait-elle pas d'être rappelée ? Parenthèse : si
Lionel Jospin a eu la lucidité de reprendre lui-même cette distinction
dans son discours de politique générale de juin 1997, dans la pratique,
l'exemple de la « renationalisation » d'Air France montre que l'idéologie l'a emporté une nouvelle fois sur le bon sens.

De même, quand la mondialisation nous est présentée comme le fossoyeur de notre agriculture, faut-il rappeler à M. Kahn que nos agriculteurs vivent encore des subventions et de la préférence communautaire de la Politique Agricole Commune (PAC) de l'Union européenne? Et que la libération progressive des échanges agricoles bénéficiera à nos producteurs dans le domaine des grandes cultures? Faut-il rappeler que la France atteint le 2ᵉ rang mondial (après les Etats-Unis) en matière d'exportations agricoles? Que sur trois kilos de céréales produites en France, deux sont exportés? Quant aux prétendus ravages des grandes surfaces, qui créent aujourd'hui plus d'emplois que les commerces de détail, modernisent la distribution et relancent souvent le petit commerce dans des zones sinistrées, la demi-douzaine de grands groupes français en question, loin d'être le produit de l'impérialisme étranger, a prospéré sur le terreau du capitalisme national, bien avant la mondialisation. Enfin, s'agissant de la presse « filialisée par la grande industrie », l'auteur du réquisitoire, pourtant orfèvre en la matière, devrait savoir que les principaux médias français sont détenus, non pas par de grands groupes de presse étrangers introduits sur notre territoire par la déréglementation, mais au contraire par une grande industrie bien française dont la particularité comme le démontre le Président de RTL, Jacques Rigaud [1], est précisément de ne pas être des groupes de presse, mais au contraire des grands sous-traitants de la puissance publique, dans des domaines tels que le BTP ou l'armement – ce qui ne laisse pas au demeurant pour les médias concernés de poser certains problèmes d'indépendance... Plus inquiétante enfin, dans la bouche de M. Kahn, est la référence aux « oligarchies multinationales sans attaches » qui rappelle presque mot pour mot la dénonciation du « capitalisme cosmopolite et apatride » de certains à l'extrême droite...

Des exemples de ce type, malheureusement, la presse française en est remplie. Une usine Moulinex ferme, et l'on entend de Sablé (Sarthe) à la tribune de l'Assemblée, jusqu'aux états-majors politiques parisiens, s'élever les protestations contre les délocalisations destructrices d'emplois, et les appels au Gouvernement pour qu'il intervienne directement dans la négociation des plans sociaux entre la direction de l'entreprise et les salariés. Une usine de chaussures Bally (groupe de nationalité suisse) ferme, et la CGT réclame une loi pour interdire purement et simplement toute délocalisation d'entreprises privées hors de France! Une usine belge appartenant à Renault doit fermer (Vilvorde), et Lionel Jospin se croit obligé d'aller manifester à Bruxelles contre... le Gouvernement français actionnaire, donc coupable! C'est bien là que se noue une bonne part de notre drame national : d'un côté des travailleurs qui souffrent de situations sur lesquelles ils n'ont aucune prise; de l'autre les « responsables » dont les « solutions »

---

1. J. Rigaud : *la République des Médias*, Note de la Fondation Saint-Simon, mars 1994.

feraient presque rire, si précisément les situations n'étaient pas aussi dramatiques. Eh quoi? Interdire les délocalisations? A ce compte, interdisons celle de Toyota qui s'installe à Valenciennes, au lieu d'accueillir ces Japonais-là en grande pompe et à grand renfort de subventions publiques! Et pourquoi ne pas interdire tout simplement le chômage comme l'avait proposé un grand homme de notre époque : M. Bernard Tapie? Pourquoi ne pas nationaliser Moulinex ou Bally, comme jadis Thomson (ce qui n'empêcha jamais cette entreprise publique, lourdement subventionnée par le contribuable, de faire fabriquer ses téléviseurs à Singapour...)?

Mais la France étant la France, de telles incohérences n'empêchent nullement une critique littéraire du *Monde* de réussir un best-seller et d'obtenir même un prix Médicis, à partir d'un tableau à la fois simpliste et apocalyptique de « l'horreur économique » qui nous opprime. Rien de tel en France qu'un bon coup de déprime et de démagogie pour faire vendre!

Ainsi, la dénonciation systématique des modèles étrangers, que nous considérons a priori, et sans même les connaître, comme inhumains et antirépublicains, nous autorise-t-elle non seulement à nous enfoncer davantage dans notre sur-place national, mais mieux encore, à légitimer cette régression au non d'une prétendue modernité sociale et républicaine.

Dès lors, forts de la meilleure des bonnes consciences (celle d'avoir la morale de la justice sociale pour soi), et certains (autre trait bien français) d'avoir raison seuls contre tous, nous nous empêtrons chaque jour un peu plus, et quel que soit le Gouvernement en place, dans un système pourtant en faillite permanente tant sur le plan financier, que sur celui de ses résultats sociaux. Avec une ponction fiscale sans égale sur nos citoyens, nos 3 millions et demi de chômeurs et nos 5 millions d' « exclus », nous tenons *notre* « horreur économique » pour la meilleure, car la plus juste du monde! Et non contents de dénoncer ceux de nos partenaires qui retrouvent aujourd'hui le plein emploi, nous prétendons leur enseigner – voire leur exporter – nos recettes magiques : acquis sociaux, ou services publics « à la française », que nous voudrions européaniser!

Voici donc pourquoi le regard du monde proposé dans les chapitres suivants s'imposait comme le préalable indispensable à notre exploration « franco-française ».

Ce faisant nous tenterons de répondre aux questions suivantes qui conditionnent l'avenir de notre société :

— Quelles seront les grandes lignes de force du monde « globalisé » de l'après-Guerre froide?

— En quoi la double révolution de la mondialisation des échanges et de l'industrie de l'information menace-t-elle ou non l'emploi et notre devenir économique et social?

— En quoi cette double révolution modifie-t-elle le rôle des Etats, donc le devenir de notre démocratie ?

— En quoi, enfin, la crise française est-elle différente des autres « crises » ou des problèmes de mutation posés aux autres grandes démocraties ?

C'est à partir de cet éclairage, et de ces réponses, que nous pourrons ensuite, au cours de la deuxième partie, aller à la rencontre de la France réelle.

CHAPITRE 2

Le nouveau monde qui ne nous attendra pas

Exorciser notre grande peur nationale du capitalisme mondialisé est, pour la France, le commencement de la sagesse et la condition nécessaire à l'action.

Essayons de nous extraire un instant des caricatures de notre débat politico-médiatique national, et prenons la mesure de ce qui nous attend. On va le voir, la réalité – si elle s'annonce difficile de par les mutations politiques, économiques et sociales qu'elle engendre dans toutes les grandes démocraties – ne condamne pas *a priori* les chances de la France. Bien au contraire ! A condition cependant de nous y préparer. De cesser de nous complaire dans la dénonciation du bouc émissaire classique : « l'étranger », alibi confortable de notre incapacité à retrousser nos manches et à nous atteler à la tâche difficile de la modernisation de nos structures économiques et sociales. A condition surtout d'être capables de repenser l'Etat et la place qu'il occupe dans notre société.

Tout indique en effet que nous ne sommes qu'au tout début d'un phénomène d'ampleur véritablement historique : dans les vingt-cinq ans à venir, le monde connaîtra la plus importante redistribution des cartes de la puissance économique et politique de tout ce qui a pu se passer depuis un siècle au moins, et probablement depuis la Renaissance, qui vit l'essor du monde européen.

Commençons tout d'abord par replacer le dossier économique et social, qui focalise légitimement l'attention, dans l'ensemble des grandes mutations qui se produisent à l'échelon mondial.

La nouvelle donne mondiale

Sans refaire ici un Traité de relations internationales dans l'après-Guerre froide – ce qui n'est pas le propos de ce livre [1] –, je caractérise-

---

1. Je m'étais efforcé de me livrer à cet exercice dans *le Nouveau Monde, de l'ordre de Yalta au chaos des nations*, Grasset, 1992.

rai pour ma part la formidable mutation planétaire en cours en cinq grandes forces qui, bien que distinctes, agissent simultanément pour faire littéralement voler en éclats le système mondial, tel que nous l'avons connu depuis 1945.

Ces cinq forces sont les suivantes :

— Au plan géopolitique : la substitution du monde bipolaire soviéto-américain (lequel n'était après tout que la continuation de la domination entamée à la Renaissance du monde blanc européen sur la planète) par un monde multipolaire, où d'autres centres de puissance politique, économique et militaire vont apparaître en Asie (Chine, Japon, Inde), au Moyen-Orient (Iran), en Amérique latine (Brésil, Mexique).

— Parallèlement, au plan économique, la nouvelle donne révolutionnaire est celle de l'avènement d'un capitalisme à l'échelle de *toute* la planète (pays anciennement communistes *et* pays du Tiers Monde compris). Un capitalisme qui en raison de la révolution de l'information abolit toute notion d'espace et de temps ; un capitalisme enfin où 4 milliards d'individus, hier condamnés au sous-développement et à la pauvreté, entrent pleinement dans l'arène de la production – et demain de la consommation.

— Troisième force simultanée : la révolution des techniques. L'information, d'abord, à laquelle on vient de faire allusion, mais également la robotisation qui vont profondément changer la façon de concevoir la production de richesses, et par voie de conséquence, notre conception même du travail, et partant de la vie en société.

— Quatrième force : l'approfondissement d'un déséquilibre démographique considérable entre les anciennes démocraties industrialisées du monde Blanc, et « l'explosion humaine » qui se produira dans les régions du Tiers Monde – et particulièrement en Afrique et dans le sous-continent indien. Un tel déséquilibre entraînera des conséquences immenses tant sur la stabilité des sociétés (au Nord comme au Sud, mais pour des raisons bien sûr inverses) que par l'effet des flux migratoires sans précédent que ce déséquilibre ne manquera pas de provoquer – et ce, bien au-delà de ce que nous connaissons aujourd'hui [1]

— Cinquième force enfin, un tel système mondial, à la fois multipolaire, en rapide développement économique et technologique, en proie à de fortes tensions politiques et sociales, connaîtra une rapide dissémination d'armes de destruction massive jadis réservées aux seules « grandes puissances » ainsi que l'apparition de nouvelles formes d'insécurité (terrorisme en premier lieu, mais aussi grande criminalité internationale).

On le voit, il ne reste plus grand-chose des repères classiques qui ont fondé l'ancien monde. Disparue la vieille rivalité idéologique entre « le monde libre » et « les forces du mal » du totalitarisme communiste.

---

1. Je renvoie le lecteur au long chapitre consacré à la démographie mondiale dans *le Nouveau Monde, op. cit.* ; v. également plus loin, p. 214 et s.

Disparue également la certitude confortable de la supériorité « naturelle » du monde Blanc, tant sur le plan de la force armée que de la technologie. Evaporé aussi ce sentiment réconfortant d'appartenir pour toujours au monde riche et développé par rapport à un « Tiers Monde » abstrait composé de multitudes de va-nu-pieds. Disparue enfin l'idée elle aussi rassurante qu'avec l'avènement de l'atome, nos pays devenus eux-mêmes des sanctuaires nucléaires, échapperaient pour toujours à la violence et aux agressions.

Ce qui se profile, en revanche, en filigrane du rapide tableau que l'on vient de dresser, c'est un monde infiniment plus complexe, plus confus même, probablement plus dangereux, et certainement plus difficile à gérer par les gouvernants, dans la mesure où la notion même d'Etat-nation qui fonde depuis le xviiie siècle la Communauté internationale est directement menacée par les évolutions en cours. Un monde où s'affronteront en permanence, dans une nouvelle dialectique de l'Histoire, les forces d'unification nées du capitalisme mondialisé (et qui feront que les sociétés tendront partout dans le monde à s'uniformiser dans leurs modes de vie), et, en face, les forces d'éclatement issues d'inévitables conflits d'intérêts et de puissance, des tensions sociales qu'engendrera partout ce capitalisme planétaire, et plus généralement de la coalition de tous ceux qui pour une raison ou pour une autre (religion, nationalisme, tribalisme) refuseront cette marche forcée vers un type uniformisé de société.

Le prochain monde

De ce monde en devenir, deux bonnes nouvelles sont déjà perceptibles. La première, qui n'est pas mince au regard de l'histoire tragique de ce siècle, en Europe surtout, est que le temps des grandes guerres entre Etats-nations est probablement derrière nous. A vision humaine prévisible et sous réserve (on y reviendra) que des règles de fonctionnement soient adoptées, notamment en matière financière afin d'éviter de trop brusques déséquilibres économiques entre les principales zones de développement du futur (Amériques, Asie, Europe), le spectre d'une nouvelle guerre « mondiale » appartient à l'histoire passée. Ce qui n'empêchera pas – bien au contraire, comme je l'ai explicité par ailleurs [1] – la prolifération de conflits régionaux, et surtout la banalisation du terrorisme, plus ou moins lié à une nouvelle forme de grande criminalité transnationale.

L'autre « bonne nouvelle » est que le Tiers Monde, jusqu'ici exclu des grands flux du commerce mondial, y consolidera sa place ; que plu-

---

1. Voir : *Légitime Défense : vers une Europe en sécurité au xxie siècle.* Editions Patrick Banon, 1996.

sieurs milliards d'individus condamnés hier encore à la pauvreté ou à la famine vont pleinement participer à l'essor économique de la planète. Paradoxe qui en dit long sur nos mentalités : il est piquant d'entendre nos intellectuels de Gauche, anciens tiers-mondistes des années 60, s'effrayer aujourd'hui du développement des exportations de ce même Tiers Monde. Boulevard Saint-Germain, on aime le Tiers Monde du Che ou du sous-commandant Marcos – pauvre et révolutionnaire – en treillis et le pistolet à la ceinture, pas en costume-cravate et venant menacer nos emplois ! Curieuse « revanche du Tiers Monde » en tout cas, et drôle d'inversion intellectuelle de la part de nos « penseurs »...

Sera-ce pour autant la « fin de l'Histoire » pronostiquée par l'hégélien Francis Fukuyama, dans un monde uniformément capitaliste, uniformément démocratique, donc en paix (puisque, dit-on, les démocraties ne se font pas la guerre) ? La réalité qui se profile est loin de ces prophéties rose bonbon.

Contrairement aux espoirs hâtivement caressés au lendemain de la guerre du Golfe, quant à l'avènement d'un « nouvel ordre mondial », la généralisation d'un capitalisme mondialisé n'entraînera pas de sitôt l'unification de la planète dans la démocratie. Bien au contraire, nous verrons coexister (comme c'est le cas aujourd'hui en Chine) des systèmes politiques parfaitement antidémocratiques, voire totalitaires, avec des pratiques économiques libérales. Nous verrons même s'affirmer, venant d'Asie notamment, une critique *capitaliste* de nos idéaux démocratiques que nous croyons universels, au nom d'autres cultures et de la supériorité du nombre... Confucius et le Dr Mahattir, contre Montesquieu et l'Etat-providence... Par ailleurs, la compétition économique mondiale, surtout si elle s'organise autour de grands blocs régionaux (UE, ALENA, ASEAN) ne manquera pas d'entraîner des tensions politiques, et peut-être même militaires, comme le montre déjà l'inquiétante course aux armements engagée en Extrême-Orient. Dans le même temps, l'érosion d'une certaine forme d'Etat-providence dans les anciennes démocraties industrialisées, comme l'avènement d'un développement économique rapide dans les pays dits « émergents », entraîneront partout de fortes tensions sociales, elles aussi génératrices de déstabilisation politique.

Enfin, nul ne sait à ce stade comment se comportera l'univers musulman, fort d'un milliard d'hommes et de femmes, face à l'avènement d'un type de société que beaucoup, de l'Iran au monde arabe, rejettent en bloc et veulent au contraire abattre, y compris par la violence. Sans aller jusqu'à envisager une sorte d'immense « guerre des mondes » décrite par Samuel Huntington [1], il est probable que nous connaîtrons une sorte de guérilla sporadique du type de ce qu'un autre auteur amé-

---

1. S. Huntington : *le Choc des civilisations*, O. Jacob, 1997.

ricain, Benjamin Barber, a appelé « Jihad contre Mc World [1] ». Le monde des « anti », des perdants ou des irréductibles anti-mondialisation, contre la planète McDonald's...

L'économie-monde...

Le « décor » étant ainsi planté, venons-en aux grandes mutations économiques qui nous attendent. Ou plutôt qui ne nous attendent pas, tant est immense la rapidité des évolutions dans ce domaine.

Tandis que le phénomène de développement des 30 dernières années était limité au décollage fulgurant des « dragons » asiatiques (Hong Kong, Singapour, Taïwan, Corée du Sud) soit 73 millions de personnes (et 200 millions en incluant le Japon), le phénomène nouveau et proprement révolutionnaire est que 3 ou 4 milliards d'individus sont en train de faire irruption dans l'économie mondiale (venant d'Asie, d'Amérique latine, d'Europe centrale), rejoignant le milliard de citoyens du monde développé.

Plus que tout long exposé, le tableau 2-1 ci-après illustre cette transformation du monde.

Autre particularité de cette immense mutation planétaire : son accélération dans le temps. Parce qu'elle coïncide avec la 3e révolution industrielle – celle des technologies de l'information – parce que les rigidités du système géopolitique précédent ont disparu, la révolution économique mondiale à laquelle nous assistons n'a rien à voir avec ce qui a pu se produire au xviie siècle quand la Grande-Bretagne supplanta la Hollande au premier rang de l'économie mondiale de l'époque, ou quand au siècle suivant, la Grande-Bretagne fut à son tour « doublée » par les Etats-Unis.

A titre de comparaison, la Grande-Bretagne mit cinquante-huit ans pour multiplier par deux son revenu par tête, à la suite de la révolution industrielle de 1870 ; à partir de 1839, il fallut quarante-cinq ans aux Etats-Unis pour en faire autant, tandis que le Japon mettrait, lui, trente-quatre ans (à partir de 1885) ; la Corée en revanche est arrivée au même résultat en onze ans (1966-1977), quant à la Chine, elle double son PNB tous les dix ans depuis 1976 !

---

1. B. Barber : *Mondialisation et intégrisme contre la démocratie*, Desclée de Brouwer, 1996.

TABLEAU 2-1 : CLASSEMENT DES 15 PREMIÈRES ÉCONOMIES
DANS LE MONDE (1992-2020)

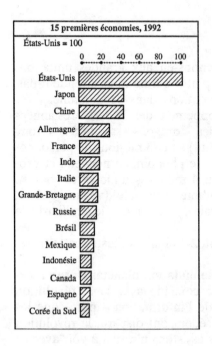

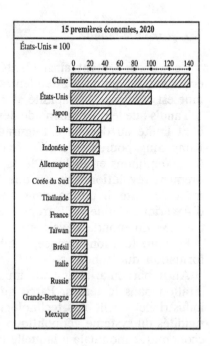

... et ses conséquences sur l'Europe

Il n'est certes pas facile d'appréhender sereinement une mutation d'une telle ampleur. Selon que l'on fréquente les couloirs de Davos (ce que je n'ai pas honte de faire régulièrement aux côtés de Raymond Barre, l'un des rares hommes politiques français qui apparemment ose s'aventurer en ces lieux!), ou que l'on discute de ces sujets avec les tenants d'un nouveau protectionnisme défensif comme le regretté Jimmy Goldsmith ou Pat Buchanan (ce que je fais également), le son de cloche est évidemment très différent.

A Davos, décor de *la Montagne magique* de Thomas Mann, le sanatorium où se soignaient jadis les héros du romancier allemand a disparu depuis belle lurette. En échange, cette obscure station suisse a hérité d'un énorme centre de conférence bétonné et surprotégé, où circulent une semaine durant chefs d'Etat, de gouvernement et chefs d'entreprises de la planète tout entière. A la place d'Hans Castorp, et de ses compagnons d'affection pulmonaire, Thomas Mann rencontrerait aujourd'hui dans les couloirs de Davos Bill Gates le « génie » de Microsoft, Victor Tchernomyrdine le Premier ministre russe, ou encore la quasi-totalité du Gouvernement chinois. Désormais, les soucis de l'âme européenne sont d'un tout autre ordre : les 2 000 participants viennent célébrer l'avènement d'une nouvelle ère : celle de la déréglementation, de la globalisation et des privatisations et, accessoirement, des nouvelles technologies (Internet et le cyberespace bien sûr !), et l'Europe précisément est celle qui est à la traîne avec ses 20 millions de chômeurs...

A Davos, dans les colonnes de l'*Economist,* bible du libéralisme, dans les séminaires du Bilderberg ou de la Commission Trilatérale, l'avènement d'un grand marché unique mondial, libre de toute entrave douanière ou financière, et totalement contrôlé par des intérêts privés, est vécu comme une formidable nouvelle. Une chance pour les pays émergents de prendre enfin leur part du gâteau de la croissance mondiale, loin des remèdes inopérants des tiers-mondistes des années 60 (« aide » au développement et « préférences inverses » chères à la CNUCED) ; une chance aussi pour les grands pays industrialisés d'exporter davantage vers des centaines de millions de nouveaux consommateurs (prévision de l'OCDE : si la Chine, l'Inde et l'Indonésie continuent de croître à un rythme de 6 % par an, en 2010 ces trois pays, à eux seuls, offriront au monde 700 millions d'habitants au revenu égal à celui de l'Espagne !) ; une chance enfin pour les entreprises de travailler sur une base véritablement globale, en utilisant au mieux les « avantages comparatifs » chers à Ricardo, des différents pays d'accueil : aux uns le *design* et le *software*, aux autres la production ou l'assemblage, aux derniers les marchés...

Les partisans de ce libéralisme ne comprennent pas la frilosité européenne : d'abord parce que l'Europe est largement bénéficiaire sur ces marchés du Tiers Monde : ses exportations n'y ont-elles pas augmenté de 20 % entre 1990 et 1993 ? L'Europe n'exporte-t-elle pas deux fois plus en volume dans ces pays, qu'elle ne parvient à vendre ses produits au Japon et aux Etats-Unis ensemble ? La France elle-même n'est-elle pas bénéficiaire dans son commerce avec l'Asie ? Le développement des échanges internationaux n'est-il pas, comme l'ont démontré les pères du libéralisme, un jeu à somme positive ?

Quant au chômage induit par ce commerce avec des pays à bas salaires, il est envisagé non pas comme un fléau destructeur de nos sociétés, mais comme un phénomène somme toute transitoire : contrepartie de toute façon inévitable à l'accroissement des marchés mondiaux pour ces anciennes nations industrialisées. Certes, dans un premier temps, la libéralisation des échanges avec les pays émergents entraîne-t-elle des délocalisations dans certaines industries (en particulier le textile ou l'électronique). Mais à mesure que les pays en développement (comme c'est le cas déjà à Taïwan ou en Corée) verront s'élever leur coût de travail en même temps que le niveau de vie de leur population, l'écart de compétitivité induit par les différences de niveaux de salaires ira en s'estompant. Dans l'intervalle, par leurs propres importations (infrastructures, machines-outils, services) ces marchés « émergents » serviront de locomotive à l'économie mondiale, et au final tout le monde y gagnera : les nouveaux venus qui trouveront ainsi à se développer, comme les anciennes nations industrialisées, qui profiteront de ces nouveaux marchés.

Quant à ces dernières, il leur appartiendra d'appliquer les bonnes vieilles recettes de Ricardo et d'Adam Smith, et de reconvertir leurs industries désormais non compétitives vers d'autres secteurs plus porteurs d'avenir. « Laissons donc la Chine fabriquer des jouets, tandis que nous fabriquons des avions ou des produits pharmaceutiques à haute valeur ajoutée. »

Par parenthèse, il n'est pas inutile de rappeler que le seul point positif dans la déprime économique française (hormis le niveau très bas des taux d'intérêt) se situe dans l'excédent important de notre commerce extérieur (au-dessus de 100 milliards par an). Malgré une situation économique intérieure plate, qui réduit par conséquent le poids de nos importations, il n'en demeure pas moins que nos entreprises parviennent à gagner de l'argent à l'exportation, y compris dans les pays émergents.

Au total donc, pour les avocats de la globalisation, l'ouverture mondiale des marchés n'aurait pas l'incidence fatale dont on l'accuse sur l'emploi dans nos vieux pays industrialisés. S'il est vrai que dans l'ensemble des démocraties industrialisées les travailleurs non qualifiés sont les plus touchés[1], le commerce avec les pays émergents n'est encore de toute façon que très limité ; quant aux destructions d'emplois dues aux délocalisations et aux importations du Tiers Monde émergent, elles sont largement compensées aux Etats-Unis en tout cas par la création de plus de 20 millions d'emplois nouveaux ces dernières années. Conclusion : si la vieille Europe s'enfonce dans le chômage à la différence des Etats-Unis ou du Japon, le coupable serait donc moins à rechercher dans la libéralisation des échanges, que dans l'incapacité européenne à remettre de l'ordre dans ses déficits sociaux, à rendre moins rigides ses marchés de travail, à améliorer aussi la qualité de la formation des populations actives. Ce que le « Senior Minister » Lee Kwan Yew, fondateur du miracle singapourien, résumait ainsi récemment devant quelques interlocuteurs français : « En fait, les recettes de la croissance tiennent en quatre courbes très simples : vos dépenses publiques, votre taux d'épargne, votre taux d'investissement, votre niveau de protection sociale », les trois dernières, ajoute-t-il avec un sourire malicieux, où je crois déceler une ironie certaine pour nos

---

1. V. Niels Thygesen, Yutaka Kosai et Robert Z. Lawrence : *Globalisation and Trilateral Labor Markets : Evidence and Implications*, Commission Trilatérale, déc. 1996.

sociétés européennes, « étant directement l'inverse de votre taux d'imposition ».

Décodé, le message est le suivant : « Messieurs les Européens qui avez inventé le capitalisme, vous êtes devenus gros et gras, et vous êtes en train d'être battus à votre propre jeu par d'autres qui ont plus faim que vous, et qui se contentent de moins que vous... » C'est également ce que disent en France un certain nombre d'intellectuels de Gauche, tels que Daniel Cohen, que le Gouvernement de M. Jospin serait bien inspiré d'écouter sur ce point.

En face, le discours est lui aussi bien rodé : de Ross Perot à Pat Buchanan sur l'autre rive de l'Atlantique, du prix Nobel français Maurice Allais à Jimmy Goldsmith sur le Vieux Continent, sans oublier leurs alliés de Gauche et d'Extrême Droite, les procureurs du « libéralisme sauvage » dénoncent pêle-mêle la concurrence déloyale des nations à main-d'œuvre bon marché, les négriers qui exploitent les enfants, les systèmes hyper-capitalistes qui exploitent une main-d'œuvre privée de toute protection sociale. Lorsque le coût du travail horaire est de 2,50 francs en Chine, et de plus de 100 francs en France ou en Allemagne pour un travailleur non qualifié, la seule solution, selon eux, c'est le protectionnisme ! A moins bien sûr d'accepter la destruction de pans entiers de nos économies, des vagues massives de délocalisations avec leur cortège de conséquences tragiques : friches urbaines, quartiers à l'abandon, dérive dans la marginalité, l'exclusion et la violence et demain, qui sait, la « révolution sociale » ! Aux Etats-Unis, les partisans d'un « néo-nationalisme économique » affirment que la zone de libre-échange (ALENA) avec le Mexique et les importations du Tiers Monde ont déjà causé la destruction de 3 millions d'emplois. En France, Jean Arthuis, alors sénateur, évoquait dans un rapport parlementaire la perte d'un million d'emplois due aux délocalisations en Asie [1]. D'autres comme Jeffrey Sachs et Howard Shatz, de Harvard, évaluent à 6 % la perte des emplois entraînée par le commerce avec les pays à bas salaires [2].

Mondialisation et emploi

Aisément exploitable – et exploité ! on l'a vu – sur le plan politique et médiatique, le débat sur la mondialisation et son impact sur l'emploi mélange en réalité des considérations d'ordres très différents : économiques d'un côté, sociales également, éminemment politiques enfin,

---

1. J. Arthuis : Rapport d'information sur l'incidence économique et fiscale des délocalisations hors du territoire national des activités industrielles et de service, Sénat, 1993.
2. J. Sachs et H. Shatz, *Trade Jobs in US Manufacturing*, Brooking Papers on Economic Activity, Washington, 1994.

voire identitaires. Il n'est donc pas inutile de pousser un peu plus loin l'analyse, ne serait-ce que pour appréhender les conséquences en termes de politique d'emploi pour la France.

Sur le plan strictement économique, l'opinion des économistes eux-mêmes est très partagée. Il est extrêmement difficile, en effet, de quantifier l'impact de la libéralisation des échanges sur l'emploi dans les anciens pays industrialisés. Si le commerce avec les pays à bas salaires représente encore une part modeste, voire marginale (3 % du PNB), de l'activité économique des grands pays industrialisés, un économiste britannique, Adrian Wood, démontre fort justement [1] que l'impact induit est infiniment plus important, du fait des efforts de productivité, et des suppressions d'emplois engagées par les entreprises occidentales qui essaient de survivre à cette concurrence. D'où la difficulté de « trier » entre les destructions d'emplois directement induites par les importations du Tiers Monde, et celles provenant de la révolution des techniques de production – robotisation en particulier –, sur lesquelles je reviendrai un peu plus loin.

De même, l'importance relative du coût du travail dans la compétitivité d'un produit – ou d'un pays – est elle-même sujette à discussion.

Prenons par exemple le cas des semi-conducteurs, des télévisions ou de l'automobile. L'impression est largement répandue qu'il s'agit là d'industries condamnées, en raison de la part importante du travail non qualifié. En réalité, le coût du travail dans le prix de revient du produit fini n'est que de 3 % pour les semi-conducteurs, 5 % pour les téléviseurs, 10 à 15 % pour l'automobile. C'est d'ailleurs ce qui pousse des industries japonaises comme JVC, ou coréennes comme Daewoo, à ouvrir des usines d'électronique en Europe, employant des salariés européens, en profitant d'ailleurs de primes généreuses (et parfois fort imprudentes) que leur offrent Etats et régions d'Europe, en compétition pour de tels investissements ! En Grande-Bretagne, l'industrie de l'automobile jadis en voie de disparition a été reprise par les Japonais, qui trouvent là le moyen de pénétrer sans contrainte le marché communautaire. Et l'on a vu tout récemment des ministres socialistes français faire assaut de séduction à Tokyo, pour convaincre Toyota d'ouvrir une usine en France. On est loin de Mme Cresson et de ses diatribes contre les magnétoscopes japonais... C'est dire que, dans ces secteurs, l'emploi est loin d'être automatiquement condamné dans nos pays ! Mais c'est un emploi qui change, là encore, de nature. Dans l'automobile par exemple, en 1988, Renault employait 40 000 agents de production et 31 000 employés, cadres et ingénieurs. En 1995, le rapport s'est inversé : 26 700 agents de production pour 32 600 ingénieurs et cadres. Dans le même temps, la robotisation avait fait chuter le temps d'assemblage des

---

1. A. Wood : *North-South Trade : Employment and Inequality*, Oxford University Press, 1994.

véhicules : il fallait vingt et une heures en 1988 pour monter une R-9 ; seize heures en 1995 pour une Mégane.

Un exemple particulièrement piquant à cet égard concerne Thomson Multimédia, société nationalisée, très fortement déficitaire en 1996 (31 milliards de dettes) et dont 45 000 emplois sur les 50 000 que compte l'entreprise (et que finance le contribuable français) sont délocalisés à l'étranger (Asie et Etats-Unis notamment). Alors que les Gouvernements successifs ont financé par l'argent public la fabrication de téléviseurs à Singapour ou de décodeurs aux Etats-Unis (28 milliards de francs engloutis par le contribuable depuis la nationalisation de Thomson en 1982 [1]), d'autres industriels français, privés, eux, d'une telle manne publique, produisent en banlieue parisienne des téléviseurs pour la grande distribution en France. De même, si l'un de mes amis, patron de l'une de nos meilleures firmes d'avionique, est tenté de délocaliser une partie de sa production de France vers Seattle, parce que le coût de fabrication d'un même équipement pour le tableau de bord d'un avion revient, indique-t-il, deux fois moins cher aux Etats-Unis, l'explication tient pour moitié à l'écart de coût du travail, mais pour l'autre moitié à la différence de change.

Le « dumping social » tant redouté par nos néo-protectionnistes est donc une explication un peu rapide, qui fait peu de cas des choix gouvernementaux (politique monétaire, taux de parité de la monnaie, niveau de protection sociale jugé politiquement acceptable), comme des choix de l'entreprise en termes d'innovation surtout, de recherche de nouvelles « niches » ou de nouveaux produits, de la qualité de la gestion et des produits. Ainsi par exemple, on a beaucoup glosé au printemps 1996 en France sur les malheurs de Moulinex obligée de délocaliser pour sauver l'entreprise (explication complaisamment répandue dans l'opinion, et même parmi les salariés), alors même que son concurrent également français (Seb) parvenait avec le même coût de main-d'œuvre, mais une meilleure stratégie d'entreprise, à améliorer ses parts de marché et donc à maintenir l'emploi...

La même observation vaut pour l'autre révolution en cours et qui pèse au moins aussi lourd sur le maintien de l'emploi – notamment non qualifié –, je veux parler de la révolution technologique et ses conséquences, à commencer par la robotisation.

Les robots de M. Kobayashi...

Robotisation... Je garde pour ma part – avec quelque effroi – le souvenir d'une visite récente aux usines de FANUC, leader mondial de la

---

1. V. Jean-Louis Caccomo : « Les secrets de l'innovation », *Sociétal*, n° 13, nov. 1997.

robotique, à quelque 200 kilomètres de Tokyo, au pied du mont Fuji. Dans ce monastère du futur, 2 000 ingénieurs dessinent les robots, et les robots eux-mêmes font tourner les usines où sont fabriqués des commutateurs électroniques, des machines intelligentes... et d'autres robots. Chiffre d'affaires : 1,5 milliard de dollars. Chaque ingénieur « produit » 3,5 millions de francs et 500 000 francs de bénéfices nets par an. Un ratio que peu d'entreprises dans le monde peuvent approcher.

Dans cet univers uniformément peint en jaune vif – couleur voulue par le président fondateur de l'entreprise – il n'y a rigoureusement personne. Ni dans les halls immenses du bâtiment administratif, semblables aux interminables salles de réception totalement dépouillées du château du Shogun Tokugawa à Kyoto, ni dans les usines robotisées à presque 100 %. Atmosphère irréelle : aucun bruit, sauf le chuintement – angoissant – des robots qui à l'infini soudent au laser, contrôlent, manipulent des pièces, les emboîtent, les percent, les assemblent...

Le Vice-Président de FANUC, M. Kobayashi, tout de jaune vêtu, ne cache pas son objectif : se débarrasser des hommes encore nécessaires en fin d'assemblage sur certains produits. « Mais nous y travaillons, précise-t-il. Bientôt nous aurons des robots équipés d' " yeux " beaucoup plus précis et de mains articulées, très mobiles et très fines... »

Le moment le plus intense – que je ne suis pas près d'oublier – eut lieu devant la chaîne d'assemblage de petits robots jaunes d'un demi-mètre de long environ. Au-dessus d'eux, deux grands bras jaunes montés sur deux troncs jaunes monstrueux leur donnaient « la vie ». Moment « sublime » ou « le papa et la maman robots » créaient seuls leurs petits... à leur image. La boucle de la création est presque bouclée. Elle le sera définitivement lorsque d'autres robots dessineront eux-mêmes leurs descendants, en se passant complètement de l'homme. M. Kobayashi sera content...

La seule question que je pose au petit homme en jaune qui me regarde d'un air ébahi, est de savoir ce que nous ferons des hommes précisément. « Mais, me dit-il, ils sont inutiles à la production, et de toute façon, ils seraient incapables de faire aussi bien et aussi vite que la machine. Voyez-vous, ajoute-t-il, les robots s'amortissent tout seuls avec le temps ; les humains, eux, coûtent de plus en plus cher. » Déjà les robots de M. Kobayashi, ceux de son concurrent européen ABB, ont dépeuplé les chaînes d'assemblage de voitures, ou les ateliers de fabrication et de montage des pièces. Cette population-là est-elle pour autant condamnée aux ASSEDIC, et ses enfants, dans les banlieues françaises, à dessiner dans la violence un avenir sans issue ?

... et les maréchaux-ferrants du XIXe siècle

C'est précisément à ce point que la technologie et l'économie rejoignent le politique. A supposer en effet qu'une partie (au demeurant difficilement quantifiable) de l'emploi non qualifié ait déjà disparu ou soit amené à disparaître dans un certain nombre de secteurs industriels du fait de la nouvelle donne mondiale, comment faire pour que cette destruction n'entraîne pas nécessairement, par une sorte de fatalité mécanique, le maintien de nos populations hors de tout emploi?

Après tout, les robots de M. Kobayashi ne sont rien d'autre que l'équivalent, en ce XXIe siècle naissant, de ce que fut l'irruption du chemin de fer dans l'économie du siècle dernier.

De même qu'on avait su trouver – certes non sans difficultés – un autre avenir aux éleveurs de chevaux et aux maréchaux-ferrants, la tâche qui nous attend aujourd'hui est de permettre aux OS de Vilvorde, aux cégétistes en surnombre de la SNCF (les héritiers de ceux qui avaient éliminé les maréchaux-ferrants du XIXe siècle!), un autre métier, un autre avenir.

Est-on certain, comme on semble le penser en France, que cette tâche soit à jamais hors de notre portée? Cette question sous-tend en réalité un double choix fondamental de société : société ouverte, ou fermée sur le monde d'une part; société qui encourage l'éclosion de richesses nouvelles donc d'emplois nouveaux, ou qui se borne à partager ce qui subsiste encore des activités – et du travail – qu'on aura pu préserver, y compris par le protectionnisme.

C'est ce point de croisement où l'économique et la technologie rejoignent le politique, qu'il nous faut tenter d'explorer plus avant.

CHAPITRE 3

Mondialisation, Emploi et Démocratie : critique de la pensée dominante

L'illusion protectionniste

N'en déplaise à Maurice Allais ou à Pat Buchanan, nous n'avons pas le choix. Personne n'arrêtera la double révolution de la technologie et de la libéralisation du commerce. Et le protectionnisme n'est pas la solution à la « révolution sociale » redoutée par certains. De tout temps le protectionnisme, la fermeture des frontières ont été synonymes de régression économique pour les industries protégées, et accessoirement de guerres. Dans *l'Esprit des lois*, Montesquieu enseignait déjà que : « L'effet naturel du commerce est de porter la paix. Deux nations qui négocient ensemble se rendent réciproquement dépendantes... et toutes les unions sont fondées sur des besoins mutuels. » La leçon est plus que jamais d'actualité.

De toute façon, répétons-le, s'agissant de la France, l'option d'une fermeture protectionniste est une question académique. Notre agriculture, nos industries de pointe, notre tourisme, tous vivent de l'exportation. On n'imagine guère la France hérisser à nouveau des frontières douanières, ce qui lui est de toute façon interdit au regard de ses engagements à l'OMC, signés en 1994, mais surtout du fait de son appartenance à l'Union européenne (laquelle en vertu des traités a compétence exclusive pour la négociation sur les tarifs douaniers...). Mais à supposer même, comme le souhaitent certains, que la France sorte de l'Union européenne et de l'OMC, qu'elle recrée une ligne Maginot tarifaire à ses frontières, qu'y gagnerait-elle sinon des représailles immédiates contre ses exportations ? Imagine-t-on les millions d'emplois qui seraient alors perdus dans les secteurs qui vivent de l'exportation – ou du tourisme –, c'est-à-dire, rappelons-le, un emploi sur quatre en France ?

Que le protectionnisme ne soit pas une option politique sérieuse n'interdit pas pour autant – bien au contraire – d'agir au sein de l'Union européenne notamment pour que celle-ci se dote des moyens de représailles commerciales dont disposent les Américains en vertu de leur législation (sections 301 et super 301), de façon à éviter que l'Europe soit en permanence l'objet de diktats commerciaux de la part des Etats-Unis; et d'agir aussi pour que dans le cadre de l'OMC, les aspects les plus choquants du dumping social (travail des enfants par exemple) soient éventuellement sanctionnés par des contre-mesures. L'idée en a été évoquée lors du Sommet du G7 sur l'emploi à Lille en 1996 à l'initiative du Président de la République, et elle bénéficie du soutien d'un certain nombre de nos partenaires, dont les Etats-Unis.

Mais soyons lucides : il paraît difficile d'espérer aller au-delà. Comme me l'expliquait l'un des principaux responsables du Keidanren (le CNPF japonais), K. Nukazawa, « les Etats-Unis et l'Europe peuvent toujours essayer d'imposer leur système social au reste du monde par le biais de l'OMC, mais il est peu probable que vous y parveniez. De toute façon, si l'Occident dispose encore du pouvoir politique mondial, le centre de gravité économique de la planète est en train de basculer vers l'Asie. En conséquence, même si le Japon vous suit (parce que nous restons dépendants de la protection militaire américaine), il est infiniment peu probable que la Chine et les autres acceptent vos règles du jeu... »

Une compétition permanente

Même *The Economist* souligne qu'il est difficile de prétendre que le commerce mondialisé n'a rien à voir avec la montée des inégalités aux Etats-Unis ou la montée du chômage en Europe. « Tout se passe, ajoute ce journal, comme si les libéraux essayaient de sous-estimer les effets du commerce sur l'emploi, par peur d'alimenter les argumentaires des protectionnistes. Et pourtant, dit encore *The Economist*, ce faisant ils pourraient bien porter en germe les problèmes de demain. » C'est pourquoi ce journal recommande aux gouvernements « de prendre dès maintenant les mesures nécessaires pour se préparer à gérer les conséquences des augmentations des importations en provenance du Tiers Monde qui provoqueront une réduction des revenus et de l'emploi des travailleurs non qualifiés ».

Ajoutons, même si cela doit noircir un peu plus le tableau, qu'il est tout aussi rapide d'affirmer, comme on le fait trop souvent du côté de certains libéraux, que la théorie des avantages comparatifs serait en quelque sorte naturellement et éternellement favorable aux anciennes puissances industrialisées. L'idée selon laquelle les Chinois ou les Coréens ne seraient capables de produire que des jouets ou des produits manufacturés relativement élémentaires est aussi fausse que l'idée largement répandue en Occident dans les années 60 ou 70, selon laquelle le Japon n'aurait « congénitalement » aucune créativité, et qu'il ne pourrait donc que copier indéfiniment les produits inventés en Occident. La réalité là encore est plus complexe : nous avons affaire aussi bien en Asie qu'en Russie ou en Amérique latine, à des populations industrieuses, parfois mieux éduquées qu'en Europe. Le temps viendra donc – inéluctablement – où les centrales nucléaires que nous construisons à Canton, le TGV que nous vendons à la Corée, les coproductions d'avions civils que nous proposons à l'Asie, donneront lieu à des fabrications locales des mêmes produits, éventuellement sous licence française, et à terme à des exportations concurrentes aux nôtres. A-t-on oublié que l'industrie nucléaire française, pour ne prendre que cet exemple, est née d'un processus semblable : à partir de l'achat par Framatome d'une licence Westinghouse pour les réacteurs de puissance à eau légère, que les ingénieurs français ont ensuite améliorée et « francisée », pour en faire la première industrie nucléaire au monde ?

Autrement dit, la France, comme d'ailleurs les autres grandes nations industrialisées, vit désormais en première ligne d'une concurrence mondiale qui ne fait que commencer et qui se prolongera tout au long du prochain siècle. A nous, par conséquent, de nous y préparer.

Face à cette réalité précisément, deux attitudes, et deux seulement, sont possibles :

— la première, qu'il faut exclure d'emblée de par les ravages qu'elle causerait immédiatement à notre pays, est l'option protectionniste. Ce projet d'une société autarcique, totalement repliée sur elle-même, seuls le Front national et à certains égards le PCF le préconisent encore pour la France ;

— la seconde est d'affronter cette réalité nouvelle, sans complexes, mais également sans les détours et autres faux-semblants qui caractérisent malheureusement les politiques menées en France depuis une vingtaine d'années.

Aussi difficile que cela puisse paraître, la seule option raisonnable que puisse en effet proposer à la France un chef d'Etat responsable consiste d'une part à faire en sorte que tous les moyens soient réunis au service de la compétitivité (notamment en matière d'innovation et d'éducation) du pays, et d'autre part à maximiser nos capacités de réussite face aux grands ensembles commerciaux qui sont en train d'apparaître (Etats-Unis + ALENA, Chine, Japon et ASEAN), en jouant la carte de l'intégration régionale parallèlement au développement du libre-échange mondial. Pour la France – autre conséquence de ce qui précède – l'Europe s'impose donc comme une condition *sine qua non* de sa survie dans le système économique globalisé du XXIe siècle.

Le non-choix français

Ce que l'on doit malheureusement regretter, s'agissant de la France, c'est que nous soyons pleinement engagés dans la compétition internationale sans nous y être vraiment préparés, sans qu'un effort déterminé de pédagogie ait été mené auprès de notre peuple. A la différence des Etats-Unis, de la Grande-Bretagne, de la Hollande ou encore de l'Allemagne (avec son programme Standort Deutschland), la France n'est pas parvenue à réunir un vrai consensus bipartisan sur le thème de l'ouverture au monde et de la compétition internationale. C'est donc en rechignant, et presque à reculons, plutôt qu'animée par un esprit de conquête, qu'elle aborde ce qui sera pourtant son quotidien dans les décennies à venir.

On rétorquera que l'engagement européen est solidement partagé à Droite comme à Gauche puisqu'il a survécu à nos différentes alternances, et qu'une majorité de l'opinion demeure favorable à l'Europe.

Ce consensus cependant n'est qu'apparent. Les fractures que connaissent tous nos grands partis politiques, mises en évidence à l'occasion du débat sur la ratification de Maastricht, sont loin d'avoir été résorbées... A maints égards, le vrai test est encore devant nous, lorsque viendront le passage à la monnaie unique et la ratification de Maastricht II [1]. D'ici là, un formidable travail de pédagogie et de conviction de l'opinion reste à faire. La tâche s'annonce redoutable puisque l'enjeu européen, comme celui de la mondialisation, n'est autre, en dernière analyse, qu'un choix fondamental de société que la France s'est évertuée à éviter.

Ce choix se résume en fait à deux grands axes, deux destins pour la France : ou bien bâtir une société fondée sur la recherche de richesses nouvelles, donc d'emplois nouveaux à mesure qu'évolueront la compétition internationale et les flux technologiques ; pour ce faire on privilégiera avant toute chose l'éducation, la liberté d'entreprendre et l'initiative privée, et une réforme en profondeur de l'Etat.

Ou bien, tout mettre en œuvre pour, *malgré* cette compétition mondiale, tenter de conforter une société dite de « solidarité », en mettant l'accent sur la redistribution (des revenus et des aides publiques) et le partage (y compris des emplois qu'on aura pu sauver) au moyen d'une forte intervention étatique (politique fiscale, mais aussi forte intervention de la puissance publique en matière de droit du travail, et bien entendu maîtrise publique de secteurs entiers de l'économie).

Depuis une vingtaine d'années déjà, c'est cette deuxième option qui a été implicitement choisie en France.

Je dis implicitement, car en dehors de l'élection présidentielle de 1981 où la Gauche avait fait campagne sur le thème de la rupture avec le capitalisme, tous les Gouvernements successifs depuis le « tournant » de

---

1. Ratification dont on notera qu'elle a soigneusement été repoussée aux calendes après la signature du Traité d'Amsterdam le 2 octobre 1997, qui introduit certaines réformes institutionnelles (au demeurant décevantes) en prévision de l'élargissement de l'Europe vers l'Est. On verra plus loin (v. p. 214 et s.) que, s'agissant de l'immigration, la réforme constitutionnelle induite par le Traité d'Amsterdam conduira cependant à une accélération de ce débat dans le courant de 1998.

1983 ont prétendu au contraire faire l'inverse, c'est-à-dire préparer la France aux grands enjeux européens et mondiaux. L'exemple du Traité de Maastricht est à cet égard éloquent : c'est la Gauche au pouvoir qui le négocia, et en fut même l'un des principaux architectes (s'agissant notamment de la monnaie unique).

Elle oublia simplement de dire (mais Philippe Séguin s'en chargea !) que cette Europe-là, c'était l'Europe du libéralisme, de la stabilité des prix et des déficits budgétaires réduits au minimum ; une Europe opérant les ajustements économiques par la flexibilité des salaires et de l'emploi ; une Europe choisissant la déréglementation (des services publics notamment), et acceptant de renoncer à des politiques monétaires et fiscales purement nationales. Au lieu de cela – exception française toujours – on prétendit faire tout et son contraire : entrer de plain-pied dans l'économie libérale mondiale d'une part, tout en rigidifiant de l'autre notre système d'économie mixte à base d'interventions étatiques.

Paradoxe piquant : jamais l'Etat n'aura autant dépensé – et prélevé – que dans la période qui suivit Maastricht, jamais nos déficits n'auront été aussi élevés, alors même que nous nous fixions l'objectif d'entrer dès 1998 dans la monnaie unique – c'est-à-dire un objectif exactement contraire à la politique réellement suivie. Mais nous sommes en France, et comme en France nous aimons le verbe et que souvent le verbe suffit, on enveloppa ce mauvais compromis de vocables pompeux mais généreux : « solidarité », « République », « Pacte républicain »... unanimement repris d'ailleurs à Droite comme à Gauche en 1992, 93, 95 et 97 au fil des alternances ou semi-alternances successives.

Ayant raté le virage libéral du début des années 80 (tandis que l'Angleterre et les Etats-Unis choisissaient Thatcher et Reagan, nous élisions Mitterrand), la France vit depuis lors une sorte de schizophrénie collective. Assise entre deux chaises, elle cherche désespérément – et de façon de moins en moins convaincante d'ailleurs – à concilier ses engagements européens, la survie de ses grandes entreprises qui la poussent sur la voie de la liberté, avec la pesanteur toujours plus importante de ses multiples dispositifs étatiques, qui au nom de la solidarité, étouffent l'initiative et l'emploi.

Ce constat d'une « France dédoublée », aux prises avec la réalité d'un monde en plein bouleversement, fournit l'une des clés à la compréhension de la crise française. Et cette clé est inquiétante : car si la France vit de ses performances à l'exportation (en contraste saisissant avec un marché intérieur parfaitement stagnant), ceux qui concourent à fabriquer la richesse nationale – un travailleur sur quatre – sont aussi minoritaires. Si ceux-là savent la réalité du monde, s'ils connaissent le poids beaucoup plus considérable chez nous des contraintes étatiques par rapport à nos concurrents étrangers, ils savent aussi que le reste du pays, « shooté » à l'emploi public ou à l'aide de l'Etat, ne vit pas sur la même planète qu'eux. Comme le note justement Michel Godet [1], « dans la France des années 90, les inactifs sont largement majoritaires, et représentent près des deux tiers de la population ». Or le revenu moyen des inactifs est supérieur à celui des actifs, tandis que les salaires de la fonction publique (sans parler des conditions de travail, on y reviendra) sont supérieurs à ceux du secteur marchand. Bien loin de la lutte des classes d'antan, il y a sans doute là, en germe, un divorce beaucoup plus grave pour la cohésion de la Nation, *entre ceux qui produisent et qui paient, et ceux qui attendent et reçoivent...* A moins bien sûr que nous ne parvenions à repenser, à moderniser l'Etat, et le reste de la société française qui en vit. C'est tout l'objet du présent ouvrage, et l'enjeu existentiel d'une Droite française qui reste à refonder.

En attendant, la situation présente n'est autre que cet immobilisme désespéré dans lequel baignent les Français, qui cumulent ainsi toutes les frustrations : les cadres et les entrepreneurs dissuadés d'entreprendre, et qui de plus en plus choisissent de tenter leur chance à l'étranger, les jeunes condamnés à l'assistanat et, au mieux, à de vrais faux emplois publics, les salariés inquiets pour leurs emplois, les retraités, inquiets pour leur niveau de vie, etc.

Parce que en effet le poids de l'Etat est bien trop lourd en France, comme l'est la part de ceux qui sont ses employés et qui vivent donc de lui (un salarié sur quatre) ; parce que des habitudes sociales d'assistanat ont été prises depuis vingt ans et que des millions de nos concitoyens vivent là encore de tels subsides, allocations ou autres revenus de distribution étatiques ; parce qu'une même élite techno-politique a su se maintenir en place malgré ses échecs répétés, et qu'elle bloque à dessein toute approche autre que la sienne sur la manière de concevoir notre société ; parce que enfin les partis politiques (Droite comprise, après l'échec de la cohabitation « libérale » de 1986-88) n'ont pas voulu ouvrir de vrai débat national sur le sujet, le résultat est que l'inertie et l'immobilisme finissent en France par tenir lieu de loi du Royaume. Quitte ensuite à habiller cet immobilisme par des discours politiques d'une phraséologie pompeuse et faussement généreuse, voire de concepts prétendument philosophiques ou économiques parmi les plus fumeux.

Penser l'immobilisme

Le plus grave, c'est que cet immobilisme a engendré une sorte de consensus mou de la Gauche à la Droite. Au nom de la critique de la fameuse pensée unique, *une pensée, vraiment dominante* elle, s'est peu à peu imposée. Alimentée par les chimères d'une Gauche française qui n'a

---

1. M. Godet : « Les quatre France », *Sociétal*, n° 10, nov. 1997.

toujours pas abandonné au plus profond d'elle-même ses rêves de rupture avec le capitalisme, mais également nourrie – et c'est là le plus grave – par une Droite française conservatrice, étroitement nationaliste et étatiste, cette pensée dominante obère tout vrai débat sur l'avenir de notre société. Méprisant la réalité, rejetant le reste de l'univers, elle prétend figer la France dans son déclin.

Qu'on me permette d'en résumer ainsi les quatre principales vérités de base :

1 – La France détentrice du modèle social le plus achevé parmi les démocraties, est « naturellement » favorable à la construction de l'Europe, à condition cependant que celle-ci soit sociale (« sociale » signifiant le maintien des acquis et structures étatiques – services publics notamment – à la française).

2 – Le libéralisme à l'américaine ou à la britannique est inacceptable car socialement impensable en France. Par nature inhumaine, l'économie de marché sans une forte intervention « correctrice » de l'Etat, est immorale. Elle doit être rejetée au nom de la conception égalitariste de la République française. Encore plus inhumain serait tout autre modèle de la même eau importé d'Asie.

3 – Refusant que l'on puisse créer des richesses par la flexibilité du marché, du travail et par l'innovation comme aux Etats-Unis ou en Grande-Bretagne, la pensée dominante française considère que la notion de plein emploi défunte en France est *ipso facto* définitivement condamnée partout ailleurs par l'évolution du monde. Dès lors, la priorité pour l'Etat français est de répartir la pénurie, en réduisant autoritairement et uniformément la durée du travail ; de sauvegarder la cohésion sociale, en renforçant toujours davantage son « filet social », mais en imaginant aussi d'autres façons de concevoir le travail – et même le non-travail – à l'avenir. La réduction *obligatoire* du temps de travail, la notion de « partage du travail », voire même sa disparition pure et simple, sont autant de « pistes » raisonnables à explorer par l'Etat et les partenaires sociaux.

4 – Enfin, il va de soi qu'un tel dispositif de cohésion sociale est forcément compatible avec les engagements européens et internationaux de la France, y compris au plan financier. S'il ne l'est pas, c'est alors forcément la faute des « autres » : diktats américains contre lesquels il faut nous protéger ; ultralibéralisme bruxellois contre lequel nous devons lutter et sauvegarder nos entreprises publiques ; importations sauvages du Tiers Monde qu'il faut sévèrement contingenter. Ainsi, peu à peu, parviendrons-nous à exporter « notre » modèle social.

Le plus extravagant dans le pays de Voltaire est que ces quatre « vérités » dominantes aient fait aussi peu l'objet de débats, qu'elles aient été acceptées quasi unanimement comme autant de dogmes nationaux par l'ensemble de nos formations politiques.

Le plus grave est que la Droite française elle-même acclame de tels

principes, faisant, comme le dit justement Pascal Salin [1], une sorte de
« sous-surenchère » par rapport aux propositions de la Gauche (c'est-à-
dire qu'elle se contente de les atténuer ici ou là). D'où par exemple la
touchante unanimité Gauche-Droite, réalisée à l'occasion du Sommet
d'Amsterdam de juin 1997, puis du « Sommet sur l'emploi » à Luxembourg en novembre 1997 : « l'Europe sociale », le fameux protocole
(bidon) sur l'emploi « obtenu de haute lutte » par Lionel Jospin face aux
méchants libéraux allemands, hollandais ou britanniques : autant de vic-
toires sociales qui furent accueillies en France par un cocorico national
du plus bel effet ! Quand se décidera-t-on en France à ouvrir les yeux ?

Si l'on tient autant chez nous à clouer au pilori les « horreurs économiques » des autres, de la clochardisation britannique à l'impitoyable
jungle américaine, qu'au moins l'on réfléchisse enfin sur les méfaits de
nos propres « horreurs », celles qu'engendre notre fameux système de
charité publique généralisée !

Aux plans moral et psychologique d'abord : un peuple qui considère *a
priori* qu'il ne donnera plus jamais d'emplois à la totalité de ses enfants
part déjà vaincu ; une démocratie qui offre pour tout horizon à ses jeunes
citoyens que de faux emplois de sous-fonctionnaires pour cinq ans, ou à
défaut le RMI dès vingt-deux ans (voire à dix-huit comme l'ont promis
les partis de Gauche lors des dernières législatives), qui considère la vie
utile terminée à cinquante ans par le jeu des préretraites, est une démocratie en danger. Car que devient alors le lien de citoyenneté, le sentiment d'appartenir à une même communauté de destins, c'est-à-dire la
Nation, si une partie des citoyens sait à l'avance qu'elle part condamnée
à ne jamais y entrer, à survivre de charité publique, de « stages », de
« galère », ou de « petits jobs » publics tandis que l'autre – la plus chan-
ceuse – sera mise au rancart, la maturité venue ? N'est-ce pas là la pire
des injustices, bien supérieure en tout cas à celle que nous critiquons aux
Etats-Unis, ou dans les autres pays que nous qualifions d' « ultra-
libéraux » [2] ?

Est-on vraiment si sûr que l'assistanat généralisé soit le meilleur
moyen d'atteindre l'objectif recherché, à savoir la cohésion sociale de la
Nation ? Je prétends pour ma part tout le contraire. Une démocratie
ainsi conçue, c'est-à-dire une société tournée vers le passé, privée d'horizon, de grands projets symbolisant le progrès et le succès collectif,
engendre naturellement une société de déprime, terreau idéal pour tous
les démons totalitaires. Est-il donc si surprenant que, dans une telle

---

1. *Op. cit.*
2. Le terme « ultra », généralement accolé chez nous au libéralisme, fait partie du terrorisme intellectuel de la pensée dominante. Par définition un libéral est un « ultra », quand il
n'est pas membre d'une « secte » (dixit J.-F. Kahn), de même que les compagnons de route
de l'URSS désignaient leurs adversaires, pendant la Guerre froide, du nom d'anti-
communistes « primaires » (ce que j'étais également, bien sûr !).

société de chômage, la moitié des électeurs se détournent de ceux qui n'ont que cet avenir-là à leur proposer ?

Le non-sens des trente-cinq heures

A la psychologie de l'échec inscrite dans une telle politique, s'ajoute le non-sens économique. Assurer tranquillement que non seulement le plein emploi est définitivement derrière nous, voire que le travail lui-même est une notion condamnée par l'histoire, est une autre de ces énormités dont on s'étonne que, complaisamment relayée par tant de bons esprits, elle passe si aisément dans le public.

Dans une parfaite confusion savamment entretenue d'ailleurs. Ainsi du mauvais débat sur les trente-cinq heures. A l'appui de la décision du Gouvernement socialiste d'*imposer* la semaine de trente-cinq heures sans réduction de salaires *par la loi* dès le 1er janvier 2000, les Français entendent dire toute la journée par médias interposés, que telle est bien la solution adoptée dans d'autres pays européens notamment en Allemagne et en Hollande. La réalité est exactement inverse. Aucun pays européen et a fortiori aucun pays (au-delà de l'Europe !), à l'exception de l'Italie de R. Prodi – sous la pression des communistes – n'a adopté l'idée d'une réduction obligatoire du temps de travail dans le but de dégager des postes de travail, donc de l'emploi. En revanche, dans le cadre d'une *flexibilité* totale de la production, et d'accords *négociés* entre patronat et syndicats dans certaines entreprises ou certaines branches, on a pu parvenir notamment en Hollande, à créer plusieurs dizaines de milliers d'emplois à temps partiel. Dans tous les cas, ces emplois entraînent soit des salaires moindres, soit des contraintes horaires.

Dans une économie ouverte en effet, il ne faut pas être grand clerc pour comprendre ce qui arriverait aux entreprises françaises produisant en France si, à des charges déjà plus élevées que chez nos concurrents, on ajoutait la perte d'une demi-journée, de production, à salaires constants (au total un coût supplémentaire de 11,4 %). Car dans les petites entreprises notamment (et en France ces 15 dernières années, seules les PME ont créé de l'emploi pendant que des grandes entreprises « dégraissaient » massivement), les employés comme les emplois ne sont pas interchangeables. Non seulement un tel dispositif ne créera pas le moindre emploi, mais surtout, nombre d'entreprises seront contraintes de fermer ou d'expatrier leur production, conduisant à des bataillons de nouveaux chômeurs ! Le leader *socialiste* allemand Gerhard Schröder, lui, ne doute pas des résultats de « nos » trente-cinq heures : « J'aurais bien aimé, dit-il, qu'on introduise en France la semaine de trente-cinq heures avec maintien du salaire : cela aurait donné un avantage à l'économie allemande [1] ! »

Ce mauvais débat sur les trente-cinq heures a cependant au moins un mérite : celui de montrer la profondeur abyssale de la méconnaissance française des lois élémentaires de l'économie : un enfant de cinq ans comprendrait aisément qu'en supprimant le gâteau (le travail), on ne mange point ; ou qu'en divisant ce même gâteau en un nombre croissant de parts, on ne peut qu'appauvrir tout le monde, et nourrir convenablement personne. Les travailleurs non qualifiés, au bas de l'échelle des salaires, le savent bien : eux n'ont nul désir de travailler moins, s'ils doivent sacrifier une part de leurs revenus. Seule, par conséquent, la création de richesses *nouvelles*, grossissant le gâteau, peut apporter des emplois *supplémentaires*.

De même la *production* ne peut que précéder la *redistribution* ; autrement, l'objectif nécessaire de solidarité ne pourrait être obtenu qu'à crédit et par l'appauvrissement général de tous. C'est exactement ce qui se passe en France !

De ce point de vue, l'adoption des 35 heures ne va faire qu'accroître la dépense publique, source essentielle, comme on va le voir, du chômage structurel français.

Le contribuable, en effet, va être appelé à financer les mesures d'aides « incitatives » et « pérennes » à la création d'emplois prévues dans la loi Aubry (3,5 milliards en 1998, dit-on, et 70 milliards en année pleine, le tout sans compter le surcoût de l'introduction des 35 heures dans la fonction publique – entre 30 et 50 milliards pour 6 millions d'emplois publics). Mieux, à cette charge supplémentaire sur le contribuable, s'ajoutera la baisse effective des revenus pour les salariés à 35 heures.

Si les salariés actuels (à 39 heures) continueront à percevoir le même revenu après l'an 2000, le SMIC lui-même, calculé sur une base horaire, ne peut en effet que baisser une fois acquis le passage aux 35 heures. La création de ce deuxième SMIC (ou RMM, Revenu Minimum Mensuel) se traduira par conséquent par une baisse de revenus des salariés eux-mêmes, donc par un ralentissement de la consommation et de l'économie.

A l'erreur politique et morale, s'ajoute donc hélas une double erreur économique qui pénalisera encore plus notre économie déjà en panne.

---

1. Interview dans *le Monde* du 1er octobre 1997. Schröder réagissait à une interview de L. Jospin dans *le Monde* du 16 sept. 1997, dans lequel le Premier ministre considérait lui-même les trente-cinq heures comme « anti-économiques ». Trois semaines plus tard, l'idéologie l'emportait et une « Loi cadre sur les trente-cinq heures » était annoncée, avec effet en l'an 2000.

L'autre non-sens : la théorie du partage du travail

A l'origine de la réduction autoritaire du temps de travail instaurée par la loi Aubry, la notion de partage du travail participe de la même confusion et de la même méconnaissance. Après avoir été véhiculée par certains à Gauche (M. Rocard), et fait l'objet de grandes manœuvres médiatiques orchestrées par un consultant (M. Larroutourou), l'idée a ensuite été reprise par l'un de nos éminents collègues de l'UDF, puis acceptée (car dans l'air du temps) par A. Juppé. Ainsi est née la fameuse loi Robien [1].

L'idée, séduisante à première vue, part du constat que chaque chômeur coûte à la collectivité 120 000 francs par an, et que dès lors tout dispositif public inférieur à cette somme est économiquement et socialement rentable. D'où le mécanisme de la loi : accorder sur *fonds publics* et pendant *sept ans* de substantiels allégements de charges sociales aux entreprises qui réduisent le temps de travail pour créer des emplois ou éviter des licenciements. La loi Robien, outre la célébrité qu'elle a value à son auteur (quel député n'a rêvé en effet d'une loi qui resterait dans la postérité en portant son nom !), a été quasi unanimement accueillie dans le pays comme une formidable innovation sociale, riche d'espoir d'emplois ainsi sauvés. Dans un concert de louanges, rares sont ceux qui se sont aperçus [2] que le système, fort coûteux (près de 100 000 francs par an et par emploi multipliés par sept ans), était pour l'essentiel dilapidé en « effet d'aubaine ». Comme le note Michel Godet, bon nombre d'entreprises ont pu se donner bonne figure à peu de frais en s'engageant à ne pas diminuer leurs effectifs pendant deux ans, alors que l'aide de l'Etat porte, elle, sur sept années [3] ! Mais il y a pire, car la comparaison d'un chômeur et d'un travailleur subventionné n'a guère de sens. En pérennisant pendant sept ans des emplois artificiels, on accroît d'autant une dépense qui aurait pris fin beaucoup plus tôt (la durée moyenne du chômage étant en France de treize mois). Comme l'écrit Philippe Manière : « Si l'idée de payer des chômeurs à travailler plutôt qu'à chômer était bonne, il suffirait de créer un peu plus de 3 millions de postes de fonctionnaires pour purger le chômage. » C'est d'ailleurs exactement ce que fera Mme Aubry en 1997 pour 350 000 jeunes chômeurs...

En vérité, cette vision malthusienne de l'emploi a depuis longtemps montré ses limites. Que ne regarde-t-on les résultats ? En France, la durée annuelle du travail a baissé de 15 % depuis 1973 (1 529 heures en 1996 contre 1 904 en 1973), la 5e semaine de congés a été généralisée, la

---

1. Dont je dois piteusement avouer que, par discipline de parti (mais l'on ne m'y reprendra pas !), je l'ai moi aussi laissée passer sans m'y opposer à l'époque.

2. V. cependant Philippe Manière, « Une fausse bonne idée », *le Point*, 1er février 1997, et *Idées-Action*, « Le partage de la durée du travail » (Note 1997).

3. M. Godet, « Les quatre France », *op. cit.*

semaine abaissée à trente-neuf heures, l'âge de la retraite a lui aussi été abaissé, les préretraites n'ont cessé de se multiplier au rythme des plans sociaux... et le chômage, lui, n'a cessé d'augmenter ! A partir d'une analyse comparative de tous les indicateurs d'activité, Claude Vimont conclut : « La population française ne travaille pas trop : d'après les normes internationales, elle ne travaille pas assez [1]. »

Le contraste France-Etats-Unis, illustré par le tableau 3-1 ci-dessous, est particulièrement éloquent : en France, la durée du travail baisse en même temps que l'emploi ; aux Etats-Unis, on travaille toujours autant qu'en 1970, mais l'emploi progresse fortement. Il en va de même pour les autres comparaisons internationales (voir le tableau 3-2), d'où il ressort clairement que les pays qui ont gagné la bataille de l'emploi sont ceux où l'on travaille le plus et où l'on taxe le moins, tandis que nous faisons exactement l'inverse : moins de travail, plus d'impôts ! Où est donc passé le vieux bon sens français ?

C'est dire si la connexion présentée comme évidente chez nous entre « réduction du temps de travail », « partage du travail » et création d'emplois est le type même de la fausse bonne idée. C'est dire aussi combien je me suis réjoui de lire récemment sous la plume d'un Jacques Attali apparemment converti à « l'ultralibéralisme » (de Gauche bien sûr !) cette sentence si juste : « Le travail ne se partage pas, il s'ajoute ou se retranche [2]. »

TABLEAU 3-1 : DURÉE DU TRAVAIL ET EMPLOI
COMPARAISON FRANCE-ÉTATS-UNIS

	France		Etats-Unis	
	Durée du travail	**Emploi marchand** [1]	**Durée du travail**	**Emploi marchand** [1]
1970	100,0	–	100,0	–
1975	94,5	+ 4,2	98,2	+ 5 034,2
1980	91,1	+ 43,6	96,9	+ 16 943,7
1985	84,6	– 873,4	96,6	+ 24 642,8
1990	84,5	– 176,2	96,0	+ 33 496,4
1991	84,6	– 203,5	95,3	+ 32 348,3
1992	84,5	– 455,1	95,3	+ 32 837,3
1993	83,5	– 836,6	95,8	+ 34 348,2
1994	83,5	– 887,3	95,9	+ 37 825,7
1995	83,5	– 871,0	95,9	+ 39 638,4

(1) Evolution cumulée en milliers
Source : Denis Kessler, Cartes sur Table, CNPF, 1996.

---

1. Claude Vimont : « Travailler plus, pourquoi et comment », *Sociétal*, n° 10, juillet 1997.
2. J. Attali : « La saignée », *le Monde*, 20 nov. 1997.

TABLEAU 3-2 : DURÉE DU TRAVAIL ET EMPLOI : PAYS DU G7

Pays du G7	Taux de chômage (% population active) 1996	Durée annuelle effective du travail des salariés (heures) 1996 *1994	Prélèvements obligatoires (% PIB) 1996 *1995
Canada	9,7	1 721	44,7*
États-Unis	5,4	1 951	27,3*
Japon	3,4	1 919	28,5*
Allemagne	9,0	1 508	38,2
Grande-Bretagne	8,2	1 732	35,3*
Italie	12,2	1 682*	43,5
France	**12,1**	**1 529**	**45,7**

Source : OCDE

J'ai quelques raisons de penser, s'agissant de la loi Robien, que le Premier ministre de l'époque n'était pas dupe. Il a cependant choisi de laisser faire : l'idée émanant de sa propre majorité, fallait-il prendre le risque de rejeter un projet unanimement applaudi par les « observateurs » comme ouvrant, comme on dit aujourd'hui, « une nouvelle piste pour l'emploi » ? Le résultat, c'est qu'on aura dépensé beaucoup d'argent, pour des résultats dont on ne mesurera tout l'échec que dans sept ans ! Et que la loi Robien aura donné naissance, deux ans plus tard, à la loi Aubry sur les 35 heures...

Le non-sens fiscal

Sur le même registre, il n'est pas non plus besoin d'être un grand expert économique pour comprendre qu'en augmentant sans cesse la fiscalité des entreprises et les charges sur les salaires, on appauvrit à la fois le salarié (qui consommera moins), et le vivier potentiel d'emplois nouveaux, puisque chaque salarié coûtera ainsi de plus en plus cher à son employeur potentiel.

Lorsqu'un cadre coûte 1 million de francs à son entreprise, le salarié reçoit 300 000 francs en France alors qu'il recevrait 600 000 francs en Grande-Bretagne. Au total, la logique du filet social finira, à force de financer l'inactivité, par tuer l'activité elle-même.

C'est ici que la logique de la mondialisation joue à plein, en accentuant les dérives du système français. Les entreprises françaises qui, à la différence des experts de Bercy, fonctionnent dans le monde du réel, tout comme leurs concurrentes étrangères, seront (sont) progressivement amenées à délocaliser hors de France activités et emplois nouveaux, la fiscalité des Etats étant de plus en plus un élément déterminant de l'équation économique mondiale.

Un exemple parmi des centaines d'autres. Tout récemment, l'un de mes amis, à la tête d'une petite maison de production de télévision (2 salariés) a dû, pour emporter un contrat passé par une grande institution européenne basée à Paris (!), créer à Londres (en une heure et pour 135 livres) une société de droit britannique. Outre la différence offerte à l'entrepreneur en termes de facilités administratives, le même contrat revient 35 % moins cher de l'autre côté de la Manche, en raison de charges salariales et d'impôts plus faibles. Mon ami a pu ainsi emporter le contrat, face à ses concurrents français...

Hier, seules quelques grandes stars du show-business ou du sport automobile choisissaient de se domicilier à Genève ou à Monaco pour échapper aux rigueurs du fisc français. Aujourd'hui, après nos footballeurs, ce sont nos jeunes cadres qui émigrent en masse à Londres ou à New York, quand ce ne sont pas nos entreprises qui font fabriquer ailleurs si elles le peuvent [1]. Le serpent de la solidarité s'est mordu la queue : l'objectif, louable à l'origine, de financer l'accident de parcours exceptionnel à l'époque, qu'était le chômage, par un système de répartition obligatoire financé par les actifs, s'est transformé en France en une véritable chape de plomb qui étouffe l'initiative chez ceux qui veulent créer, et dissuade même chez beaucoup d'autres tout désir d'aller vraiment trouver du travail.

Combien de fois au fil de mes conversations avec des commerçants, des artisans, des dirigeants de petites PME, n'ai-je entendu la même litanie : « Bien sûr, je pourrais m'agrandir, prendre un ou deux jeunes. Mais je ne le ferai pas. Trop cher. Trop compliqué. » Et combien d'autres de me dire froidement : « Employer, moi, jamais ! L'avenir d'une PME en France, c'est zéro emploi, zéro charges. »

C'est ici que les expériences étrangères sont les plus éclairantes, tant sur nos propres rigidités que sur la nature réelle du défi qui est lancé à l'ensemble du monde industrialisé par la nouvelle donne mondiale. A côté de l'impératif du libre-échange, l'autre grande leçon à retenir en effet est que si la mondialisation entraîne à coup sûr des difficultés sociales considérables parmi les anciennes puissances industrialisées, *ses effets sur l'emploi et sur la stabilité de nos sociétés dépendront avant toute chose de la capacité de chaque nation de trouver en elle-même le courage d'entreprendre à temps les ajustements nécessaires.*

---

1. Voir les exemples d'entreprises détaillés dans *l'Express* du 24 juillet 1997.

Regards sur l'étranger

Osons donc quelques comparaisons étrangères, si méprisées chez nous – et pour cause ! puisqu'elles éclairent d'un jour bien cruel l'échec français.

Si l'on compare en effet, comme le fait le tableau 3-3 ci-après, le nombre des emplois créés en Europe, aux Etats-Unis et au Japon au cours de la période 1972-1992, ou bien le niveau de chômage dans les trois régions (tableau 3-4), on observera des écarts spectaculaires que n'expliquent pas des différences d'intensité des échanges « mondialisés » avec les pays à bas salaires.

Bien au contraire : les Etats-Unis et le Japon, tout en important bien davantage que l'Europe en provenance des producteurs à bon marché du Tiers Monde, réussissent à maintenir des taux de chômage deux à quatre fois inférieurs à ceux que l'on connaît en Europe, et en France en particulier.

TABLEAU 3-3

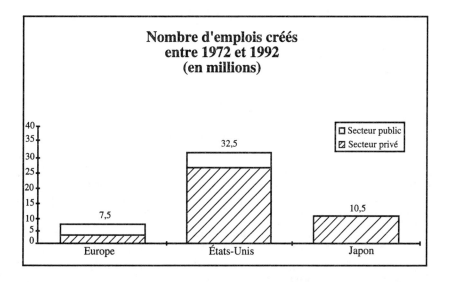

Source : OCDE, The Economist.

TABLEAU 3-4

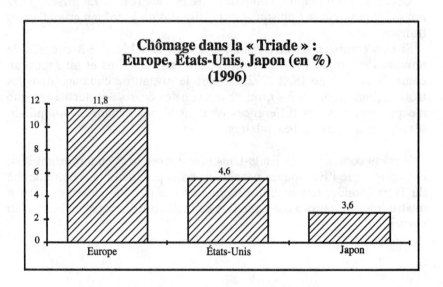

Source : *OCDE*, The Economist.

L'explication est ici avant tout d'ordre sociétal et politique.

Le cas du Japon

Prenons le cas du Japon pour commencer, sans doute le plus culturellement éloigné du nôtre. Si le taux de chômage actuel est de l'ordre de
3,5 à 3,6 %, ce n'est certes pas parce que le Japon a bloqué tout
commerce avec les pays à faible coût salarial. Bien au contraire, il a joué
à fond, par ses investissements depuis vingt ans, la carte des pays émergents d'Asie, augmentant même de façon très sensible ses importations
de produits manufacturés en provenance de ces pays (62 % de ses
importations totales, contre 35 % il y a dix ans).

Les importations japonaises tirent ainsi la croissance de toute l'Asie
(le Japon est le premier investisseur en Chine par exemple) mais pro-
voquent en même temps une légère hausse du chômage au Japon
(3,6 %, chiffre qui inquiète les autorités japonaises !), ainsi que la réduction de l'excédent commercial. En 1996, l'excédent commercial japonais
ne représentait plus que 1,5 % du PNB, trois fois moins qu'il y a quelques années.

Comment expliquer un si faible taux de chômage face à cette évolution ? Tout d'abord, par le maintien volontaire de sureffectifs notamment dans les grandes entreprises, un sureffectif que l'on estime de l'ordre de 3 % de la population active. Je n'apprécie guère pour ma part la notion d' « entreprise citoyenne » utilisée à Gauche comme à Droite en France pour inciter les patrons à embaucher, quelle que soit la rationalité économique d'une telle décision. Cependant, j'ai entendu l'élite des grands patrons japonais réunie autour de Jacques Chirac en 1994 insister sur le fait que l'entreprise japonaise considérait avoir des devoirs envers la société. Que mieux valait conserver des employés – même en sureffectifs – même en les déplaçant à l'intérieur de l'entreprise pour remplir des tâches plus modestes, que de les voir réduits au statut de chômeur, sans véritable place dans la société – et sans les moyens de consommer... C'est ainsi que si les Japonais fabriquent comme on l'a vu les robots les plus efficaces, s'ils possèdent eux aussi leur TGV, ils ont néanmoins conservé leurs poinçonneurs de tickets dans les gares et le métro ; qu'au pays de l'électronique, on trouve des garçons d'ascenseurs ou des employés en grand nombre pour s'occuper de votre véhicule dans les stations-service. Mais il est vrai que leurs salaires sont peut-être moins avantageux qu'en France, à emploi équivalent. Et que la « discipline sociale » des Japonais joue ici un rôle clé : ce que nous appelons en France « les petits boulots », que nous refusons d'envisager pour nous-mêmes ou nos enfants, les Japonais les considèrent comme une place honorable dans la société...

Sureffectifs donc, mais aussi faible emploi des femmes (la femme japonaise cesse de travailler dès la naissance du premier enfant : c'est un autre 3 % de la population active non recensé dans les chiffres du chômage), et une immigration voisine de zéro : voilà comment le Japon parvient à maintenir un niveau de chômage aussi bas, malgré la fameuse mondialisation.

Il n'empêche que malgré ses habitudes sociales qui limitent le niveau du chômage, l'économie japonaise souffre elle aussi de difficultés d'ajustement face à la mondialisation.

Si sa balance commerciale reste fortement excédentaire et ses réserves (au moins 300 milliards de dollars) parmi les plus importantes du monde, avec celles de Taïwan, le Japon souffre d'une crise financière larvée : son système bancaire ne s'est pas remis de la « bulle » immobilière des années 80 et montre des signes de fragilité ; la consommation intérieure stagne et les Japonais ont dû apprendre à vivre sans la garantie de « l'emploi à vie » à l'intérieur d'une même entreprise.

C'est la raison pour laquelle le Gouvernement japonais a engagé plusieurs plans de relance des dépenses publiques très coûteux (le dernier en date : 140 milliards de dollars, qui feraient plaisir à M. Jospin), sans parvenir pour l'instant à consolider durablement la consommation des ménages, inquiets pour l'avenir de leurs emplois. Résultat : la dette publique atteint 4 000 milliards de dollars, soit 100 % du PNB, ce qui ne qualifierait pas le Japon, m'a-t-on dit au Keidanren, avec un fin sourire, « pour entrer dans les critères de Maastricht ». Tout récemment encore, en pleine crise financière asiatique (décembre 1997), le Gouvernement Hashimoto annonçait un plan massif de réduction d'impôts (15 milliards de dollars) pour relancer la consommation intérieure.

Cet endettement doit cependant être relativisé : d'abord parce que, à la différence des Etats-Unis, de l'Europe et surtout de la France, le Gouvernement japonais a emprunté *chez lui* de l'argent japonais. « La femme a prêté au mari » ce qu'elle aurait investi (à perte) dans des bons du Trésor américain. Car le Japon regorge d'épargne, et tout cela n'a eu aucun impact sur les taux d'intérêt (0,5 %).

En France, si la dette (4 500 milliards de francs) reste en 1997 tout juste inférieure à 60 % du PNB (7 000 milliards de francs) – le critère retenu par Maastricht [1]–, l'Etat est de longue date beaucoup plus dispendieux qu'au Japon. Il ne pourrait qu'emprunter sur les marchés, dont l'humeur serait immédiatement traduite par les taux d'intérêt et par le cours du Franc. Entre M. Trichet (et son Franc fort), Maastricht (et son impératif de baisse des déficits publics), les marchés (et la crainte qu'ils inspirent), et la nécessité de réduire les dépenses publiques, Jacques Chirac et Alain Juppé choisirent le 26 octobre 1995 une stratégie inverse à celle du Japon : augmentation massive des impôts (120 milliards), sans parvenir vraiment à réduire le train de vie de l'Etat. Avec les résultats que l'on sait... On notera que malgré sa profession de foi keynésienne pendant la campagne électorale, M. Jospin n'a pas mis deux mois avant d'en faire autant. En 5 mois, entre juillet et novembre 1997 ce sont 60 milliards de prélèvements supplémentaires qui auront été ponctionnés chez les entreprises et les familles « moyennes ». Avec des résultats probablement identiques à l'arrivée, puisque la dépense publique n'ayant pas été sérieusement réduite (bien au contraire elle s'est accrue de plusieurs dizaines de milliards avec les emplois-jeunes et les aides aux 35 heures !), les déficits structurels vont continuer, ponctionnant toujours plus une économie déjà au point mort [2].

La France mène donc, sous des gouvernements de Gauche et de Droite, une politique macro-économique théoriquement libérale pour satisfaire aux critères de la monnaie unique, mais conduit des politiques structurelles (dépenses publiques notamment) et réglementaires radicalement incompatibles avec le libéralisme. Enfonçant l'accélérateur en tirant sur le frein à main, il n'est pas étonnant que la voiture France

---

1. Voir *l'Expansion*, septembre 1996.
2. En année pleine, le coût des 350 000 « emplois-jeunes » (35 milliards), et des aides « incitatives » et « pérennes » de la loi sur les 35 heures (70 milliards), atteint 106 milliards de francs, auxquels on ajoutera le surcoût des 35 heures dans la fonction publique. Au total deux points supplémentaires de PIB, alors même que la France s'est engagée à maintenir son déficit budgétaire en dessous de 3 % !

n'avance pas, mais consomme beaucoup, fasse beaucoup de bruit et de fumée, et dégage beaucoup de chaleur. Pour un résultat nul.

Le contre-modèle américain

Quant aux Etats-Unis, ils ont réussi en dix ans une formidable reconversion technologique et une relance de l'emploi (25 millions d'emplois créés, 220 000 par mois en 1996-97), en choisissant une voie diamétralement opposée à celle de la France : celle de la flexibilité la plus large possible du marché du travail, couplée à une politique constante de réduction des déficits publics.

Une étude comparée du chômage et de l'emploi en Europe et aux Etats-Unis pendant la période 1980-95 réalisée par un chercheur américain, Woody Brock, est à cet égard éloquente.

Première constatation :

— Les Etats-Unis sont le pays qui, au cours de cette période, a détruit le plus d'emplois : 42 millions (soit 4 millions d'emplois détruits par an) ! Mais en même temps, ce sont eux qui en ont créé le plus : 67 millions. Résultat net : + 25 millions d'emplois supplémentaires, et un taux de chômage actuel de 4,6 %, soit moins de la moitié du niveau européen (ou japonais si ce dernier est mesuré avec les critères analogues du G7), et *le tiers* du niveau de chômage français [1] !

— Dans le même temps, la création nette d'emplois en Europe était de 4 millions, tandis que la croissance moyenne était de 0,18 %, contre 1,6 % aux Etats-Unis (soit un huitième de la croissance américaine).

Selon l'auteur, les explications couramment avancées (rigidité du marché du travail en Europe, emplois précaires et mal payés aux Etats-Unis) ne suffisent pas à expliquer cet écart. Non seulement les grands groupes européens ont massivement « dégraissé » ces dernières années, mais le caractère précaire des emplois créés aux Etats-Unis (les fameux « Mc jobs ») est lui aussi très exagéré : en fait, le niveau de vie du travailleur moyen aux Etats-Unis a augmenté de 30 % pendant la période considérée [2].

Quel est donc le moteur de la croissance américaine ? Avant toute chose, l'écart de performance entre l'Europe et les Etats-Unis tient à la capacité de l'économie américaine de régénérer en quelque sorte des cellules nouvelles, à mesure que les cellules mortes disparaissent. Dans ce processus de « destruction créatrice » pour citer Schumpeter, Brock démontre l'importance des quatre facteurs suivants :

— *L'innovation en matière de produits :* invention et réinventions de

---

1. Chiffre du mois de novembre 1997. V. *la Tribune* 8 déc. 1997.
2. Cette observation, largement passée sous silence dans les médias français, est pourtant corroborée par nombre d'autres analyses (v. *New York Times*, 1ᵉʳ mai 1994).

nouveaux produits et services, qu'il s'agisse de la vente (Wal-Mart), d'édition (Xerox-Kinko), de services de santé, de produits de consommation ou de loisirs, et bien sûr de communications (câble, Internet).

Les pionniers de ces nouveaux produits sont désormais au sommet de ce nouveau capitalisme : Bill Gates et Paul Allen de Microsoft, Steve Jobs d'Apple, Andrew Grove et Gordon Moore d'Intel, Mitch Kapor de Lotus, Marc Andersen et Jim Clark de Netscape, Fred Smith de Federal Express, Larry Ellisson d'Oracle, etc.

— *La pleine participation des relais financiers dans la course à l'innovation-profit.*

Ce qui s'est passé aux Etats-Unis c'est que le capital est allé, de façon très spectaculaire et bien au-delà de toute projection, des activités « sûres » d'hier, aux domaines nouveaux et risqués de l'avenir.

En 1980, les actions IPO [1] émises atteignaient 1,36 milliard de dollars ; leur volume s'envolait jusqu'à 28,8 milliards de dollars en 1995. Le total des fonds levés sur les marchés pour les technologies nouvelles atteint 203 milliards de dollars en quinze ans, soit 20 fois plus que ce qui était envisagé en 1980. Avec l'explosion du marché des « petites sociétés », le NASDAQ est devenu aujourd'hui le plus important des marchés américains, y compris le Big Board.

— *Troisième étape : l'argent ainsi investi est rapidement transformé en emplois nouveaux,* le plus souvent dans de petites entreprises ou dans les entreprises qui n'existaient pas en 1980. Les emplois créés par ces IPO atteignent ainsi entre 5,5 et 6,5 millions au cours des 15 années écoulées. 1,4 million de postes de travail ont été créés par seulement 24 sociétés cotées au NASDAQ (dont 11 n'existaient pas en 1975), or il existe 5 340 autres sociétés cotées sur ce marché...

Autrement dit, la déréglementation, et la « flexibilité » du marché du travail ne sont que l'un des éléments clés nécessaires à la régénérescence du marché du travail. Deux autres facteurs sont indispensables : l'innovation en matière de produits nouveaux et l'implication des marchés financiers et du capital risque.

— Ce qui conduit au dernier facteur, culturel : *la jeunesse.* Brock écrit que « l'Amérique est sans doute la première nation de l'histoire moderne à prendre au sérieux – et à financer – les talents et les rêves de ses jeunes. Car seule la jeunesse peut dominer et exploiter les abstractions qui sous-tendent la révolution des technologies de l'information de notre temps ».

Tableau exagérément optimiste d'une nation redevenue si sûre de sa puissance et de ses valeurs, qu'elle les pousse jusqu'à l'arrogance, comme ce fut le cas au Sommet de Denver de juin 1997 ? Ou recettes que nous ferions bien de méditer ? Je penche pour ma part pour la deuxième thèse : si l'économie américaine est en plein « boom », si les Américains

---

1. Initial Public Offering (première introduction en Bourse).

ont le moral, si nombre d'Etats y ont atteint le plein emploi et sont en manque de main-d'œuvre, c'est que quelque part l'esprit de liberté, la facilité de création des entreprises, le dynamisme du système américain, sont plus efficaces pour l'emploi des citoyens, que tout notre système ruineux de répartition des aides publiques, « aides à l'emploi » et autres emplois subventionnés ! C'est aussi parce que depuis la révolte fiscale de 1978, et de Reagan à Clinton, un immense travail de redéfinition et des missions et du fonctionnement même de l'Etat a été mené aux Etats-Unis, conduisant à une réduction massive des déficits publics [1].

En France, l'on se pique de recevoir Bill Gates à l'Elysée, mais notre système est impuissant à fabriquer des Bill Gates : nos meilleurs ingénieurs ou managers étant conduits à se résigner au statu quo ou à s'expatrier... Quant au Bill Gates en question, qui a appelé la France « le *Titanic* des entrepreneurs [2] », c'est la Grande-Bretagne qu'il choisit, et non la France, pour y implanter ses usines et ses centres de recherche en Europe.

Certes, le contre-modèle américain comporte aussi ses propres lacunes. Notamment le risque de voir exploser les inégalités entre ce que Peter Drucker [3] appelle les « travailleurs du savoir » et les travailleurs non qualifiés, les grands perdants de la mondialisation. Professeur à Harvard avant de devenir le ministre du Travail de la première Administration Clinton, Robert Reich, installé dans le rôle de procureur du libéralisme à l'américaine, a longuement dénoncé les risques de balkanisation de la société américaine. Insistant sur les écarts de revenus entre la petite classe des dirigeants d'entreprise et la masse des travailleurs non qualifiés, passés de 12 contre 1 en 1960 à 70 contre 1 en 1990, Reich nous livre un tableau véritablement apocalyptique de l'Amérique contemporaine. Dans son ouvrage majeur *The Work of Nations* [4], Reich écrit :

« En 2020, un cinquième des Américains au sommet de l'échelle des revenus se partageront 60 % de l'ensemble des revenus des Etats-Unis. Le cinquième au bas de l'échelle se partagera, lui, 2 %. Les " analystes " se réfugieront dans des enclaves de plus en plus isolées, où ils partageront leurs richesses entre eux, plutôt qu'avec les autres citoyens américains pour les aider à améliorer leur productivité. Une proportion de plus en plus faible de leurs revenus sera taxée, et donc redistribuée dans le reste de la société. Les dépenses publiques en matière d'éducation, de

---

1. J'évoquerai un peu plus loin ces réformes, et notamment les premiers résultats du *Government Performance and Results Act* de 1993, à l'occasion des développements consacrés à la refonte nécessaire de l'Etat en France (v. p. 289 et s.).

2. La citation (*le Monde* du 14 février 1997) mérite d'être donnée dans son ensemble : « Sortez-moi de là (la France) ! C'est le *Titanic* des entrepreneurs. L'Etat est partout. Partons pour la Pologne ! A Varsovie au moins les gens veulent aller de l'avant ! »

3. P. Drucker : *Au-delà du capitalisme*, Dunod, 1993.

4. R.B. Reich : *The Work of Nations*, New York, Vintage Books, 1991.

formation ou d'infrastructures continueront de décroître en proportion du revenu total du pays. Les économies réalisées sur les budgets de défense iront à des réductions d'impôts ou de déficits publics. Les villes pauvres, les quartiers et les Etats ne seront pas capables de combler cet écart... Distincts du reste de la population par les liens globaux dont ils disposeront entre eux, des écoles de bonne qualité, un niveau de vie très confortable, un système de santé excellent, et une multitude de milices privées de sécurité, les analystes achèveront ainsi leur sécession de l'Union. Les quartiers résidentiels et les enclaves urbaines où ils se regrouperont, les " zones d'analyse " où ils travailleront, ne ressembleront en rien au reste de l'Amérique ; pas plus qu'il n'y aura de contacts entre les deux. De leur côté, les Américains les plus pauvres resteront isolés dans leurs propres enclaves de désespoir urbain ; de plus en plus de jeunes Américains rempliront les prisons. Le reste de la population, devenant progressivement de plus en plus pauvre, se sentira impuissante à influer sur ces phénomènes. »

Signe des temps : c'est le même Bill Clinton qui, en 1992, faisait campagne pour l'introduction d'un système de sécurité sociale à l'européenne et qui, quatre ans plus tard, en août 1996 à la veille de la Convention démocrate de Chicago, signait le projet de loi démantelant totalement le système (pourtant modeste) de couverture sociale pour les plus démunis, hérité de Roosevelt. Je me suis demandé alors ce que R. Reich, qui appelait ses concitoyens à une nouvelle forme de solidarité entre riches et démunis, pensait aujourd'hui de cette législation [1]... et de l'actuel taux de chômage dans son pays.

En Europe, aussi...

Ce sont, on le sait, des mesures du même ordre qui, sans aller aussi loin qu'aux Etats-Unis, ont été mises en œuvre depuis une quinzaine d'années en Grande-Bretagne et aux Pays-Bas, pays où les courbes du chômage ont fortement chuté. Dans le premier cas, avec un taux de 5,2 % (contre 12,6 % en France !), le chômage a été réduit de près de moitié depuis cinq ans ; dans le second, le chômage touche 6,7 % de la population active, tandis que l'économie néerlandaise crée de nouveaux emplois (110 000 en 1996). Les « recettes » là encore sont les mêmes : réforme de l'Etat, donc réduction drastique des déficits publics et des

---

1. D'autant que pour faire bonne mesure, ce texte prévoit également de supprimer tout accès à l'aide sociale pour des étrangers en situation *régulière* résidant aux Etats-Unis. La notion de « préférence nationale » pour l'accès aux prestations sociales est donc devenue loi aux Etats-Unis sans l'ombre d'un commentaire en France. Il est vrai que l'attention de la France entière était alors tournée vers la saga des 350 Maliens réfugiés à l'église Saint-Bernard...

impôts (en Hollande par exemple, le déficit budgétaire a été divisé par 4 (!) entre 1982 (8,4 %) et 1997 (2,2 %) ; choix de la flexibilité du marché du travail (charges salariales faibles en Grande-Bretagne, recours massif au travail temporaire et au temps partiel aux Pays-Bas) ; « filet social » appliqué sous conditions, pour éviter dérives et assistanat généralisé.

On a mentionné plus haut les réductions drastiques qu'entend introduire Tony Blair en Grande-Bretagne. De même en Hollande, le système appelé WAO, qui indemnise les Néerlandais dans l'impossibilité physique ou psychologique de travailler (et qui était source de nombreux abus), a vu ses conditions d'accès durcies tandis que ses prestataires sont désormais soumis à des examens réguliers. Résultat : 35 % de bénéficiaires contrôlés en 1996 ont vu leurs allocations supprimées ou réduites, tandis que les dépenses de protection sociale dans ce pays tombaient de 18,1 % du PIB en 1994 à 16,8 % deux ans plus tard[1]. Depuis 1980-82, ces politiques ont été menées le plus souvent par des coalitions de Centre-Gauche en Hollande, tandis qu'au Royaume-Uni, le travailliste Tony Blair a maintenu intact l'héritage de Margaret Thatcher et de John Major : dans ces deux pays où le chômage a été vaincu, le consensus sur le libéralisme l'emporte sur les clivages droite-gauche. Il en va malheureusement tout autrement en France...

Premières conclusions pour la France

Maintien de l'emploi avec moins d'impôts, moins de dépenses publiques avec un Etat restructuré et un filet social réduit, ou généralisation de l'assistanat au risque de tarir la création de richesse (et d'emplois!), ou encore force de la cohésion sociale à la japonaise : en dernière analyse, tout se jouera sur le tissu moral et culturel de nos sociétés, et sur le courage des politiques à préparer nos sociétés démocratiques aux ajustements inévitables qui les attendent. Pas plus que les Etats-Unis, le Japon, l'Angleterre ou la Hollande, la France n'a l'option de « refuser la mondialisation »... ou de s'installer sur la planète Mars, loin des fourmis asiatiques ou des « ultralibéraux » anglo-saxons.

Dans un ouvrage récent[2], Philippe Séguin écrit : « Nous nous refusons à choisir entre l'emploi et la pauvreté d'un côté, et le minimum social avec le chômage de l'autre. » Je présenterai pour ma part les choses un peu différemment : notre problème est d'éviter le risque, finalement identique, de désintégration sociale (et politique), auquel conduirait également et inévitablement un modèle à l'américaine poussé à ses extrêmes (tel que le présente Robert Reich, encore que, coimme on l'a vu, l'emploi aux Etats-Unis ou en Grande-Bretagne ou aux Pays-Bas

1. *Le Nouvel Economiste*, 12 décembre 1996.
2. *En attendant l'emploi*, Seuil, 1996.

n'est pas synonyme de pauvreté, mais d'écarts entre les revenus, ce qui n'est pas la même chose), ou un modèle français de protection-paupérisation par l'Etat.

Le « boom » de l'économie américaine et son plein emploi ont un revers de la médaille : c'est le risque de désintégration sociale décrit par Edward Behr [1], les 50 000 morts par balle annuels (autant que tous les GI's tombés au Vietnam), la drogue, le sida, les millions d'enfants à l'abandon qui coûtent très cher à l'Amérique. Et pas seulement en termes financiers. Mais à l'inverse, alourdir sans cesse le système d'Etat-providence à la française de charges et de « couvertures » nouvelles, paraît tout aussi dangereux à terme. Sauf à accepter une sorte d'état permanent de faillite financière et morale ; une hausse continue des déficits, donc une sujétion de plus en plus grande à la logique de nos créanciers – les marchés ; une ponction toujours plus importante des contribuables par des prélèvements obligatoires qui tuent la consommation et l'initia-tive, et engendrent par voie de conséquence toujours plus de chômage, toujours plus de désespoir, de précarité et de violence (dans les ban-lieues notamment) pour une population maintenue en état de survie mais dans l'inactivité. Tel en effet est le triste état d'une France qui emprunte chaque jour 1 milliard de francs pour financer son train de vie, dont le niveau des prélèvements obligatoires (45,6 %) bat tous les records de toutes les grandes démocraties industrialisées ; dont la moitié du budget sert à financer les fonctionnaires (un salarié sur quatre !), et dont le remboursement de la dette est devenu le 2e budget de l'Etat !

Au final, et c'est la conclusion essentielle de ces quelques notations économiques, la mondialisation n'est porteuse d'aucune fatalité en termes de chômage ou de déclin. Elle aura cependant partout valeur de test pour la solidité de la cohésion sociale et du lien démocratique entre les citoyens. Partout, elle forcera, force déjà, des choix politiques, *des choix de société* souvent fort douloureux en termes d'accès au travail et de partage des richesses. Partout, elle conduira citoyens et élus à repen-ser l'Etat, ses missions et les modalités de l'action publique : non pas que l'Etat soit par avance condamné par la mondialisation, on va y revenir, mais parce qu'il devra apprendre à gouverner mieux en administrant moins par lui-même, en devenant à la fois plus efficace et plus économe des deniers publics.

Ce qui est en germe, c'est *une société de l'incertitude*, où chaque entre-preneur sera immédiatement en concurrence avec d'autres fabricants de produits similaires partout dans le monde ; où chaque travailleur devra en permanence se recycler pour rester compétitif, et connaître probable-ment plusieurs carrières au cours de sa vie ; où les politiques, qui ne pourront délocaliser leurs électeurs comme les entrepreneurs déloca-lisent leurs usines, auront la tâche redoutable de préserver la dignité, la

---

1. E. Behr : *Une Amérique qui fait peur*, Plon, 1995.

place, la citoyenneté de tous ceux qui ne pourront pas faire partie des gagnants, les « analystes » de Reich ou les « travailleurs du savoir » de Drucker...

Certes, aucun exemple étranger n'est directement transposable d'un pays à l'autre, d'une nation à l'autre. L'un de mes professeurs de droit constitutionnel comparé avait coutume de dire que le modèle constitutionnel britannique, à l'image du gazon de ce pays, était le produit de siècles de patient entretien et qu'il ne s'exporterait jamais tel quel. Il en va de même, naturellement, pour tel ou tel type de réforme sociale ou institutionnelle entreprise en Hollande, en Grande-Bretagne ou aux Etats-Unis. Aucune n'est transposable telle quelle, du jour au lendemain en France.

Cela étant, si l'on veut bien considérer un instant que le système économique, politique et social français n'est pas, en soi, nécessairement porteur de vérités historiques absolues et universelles, si par conséquent notre système *est* perfectible, alors il n'est sans doute pas inutile d'examiner comment d'autres sociétés réagissent à des contraintes souvent identiques à celles que nous subissons avec tant de douleur et d'effroi.

Si les Etats-Unis ont créé 25 millions d'emplois *supplémentaires* en vingt-cinq ans quand la France n'en créait aucun (sauf dans l'administration !), c'est que l'explication tient à nos propres dysfonctionnements, à nos réflexes culturels, à nos échecs, non à je ne sais quelle fatalité obscure imposée de l'extérieur.

Et puisque Jacques Attali a semble-t-il rejoint le camp des libéraux, qu'on me permette de citer ici quelques-unes de ses notations que je partage pleinement.

« Pourquoi (cet écart entre la France et les Etats-Unis). Parce que l'acte de création n'est pas reconnu en France comme il l'est ailleurs. Parce qu'il est ici honorable d'avoir de l'argent mais très suspect d'en gagner, à moins que cela ne soit en gérant des entreprises en situation de monopole. Parce que le risque est une aventure et la faillite un opprobre. Parce qu'un inventeur ne peut que rarement trouver un financier imaginatif pour l'accompagner, alors que le fisc est toujours là pour lui réclamer sa part de l'argent qu'il n'a pas encore gagné. Parce qu'une minorité qui paie l'impôt n'accepte plus les règles fixées par une majorité qui ne le paie pas. Parce que, quand on obtient en France 1 Franc pour créer une entreprise de haute technologie, on en trouve 20 000 en Amérique ; quand on émet un stock-option en France pour récompenser et s'attacher les services d'un cadre, on en émet 2 500 en Grande-Bretagne ; quand un cadre gagne 1 Franc en France, il en gagne 2 en Grande-Bretagne et presque 3 aux Etats-Unis [1]. »

Mais au-delà, il revient aux Français d'ouvrir les yeux sur les formidables opportunités de renouvellement social qu'engendrerait pour son

---

1. J. Attali, « La Saignée », *op. cit.*

peuple une France résolument ouverte sur le monde : société de l'incertitude et du risque certes, mais aussi vraie démocratie susceptible de bousculer les hiérarchies sociales anciennes.

L'ouverture mondiale des échanges et de l'information au niveau de chaque individu, l'évolution technologique constante sont *aussi* sources d'opportunités nouvelles pour tous, y compris pour ceux qui ne sont pas issus des castes du pouvoir (bourgeoisie traditionnelle, haute fonction publique), castes dont un pays comme la France s'est fait une sorte de spécialité. L'allégement du poids de l'Etat, la redéfinition de ses missions, la dynamisation de son mode de fonctionnement seront pour tous les Français – y compris pour les agents de l'Etat eux-mêmes – source de plus de liberté, d'opportunités et de responsabilités, sans parler des économies de ressources ainsi libérées pour la société civile.

Tout, répétons-le, dépendra du tissu moral et politique de notre société. Les habitudes de citoyenneté seront-elles suffisamment fortes pour contrer les forces centrifuges de la nouvelle économie mondialisée, et forger au contraire des opportunités et des solidarités nouvelles ? Parviendrons-nous à définir et à mettre en œuvre une voie française vers le libéralisme ? A bâtir une société capable de réconcilier l'exigence de survie économique née de la mondialisation avec celle de solidarité qui conditionne la légitimité, donc la survie de notre système démocratique ? Ou bien devrons-nous nous résigner à voir se déliter sous nos yeux une société dont les liens économiques et politiques entre les citoyens se seront défaits, soit du fait de l'acceptation d'inégalités extrêmes, soit parce qu'une part croissante de citoyens vivra d'une manne publique ruineuse pour la nation tout entière ?

Poser ce type de questions, on le voit bien, c'est franchir le pas entre l'économique et le politique : c'est poser le problème de la survie de l'Etat-nation, cadre essentiel de la démocratie, à l'ère de la mondialisation.

CHAPITRE 4

La démocratie à l'âge de la mondialisation : moins d'Etat ou pas d'Etat ?

La réforme de l'Etat... malgré l'Etat

La réforme de l'Etat, avons-nous dit dès l'introduction de ce livre, sera la clé de voûte de toute réforme sérieuse dans ce pays.

Les ramifications de l'appareil étatique sont si présentes dans tous les secteurs de la vie du citoyen, son poids financier est tel sur notre vie économique quotidienne, qu'on ne saurait espérer remettre la France en marche, employer nos concitoyens, en un mot adapter la France aux réalités de notre temps, sans une profonde redéfinition de notre cadre étatique, de ses missions et de ses modes de fonctionnement.

Ironiquement – et c'est le but de ce chapitre que de le démontrer – une « réforme » majeure est, si l'on peut dire, déjà en cours. Non pas qu'elle résulte d'une décision volontaire et souveraine de nos autorités. Celles-ci se bornent de temps à autre à de simples retouches à la marge, qui le plus souvent ne font qu'ajouter au coût et à la complexité de notre appareil étatique. Non, si l'Etat évolue, c'est contraint et forcé par l'évolution même du système mondial, lequel ne cesse de grignoter peu à peu les fonctions les plus régaliennes qui étaient les siennes.

Le paradoxe étatique

Tout se passe comme si l'Etat en France, par la force de l'inertie et de nos habitudes culturelles, mais aussi par la faiblesse de nos dirigeants, ne cessait de grossir, de coûter de plus en plus cher, alors même que, confronté à la réalité économique, financière et même militaire du monde, notre appareil étatique devenait en fait de moins en moins efficient, presque secondaire par rapport aux grandes évolutions en cours et aux autres acteurs (non étatiques) qui sont en train d'émerger au plan transnational. Ainsi, tandis que nous nous rigidifions à l'intérieur et que nous payons toujours plus, la pression extérieure nous amène à connaître un affaiblissement sans précédent du cadre étatique auquel, par notre histoire, nous sommes tant attachés.

Un tel phénomène – même pour le libéral que je suis – ne va pas sans poser problème, à commencer par la question du devenir même de nos démocraties.

Si dans les systèmes totalitaires, l'Etat finit par englober, par posséder la société tout entière, la démocratie de son côté a besoin d'un « Etat-instrument [1] » capable de répondre (efficacement et de la façon la moins coûteuse possible) aux aspirations, souvent contradictoires, de la société. Capable aussi, en arbitre impartial, de faire respecter les règles du jeu tant politiques qu'économiques qui doivent régir la société publique comme les marchés dans l'intérêt de chacun. Telle est la base de la légitimité, du « contrat social », entre les citoyens et l'Etat.

La raison d'être de la structure étatique, disait Hobbes, est « la réduction des incertitudes ». Or tout le problème, précisément, c'est que l'ensemble des sociétés démocratiques vient d'entrer dans l'ère des incertitudes maximales, à l'intérieur comme à l'extérieur, au moment même où l'Etat moderne apparaît comme frappé d'impuissance, tant dans ses fonctions régaliennes classiques que dans les multiples tâches nouvelles qu'attendent toujours plus de citoyens fragilisés.

De cette contradiction nouvelle découlent un bon nombre de nos dysfonctionnements politiques : plus les citoyens se sentent menacés par la précarité, par les incertitudes touchant leur avenir personnel ou collectif qu'engendrent la révolution de la technologie et la mondialisation, plus ils ont tendance à se réfugier sous l'aile protectrice de l'Etat... et plus cette protection s'avère en fait une illusion... illusion que les électeurs sanctionnent ensuite au fil des élections. Résultat : les sortants sont régulièrement « sortis »... mais la contradiction demeure.

L'attitude des Français est à cet effet exemplaire. D'un côté, on ne cesse de se plaindre d'un Etat tatillon, omniprésent, à la fois surpuissant et hautain et qui étouffe toute activité économique par ses impôts et ses taxes en tout genre, de l'autre on réclame invariablement toujours plus de protection étatique... et toujours plus de fonctionnaires ! Quant aux élus locaux que je côtoie tous les jours, le refrain est le même : la France souffre de trop d'Etat, de décisions lointaines, « parisiennes », qui ignorent la décentralisation et les réalités locales – mais tout cela ne les empêche pas, là encore, de se retourner sans cesse vers l'Etat, pour exiger toujours plus de subventions... et combler ainsi les déficits locaux...

Si la « demande d'Etat » demeure donc plus forte que jamais chez nous, à l'autre bout de la chaîne, les experts des relations internationales se plaisent eux aussi à souligner à quel point la notion

---

1. Pierre Manent : *Histoire intellectuelle du Libéralisme*, Calmann-Lévy, 1987.

d'Etat-nation trouve, sur les décombres de la Guerre froide, une sorte de seconde jeunesse.

La dissolution des blocs, l'irruption du phénomène de mondialisation, engendrent en effet sous nos yeux un formidable fractionnement général des peuples, une prolifération sans limites de revendications nationales, voire tribales.

Prolifération et limites de l'Etat

L'époque est à « la vengeance des nations », nous dit Alain Minc [1]. En effet. N'est-ce pas là la signification de la véritable explosion du nombre des Etats reconnus par la Communauté internationale dans la période récente : près de 180 aujourd'hui, contre 80 il y a cinquante ans et 40 dans l'entre-deux-guerres [2] ? De même, c'est la force de l'idée nationale, longtemps comprimée par la discipline forcée de la Guerre froide, qui semble expliquer la transformation radicale de la nature de conflits depuis 1989-90. L'ère des grandes guerres inter-étatiques semble derrière nous. Prolifèrent au contraire dans les décombres de l'après-Guerre froide les conflits internes, qui déchirent les Etats, en façonnent sans cesse de nouveaux : une centaine(!) depuis l'effondrement du Mur de Berlin [3]. Un historien militaire israélien, M. Van Creveld, a ainsi recensé 31 conflits en cours, dont les deux tiers sont des guerres ou des guérillas intra-étatiques, reflétant là encore l'aspiration de peuples ou de minorités à construire ensemble un Etat-nation.

Regardons simplement autour de nous : la seule Yougoslavie a donné naissance, dans la guerre, à quatre Etats indépendants (Slovénie, Serbie, Croatie et Bosnie) tous reconnus par la Communauté internationale (ceci sans compter les deux millions et demi d'Albanais du Kosovo qui n'ont pas eu – encore ? – cette chance) ; l'ancienne Tchécoslovaquie, elle, a accouché, fort heureusement dans la paix, de deux Etats séparés ; plus à l'Est, l'Ukraine, les Etats baltes, et même la Biélorussie ont accédé au statut d'Etats, tout comme les anciennes républiques soviétiques du Caucase, telles l'Arménie, la Géorgie ou l'Azerbaïdjan. Mais ce renouveau de l'idée d'Etat-nation n'est pas l'apanage des seules nations sorties du joug soviétique ou des « sous-développés » du Tiers Monde. De la ratification aux forceps du Traité de Maastricht (qui est loin d'avoir tranché ce débat), du Pays basque à la « Padanie » chère à Umberto Bossi, en passant par la Catalogne, la Corse, la Belgique divisée ou l'Irlande du Nord, la liste est longue de tous ceux qui, en Europe de l'Ouest, rejetant le cadre étatique actuel, ambitionnent

---

1. Alain Minc : *la Vengeance des Nations*, Grasset, 1990.
2. Philippe Delmas : *le Bel Avenir de la guerre*, Gallimard, 1995.
3. Jessica T. Matthews : « Power Shift », *Foreign Affairs*, janv.-fév. 1997.

comme les Québécois, de l'autre côté de l'Atlantique, de créer leur propre Etat ou à tout le moins un cadre politique autonome. Dure revanche de l'Histoire en tout cas pour les pères fondateurs de la Communauté, qui de Schuman à Adenauer, avaient rêvé d'éradiquer pour toujours les vieux démons des nationalismes européens, en fixant aux peuples un horizon autrement plus noble : « l'Europe ».

Des Etats sans pouvoirs

Mais gardons-nous des apparences : que la France demeure sur-étatisée et que s'y exprime toujours un puissant besoin de protection étatique, que la confusion de l'après-Guerre froide produise un peu partout une demande similaire d'affirmation identitaire par l'Etat-nation, tout cela ne contredit pas cependant l'argument plus général qui est proposé ici, que l'Etat-providence, du moins tel qu'il a été pensé et organisé depuis la fin de la Seconde Guerre mondiale, est de moins en moins capable de répondre aux attentes des citoyens. Le résultat de cette contradiction étant de renforcer un peu plus les frustrations des citoyens en question, donc l'instabilité politique des Gouvernements ou des Etats.

J'ai conservé de mes cours de sciences politiques à Harvard ce vieil adage, on ne peut plus d'actualité : plus les attentes des citoyens sont grandes, plus est grande l'instabilité des Gouvernements... Or désormais, nous aurons de plus en plus affaire à des populations insécurisées donc aux attentes très fortes, et à des Gouvernements de plus en plus impuissants. Soit ces Gouvernements – et les partis politiques qui les composent – accepteront cette réalité nouvelle et la « modestie » du pouvoir qui en découlera, ce qui impliquera sans doute la redéfinition des formes de la démocratie, soit on tentera de refuser la réalité, ou de la masquer au peuple, et dans ce cas on vivra d'expédients, en touchant le moins possible aux équilibres ou déséquilibres existants... et l'on sera invariablement incapable, donc sanctionné...

L'érosion du pouvoir des Etats est particulièrement notable dans les pays nouvellement indépendants, dont les gouvernants découvrent très vite les contraintes de la société internationale moderne. Le temps n'est plus où tel Président issu d'une révolution nationale pouvait envoyer paître le modèle dominant (des Occidentaux) et se réfugier dans les délices de la fuite en avant « nationalo-marxiste », sous l'aile bienveil-lante de Moscou, de Pékin ou de La Havane. Désormais les deux pre-miers ont embrassé le capitalisme, et le troisième, en faillite, est mori-bond. Ne reste alors d'autre alternative que de passer sous les fourches Caudines des technocrates du FMI, de tenter de séduire marchés et investisseurs dans une sorte de course mondiale entre « émergents » – à qui sera le plus libéral – ou de s'accommoder au mieux des intérêts stratégiques de voisins militairement plus puissants.

A Davos, les Présidents Fujimori (Pérou) et Menem (Argentine) déclinent devant un auditoire de 2 000 chefs d'entreprise, les facilités offertes aux investisseurs et vantent le faible coût de leur main-d'œuvre nationale. A Tirana, peu avant l'effondrement du système financier de ce malheureux pays, le Président Berisha recevait à sa table les diri- geants de grandes sociétés françaises pour tenter de les convaincre de développer le tourisme en Albanie, sur le littoral vierge de toute construction, à l'exception des milliers de casemates en béton léguées par Enver Hoxha, monstrueux héritage d'une époque où ce petit pays était en guerre contre la terre entière, du grand Satan capitaliste aux sociaux-traîtres soviétiques et chinois. A Erevan, le Président Ter Pétrossian avant d'être contraint à démissionner s'évertuait à convaincre l'ennemi héréditaire turc de lever le blocus qui asphyxie son peuple, et donne aux Russes les bases militaires qu'ils réclament. A Gaza, Yasser Arafat, devenu Président de « l'Autorité palestinienne », découvre qu'il est décidément plus simple de prêcher la révolution que de faire fonctionner les écoles et trouver des emplois pour la généra- tion de l'Intifada. La calculette est infiniment plus difficile à manier pour un gouvernement naissant que la kalachnikov... pour un « Mouve- ment de Libération nationale »...

On pourrait multiplier, presque à l'infini, ces exemples d'une inva- riable uniformité, glanés au fil de mes missions à l'étranger.

Mais ce qui nous intéresse plus directement ici, c'est la constatation que les mêmes phénomènes se reproduisent, certes sous des formes moins voyantes ou plus diffuses, à l'intérieur même des anciennes démocraties industrialisées.

Comme le note justement Jessica Matthews [1] : « Les fondamentaux du système westphalien – des Etats aux contours fixés par l'histoire contrôlant l'essentiel de leurs richesses à l'intérieur de leurs frontières ; une autorité politique unique gouvernant chaque territoire et le repré- sentant hors de ses frontières ; l'absence de toute autorité au-dessus des Etats – tout cela est en train de disparaître. De plus en plus, les res- sources et les menaces qui comptent, y compris l'argent, l'information, la pollution et la culture de masse, circulent et déterminent la vie des gens sans se préoccuper des frontières... Même les plus puissants des Etats sont en train de découvrir que les marchés financiers et l'opinion publique internationale les obligent à suivre telle ou telle politique. »

Invention relativement récente (dont le vrai point de départ poli- tique coïncide avec les révolutions américaines et françaises), la notion d'Etat-nation s'exprimait d'abord par deux fonctions régaliennes « clas- siques » communes d'ailleurs à la plupart des systèmes de pouvoir anté-

---

1. « Power Shift », *op. cit.*

rieurs : le monopole de l'Etat sur la sécurité intérieure et extérieure, et, pour ce faire, le pouvoir d'utiliser la force armée et de faire la guerre et, dans l'ordre économique, le droit exclusif de l'Etat de frapper monnaie.

Deux fonctions qui ont ceci en commun de « réduire les incertitudes » pour paraphraser Hobbes, ou de fournir à chaque citoyen « l'intérêt personnel bien compris », selon Tocqueville, lequel fonde l'idée de vivre ensemble à l'intérieur d'une même société.

Il n'est nul besoin de longs développements pour mesurer à quel point ces attributions fondamentales, « quintessentielles » de l'Etat, sont aujourd'hui battues en brèche par la réalité du monde moderne.

La sécurité intérieure

La société américaine moderne fournit ici un étonnant modèle mêlant les attributions habituelles de l'Etat (police, FBI, justice), et ce qu'il faut bien appeler une tendance à la *privatisation* de la sécurité : par l'accès totalement libre de chaque citoyen (ou presque) aux armes à feu (y compris aux armes de guerre), mais aussi, phénomène plus récent, par la prolifération d'une industrie privée de la sécurité qui, de la protection des entreprises, est passée à celle des immeubles (le « doorman » new-yorkais des quartiers résidentiels), voire, comme c'est de plus en plus souvent le cas, à la surveillance vingt-quatre heures sur vingt-quatre de « villages » ou de « banlieues » ethniquement purifiées, spécialement conçues pour retraités fortunés ou classes moyennes privilégiées.

Si bien que le droit fondamental à la sécurité des personnes et des biens, celui de se déplacer sans crainte pour soi-même ou ses proches, ce droit en principe égal pour tous n'est en fait assuré que de façon presque résiduelle par l'Etat, l'initiative privée venant prendre la relève de pouvoirs publics défaillants. Avec pour résultat de créer, *de facto,* une société à plusieurs vitesses, où selon sa condition et ses revenus, chaque citoyen sera ou ne sera pas exposé à la violence urbaine.

Certes, ce « modèle » américain n'est heureusement pas (ou pas encore) le système dominant partout ailleurs.

A l'autre extrémité par exemple, le Japon, fort de ses traditions culturelles propres, ne connaît pour ainsi dire pas de criminalité urbaine, sauf celle soigneusement encadrée des Yakuzas ; quant à Singapour, l'autorité de l'Etat y est impitoyable et fortement médiatisée comme telle (voir les châtiments corporels infligés aux condamnés, y compris étrangers).

Entre les deux, si j'ose dire, la réalité européenne – et notamment française – ne laisse pas cependant d'inquiéter. La « sécurité à deux vitesses » existe bien selon que l'on habite le centre de Berlin ou les « quartiers turcs » de la capitale allemande, la banlieue de Rome ou le Centro Storico, Neuilly plutôt que Vaulx-en-Velin ou Villiers-le-Bel.

Pour le député de banlieue que j'ai été, avant mon élection dans la capitale, l'essentiel du travail sur le terrain, le leitmotiv obsédant, permanent de nos concitoyens, était la sécurité : les seringues dans les escaliers lorsque les enfants vont à l'école, les loubards du quartier qui imposent leur loi à l'entrée des immeubles, les règlements de comptes, attaques de magasins et autres agressions quotidiennes, à l'origine de la mal-vie des banlieues. A quoi s'ajoute désormais, par les attaques systématiques de transports publics dans de très nombreuses villes de France, une sorte d'*Intifada* à l'échelle du pays, en face de laquelle l'Etat paraît désarmé, impuissant.

D'où cette première question, rencontrée quotidiennement par tous les élus de ces quartiers : « A quoi servez-vous, à quoi sert l'Etat, si vous n'êtes pas capables d'assurer un minimum de protection pour chaque citoyen [1] ? »

Or tout laisse à penser que nous ne sommes là encore qu'au début d'un processus : car la mondialisation, c'est également celle de la drogue, du terrorisme et de la grande criminalité internationale.

Arrêtons-nous un instant sur le problème de la drogue, et mesurons ses effets sur la puissance étatique.

L'exemple de la drogue

Première réalité : le citoyen qui subit dans les quartiers ou dans sa famille les effets de ce fléau, l'élu responsable sur le terrain aux yeux de ses concitoyens, le petit trafiquant de banlieue lui-même, comme le policier chargé de l'appréhender ou le juge de le sanctionner ne viennent, si j'ose dire, qu'au bout d'une très longue chaîne désormais totalement transnationale, et qui échappe pour l'essentiel au contrôle de l'Etat. Pour chacun des acteurs du drame de la drogue, la chaîne commence parmi le groupe bien connu des pays producteurs d'Amérique latine, d'Afrique ou d'Asie : elle se poursuit par des réseaux de trafiquants eux aussi transnationaux ; elle s'achève enfin par des réseaux tout aussi internationaux de blanchiment de l'argent de la drogue.

La difficulté tient alors à l'appréhension du phénomène de la criminalité internationale lui-même. Comme le montre Alain Labrousse, Directeur de l'Observatoire géopolitique des drogues, des exemples récents sont révélateurs des ramifications des réseaux internationaux et

---

1. On reviendra plus loin sur ce problème, dans l'analyse du cas français, v. p. 201 et s.

de la complexité des nouvelles routes : ainsi, à la fin de 1992, on a saisi à Hambourg 350 kg de cocaïne à bord d'un cargo russe en provenance de Panama. Les trois Polonais qui se préparaient à en prendre livraison pour les acheminer à Varsovie, travaillaient pour un parrain nigérian, avec sans doute pour destination finale le marché américain, en transitant probablement par l'Afrique. Quant à l'argent de la transaction, celui-ci aurait été blanchi au travers de six ou sept mouvements entre paradis fiscaux et intermédiaires bancaires en Asie, en Europe ou aux Etats-Unis, avant d'être le plus banalement du monde investi, c'est-à-dire blanchi, dans des activités parfaitement licites.

De même on a vu des citoyens boliviens et péruviens mêlés aux cartels de la drogue de Hong Kong, ou des organisations maffieuses turques, hollandaises et italiennes installées sur le territoire espagnol, échangeant, avec d'autres trafiquants marocains, de la cocaïne et de l'héroïne contre du haschich.

On assiste donc bel et bien à une véritable mondialisation du crime organisé qui accompagne, et bien souvent précède, la mondialisation de l'économie et des flux de capitaux. Je dis précède, car les organismes criminels utilisent pour ce faire les technologies les plus pointues (comme Internet), les meilleurs spécialistes informatiques, pour faire transiter marchandises et surtout capitaux sans intermédiaires d'aucune sorte.

Même constat s'agissant de l'explosion des productions. D'après les enquêteurs du PNUCID (Programme des Nations Unies du contrôle des drogues), on a pu évaluer au printemps 1994, à 3 300 tonnes – soit 330 tonnes d'héroïne pure – la production afghane de drogue, laquelle approvisionne 80 % du marché européen. L'héroïne se développe aussi rapidement en Birmanie (2 600 tonnes en 1993) et dans les autres pays du Triangle d'or : Laos et Thaïlande, où la production a quadruplé en cinq ans, à quoi s'ajoute le développement de la production en Chine, au Vietnam et au Cambodge, et dans d'ex-Républiques soviétiques comme l'Ouzbékistan, le Tadjikistan et l'Ukraine.

En Amérique latine, les surfaces plantées de cocaïne, stables au Pérou et en Bolivie, ont doublé en Colombie ces dernières années. Au total ce sont 1 500 tonnes de chlorhydrate de cocaïne qui auraient été produites en 1993 – dont 226 tonnes auraient été saisies. Enfin, avec 3 000 tonnes à 4 000 tonnes de haschich, ce trafic tend désormais à envahir toute l'Afrique, ceci sans parler de l'expansion rapide des productions de drogues de synthèse, comme l'ecstasy, l'angel dust ou le LSD, élaborés en Europe même à partir de substances chimiques comme les amphétamines, les phénols, etc.

Mondialisation du trafic et des productions, mais aussi des circuits de blanchiment. Le volume financier représenté par ce trafic atteint désormais au minimum 500 milliards de dollars par an (à rapprocher des 1 300 milliards du PNB de la France). Certains experts estiment à

1 000 milliards de dollars le volume des mouvements de capitaux blanchis sur Internet. De telles sommes aboutissent à peser massivement sur la vie économique de nombreux pays. A titre d'exemple, les trafiquants colombiens ont proposé, en échange de leur immunité, de payer cash la dette extérieure de la Colombie : 14 milliards de dollars. Une somme presque dérisoire au regard du chiffre d'affaires estimé de ces cartels. Le Directeur du FBI américain a estimé devant moi, début 1996, que le chiffre d'affaires d'un seul cartel colombien était en 1995 de 67 milliards de dollars – qu'on comparera aux *80 millions* de dollars annuels du budget d'Interpol ; et ce haut fonctionnaire d'ajouter que le point de non-retour était déjà probablement atteint, s'agissant de la capacité des Etats de contrôler pareil phénomène.

Des économies entières, des Gouvernements, tombent ainsi sous la coupe de la narco-économie, phénomène stimulé par la vague de libéralisation et de privatisations dans de nombreux pays, l'argent de la drogue trouvant là le moyen de se blanchir en toute impunité.

Autre phénomène notable enfin : outre les liens entre trafic de drogue et corruption à grande échelle dans de nombreux pays – y compris en Europe – on observe que des liens organiques se développent de plus en plus entre trafics de stupéfiants, trafics d'armes et conflits régionaux ou terroristes.

Sur la trentaine de conflits actuellement recensés sur la planète, il n'en existe aucun qui d'une façon ou d'une autre, n'implique le recours à l'argent de la drogue. Qu'il s'agisse des guerres du Caucase, de celle des Balkans, des guerres civiles en Birmanie, du Tadjikistan ou d'Afghanistan, des guérillas ou mouvements terroristes en Inde, au Sri Lanka, aux Philippines, en Turquie, au Liberia, en Sierra Leone ou en Algérie – des liens ont été révélés entre filières d'écoulement d'armes (le FIS notamment) et trafiquants de drogue. En Amérique latine, la disparition des références idéologiques consécutives à la fin de la Guerre froide a pour conséquence que les anciennes guérillas marxistes du Pérou, de Colombie ou de Bolivie glissent carrément vers le banditisme. La drogue était hier le nerf de la guerre de la révolution, elle est aujourd'hui un « business » à part entière.

Face à un défi d'une telle ampleur, les Etats – même les plus puissants comme les Etats-Unis – paraissent de plus en plus dépassés, d'autant qu'en raison des sommes colossales en jeu, ou plus simplement des différences culturelles, la Communauté internationale demeure profondément divisée et incapable d'agir de façon concertée sur aucun des trois volets du problème : la consommation, la production, le blanchiment.

Au niveau de la *consommation,* le marché atteint des niveaux tels (130 milliards de dollars aux USA et 80 milliards en Europe), que beaucoup sont tentés de baisser les bras et d'adopter une stratégie de dépénalisation en vue de juguler le trafic par une baisse mécanique des prix sur le marché, avec l'espoir de supprimer les avantages financiers d'un tel commerce. A cette préoccupation, s'ajoute le souci de contenir l'épidémie de sida liée à la consommation d'héroïne. La France elle-même semble hésiter sur la stratégie à poursuivre, comme en témoigne la publication du rapport Henrion début 1995... sans parler des déclarations affligeantes de différents ministres « verts » ou socialistes sur les bienfaits du haschich. Je suis pour ma part résolument *contre* une telle approche qui consiste à laisser les prix, et non la loi, traiter les problèmes de la drogue et qui ouvre la voie, comme on a pu l'observer en Espagne et en Hollande, non pas à la réduction du nombre des consommateurs et à la baisse du trafic, mais au contraire à une dérive extrêmement grave de l'ensemble des sociétés, et à l'explosion du trafic avec les conséquences que l'on sait sur les pays voisins. En tout état de cause, le résultat est qu'en Europe en particulier, on assiste à un véritable éclatement des législations en matière de possession et de consommation de drogue qui rend toute action commune parfaitement illusoire.

Difficile en effet d'agir ensemble sur la consommation de drogue quand les « narco-touristes » français et allemands se précipitent chaque week-end à Rotterdam pour acheter librement des pilules d'ecstasy à 30 francs (qu'ils revendront ensuite 150 chez eux), de traiter sérieusement du « 3ᵉ pilier » (sécurité intérieure) de l'Union européenne avec la Hollande, pays dont la production intérieure de marijuana (« Niederwiert ») équivaut, en termes de revenus, à celle de ses tomates, et où l'on a vu récemment les maires de certaines communes [1] tenir eux-mêmes des « coffee shops » où se négocie librement la drogue.

Au niveau des pays *producteurs*, là encore les résultats ne sont guère brillants. Les tentatives de substitution des productions tentées par les Etats-Unis n'ont guère donné de résultats. Et pour cause : même si les profits réalisés par les paysans producteurs de cocaïne ou d'héroïne sont infimes par rapport à ceux des trafiquants, un hectare de cocaïne, par exemple, rapporte 3 à 4 000 dollars en Bolivie ou au Pérou, soit 12 fois plus qu'une surface équivalente plantée de maïs. A cela s'ajoutent des considérations politiques ou stratégiques qui font que les mêmes autorités qui condamnent ici ou là la production de drogue, la tolèrent ailleurs au nom de la raison d'Etat. Ai-je besoin de rappeler le cas célèbre des Contras du Nicaragua, celui du général Noriega ou des Moudjahiddin afghans, tous liés au trafic de la drogue, et ce, en toute connaissance de cause de certains des « services » occidentaux – et parfois même avec leur pleine coopération ? Et que dire alors des « bons élèves du FMI » qui financent leurs politiques de privatisations et rem-

---

1. C'est le cas d'un M. Edouard Haaksman, maire de Delfzijl (25 000 habitants) et tenancier du « coffee shop » municipal... (V. *Libération*, 3 sept. 1996.)

boursent leurs dettes extérieures au moyen de capitaux dont tout le monde sait qu'ils proviennent de la drogue?

Reste enfin la question du *blanchiment,* tenue pour prometteuse en termes de lutte antidrogue (car il est tentant en effet de frapper les trafiquants là où cela fait le plus mal – c'est-à-dire au portefeuille), mais qui démontre là aussi l'impuissance croissante des Etats.

D'abord, parce que certains d'entre eux sont confortablement installés dans le rôle lucratif de parasites internationaux – je veux parler des paradis fiscaux. Le dernier exemple en date étant les Seychelles, dont le Gouvernement vient de promulguer une loi parfaitement scandaleuse qui offre à tout déposant de plus de 10 millions de dollars dans une banque seychelloise, une immunité complète contre toute poursuite, et même un passeport diplomatique! Encore faut-il préciser que ce problème ne se limite pas aux pays « exotiques », mais concerne certains pays bien connus d'Europe, que je ne nommerai pas ici.

Impuissance aussi face aux circuits financiers internationaux : les banques n'apprécient guère, en effet, de refuser des placements lucratifs, et encore moins de jouer le rôle de supplétif de la justice, en notifiant les dépôts suspects auprès des autorités (système retenu par les conventions internationales et plusieurs législations nationales).

J'ai pu moi-même m'en rendre compte lorsque, rapporteur sur ce sujet à l'Assemblée nationale [1], certains dirigeants des grandes banques européennes m'ont avoué froidement laisser placer de tels capitaux dans des filiales situées dans des paradis fiscaux... en Europe même! Voilà qui explique en tout cas les résultats fort modestes qu'a obtenus jusqu'ici le système mis en place en France avec « Tracfin », une part excessivement faible des affaires notifiées aboutissant devant la justice : 70 au total, sur 2 500 notifications annuelles.

Si les missions de sécurité intérieure échappent ainsi de plus en plus à l'Etat, face notamment à la mondialisation du crime, qu'en est-il alors de la défense des citoyens contre les périls extérieurs, attribution « consubstantielle » s'il en est de la fonction étatique?

La défense

Déjà, à l'ère de la Guerre froide, le mythe de Valmy, de la nation en armes – ou conquérante – face à d'autres nations, avait été sérieusement ébréché. L'avènement de l'arme nucléaire, l'existence de blocs militaires étroitement intégrés et dominés par les superpuissances, avaient considérablement amputé la notion d' « indépendance », c'est-

---

1. P. Lellouche : Rapport n° 2383. Sur le projet de loi adopté par le Sénat, autorisant l'approbation de la convention relative au blanchiment, au dépistage, à la saisie et à la confiscation des produits du crime. Assemblée nationale, 23 nov. 1995.

à-dire en définitive, la capacité d'une société et de l'Etat chargé de la représenter, de contrôler son propre destin. Le triptyque « arme nucléaire-alliance-Etat » a d'ailleurs alimenté, cinquante ans durant, une imposante littérature et d'innombrables débats sur ce thème : qui doit contrôler la décision du feu nucléaire ? Comment y associer les alliés non nucléaires (sur le territoire desquels la guerre devait pourtant se dérouler) ? Comment faire en sorte que le citoyen de la Bavière et celui du Minnesota se sentent également protégés face au péril atomique ? Pour le citoyen européen, la parole d'un Président américain valait-elle vraiment celle de « son » Président ou de « son » Chancelier qu'il a élu ?

En vérité, l'Alliance atlantique, alliance de démocraties, ne sut jamais trancher ce débat. Dans les années 60, l'idée avancée par Robert McNamara, alors Secrétaire à la Défense, de constituer une « Force nucléaire multinationale » (MLF) associant tous les alliés fut fortement combattue par le général de Gaulle, avant d'être finalement abandonnée. Ce « grand débat », pour citer l'ouvrage célèbre de Raymond Aron sur ce sujet, se solda par un compromis institutionnel ambigu : le Groupe des plans nucléaires de l'OTAN créé en 1967. La décision ultime du feu nucléaire resterait bien sûr exclusivement américaine, mais les alliés européens seraient consultés... Les opinions publiques, elles, ne furent cependant pas dupes. Et lorsque survint dix ans plus tard la querelle de la « bombe à neutrons », puis celle des « euromissiles », on vit des centaines de milliers d'Européens défiler dans les rues, au cri de « Plutôt rouge que mort ! » Autrement dit, qu'importe la survie de mon Gouvernement, qui de toute façon ne contrôle pas mon destin (puisque le décideur final est à Washington), dès lors que le prix à payer est le risque d'une destruction de *ma* vie, de celle de *ma* société tout entière !

Si la France connut pendant toutes ces années une trajectoire sensiblement différente, c'est d'abord parce qu'elle eut la chance d'avoir Charles de Gaulle à sa tête à partir de 1958. Dès 1945, le Général avait compris l'importance tant militaire que politique de la dissuasion, et d'une dissuasion *nationale* pour la France, autour de laquelle la Nation retrouverait la maîtrise de son destin... en même temps que son « rang » dans les affaires du monde.

Et de fait, la force de frappe, quasi unanimement combattue à ses origines tant par les militaires eux-mêmes que par les politiques et les scientifiques, vit peu à peu se rallier autour d'elle un fort consensus national [1], au point d'ailleurs que la dissuasion devint peu à peu synonyme de la Ve République elle-même. C'est parce que les Français prirent progressivement conscience qu'ils possédaient, avec la dissuasion, une sorte d'assurance-vie qui leur était propre, qu'il en résultait

---

1. Les partis communiste et socialiste se ralliant eux-mêmes à la dissuasion en 1977 et 1978, peu avant l'alternance de 1981.

pour eux une situation d' « indépendance » par rapport au grand allié américain, que put se créer en France un consensus (exceptionnel en Europe) tant sur l'arme nucléaire elle-même, que sur le refus de la tentation pacifiste [1]. Et c'est ce consensus-là qui devait permettre à François Mitterrand, après des décennies de combat contre « la bombe », de plastronner une fois devenu président : « La dissuasion c'est moi. » Et de donner aux Allemands à la tribune du Bundestag en 1983 des leçons de résistance face au chantage nucléaire soviétique...

Avec la fin de la Guerre froide, la relation « démocratie-Etat-défense nationale » est à nouveau bouleversée par les grandes mutations stratégiques en cours.

La menace d'une invasion physique du territoire national, source essentielle de légitimité étatique depuis toujours, a disparu en même temps que l'URSS. Disparaissent également les raisons qui fondaient l'existence de lourdes armées de conscription financées à hauteur de 3 à 4 % du PNB. A leur place, est en train de naître un monde fait de multiples guerres meurtrières à nos portes (Balkans, Caucase) ou dans le Tiers Monde, et d'attentats terroristes menés par des fanatiques désormais tentés par des armes de destruction massive (comme l'attentat au gaz Sarin dans le métro de Tokyo). Un monde « multipolaire » aussi, d'où émergent de nouvelles puissances, parfois dotées d'armes nucléaires et de missiles bientôt à portée de nos villes, et souvent équipées de forces armées de taille supérieure à celles de la plupart de nos vieilles démocraties.

Ce type de menaces nouvelles, à la fois diffuses, et en même temps bien plus concrètes que les scénarios d'holocauste nucléaire de la Guerre froide, auxquelles s'ajoutent les révolutions technologiques en cours dans le secteur de l'armement, poussent là encore dans la même direction : celle de l'impuissance croissante des Etats – pris isolément – et de la vulnérabilité effrayante de nos sociétés urbaines.

Ainsi du terrorisme : il n'est plus rare de voir la même semaine des Islamistes frapper en France ou en Israël, des Tchétchènes faire sauter un bus à Moscou, et des « *Freemen* » mener des attentats aux Etats-Unis. Dans tous les cas, ce qui ressort pour le citoyen, c'est l'impression qu'il est désormais vulnérable chez lui, et que l'Etat chargé de le protéger, ou bien ne peut rien, ou pire encore, ne sait rien (voir l'affaire de l'explosion du vol New York-Paris TWA 800 en août 1996).

Ainsi également des conflits dits « régionaux » à la périphérie des démocraties. Présentée à l'époque comme un facile triomphe de l'Occident sur les « nouveaux barbares [2] », la guerre du Golfe – on l'oublie trop souvent – nécessita de mettre en ligne, six mois durant, une coalition de quelque 38 nations et de 500 000 hommes, et ce pour

---

1. V. Pierre Lellouche : *Pacifisme et Dissuasion*, Editions IFRI-Economica, 1983.
2. J'emprunte cette expression à l'intéressant ouvrage de Jean-Christophe Rufin : *l'Empire et les nouveaux barbares*, J.-C. Lattès, 1991.

parvenir à détruire une moitié de l'armée irakienne, sans pour autant réussir à éliminer son chef. En Bosnie, l'accord de Dayton (lui-même hautement imparfait) n'a pu être obtenu que parce que les Etats-Unis, après plus de quatre années d'hésitations, décidèrent (en partie pour des raisons électorales, en partie aussi parce que l'impuissance des Européens leur ouvrait une voie triomphale) d'impliquer directement leurs forces sur le terrain. Ce sont donc pas moins de 60 000 hommes au total, représentant une douzaine de nations, qui depuis l'hiver 1995-96, sont chargés de faire appliquer les accords de paix entre trois communautés qui ne veulent en aucun cas vivre ensemble au sein d'un même Etat.

De ces deux exemples (auxquels on pourrait ajouter celui de l'intervention française au Rwanda, de l'échec occidental en Somalie, celui des Américains en Haïti ou encore de la débandade russe en Tchétchénie), ressortent plusieurs leçons qui nous intéressent ici.

La première est que face à des adversaires même infiniment moins nombreux, moins développés, moins armés, mais résolus à se battre, aucune démocratie n'est aujourd'hui capable politiquement et militairement (à la seule exception peut-être des Etats-Unis) « d'aller » seule au combat. L'ère de la « politique de la canonnière » est bel et bien derrière nous : nous sommes entrés, à l'inverse, dans celle des coalitions obligées. Coalitions nécessaires tant sur le plan de « l'enrobage politique » (le mandat ONU de la guerre du Golfe ou celui de l'OTAN et de l'UEO en Bosnie), que sur celui de l'action militaire : confrontées à la réduction du volume de leurs forces dans l'après-Guerre froide, aucune des nations européennes, agissant isolément, n'est capable par exemple de s'en prendre seule à la Serbie ou à l'Irak, sauf à imaginer une mobilisation générale, une économie de guerre, toutes choses impensables à présent. D'où la tentation que j'ai maintes fois dénoncée ces dernières années, de substituer à une action de guerre considérée comme trop risquée, un interventionnisme « humanitaire », flou, relayé par une multitude d'ONG (organisations non gouvernementales)[1]. Le problème, invariablement démontré ces dernières années, est que l' « humanitaire » bute toujours sur les rapports de forces des belligérants sur le terrain, et qu'il peut conduire les Etats à s'engager militairement sans notion précise de l'objectif recherché – la pire des options possibles lorsqu'on emploie la force armée. C'est notamment ce qui s'est produit en Bosnie entre 1992 et 1995 pour la France et ses partenaires jusqu'à ce que Jacques Chirac, par une action *militaire* déterminée avec le Royaume-Uni, nous extirpe temporairement de ce bourbier.

Deuxième leçon : dans de telles coalitions, le moins que l'on puisse dire est qu'il n'est pas simple de sauvegarder la part indispensable

---

1. Jessica Matthews (« Power Shift », *op. cit.*) dénombre quelque 35 000 ONG dans le seul secteur de l'aide au développement.

d'indépendance nationale qui seule peut cependant fonder le consensus politique nécessaire à une telle intervention. La technologie (notamment le renseignement satellitaire, l'informatisation du champ de bataille) conduit à une intégration quasi totale des unités sous le commandement multinational (le plus souvent américain). Difficile dans ces conditions de maintenir une parcelle d'appréciation souveraine, surtout quand les « alliés » n'ont pas tous les mêmes objectifs ni le même calendrier. D'où, par exemple, les « différences » franco-américaines de l'automne 1996 quant aux frappes aériennes de l'US Air Force au nord de l'Irak, à l'intérieur d'une zone d'exclusion aérienne qui mettait également en œuvre des appareils français. D'où aussi, malgré les louables efforts du Président Chirac pour négocier un rapprochement de la France en direction de l'OTAN, en échange d'une européanisation de celle-ci, l'échec consommé de ce processus après 18 mois de négociations, lors du Sommet de Madrid de 1997. Les Américains aiment bien – sur le papier – l'idée d'une Europe de la Défense. Mais sur le papier seulement. Lorsqu'il s'est agi pour la France d'obtenir le Commandement Sud de l'Alliance (Naples), devenu à présent le théâtre d'opérations le plus important, les Américains ont sèchement fermé la porte. L'Amérique entend rester seul maître de cette coalition-là, même quand elle n'a pas l'intention d'intervenir dans un conflit intéressant les Européens. Mais quid, dans ces conditions, de l'engagement des alliés ? La France par exemple parviendra-t-elle à réunir un consensus politique suffisant pour intervenir dans une opération extérieure totalement intégrée, pilotée, contrôlée par les Etats-Unis ? Et si elle ne le fait pas du tout, ne risque-t-elle point d'abandonner entièrement ses intérêts et son influence à d'autres ?

La présence française en Bosnie depuis les accords de Dayton fournit un exemple frappant de ce dilemme. Plusieurs milliers de soldats français resteront sur le terrain après le renouvellement de la force de l'OTAN (S-FOR) en juin 1998, puisque ainsi en ont décidé les alliés de l'OTAN. Le seul problème est que ces forces, totalement intégrées sous commandement allié (c'est-à-dire en fait américain), ont pour mission non pas de séparer des belligérants, mais de les faire vivre ensemble à l'intérieur d'un Etat factice (la Bosnie inventée à Dayton) dont ni les Croates, ni les Serbes, ni les Musulmans ne veulent, mais auquel tient le Président Clinton [1]... A supposer (ce qui reste hélas à démontrer) que la France ait une politique qui lui soit propre en Bosnie, comment dans les conditions actuelles de son engagement pourrait-elle faire entendre sa différence ?

Troisième leçon : ce type de limites ou de contradictions apparaîtra encore plus clairement dans des crises qui demain verront se dresser telle puissance nucléaire émergente face à telle ou telle démocratie. Il

---

1. P. Lellouche : « Bosnie : En finir avec une fiction », *le Figaro*, 16 déc. 1997.

est douteux par exemple – comme je l'ai démontré ailleurs [1] – que la coalition anti-irakienne de 1990 ait pu se constituer, si à l'époque Saddam Hussein avait eu l'intelligence (ou la patience) d'attendre de disposer d'armes nucléaires avant d'envahir le Koweït. Face au chantage d'Etats terroristes, ne voit-on pas déjà éclater le camp des démocraties, entre ceux (Américains et Britanniques) qui prêchent la fermeté, et les Européens qui préfèrent ce que le Quai d'Orsay appelle pudiquement « le dialogue critique »...

Quatrième leçon enfin – à laquelle il a déjà été fait allusion plus haut : comment concilier ce type d'interventions collectives avec la réticence des citoyens de nos démocraties devant toute action militaire trop longue, trop meurtrière, surtout quand celle-ci n'apparaît qu'indirectement liée à des intérêts immédiats de sécurité nationale ? A l'âge de la guerre télévisée au 20 heures, du « syndrome CNN » et de leur corollaire : l'obligation politique du « zéro mort », nombre de mes collègues américains [2] ou européens s'émerveillent devant le degré de tolérance exceptionnel que démontre l'opinion publique française en continuant d'accepter de voir ses fils mourir pour une cause « humanitaire » souvent fort mal définie, en Bosnie ou en Afrique [3]. Toute la question est de savoir si ce consensus français, forgé par l'indépendance nationale gaullienne, survivra au phénomène de « multilatéralisation » de la guerre... Conséquence directe des guerres du Golfe et de Bosnie, la professionnalisation de nos armées décidée par le Président Chirac en 1996 (et fort heureusement confirmée par les socialistes au pouvoir) aura du moins l'avantage de permettre un engagement plus efficace de nos forces dans ce type d'opérations – à condition toutefois que le budget d'équipement de nos armées ne soit pas, comme c'est le cas à présent, durablement sacrifié pour financer la hausse permanente de notre « filet social » [4]. Reste à savoir cependant si l'engagement de professionnels, qui donnera au chef de l'Etat davantage de souplesse politique, ne risquera pas – c'est sans doute là le revers de la médaille inévi-

---

1. *Le Nouveau Monde, op. cit.*
2. V. Simon Serfaty : *The Media and Foreign Policy*, New York, Saint Martin's Press, 1991.
3. Un sondage SOFRES de juin 1996 montre que 64 % des Français sont « plutôt favorables » à ce que l'armée française intervienne en Bosnie (malgré 60 morts et 500 blessés en trois ans). Ce chiffre tombe à 50 % pour des interventions en Afrique et à 47 % pour le Moyen-Orient.
4. L'Armée française aura été utilisée 21 fois dans des opérations extérieures en 1997, engageant au total 5 770 soldats et près de 2 milliards de francs de surcoût budgétaire, le tout, naturellement sans la moindre information du Parlement ! Il est douteux que ce système puisse être maintenu indéfiniment après la réduction drastique du budget des armées décidée par Lionel Jospin pour 1997 et 1998 (– 8 milliards sur le budget d'équipement), rendant caduque, *de facto*, la loi de programmation militaire 1996-2002 voulue par le Président Chirac.

table – de creuser un fossé entre l'armée elle-même et l'opinion publique (indifférente ou hostile)...

La voie, en tout cas, est étroite entre l'affirmation indispensable d'une unité européenne en matière de défense – politique qu'a fort justement lancée le Président Chirac (et qu'il faudra bien poursuivre malgré l'échec de la réforme de l'OTAN) – et l'érosion de l'autonomie de décision nationale, qui fonde l'adhésion des citoyens face à de tels conflits.

Quoi qu'il en soit, je noterai simplement que la marge de manœuvre de tous les Gouvernements – y compris, à terme, le Gouvernement américain – se réduira considérablement à l'avenir sous la pression conjuguée de la réduction des moyens financiers disponibles, du degré de tolérance des opinions publiques et de la technologie, face à la montée en puissance de nouveaux venus résolus à l'emploi du terrorisme ou d'armes de destruction massive.

Pour les citoyens qui croyaient avoir découvert, avec Hiroshima, l'ère de l'annihilation de l'humanité, commence aujourd'hui celle d'incertitudes – là encore ! – certes moins apocalyptiques, mais probablement beaucoup plus concrètes et plus meurtrières [1], contre lesquelles les Etats-nations « classiques » apparaîtront de plus en plus désarmés, et nos sociétés de plus en plus vulnérables. Je ne doute pas, pour ma part, que ce décalage entre la vulnérabilité diffuse mais réelle des citoyens, et l'impotence des Etats n'entraîne, à l'occasion de telle ou telle crise internationale, de vraies ruptures à l'intérieur même de nos sociétés...

La monnaie

A côté des prérogatives étatiques en matière de sécurité intérieure et extérieure, la monnaie a elle aussi toujours été synonyme – jusqu'ici – de la puissance régalienne de l'Etat. Là, plus encore peut-être qu'en matière de défense ou de sécurité intérieure, le citoyen comme le responsable politique sont confrontés à l'observation si pertinente du sociologue américain Daniel Bell : « La géographie des problèmes ne correspond plus à la géographie des Etats. »

Quelques chiffres rappelleront brièvement ce qui reste réellement de ce pouvoir régalien à l'âge de la « globalisation » des flux financiers :

— Le volume quotidien de changes entre les monnaies est passé selon la Banque des Règlements Internationaux, de 10 milliards de dol-

---

1. Car la dissuasion, depuis Hiroshima et Nagasaki, n'a tué personne pendant les quarante-cinq années de Guerre froide. En revanche, on ignore trop souvent que, durant la même période, les 250 conflits « locaux » du Tiers Monde, tous non nucléaires, coûtèrent la vie à 17 millions de personnes.

lars en 1970, à 60 en 1983, 900 en 1992 et 1 500 aujourd'hui. Autrement dit, il s'échange chaque jour sur les marchés financiers davantage que toute la richesse produite en France pendant un an (1 300 milliards de dollars) !

1 500 milliards de dollars, c'est aussi 5 fois les réserves de changes du pays le plus riche du monde à cet égard, le Japon. Si bien que, si le Yen était massivement attaqué sur les marchés, et que la Banque centrale japonaise décidait d'intervenir en injectant sur le marché *la totalité* de ses réserves, le Japon lui-même ne pourrait résister que quelques heures... C'est ce qui est arrivé à la Livre britannique en 1993, lorsque contraint et forcé, le Gouvernement Major a dû s'incliner devant la spéculation, et sortir sa monnaie du Système Monétaire Européen. De même, lorsqu'une crise boursière se déclenche dans un pays émergent (Mexique en 1995, Asie du Sud-Est en 1997), c'est l'ensemble du système financier mondial qui est instantanément menacé. Les Etats, quant à eux, apparaissent comme les spectateurs impuissants de séismes financiers qui les dépassent et sur lesquels ils semblent n'avoir aucun contrôle.

— Autres chiffres : le volume des titres d'Etat (c'est-à-dire des emprunts des Etats placés à l'étranger) est passé de 250 milliards de dollars en 1982 à plus de 2 000 aujourd'hui ; quant au volume des prêts bancaires internationaux, il serait passé de 260 milliards de dollars en 1975 à 4 500 aujourd'hui ; enfin, la valeur totale des avoirs financiers négociés sur les marchés globaux de capitaux serait passée de 5 000 milliards de dollars en 1980 à 45 000 milliards aujourd'hui et devrait dépasser 83 000 milliards en l'an 2000 – soit l'équivalent de la somme des PNB de tous les pays de l'OCDE [1] !

Ce qui ressort de ces chiffres, que l'énormité des sommes en cause rend abstraits, est en fait à la fois très simple et très cruel pour les Etats :

— En premier lieu, si chaque Etat conserve (formellement) le droit d'imprimer sa monnaie, et même de fixer sa parité, la valeur réelle de ladite monnaie échappe très largement – sinon totalement – à l'Etat en question : celle-ci est en fait fixée par les marchés.

— En second lieu, l'endettement des Etats ne cessant de croître, ce sont, là encore, les marchés qui décident à qui prêter, et à quelles conditions. Plus une politique sera jugée « vertueuse » par les marchés (réduction des déficits publics, maîtrise des dépenses sociales, privatisations), plus le pays en question aura de possibilités d'accès au crédit, et verra ses taux d'intérêt baisser. A l'inverse, lorsque les agences de notation financière décrètent une note punitive contre un Etat trop endetté (à l'instar de ce qui est arrivé à la Malaisie ou à la Corée en décembre 1997), la sanction des marchés tombe alors comme un coupe-

---

1. Jessica Matthews, « Power Shift », *op. cit.*

ret qui compromet gravement les chances de refinancement de l'Etat ainsi « puni ». Cela dit, même « vertueux », le Gouvernement en cause, s'il conduit une politique qui n'est pas – ou mal – acceptée par la population, sera à nouveau l'objet de tentations spéculatives, les marchés demeurant à l'affût des difficultés sociales pouvant résulter d'une telle politique. Les attaques périodiques contre le franc en furent la démonstration récurrente sous les Gouvernements Balladur et Juppé.

— En troisième lieu, il s'est instauré entre les Etats une véritable compétition pour l'accès aux capitaux sur les marchés financiers. De même que le particulier, ou le chef d'entreprise qui a besoin de liquidités, doit négocier et convaincre son banquier de lui prêter à lui, plutôt qu'à un autre, de même l'Etat moderne doit, comme l'a dit un jour le Gouverneur de la Banque de France, devant un groupe de députés (sceptiques), « séduire » les investisseurs étrangers, en clair les énormes fonds de pension américains et japonais qui placent l'essentiel de l'épargne disponible sur les places financières les plus rémunératrices. Et Jean-Claude Trichet d'ajouter : « C'est une démocratie très inégalitaire, certes. Mais les marchés votent tous les jours. Et personne ne les contrôle. » Ils votent en effet sur les performances comparées des Etats et sur les perspectives d'avenir qu'offre chacun d'eux. Faut-il avoir peur du jugement des marchés ? Et de leur capacité à gérer des situations de plus en plus complexes, là où l'Etat rend les armes ?

A cette question, même pour un libéral, la réponse est oui, compte tenu de l'organisation actuelle – ou plutôt de la non-organisation – du système financier international. Non pas qu'il s'agisse ici de refuser en bloc la logique des marchés ou de les diaboliser, comme on le fait trop souvent chez nous. Mais parce que la libéralisation des flux financiers suppose des règles et des arbitres – en l'occurrence les Etats – faute de quoi le marché cesse de fonctionner équitablement, se transformant en une sorte de « vaste loterie planétaire », comme l'a justement noté Philippe Séguin [1], risquant alors de compromettre gravement la légitimité même de nos systèmes démocratiques.

J'illustrerai ce propos par deux observations portant, si j'ose dire, sur les deux bouts de la chaîne : au niveau des Etats tout d'abord, en prenant l'exemple de la récente crise financière asiatique. On mesurera ainsi les dangers d'un système financier international fonctionnant aujourd'hui sans règles et sans arbitre, en proie, par conséquent, à des crises financières à répétition, lourdes de conséquences pour la communauté internationale tout entière ; la seconde observation portera sur le citoyen « de base » qui perçoit de plus en plus clairement – surtout à l'approche du passage à la monnaie unique – que les Gouvernements ne contrôlent plus les destinées monétaires et fiscales de la nation.

---

1. Discours du 30 janvier 1997, lors du colloque « Modernité du Gaullisme ».

Dans l'un et l'autre cas, on va le voir, le simple laisser-faire ne saurait tenir lieu de politique raisonnable.

L'exemple de la crise financière asiatique

Par un réflexe humain, somme toute bien compréhensible, la plupart des économistes, des milieux d'affaires et bien sûr les (rares) politiques qui s'intéressent à ces sujets, s'évertuent à considérer la dernière crise financière asiatique comme un phénomène purement régional, né des conditions spécifiques des économies en croissance (trop) rapide de cette région, et dont les conséquences seront limitées sur le reste du monde. Les maladies graves, c'est bien connu, ce n'est jamais pour soi et toujours pour les autres...

Parce qu'il s'agit d'éviter une contagion de la panique, parce que trop d'intérêts politiques sont en jeu (en France, le budget Jospin est construit sur une hypothèse de croissance de 3 % en 1998), on refuse d'admettre l'évidence.

L'évidence, c'est que cette crise n'est pas la première parmi les pays « émergents » (Mexique en 1995) ;

— qu'elle dure, s'agissant de l'Asie, depuis l'été 1997, où elle a d'abord touché la Thaïlande avant de faire tache d'huile sur la Malaisie, les Philippines, l'Indonésie, puis la Corée et le Japon ;

— qu'elle fait déjà sentir ses effets bien au-delà de l'Asie. Par le biais des créances détenues par des institutions asiatiques aujourd'hui sinistrées, la Russie, les Pays baltes, le Brésil sont également très menacés, sans parler de la Chine affectée elle aussi par l'effondrement des bourses locales, dont celle de Hong Kong ;

— enfin, il est clair que même si un krach boursier peut, peut-être, être évité aux Etats-Unis et en Europe (ce que tout le monde espère mais que nul ne peut prédire avec certitude), il est cependant évident que la crise asiatique aura des conséquences directes et indirectes sur le reste de l'économie mondiale, et notamment sur l'Europe et aux Etats-Unis. L'effondrement de monnaies asiatiques se traduira par une poussée des exportations de ces pays ; tandis que le ralentissement de la croissance et de la consommation intérieure en Asie entraînera une baisse des exportations japonaises, européennes et américaines vers ces pays. A lui seul, le Japon représente 11 % des exportations en direction de ces pays. Les produits de luxe français dont les Asiatiques sont friands sont évidemment parmi les plus concernés, mais ceci est vrai également pour les grands investissements d'infrastructure. L'Europe – et surtout la France – seront d'autant plus affectées que leur demande intérieure, stagnante, n'est guère capable de prendre le relais d'exportations défaillantes et que les banques centrales du noyau dur Euro viennent, derrière la Bundesbank, de relever leurs taux.

Au total le FMI estimait en décembre 1997 que la crise asiatique se traduira par un point de croissance en moins en 1998 pour l'ensemble du monde (3,5 au lieu de 4,3), tandis que les pays du G7 perdraient 0,4 % (à 2,3 % en moyenne), la France ne perdant que 0,1 % (à 2,7 %). L'OCDE quant à elle était plus pessimiste : elle prévoyait une perte de croissance de 0,8 % en 1998 en Europe et en France.

Rares sont les financiers (y compris les plus redoutés, comme George Soros[1]) qui prétendent comprendre cette crise dans tous ses aspects. En vérité, j'ai plutôt l'impression que le monde attend, avec une nervosité croissante, en espérant que les marchés se calmeront d'eux-mêmes, le plan de secours du FMI (57 milliards de dollars pour la seule Corée – sans compter les 17 milliards de dollars déjà apportés à la Thaïlande – du jamais-vu !), ayant semble-t-il fait long feu.

A défaut d'une grille d'explication exhaustive, je proposerai ici quelques notations de bon sens basées sur les faits.

En premier lieu, malgré les apparences – et leur concomitance – les crises des pays émergents du Sud-Est asiatique n'ont rien de commun avec celle que connaît le Japon. Elles sont même rigoureusement inverses : les premières souffrent d'une crise de liquidités pour financer leur développement rapide et leurs déficits structurels (200 milliards de dollars pour la seule Corée)[2] ; le second dispose, on l'a vu, des principales réserves financières du monde (au moins 300 milliards de dollars, dont une bonne part est investie en bons du Trésor américains) et sa balance commerciale reste toujours très excédentaire, mais il souffre d'un système financier inadapté et surtout de la faiblesse de sa demande intérieure. D'où l'annonce récente par le Gouvernement Hashimoto d'un plan de relance de la demande par une réduction massive des impôts en 1998 portant sur 15 milliards de dollars.

Il n'empêche que la simultanéité des deux crises est un facteur supplémentaire de déstabilisation du système financier mondial. Pour le Japon, en tout cas, la crise financière dans la région marque nettement les limites de sa puissance : les Japonais ont massivement investi dans la zone depuis 15 ans, ses entreprises y ont délocalisé une bonne part de leur production, et le Japon, aujourd'hui affaibli, est impuissant devant l'effondrement des Bourses asiatiques et les dévaluations des monnaies locales par rapport au Yen. Tout cela ne sera pas sans conséquences politiques pour l'avenir de cette région.

En second lieu, l'Asie en développement (hors Japon)[3] représente près du quart de la richesse mondiale produite chaque année – la Chine représentant à elle seule la moitié de ce volume.

Il s'agit d'économies à très forte croissance (7 à 10 % depuis 10 ans),

---

1. Entretien avec l'auteur, en déc. 1997.
2. Le ratio dette sur PIB atteint 203 % en Thaïlande, 172 % en Malaisie, 102 % en Indonésie, 132 % aux Philippines.
3. Chine, Corée du Sud, Inde, Taïwan, Hong Kong, Malaisie, Singapour et Philippines.

une croissance tirée avant tout par l'exportation. Le ratio exportations sur PIB y atteint 34 % (41 % sans la Chine, qui reste encore relativement fermée). Autre facteur notable : 50 % de la production dans la zone est réalisée dans le secteur tertiaire, particulièrement compétitif. Ce développement rapide dans des secteurs hautement concurrentiels n'a pu être effectué que par l'afflux massif de capitaux étrangers, facilité par la dérégularisation rapide du système monétaire asiatique depuis le début des années 90. Ainsi entre les années 80 et 90, les investissements directs étrangers en Malaisie, Indonésie, Thaïlande et Philippines ont décuplé, passant de 1 à 10 milliards de dollars.

Fait aggravant, beaucoup de ces investissements revêtaient ces dernières années un caractère spéculatif. En Thaïlande par exemple, entre 40 et 43 % des investissements étrangers reçus en 1993, 94 et 95 se dirigeaient sur l'immobilier, tandis que la compétitivité de l'économie locale (salaire + capital) demeurait faible. D'où la dévaluation du Baht le 2 juillet 1997, qui avait pour but de relancer les exportations.

A partir de telles données, les conséquences économiques et sociales pour les pays affectés sont énormes.

Dans les démocraties développées, une chute de croissance de 1 voire 2 % est considérée comme une récession très grave aux conséquences sociales et politiques majeures (en France, les élections de 1997 ont montré le coût politique de la réduction d'un point du déficit budgétaire...). Ce qu'on mesure moins, c'est l'ampleur des déséquilibres qu'ont dû subir bon nombre de pays émergents, souvent à partir des mouvements erratiques des marchés : en 4 ans, l'Argentine est ainsi passée d'une croissance de + 7 à − 4, puis à + 8 ; le Mexique à − 10 en 1995, le Chili à − 14 en 1982.

En Asie, depuis l'été 1997, la Bourse de Séoul s'est effondrée de − 55 %, le Won de − 54 % et la Roupie indonésienne de − 80 %..., les autres Bourses asiatiques ont connu des baisses situées entre − 27 % (Taïpei) et − 47 % (Manille) tandis que la Bourse de Hong Kong connaissait sa crise la plus grave depuis 10 ans [1]. Plus grave encore, la capitalisation boursière de la zone a reculé de 35 %.

Bien entendu, les mesures imposées par le FMI, loin d'atténuer ces pertes, vont contribuer plus encore à ralentir la croissance dans ces pays, entraînant de lourdes conséquences sociales. Ainsi, en 1995, après la crise financière mexicaine, le PIB de la zone (8 pays dont le Mexique représentant 8,8 % du PIB mondial) avait quasiment stagné (+ 0,6 %, alors qu'il avait prospéré de 5,2 % en 1994). En Asie, la contraction des capitaux étrangers apparaît déjà énorme : 34 milliards de dollars en 1997 contre 101 en 1996 ; tandis que la croissance de pays tels que la Thaïlande, la Malaisie, les Philippines et l'Indonésie tombait à 1,7 % en 1997 contre 4 % en 1996 et 7,4 % en 1995. On mesure donc avec quel

---

1. Chiffres au 31 déc. 1997.

ressentiment cette crise est vécue en Asie : en Malaisie, le Premier ministre Mahattir s'en est pris publiquement aux « spéculateurs juifs » et à travers eux aux Etats-Unis ; à Séoul, des lycéens brûlent des Occidentaux en effigie [1]. Là encore, des conséquences politiques à long terme sont à redouter : pour n'avoir pas su gérer les conséquences sociales du capitalisme, les capitalistes du XIXe siècle avaient, par leur laisser-faire, engendré un siècle de marxisme ; de même, pour refuser de contrôler certaines dérives des marchés qu'un auteur américain appelle le « *Casino Capitalism* » [2]), faute de comprendre que le libéralisme ne se confond pas avec l'absence de règles ou d'arbitre, le monde globalisé de l'après-Guerre froide risque fort de donner naissance à des conflits politiques et militaires majeurs, moins (comme on le croit trop souvent) entre riches et pauvres, qu'entre pays développés et quasi développés engagés dans une compétition économique sans merci... et surtout sans règles du jeu sur le plan social, monétaire et financier.

Ainsi, ce qui est aujourd'hui vécu dans certains pays d'Asie comme un complot américain ou occidental visant à briser l'élan de ces pays par une spéculation financière délibérée, peut demain entraîner, outre des conséquences économiques mentionnées plus haut, bien des sources de conflit à plus long terme.

La Chine revêt, à cet égard, le rôle d'un exemple crucial : ou bien elle est touchée à son tour, ce qui entraînera d'énormes conséquences à l'intérieur et dans le monde ; ou bien elle ne l'est pas, et la démonstration sera alors apportée qu'il vaut mieux rester à l'écart de la mondialisation que de jouer le jeu de la liberté des échanges...

On le voit, la crise asiatique, après la crise mexicaine est donc bien le révélateur d'une *crise systémique* du système international dans l'après-Guerre froide. Certes, le monde est désormais uniformément capitaliste (mais non uniformément démocratique) ; certes, tout le monde est en compétition avec tout le monde, et notamment avec les 3 milliards d'hommes qui viennent de faire irruption sur le marché de la production mondiale. Mais dans ce système, les Gouvernements et les Etats ne contrôlent plus rien et aucune règle nationale ou internationale ne s'applique.

Dans ce capitalisme sans règles, les mouvements de capitaux et les dévaluations contredisent la libre concurrence, menaçant la survie économique de régions entières, et bien sûr font voler en éclats les Gouvernements en place.

Il s'échange chaque jour 1 500 milliards de dollars sur les marchés (un peu plus, on l'a vu, que le PNB annuel de la France), mais personne ne contrôle les milliers d'opérateurs qui 24 heures sur 24 déplacent des dizaines de milliards de dollars d'un pays à l'autre, recherchant en prio-

---

1. *New York Times*, 18 déc. 1997.
2. Ricardo Haussmann : « Will Volatility Kill Market Democracy ? », *Foreign Policy*, automne 1997.

rité le meilleur rendement immédiat sur l'investissement (et la prime de fin d'année pour les « *brokers* »), au mépris de l'équilibre social et politique de nations dont ils ignorent tout.

Autre caractéristique : les établissements bancaires qui s'engageaient aux côtés de producteurs locaux sont désormais supplantés par d'énormes fonds de pension anonymes sans autre intérêt que celui du rendement maximum d'un marché à l'autre.

Il y a là, à mon sens, l'arme absolue, une sorte de bombe atomique ou de virus, autogénérée par le capitalisme lui-même et susceptible de le détruire beaucoup plus sûrement qu'aucun contre-modèle idéologique ou religieux !

Quelle réponse, quelle parade peut-il exister face à de tels dangers ?

Deux écueils sont, à mon sens, à éviter.

Le premier serait de céder à la surenchère nationaliste, de condamner d'un seul mouvement le capitalisme, la mondialisation et les marchés, d'en faire l'épouvantail, la cause unique de tous nos maux. Le refrain est connu : de Viviane Forrester et son « horreur économique » à J.-F. Kahn, du PCF au FN, en passant par certains du PS comme au RPR, on sait quelle est chez nous la tentation du repli, de solutions nationales illusoires (comme le contrôle des capitaux par la loi, voire leur taxation). Une mesure de ce type prise isolément équivaudrait à un suicide pour le pays qui s'y aventurerait.

A l'autre extrémité, il est tout aussi dangereux de laisser s'installer un total laisser-faire dans le système financier international, doublé de l'effacement complet des Etats. Outre le risque de graves crises monétaires et économiques à répétition qui finiront un jour ou l'autre par se transformer en krach mondial, une telle option conduirait inévitablement à des conflits armés entre les nations.

L'intérêt économique, mais aussi la stabilité sociale et politique des démocraties, donc un impératif de sécurité internationale, commandent donc de considérer le dossier financier et monétaire comme une affaire stratégique de première importance pour les démocraties et la paix dans le monde.

A cet égard, trois propositions mériteraient d'être considérées sans tarder :

— en premier lieu, la mise en place d'un petit groupe de réflexion de haut niveau comprenant un ou deux représentants des grandes zones économiques du monde chargé(s) d'évaluer la situation présente et de formuler des axes d'actions pour les Etats ;

— en second lieu, l'inscription du dossier financier à l'ordre du jour du G7 et du prochain Conseil européen avec pour objectif la préparation d'une Charte sur l'organisation du système financier international (redéfinition du rôle du FMI, régime de taxation commun des capitaux spéculatifs) ;

— enfin, le réexamen de la problématique de l'Euro à la lumière des dérapages à répétition du système financier mondial. Si, a priori, l'existence d'une monnaie unique en Europe est de nature à réduire les risques de spéculation contre cette monnaie, il est clair que le déséquilibre institutionnel entre la future BCE, et l'absence de contrepoids politique n'en apparaît que plus problématique.

Là encore, on y reviendra, la place des Etats doit être reconnue et organisée face aux instances européennes, ce qui impliquera d'amender en le complétant le Traité de Maastricht.

Le parcours du citoyen

Si l'organisation des marchés à l'échelle internationale, s'impose désormais comme un impératif majeur pour la stabilité du système mondial dans son ensemble, on retrouve le même problème, mais à l'échelon du citoyen cette fois, s'agissant de l'effacement progressif du rôle de l'Etat dans la conduite des politiques monétaires et fiscales. Pour illustrer ce point, refaisons ensemble le parcours que j'ai eu l'occasion d'effectuer en 1994-1995 à partir d'une question posée par l'un de mes électeurs.

Première étape donc : le citoyen vient voir son député et se plaint de la politique monétaire trop restrictive qui lui est imposée, croit-il (et le député aussi), par l'Etat. « Les impôts sont trop lourds, le crédit offert par les banques est beaucoup trop cher, à des conditions voisines de l'usure en termes de garanties personnelles », me dit mon interlocuteur, patron d'une petite PME. « Que fait le Gouvernement ? »

Deuxième étape, le député pose directement la même question en petit comité (en l'occurrence lors d'une réunion de la Commission exécutive du RPR) au Premier ministre de l'époque. Or surprise : le Premier ministre, pourtant au sommet de l'espace politique, avouera qu'il ne contrôle plus l'espace financier, que face aux « gnomes de Londres », il a fait tout son possible pour réduire nos déficits (d'où la hausse d'impôts), et qu'en conséquence, jamais la France n'a bénéficié de taux d'intérêt aussi bas. Quant à la politique monétaire, le Premier ministre rappelle que la parité du Franc dépend des marchés, et que sa politique monétaire, ajoute-t-il avec un sourire ironique, n'est plus de son ressort : elle est désormais décidée par le fonctionnaire non élu qui dirige la Banque centrale, indépendante en France en vertu de la Loi du 4 août 1993, votée par nos propres soins...

Ainsi renvoyé vers un autre « guichet », le député déjeune avec le Gouverneur de la Banque de France. Dans le décor somptueux de la Banque centrale, au milieu des Fragonard, des Boucher, et des bois précieux de la salle à manger du Gouverneur, une nouvelle surprise l'attend. Fort courtoisement, l'hôte botte à son tour en touche, cette

fois sur les marchés, la société tout entière – et, sans le dire, sur les politiques. A la question, « nos taux d'intérêt sont trop élevés et tuent
l'investissement ; notre monnaie est surévaluée par rapport au dollar et
à celles de nos concurrents européens et pénalise nos exportations, que
pouvez-vous faire ? », la réponse est la suivante : « Rien d'autre que ce
que nous faisons déjà : nous avons la meilleure politique monétaire
possible. Toute dévaluation est exclue, non seulement à cause de Maastricht, mais parce qu'elle provoquerait des taux d'intérêt encore plus
élevés : voyez l'exemple de l'Italie ou de l'Angleterre. Quant à nos
taux, ils baissent progressivement, ce qui montre que la politique de
réduction de déficits est appréciée par les marchés. » Conclusion :
« nous sommes sur la bonne voie » et « même si la France est tel un
malade sur un lit de douleur », ajoute le Gouverneur, « surtout qu'elle
ne change pas de position ». Au député toujours insistant, et qui
s'inquiète de voir le malade mourir vertueux (même monétairement
guéri), la réponse fuse : « Il n'est pas possible d'avoir la meilleure protection sociale du monde, un SMIC deux fois plus élevé que partout ailleurs dans le monde, et un chômage en baisse : c'est l'un ou l'autre. La
société française a fait le choix du chômage. » Deuxième conclusion
(implicite cette fois) : « Messieurs les Politiques à vous de jouer, à vous
de modifier le fameux pacte social de notre société, si vous voulez vraiment relancer l'emploi. Mais de grâce, cessez de toucher à la monnaie
pour résoudre les problèmes de société que vous n'avez pas réglés. »

Si la politique monétaire et le niveau des taux d'intérêt sont loin de
constituer des facteurs aussi négligeables sur l'activité économique et
l'emploi que semble le penser le Gouverneur de la Banque de France,
M. Trichet n'a pourtant pas tout à fait tort sur le fond. L'essentiel des
déterminants de l'emploi est bel et bien ailleurs, et s'agissant de la
France, on y reviendra, ils concernent d'abord le poids de l'Etat dans
l'économie, et les priorités accordées à ceux qui ont du travail par rapport aux chômeurs. Reste néanmoins le problème de légitimité démocratique qui nous intéresse ici, s'agissant de la politique monétaire elle-
même.

L'Euro : y a-t-il un pilote dans l'avion monétaire ?

Ainsi donc, au bout de la chaîne de la responsabilité démocratique,
le citoyen, ou même le citoyen-député, se retrouve revenu à la case
départ, sans avoir identifié qui est, désormais, le « pilote dans l'avion »
du destin monétaire national : le Premier ministre, qui avoue ne pas
contrôler la politique monétaire du pays, alors même que la Loi sur
l'indépendance de la Banque centrale exige que la politique monétaire
de la Banque, certes indépendante, soit menée « dans le cadre de la

politique économique du Gouvernement »? Le Gouverneur de la Banque centrale française qui s'abrite derrière son collègue allemand (M. Hans Tietmeyer aujourd'hui, ou demain, le futur Gouverneur de la Banque centrale européenne), ou le « vote » de marchés. Les marchés? Mais qui donc a élu ces honorables banquiers, et devant qui sont responsables les (jeunes) opérateurs anonymes qui derrière leurs écrans d'ordinateurs déplacent instantanément des centaines de milliards de dollars, engageant ici la survie d'un Gouvernement ou d'un Etat, là celle d'une ville ou d'une région? Et à quoi sert dans ce cas le député que je suis, l'Assemblée tout entière élue par le peuple, ou le Premier ministre lui-même, si la décision monétaire échappe à ce point à tout contrôle démocratique? A-t-on oublié que depuis ses origines, tout système démocratique tire sa légitimité de cette très ancienne maxime anglo-saxonne : « *no taxation without representation* »? A quoi sert un Parlement s'il ne fait qu'enregistrer un budget déjà décidé par un conclave de banquiers non élus, décidant en secret à partir de données connues d'eux seuls?

La morale de cette histoire (vraie), et toutes ces questions, qui on le voit bien, vont au cœur même du lien Etat-démocratie, je n'ai cessé de les méditer à mesure que nous nous rapprochions du Sommet de Dublin (décembre 1996) qui avec l'adoption du Pacte de stabilité, marqua une étape-clé dans le passage à la monnaie unique, puis un peu plus tard, alors que nous nous engagions dans la bataille législative du printemps 1997.

Car ce qui a été consenti à Dublin par les Gouvernements de l'Union, et confirmé depuis lors à l'occasion du sommet d'Amsterdam, huit jours après le second tour des législatives françaises, puis dans le Pacte de stabilité signé à Amsterdam fin 1997, n'est autre que l'abandon par le pouvoir politique national de l'arme monétaire en sa possession depuis des siècles. Telle en effet est bien la logique de l'UEM : les Etats parties à la monnaie unique s'engagent désormais à renoncer, sous peine de pénalités extrêmement lourdes, à tout déficit budgétaire supérieur à 3 % (sauf situations réellement exceptionnelles et dûment encadrées par l'accord); ils renoncent par ailleurs *a fortiori* à modifier les parités des monnaies jusqu'à ce que celles-ci disparaissent totalement (vers 2002) pour se fondre dans la monnaie unique. Il est plus que significatif que ce Pacte, signé par MM. Chirac et Juppé à Dublin, ait été confirmé – malgré moult péroraisons électorales en sens inverse de la part des socialistes – par MM. Chirac et Jospin dix mois... et une élection plus tard.

Le temps des promesses déconnectées du réel est donc bel et bien derrière nous. Il n'aura duré que deux ans dans le cas de François Mitterrand jusqu'au grand tournant de 1983; six mois pour Jacques Chirac, avant celui d'octobre 1995; une semaine dans le cas de Lionel Jospin en juin 1997... entre la date du 2e tour, et celle du sommet d'Amsterdam.

Quelles conclusions faut-il donc en tirer pour nos démocraties ? Serions-nous en train de vivre la fin de l'âge du politique, en même temps que l'avènement d'un modèle unique de société d'un bout à l'autre de la planète ? Quant à nous, les élus de la Nation, serions-nous condamnés (que nous soyons de Gauche ou de Droite) à une sorte d'abdication collective devant les opérateurs anonymes des salles de marchés, et demain, Pacte de stabilité oblige, devant les banquiers européens de Francfort ? Ou bien souffririons-nous au contraire d'une autre forme d'irresponsabilité : celle de continuer à promettre à nos concitoyens (soit par idéologie, soit par soif du pouvoir) des facilités que nous savons à l'avance ne plus être en mesure d'offrir, et encore moins de financer ? En d'autres termes, l'Etat-nation est-il condamné à disparaître sous l'impact de la réalité de l'économie-monde, ou bien s'agit-il plus simplement de repenser l'Etat et ses fonctions différemment ?

La démocratie et l'Etat à l'âge de la mondialisation

La question est d'autant plus fondamentale pour l'avenir de nos sociétés démocratiques, que toute l'histoire de l'Etat-nation se confond avec ses fonctions économiques.

Je ne reprendrai pas ici l'analyse historique magistrale de Robert Reich [1] qui démontre comment « la nation économique » s'est progressivement constituée en parallèle à l'avènement de « la nation démocratique ». Comment la seconde protégeait la première (en garantissant les biens de la bourgeoisie industrielle contre l'aristocratie) ; comment, jusqu'à la Seconde Guerre mondiale, chaque nation se protégeait le plus naturellement du monde contre la puissance économique des voisins, en érigeant un système de murailles douanières confiées à l'Etat. Que les guerres commerciales qui en résultaient aient entraîné alors des guerres tout court (l'une d'entre elles ayant donné naissance aux Etats-Unis d'Amérique), voilà qui concrétisait précisément cette symbiose totale entre le cadre économique national et celui de son système (de sa « superstructure », diraient les marxistes) politique.

Tout le problème aujourd'hui est que si le cadre politique national demeure intact, en tant que lieu essentiel du contrat démocratique, si les Etats perdurent, et avec eux les représentants élus par les citoyens, le cadre économique national a, lui, littéralement volé en éclats sous le double impact de la révolution de l'information et de l'explosion des flux commerciaux et financiers. La réalité de cette fin de siècle – et l'on aura pu s'en rendre compte une nouvelle fois lors de la crise financière

---

1. *The Work of Nations, op. cit.*

asiatique de 1997 – c'est que l'essentiel des déterminants de l'économie, le prix des biens et même des monnaies nationales, le coût du crédit, donc l'accès aux capitaux et l'investissement, échappent de plus en plus aux décideurs nationaux (politiques ou non), pour passer aux mains d'une multitude d'opérateurs anonymes : les grands groupes transnationaux dont la stratégie industrielle ou commerciale ne s'embarrasse plus des frontières (sauf pour faire jouer la concurrence entre les Etats qui les accueillent), et bien sûr les marchés. En revanche « ce qui reste », ce qui dépend encore des dirigeants nationaux, c'est le coût du travail, les systèmes de protection sociale, les niveaux de salaires jugés ou non tolérables par la société, bref, tout ce qui fonde le contrat social et politique de chaque démocratie. Tout ce qui, également, constitue la référence de l'électeur et les plates-formes des partis politiques sur lesquelles les dirigeants politiques sont, ou non, élus. Ce qui reste du ressort national, c'est cette affirmation en forme de défi d'un jeune conducteur de train de la SNCF à un journaliste ébahi du *Wall Street Journal* : « Les gens qui veulent travailler pour de bas salaires n'ont qu'à aller en Asie ! Nous n'avons pas à accepter ça en France [1]. » Ce qui reste également de la responsabilité du dirigeant politique national, c'est la redoutable mission d'assurer, comme le dit Peter Drucker, « la dignité de la deuxième classe sociale », « de ceux qui ne disposent pas de l'éducation nécessaire pour être des travailleurs du savoir. Et ils seront la majorité dans tous les pays, même les plus avancés [2] ».

D'où cette distorsion, cette contradiction immense, historique même, à laquelle sont désormais confrontées nos sociétés : *comment faire coïncider la géographie par essence transnationale d'une économie capitaliste mondialisée, avec celle purement nationale de la vie démocratique ?* Tandis que le chef d'entreprise peut à tout moment choisir de délocaliser telle ou telle partie de sa production pour profiter des avantages (notamment fiscaux ou de coûts salariaux) qui lui sont offerts hors du cadre national, l'élu, lui, ne peut délocaliser ses électeurs.

Dès lors, sur quoi, concrètement, fonder la responsabilité politique de l'élu, alors même que celui-ci ne contrôle plus directement le destin économique de la société qui lui a confié ce mandat ?

Si la politique des nations se décide désormais à la corbeille du marché mondial, si les responsables politiques toutes tendances, et toutes nationalités confondues ne sont en définitive que les « fondés de pouvoir » de ces marchés, que reste-t-il alors du contrat démocratique entre le citoyen et l'Etat qui fonde la légitimité même de nos sociétés ?

L'Etat détient-il encore, un rôle, même partiel, dans la gestion de l'espace économique, ce qui lui permettrait de fonder sa légitimité démocratique ? Ou ce rôle-là appartient-il d'ores et déjà à l'Histoire ?

---

1. *Wall Street Journal*, 6-7 septembre 1996.
2. *Au-delà du capitalisme, op. cit.*

La vogue anti-étatique américaine...

A cette dernière question, beaucoup aux Etats-Unis ont déjà répondu « oui » : « L'Etat est mort, vive le capitalisme libertaire ! »

Anecdote vécue : lors d'un enseignement récent à l'INSEAD, devant une centaine de chefs d'entreprises d'une quarantaine de pays, j'eus le tort d'insister sur les problèmes d'emploi et les réformes douloureuses engendrées en France par la mondialisation. Que n'avais-je dit là ! L'élite transnationale du business me reprocha alors vigoureusement mon pessimisme rabat-joie (eux se portaient très bien, merci !), et m'asséna la conclusion suivante : « Si vous ne savez pas réformer, c'est donc que votre Gouvernement est mauvais. Et puis, d'ailleurs, qui dit qu'on a encore besoin de gouvernements pour diriger les économies ? »

J'eus un peu plus tard la même expérience à Davos lorsque face à une pléiade d'experts d'Internet (dont je découvris vite qu'ils étaient presque par nature des ayatollahs d'une société mondiale sans nations et sans Etats), j'eus le front de m'interroger à haute voix sur les problèmes de société posés par la révolution de l'information (contrôle de la pornographie par exemple, ou des transferts d'argent de la drogue). On me rétorqua vertement là encore, que les Gouvernements étaient incapables (ce qui est en partie vrai d'ailleurs) de légiférer sur l'Internet, que ceux qui s'y essaient (comme la Chine ou le Congrès américain) révèlent un instinct de survie totalitaire, et que de toute façon l'ère de la communication totale d'individu à individu d'un bout à l'autre de la planète, allait inévitablement condamner les vieux Etats-nations. L'ère de l'Agora électronique est arrivée : à bas les intermédiaires étatiques incompétents, inutiles, et coûteux !

Pour ces idéologues de l'anti-Etat que dénonce R. Reich, un monde idéal est en marche où les Etats ne seront plus que des coquilles vides, où les nouvelles classes dirigeantes (« les travailleurs du savoir ») feront progressivement sécession et de leurs Etats et du reste de leurs sociétés respectifs. S'installera alors pour ces nouvelles élites un autre type d'allégeance, non plus à l'espace national, mais à des réseaux d'intérêts purement transnationaux. Ainsi, par un curieux – et tellement ironique ! – renversement de l'Histoire, l'internationalisme, jadis marxiste, change de camp, devenant l'objectif ultime des nouveaux capitalistes ! Quant à la rhétorique anti-Etat, elle connaît elle aussi le même basculement ironique : les fils spirituels des gauchistes de 1968 ne sont-ils pas, trente ans plus tard, les opérateurs des marchés financiers ?

Poussé au bout de sa logique, on imagine sans peine les conséquences d'un tel capitalisme sans Etats sur nos sociétés : balkanisation, violence, état de jungle permanent à l'intérieur, et dans le même temps rejet ou marginalisation du processus démocratique. Se poserait alors à terme un vrai problème existentiel pour la démocratie : la République survivrait-elle à la disparition de l'Etat et à l'explosion du tissu social ? Pourrait-elle perdurer en se fondant seulement sur des libertés formelles, refusées dans la pratique au plus grand nombre ?

... et la religion française de l'Etat

Revenu en France, quand j'entends à l'inverse certains responsables politiques français (y compris dans mon propre parti) promettre sans sourciller de créer « x » centaines de milliers d'emplois, ou une « autre politique » conçue par des fonctionnaires et conduite par un acteur économique dominant appelé « l'Etat », il m'arrive, là aussi, d'être tenté de lever les bras au ciel...

C'est qu'à l'inverse de l'Etat minimum à l'américaine, la France se plaît quant à elle à cultiver son idéologie favorite : le culte du tout-Etat.

D'où cette formidable contradiction à la fois économique et politique que nous subissons chaque jour : *l'Etat-protecteur à la française ne cesse de voir augmenter ses charges et ses missions, alors même que l'Etat perd de plus en plus ses attributions économiques, y compris monétaires* et que des Gouvernements successifs de Mitterrand à Chirac et Jospin n'ont cessé de transférer toujours plus de pouvoir économique et monétaire aux instances européennes.

Si bien que l'écart entre « Etat-protecteur » et « Etat-acteur économique » a atteint chez nous des proportions presque caricaturales, avec la difficulté supplémentaire que cette question essentielle a été largement abandonnée par les formations politiques démocratiques, au profit de cette pensée dominante molle et trompeuse évoquée plus haut. Comme le note justement Alain Gérard Slama [1], la France se plaît à « détourner ses regards des réalités mondiales, tout en acquiesçant aux slogans de la modernité. Elle se répète, pour se rassurer, que le pays ne va pas plus mal que ses principaux voisins, que ses " fondamentaux sont bons " et que l'Europe, conçue comme une nouvelle ligne Maginot, le fera évoluer en douceur ».

Or l'Etat est en faillite structurelle ; il n'a plus les moyens, ni la compétence de peser sur une économie mondiale qui lui échappe. Mais peu importe ! Seul s'impose le torrent du consensus dominant : « protégeons les acquis », « protégeons toujours », au nom de la République solidaire et de l'exception française !

Peu importe aussi que ceux-là mêmes qui promettent toujours plus, qui garantissent « les acquis », sont aussi ceux qui ont choisi la voie de la monnaie unique, en oubliant de dire aux Français les conséquences de ce choix.

---

1. « L'utopie est le pire des refuges », *Figaro Magazine*, 27 déc. 1997.

D'un côté on bâtit une Europe libérale, à base de dérégulation, de baisse des dépenses publiques et l'on s'engage, via le Pacte de stabilité, à ne plus laisser filer les déficits publics et bien entendu la monnaie ; de l'autre, l'on accroît sans cesse la masse des missions étatiques et le nombre des emplois publics. Ainsi, loin de construire en France un consensus bipartisan sur l'entreprise européenne, la classe politique française – et la Gauche porte ici une responsabilité majeure devant l'Histoire – n'a fait que creuser le fossé entre la perception qui en a été donnée aux Français, celle d'une « Europe sociale » qui renforcera les acquis français, d'un super Etat-providence, en quelque sorte, se super-posant à la ligne Maginot nationale, et la réalité des réformes struc-turelles qui restent à accomplir, et qui toutes exigent une refonte mas-sive de l'Etat-providence à la française.

Les deux malentendus de la monnaie unique à la française

Le plus extravagant dans tout cela est que nos équilibristes-bonimenteurs ont abandonné dans les traités tout moyen national de peser sur les futures décisions du seul organe où sont transférés tous les pouvoirs monétaires : la Banque Centrale Européenne. Au premier malentendu sur les finalités de l'entreprise (Europe-providence, ou Europe libérale), s'en ajoute donc un second, plus périlleux encore : celui de ses modalités de fonctionnement. François Mitterrand croyait dur comme fer qu'en ayant un représentant français à la table de la BCE, la France prendrait le contrôle de la politique monétaire de la Bundesbank (le « politique » en quelque sorte l'emporterait sur le rap-port de forces économiques). Mais la réalité est toute différente. Ce qui l'a emporté à Maastricht puis à Amsterdam c'est bien la conception *allemande* de la gestion de la monnaie avec une obsession unique : la stabilité des prix (héritage du syndrome de l'hyper-inflation de l'Alle-magne de Weimar mais non la lutte pour l'emploi ! Le tout hors de toute interférence des Gouvernements. Telle est bien la logique du Pacte de stabilité, qui par le biais des disciplines extrêmement sévères qu'il impose aux Etats dans la gestion de leurs budgets, transfère en réalité les décisions majeures sur le pilotage de la politique économique de l'Union à la seule BCE.

Conséquence : le « déficit démocratique » évoqué précédemment entre le citoyen et le ou les responsables de son destin économique, n'en devient que plus flagrant, surtout dans une Europe sinistrée par le chômage ! Imagine-t-on que le Président du Federal Reserve Board américain fonctionne sans Président des Etats-Unis et sans Congrès, et qu'il n'ait en face de lui que les Gouverneurs des Etats fédérés ? Que se passera-t-il quand les grévistes de la SNCF ou des hôpitaux publics ne trouveront plus en face d'eux l'oreille compatissante de *l'élu* de Matignon, mais l'indifférence des banquiers de Francfort?

Ce double malentendu, le peuple français dans son immense majorité n'en n'a pas encore pris conscience.

La responsabilité la plus écrasante revient sur ce point – je le répète – aux socialistes qui ont délibérément menti (par omission) aux Français lors de la préparation du Traité de Maastricht, et qui les ont ensuite soumis au chantage de la ratification, sous la menace de « casser l'Europe ». Ironie de l'histoire, c'est à eux qu'il appartient aujourd'hui de faire naître l'enfant qu'ils ont conçu et de préparer la famille à le recevoir...

Gageons qu'il ne sera pas simple – même en invoquant les mânes de Jaurès – de concilier monnaie unique et 35 heures !

Je tiens, moi, que cette trajectoire française est aussi déstabilisante à terme pour notre démocratie que le scénario de Robert Reich pourrait l'être pour les Etats-Unis. Un « tout-Etat » qui n'a plus les moyens de ses missions, qui se contente de fabriquer des assistés et des exclus et de les maintenir – à crédit – en état de survie artificielle, tout en faisant mine de participer à l'entreprise libérale européenne, est tout aussi condamné que le « non-Etat » tant désiré par les ayatollahs de l'hyper-capitalisme.

Je soupçonne même que les effets de manches volontaristes régulièrement suivis de promesses non tenues, puis de contorsions politiciennes pour expliquer pourquoi elles ne l'ont pas été, mais le seront demain, je soupçonne disais-je que tout cela alimente chez nos concitoyens ce sentiment de dépossession du destin national et d'impuissance du politique qui caractérise tant, hélas, notre République malade... au plus grand profit de l'extrême droite !

C'est ce même sentiment justement mis en évidence par Mathias Emmerich [1], ressenti tout autant par les électeurs que par leurs représentants, qui explique pour une large part le mal démocratique dont nous souffrons. Qui explique aussi la confusion du débat caricatural « pensée unique-autre politique » et son cortège de boucs émissaires faciles : de M. Trichet lui-même à Maastricht. Ne nous y trompons pas : il s'agit là d'un syndrome potentiellement mortel pour la démocratie. Comment imaginer qu'une vie publique « normale » puisse perdurer, que des représentants ou des Présidents soient élus, des Gouvernements formés, si tout cela repose sur des engagements dont on sait à l'avance qu'ils ne pourront pas être tenus, tant ils sont éloignés de la réalité notamment européenne et hors de portée de l'Etat ? Comment s'étonner alors si au bout du compte l'électeur a le sentiment (en partie justifié d'ailleurs) que son vote ne sert à rien puisque personne n'est responsable, personne n'est comptable, et qu'au final, tout le monde, à

---

1. *Les Marchés sans mythes*, Note de la Fondation Saint-Simon, janvier 1996.

peu près, fait la même chose, c'est-à-dire pas grand-chose... Comment s'étonner de la désaffection du citoyen pour la vie publique, de la montée de l'armée des abstentionnistes, et de celle plus inquiétante encore des partisans de la « révolution nationale » ?

Une autre mission pour l'Etat

Entre la thèse américaine de l'extinction souhaitable de l'Etat, et celle tout aussi funeste du tout-Etat à la française, ma conviction est qu'il existe une voie médiane, qui laisse à l'Etat les fonctions régaliennes qui demeurent les siennes malgré la mondialisation, mais à partir d'une profonde redéfinition de ses missions et de ses modes d'intervention.

Car à y regarder de plus près, la mondialisation, si elle bouleverse effectivement les conditions du contrôle étatique sur l'ancien cadre économique national, ne supprime pas pour autant l'Etat, ni ne condamne les politiques, à n'être que les voyeurs impuissants d'une histoire qui désormais leur échappe totalement.

Les marchés eux-mêmes au demeurant n'en demandent pas tant. Comme le montre Emmerich : « Loin de dicter leur loi aux gouvernements, les marchés réagissent aux politiques économiques des Etats en tentant d'évaluer leurs conséquences sur l'économie des pays. Lorsque les marchés réagissent à la politique décidée par le Gouvernement (français) actuel de réduction du déficit public par la hausse des recettes budgétaires plutôt que par la baisse des dépenses, privent-ils le Gouvernement de ses marges de manœuvre ? Ne réagissent-ils pas plutôt face à la politique d'un emprunteur ayant accumulé 4 500 milliards de francs de dettes, et dont le taux de prélèvements obligatoires est déjà l'un des plus élevés d'Europe ? » Et Emmerich de conclure : « Si les marchés font peser une contrainte sur les Etats, c'est d'abord à raison du statut du premier emprunteur de tous les Etats sur leur marché obligataire. »

Autrement dit, ce qui est en cause ici, ce n'est pas le pouvoir diabolique d'un monstre mystérieux appelé « les marchés », même si, on l'a vu, ceux-ci devront faire l'objet d'une régulation par la Communauté internationale. Ce qui est d'abord en cause, c'est la lucidité et surtout le courage des responsables politiques qui ont encore en charge le destin des nations, dans une économie il est vrai totalement concurrentielle. Ici la diabolisation des marchés ou de « Davos » sert trop souvent d'alibi idéologique à l'absence de courage politique des gouvernants, trop contents de se défausser tantôt sur « l'Europe », tantôt sur leurs créanciers anonymes. Réflexe aussi vieux que le monde : combien de créanciers (juifs surtout) ont été exterminés par les princes qu'ils finançaient à crédit ?

Au demeurant, de Lee Kwan Yew à Singapour à Bill Clinton à Washington, l'Etat, même dans les sociétés hyper-capitalistes, ne se contente pas d'être le spectateur impotent de la compétition mondiale. L'Etat se bat à l'exportation (il est devenu la règle pour le Président américain ou le Chancelier allemand de « vendre » personnellement « ses » productions nationales à l'étranger); il prépare ou ne prépare pas (c'est là affaire de courage) sa société à survivre à la concurrence mondiale, en taillant ou non dans les dépenses publiques, en modernisant ou non son système éducatif, etc.

A cet égard, l'avènement de la monnaie unique, donc la disparition du pouvoir monétaire national, ne signifie pas pour autant la mort des Etats, ni celle de leurs pouvoirs politiques, pas plus que de l'objectif nécessaire de solidarité sociale. A la condition cependant qu'un contrepoids effectif soit trouvé à la future Banque Centrale Européenne – ce qui n'est pas le cas dans l'actuel Pacte de stabilité. Mais à supposer, comme je le crois, que l'on parvienne à un tel arrangement institutionnel (via le Conseil des pays membres de l'Euro), et qu'ainsi la promotion de l'emploi soit inscrite dans les critères de fonctionnement de la BCE (comme c'est le cas de la FED aux Etats-Unis), ce qui changera désormais – et cela s'avérera salutaire pour la France! – c'est la façon dont s'exercera ce nouveau pouvoir.

La monnaie unique obligera à la cohérence : au lieu de compter sur l'inflation, la hausse constante des dépenses publiques, ou la dévaluation pour amortir les chocs de la compétition internationale, les Etats – France comprise – seront contraints de dire le vrai à leurs peuples, et de conduire les réformes structurelles nécessaires, sans se payer de mots. De ce point de vue, on ne pourra plus, par exemple, dénoncer « la pensée unique » au nom du volontarisme politique, pour ensuite être amené à augmenter les impôts, plutôt que de tailler avec courage dans les dépenses publiques. De même il ne sera plus possible de prétendre faire l'Europe et la monnaie unique tout en multipliant les emplois publics et en imposant les 35 heures!

En signant Maastricht puis tout récemment le Traité d'Amsterdam, la France, sans le savoir, a déjà changé de culture. Elle ne pourra plus, comme elle le fait encore à présent, cacher sous le pagne d'une politique monétaire optiquement vertueuse, les dérapages de ses dépenses publiques et de ses impôts pour amortir les chocs sociaux qu'elle se refuse à gérer par des réformes de structures. Ces réformes, elle ne pourra plus les différer longtemps, sauf à accepter par avance l'idée qu'il lui faudra quitter les disciplines de la monnaie unique, ou se résoudre au statut de satellite appauvri de l'Allemagne.

De ce point de vue, la monnaie unique aura l'immense avantage de rendre au peuple français le droit à la vérité : à une explication franche du monde tel qu'il est, de ce que peut et ne peut plus faire l'Etat, de ce qu'il peut réellement attendre de ses politiques au lieu des balivernes électorales qu'on lui a trop souvent servies ces vingt dernières années.

Péché d'idéalisme, me rétorquera-t-on : peut-on espérer gagner une élection en disant le vrai, en prêchant la modestie de l'Etat, en annonçant à l'avance de dures mais inévitables réformes structurelles, alors que le camp d'en face appuiera à fond sur les leviers de la démagogie et du rêve ?

Je tiens, moi, que les Français ont plus ou moins confusément intégré ces réalités, et qu'ils sont prêts à entendre ce langage de vérité.

Alors de grâce, évitons la caricature. Entre le « non-Etat » rêvé par les uns et le « tout-Etat » hélas dominant en France, il y a place pour une analyse lucide de ce qu'un Etat recentré sur ses missions essentielles, moins coûteux et plus efficace, peut encore apporter à nos sociétés. L'Etat est moins puissant c'est vrai. Qu'il s'agisse de défense ou d'économie. Ce que nous considérons, à tort, comme des acquis intangibles, synonymes de la « République » elle-même (monopoles publics, protection sociale maximum, éducation ou culture publiques) mérite d'être lucidement et courageusement repensé. Le système de protection publique de chaque citoyen d'un bout à l'autre de la vie est probablement déjà derrière nous, hors de portée des moyens de l'Etat contemporain. L'Etat ne peut plus s'engager à protéger *tout le monde* contre *tous* les risques de la vie ; il peut, et doit en revanche préparer le mieux possible chaque citoyen à se protéger lui-même, et surtout à trouver à s'employer. Là réside la responsabilité du politique. Alors cessons de « repasser le mistigri » de nos difficultés sociales à de mythiques puissances obscures ; cessons de promettre au peuple ce que l'Etat ne peut plus tenir ; essayons au contraire de rebâtir un autre contrat de société, avec moins d'Etat, certes, mais surtout mieux d'Etat et plus de libertés.

CHAPITRE 5

Repenser notre démocratie : l'ambition de la liberté

Retour sur un constat

Tout au long de la première partie de cet ouvrage, je me suis efforcé d'ouvrir toutes grandes nos fenêtres sur le monde ; d'analyser les défis, les grandes lignes de force qui pèsent déjà sur notre quotidien, sur notre société, sur l'Etat, bref, sur les habitudes sociales et les institutions qui fondent notre démocratie.

Deux conclusions principales s'imposent à ce stade de l'analyse. La première est que toutes les grandes démocraties industrialisées, France comprise donc, connaissent peu ou prou les mêmes difficultés d'ajustement social et de « renouvellement » politique et idéologique, dans un monde désormais uniformément capitaliste.

La seconde conclusion fait ressortir en revanche des spécificités nationales singulières à la France. Contrairement à d'autres, notre pays vit les réformes qu'il doit entreprendre comme une punition infligée de l'extérieur, non comme une chance de progrès. Au lieu de choisir le mouvement de l'histoire du monde, la France s'accroche désespérément à son passé, à un modèle social et politique structuré autour de l'Etat. Comment approcher une société pareillement figée ? Quel type de réformes faut-il envisager ? Telles seront les grandes questions examinées dans les pages qui vont suivre.

La maladie démocratique

Mais revenons un instant sur notre première observation : l'existence d'une crise générale du système démocratique en cette fin de siècle, frappant l'ensemble des grandes démocraties. Toutes, en effet, subissent de plein fouet la transformation géopolitique du monde. La globalisation des échanges et des flux de capitaux, la révolution des techniques d'information, affectent partout la « gouvernance » des nations. Pour une partie, par conséquent, le mal de la France de cette fin de siècle n'est autre que la version tricolore d'une « crise » plus vaste de la démocratie. A vrai dire, c'est de cette observation qu'est né, au départ, ce livre.

Dans les années 1993-94, frappé par la simultanéité de crises politiques sans précédent dans des pays aussi différents que l'Italie et le Japon (crises qui entraînèrent la disparition d'une bonne partie des élites politiques d'alors dans ces deux nations), mon premier mouvement avait été de tenter de percer le mystère de cette curieuse affection, apparemment contagieuse dans l'après-Guerre froide : comment expliquer que l'on retrouvât des symptômes analogues dans la plupart des démocraties, y compris en France : corruption, éloignement des citoyens de leur classe politique, dysfonctionnements institutionnels, montée des partis ou des porte-parole du populisme ou de l'extrême droite ?

Le constat, en tout cas, est pour le moins paradoxal : c'est en effet au moment même où le monde démocratique vient de triompher du défi historique du communisme, après avoir vaincu dans la première moitié de ce siècle le totalitarisme nazi, qu'il paraît un peu partout comme frappé de langueur, et ce de l'intérieur même de nos sociétés ! Que, de tous côtés, s'élèvent des voix de plus en plus nombreuses de politologues, de sociologues américains et européens pour nous alerter devant cette « crise de la démocratie », la « mélancolie », les « dilemmes » ou la « régression » de l'ensemble de nos systèmes politiques.

Dans l'entre-deux-guerres, quand plusieurs Gouvernements démocratiques européens s'effondrèrent au profit de régimes autoritaires ou fascistes, puis à nouveau pendant les premières années de la Guerre froide, quand l'Occident dut faire face à l'expansionnisme soviétique, la notion de « crise de la démocratie » avait un sens précis. Comme le note justement Jean-Claude Casanova[1], dans l'un et l'autre cas, la « crise tenait à l'existence de modèles non démocratiques, acceptés par une partie de l'opinion et des intellectuels des pays européens, comme susceptibles de légitimer une critique des institutions et des sociétés de l'Ouest, voire comme devant être imités. En un mot, la crise existait parce que les ennemis de la démocratie pouvaient l'emporter... »

Mais de quelle crise s'agit-il dès lors que le système démocratique vient de triompher dans l'ordre politique et idéologique, et qu'il ne se trouve nul modèle idéologique ou de société à vocation universelle, pour venir directement le menacer ?

N'y a-t-il pas même quelque indécence, comme le note Luc Ferry[2], pour des peuples apparemment les mieux lotis à se complaire dans la

---

1. « Situation des Démocraties », *op. cit.*
2. Luc Ferry : *Morales laïques, morales sans transcendance*, Note de la Fondation Saint-Simon, juin 1995.

mélancolie et le sentiment du vide, alors que tout autour de nous – de la Bosnie à l'Algérie – abondent les contre-modèles de la misère humaine ? Et le philosophe d'oser cette phrase provocante, qu'on n'entend guère dans nos débats politiques : « Peut-être vaut-il mieux être chômeur à Bonn ou à Paris, qu'ouvrier à Bombay ou à Saint-Pétersbourg. » Et pourtant ! C'est bien dans la disparition de l'adversaire – du contre-modèle communiste – que réside la première explication du mal démocratique de cette fin de siècle.

Lors d'une visite à Moscou en 1990, peu de temps après la chute du Mur de Berlin, un vieil agent d'influence soviétique, l'académicien Georgui Arbatov, devenu l'un des chantres de la Perestroïka à la tête de son « Institut des Etats-Unis et du Canada », me dit avec un curieux sourire : « Vous verrez, nous allons vous faire la pire des choses qui puisse vous arriver (à vous, l'Occident) : nous allons vous priver d'ennemi. » Prédiction parfaitement exacte : privée d'ennemi extérieur, la démocratie, comme le note justement Casanova, se retrouve prise en ciseaux : d'une part, elle « devient plus attentive à ses propres défauts en prenant conscience de sa fragilité et des possibilités de corruption (le terme étant pris ici au sens classique) qu'elle recèle. D'autre part, " le défi antidémocratique ", n'offre plus le contrepoison ou l'antithèse permettant à la démocratie de se définir comme un moindre mal et de se renforcer en s'opposant. Elle devient donc plus vulnérable ».

D'autant plus vulnérable, que la disparition de l'ennemi extérieur a directement entraîné celle de tout clivage idéologique net entre les familles politiques sur lesquelles reposait jusqu'ici le débat démocratique *à l'intérieur* de nos sociétés.

Là réside, à mes yeux, le second facteur du malaise général des démocraties.

En cette période d'après-Guerre froide, l'effondrement du modèle communiste – de ce qu'on appelait jadis « le socialisme réel » – a créé une sorte d'immense trou noir au plan des idées dont on n'a pas fini de mesurer toutes les conséquences ! A commencer par la Gauche bien sûr, où socialistes, « néo-communistes » et autres écologistes, ont bien du mal à définir ce qu'est au juste « la Gauche » dans un monde entièrement post-capitaliste. Un Etat-providence en faillite chronique, une société d'assistés angoissés par le chômage, de semi-employés « partageurs de travail », et de préretraités à cinquante ou cinquante-cinq ans, constituent-ils vraiment à côté d'un « Marché » que nul ne songe plus réellement à abattre, « l'horizon indépassable » des sociétés « socialistes » de l'après-communisme ? Et quid alors de la Droite – ou plutôt des droites – qui se définissaient jusqu'ici par rapport justement aux paradigmes idéologiques « socialo-communistes » ?

Hormis les tenants d'un libéralisme pur en terre anglo-saxonne surtout (Etats-Unis, Grande-Bretagne, Nouvelle-Zélande) qui commence à gagner la Scandinavie et les Pays-Bas, l' « idéologie » des droites modérées européennes se résume encore à ce que la CDU appelle « l'économie écolo-sociale de marché », mélange instable de libertés individuelles et de libertés sociales garanties par l'interventionnisme étatique. Un mélange somme toute assez peu éloigné de celui de la social-démocratie européenne (PS français excepté – en tout cas jusqu'à ce que M. Jospin rejoigne, le cas échéant, M. Blair).

Dans ce désert d'idées, que vaut encore le clivage Droite-Gauche ? Au mieux cherchera-t-on des nuances (sur des problèmes de société d'ailleurs [1], davantage que sur l'économie), mais on ne trouvera guère les contre-modèles si utiles du passé.

Si clivage il y a, celui-ci porte bien davantage sur l'Europe – donc sur le fait national – que sur le contenu politique et idéologique propre des partis concernés. Avec cette complication supplémentaire que le clivage européen ne recoupe pas, ne recoupe plus, les lignes de partage anciennes. D'où ce paradoxe inextricable : à Bruxelles, se construit une Europe libérale et pourtant les conservateurs britanniques sont contre, tout comme leurs successeurs travaillistes, tandis que les socialistes français (du moins quand ils sont au pouvoir) sont pour ; dans le même temps, la Droite française est divisée, et 80 % des Allemands, théoriquement tous « Européens » sont contre l'Euro... et l'abandon du Mark.

On comprend que dans tout cela, notre citoyen de base ait du mal à s'y retrouver ! Orpheline de la « Grande Révolution d'Octobre », puis du Congrès de Tours de 1920 qui avait structuré toute la vie politique française au cours de ce siècle à Gauche *comme* à Droite, notre vie publique tourne dans le vide. Les appareils politiques, relayés par des médias qui par ailleurs n'ont ni le goût, ni le temps de s'intéresser au fond des problèmes, moulinent des « petites phrases », plutôt que des projets de société...

Maladie commune, là encore : où est la « Gauche », où est la « Droite » aux Etats-Unis, quand Bill Clinton pour être réélu abandonne purement et simplement les acquis du New Deal, et « emprunte » sans vergogne le programme du Parti Républicain (sauf, il est vrai sur l'interdiction de l'usage du tabac !). Où est la Gauche, où est la Droite en Europe, quand, sur le Vieux Continent, les « ultras » du marché se recrutent en Pologne ou en Hongrie (au sein de gouvernements « néocommunistes » !), tandis que les tenants de l'économie sociale de marché se trouvent, eux, à la CDU, parmi les chrétiens-démocrates, et plus généralement au sein des partis de Droite pro-européens (RPR compris) ! Dans l'après-Guerre froide, pour paraphraser la formule choc de François Mitterrand sur les Euromissiles, « les

---

1. Et encore ! Quand on entend G. Schröder, le chef du SPD allemand, promettre « la porte » aux immigrés en Allemagne, on peut là aussi se poser la question du clivage avec la CDU et même la CSU bavaroise ! V. *le Figaro*, 3 août 1997.

libéraux seraient-ils à l'Est, tandis que les tenants de l'Etat-providence se trouveraient à l'Ouest ? »

En vérité, ce que sous-tend la disparition des frontières idéologiques, ce marécage commun d'où n'émerge plus aucun projet de société, sauf à gérer sous une étiquette différente et – soyons généreux – à quelques nuances près, le même système post-capitaliste, c'est précisément le fait que la démocratie se retrouve seule face à elle-même. Comme le dit fort justement Marcel Gauchet [1] : « En deux cents ans, le programme juridique et politique posé en termes de principes en 1789 est entré dans les faits. Il est si bien entré dans les faits que nous sommes les gestionnaires d'un héritage et que nous n'avons quasiment plus de programme. Quand tout est fait, il ne reste qu'à en améliorer le fonctionnement. La démocratie réalisée, c'est la démocratie désenchantée. »

Malgré d'évidentes différences culturelles ou de systèmes politiques, toutes les études réalisées aussi bien aux Etats-Unis, en Europe qu'au Japon à partir de données statistiques sur vingt ans, confirment partout ce même « désenchantement ».

Celui-ci se traduit d'abord par une chute vertigineuse de la confiance des électeurs à l'égard de leurs gouvernants. A titre d'exemple, la proportion des Américains confiants dans la capacité de leur Gouvernement à prendre les bonnes décisions est passée de 76 % en 1964 à 19 % en 1994 [2]. Même syndrome en Europe : dans un pays pourtant réputé pour son « modèle » consensuel, la Suède, la proportion des citoyens convaincus que « les députés se moquent de ce que pensent les gens » est passée de 42 % en 1968 à 70 % en 1992. Au pays du miracle économique rhénan, le nombre des Allemands satisfaits de leur système démocratique a dégringolé de 80 % en 1976 à 50 % en 1994 [3], et l'on pourrait continuer à décliner les mêmes chiffres, sondage après sondage, pays après pays...

Autre symptôme, corollaire du précédent, la désaffection des électeurs (et des militants !) par rapport aux partis politiques traditionnels, qu'accompagne la percée de nouvelles formations politiques en dehors de « l'establishment » traditionnel. Berlusconi en Italie, Perot aux Etats-Unis, Manning au Canada, Hosokawa au Japon, sans parler de Le Pen en France ou de Haider en Autriche, expriment partout l'impatience des citoyens-électeurs par rapport aux alternatives politiques classiques représentées par les partis traditionnels. Que le balancier se déplace du ou des partis au pouvoir à celui ou ceux de l'opposition, il n'y a rien là que le fonctionnement normal de l'alternance démocra-

---

1. *La Révolution des pouvoirs : la souveraineté, le peuple et la représentation 1789-1799*, Gallimard, 1996. V. aussi son interview dans *le Figaro*, 20 décembre 1995.
2. Robert D. Putnam : *What's Troubling the Trilateral Democracy ?* Commission Trilatérale, Fondation Bertelsmann, 1996.
3. Source : Eurobarometer, Commission européenne, juin 1996.

tique à l'intérieur d'une société qui s'adapte ainsi aux changements sociaux, politiques ou économiques qu'elle rencontre. Que ce désir d'alternance s'exprime en dehors même de tous les partis établis (ou dans l'abstention massive), même si ces nouveaux venus ne parviennent pas (ou pas encore) à prendre le pouvoir, voilà qui dénote une situation nouvelle par rapport à tout ce que le monde démocratique a pu connaître depuis 1945.

A l'éloignement de l'électeur par rapport aux partis traditionnels, s'ajoute, dans la plupart des démocraties, l'érosion de l'engagement militant depuis une vingtaine d'années. Ce phénomène, qui prend la forme d'un véritable effondrement aux Etats-Unis [1], est également sensible partout en Europe [2]. Ainsi se trouve progressivement menacé le rôle clé que jouent les partis politiques (et que reconnaît notre Constitution) dans l'expression de la vie démocratique : intégration des intérêts particuliers des citoyens, lieu d'expression et de définition d'un avenir commun pour la société tout entière, lien entre les citoyens et les gouvernants. Nos démocraties, fondées sur le principe de la représentation politique, ont un besoin vital de partis politiques sains, capables de rassembler citoyens et idées. Les partis sont comme des artères qui canalisent le sang de la citoyenneté vers le cerveau des sociétés démocratiques. Lorsque ces mêmes partis, éclatés ou affaiblis de l'intérieur par des luttes de pouvoir, voire par les « affaires », un fonctionnement fractionné ou excessivement « décentralisé », incapables de produire du « sens », de « l'avenir » pour la société, se contentent de plagier le programme du camp adverse ou de se démarquer du concurrent par quelques formules démagogiques; quand les plates-formes politiques ne sont qu'un catalogue de promesses adressées à chaque corporation, classe d'âge ou groupe de pression, et que sur l'essentiel, celles-ci ne proposent qu'un compromis elliptique entre des thèses sur lesquelles personne n'a le courage de trancher (qu'il s'agisse de l'Europe, de l'immigration ou du financement des dépenses sociales par exemple); bref, quand les partis cessent d'être *politiques* pour se borner à de médiocres tactiques politiciennes, il y a là le syndrome d'une lente agonie, qui partout laisse la voie libre à tous ceux (malheureusement le plus souvent extrémistes) qui offrent au citoyen-électeur ce que les partis traditionnels ne lui donnent plus. Ainsi compris, l'enracinement du Front national en France, et ailleurs de ses homologues étrangers, n'est autre que le produit de cet échec, et l'un des symptômes les plus visibles du mal qui ronge nos démocraties.

Ce mal se traduit aussi, tout en s'en nourrissant en permanence, par une explosion des scandales liés à la corruption politique un peu par-

---

1. V. notamment : Robert D. Putnam : *Bowling Alone : America's Declining Social Capital*, *Journal of Democracy*, janvier 1995.
2. Thomas Poguntke : « Explorations in a Mine Field : AntiParty sentiment, conceptual thought and empirical evidence », *European Journal for Political Research*, 1996.

tout dans le monde. Certes, le syndrome du « tous pourris » ne date pas d'hier, et la corruption est aussi ancienne que le pouvoir politique. Mais justement ! Ce qui distinguait les sociétés démocratiques reconstruites dans l'après-Guerre froide – en tout cas la plupart d'entre elles – c'était l'idée, largement répandue dans l'imaginaire populaire, que le problème de la corruption politique avait été éradiqué de nos sociétés, et que dans la mesure où de telles pratiques perduraient encore, elles ne concernaient que certains pays connus pour ce type de « dérapages » (l'Italie par exemple), et surtout les potentats du Tiers Monde – de Bokassa à certains Emirs connus pour leur gourmandise en commissions sur les marchés d'armements. Ce qui est malheureusement nouveau à présent, est que de quelque côté qu'il se tourne, le citoyen « de base » de l'une ou l'autre de nos bonnes vieilles démocraties, ne semble rencontrer que de telles situations où des politiques sont aux prises avec la justice de leurs pays. A commencer bien sûr par les démocraties dites émergentes : du Mexique au Brésil ou à la Colombie en passant par la Corée ou l'Inde sans oublier la Russie post-communiste, on ne compte plus les Présidents ou les Premiers ministres en prison ou inculpés. Aux Etats-Unis mêmes, le Président en exercice est interrogé dans son bureau par un juge d'instruction, pour des faits de corruption allégués contre lui lorsqu'il était Gouverneur de l'Arkansas. Au Japon, le Parti Libéral Démocrate a vu la plupart de ses leaders inculpés pour des faits analogues.

Quant à l'Europe, c'est un véritable effondrement de l'éthique politique à laquelle les citoyens sont obligés d'assister : il ne se passe guère de mois sans que la presse révèle, du Parti socialiste espagnol à la Grèce, en passant par la Scandinavie, la Belgique, l'Italie et malheureusement la France, des scandales du même ordre. Pour le citoyen ordinaire qui découvre soir après soir à la télévision cette déferlante de scandales, le « tous pourris » commence le plus souvent dans sa ville, il se poursuit au niveau national avec le financement douteux de tel ou tel parti, et il s'achève dans la description des problèmes judiciaires du Président Clinton. On serait désabusé à moins !

Défiance des citoyens à l'égard de leurs élites politiques, érosion des partis et de leur base militante, montée des partis extrêmes, explosion de la corruption : ces différents symptômes de la crise de la démocratie sont donc visibles, à des degrés certes divers, dans la plupart des pays développés. Notons que l'appauvrissement de la qualité des élites politiques, qu'aggrave le rôle dominant de la télévision dans la sélection des grands leaders nationaux, n'améliore guère cette situation.

En « temps de paix » si j'ose dire, le propre des systèmes démocratiques n'est pas de générer de grands « leaders ». Bien au contraire : la caste des notables politiques tend à se serrer les coudes et à bloquer le plus possible tout renouvellement venu de l'extérieur. Les de Gaulle, Churchill et autres Adenauer sont « nés » de la crise et de la guerre.

Par ailleurs, hormis le cas particulier de la France qui n'aime guère ses entreprises, et où le recrutement des élites politiques se fait largement à partir des grands corps de hauts fonctionnaires sortis de l'ENA, il est rare de voir les meilleurs et les plus performants préférer les aléas de la vie politique aux récompenses d'une belle carrière dans le secteur privé.

De la démocratie à la vidéocratie

Evoquer la crise des démocraties exige que l'on s'arrête un instant sur le rôle de la télévision dans la vie publique.

Qu'on le veuille ou non, la démocratie représentative aujourd'hui, passe littéralement par le canal obligé non seulement des médias, mais surtout du téléviseur, dont l'ascension dans notre vie politique n'a d'égale que la rapide érosion déjà constatée de l'Etat-nation.

Tout a été dit ou presque sur la télévision, au point que la télé elle-même consacre un nombre croissant d'émissions à parler d'elle-même, ou de ses émissions passées, qui sont pour beaucoup de citoyens – et surtout pour les jeunes élevés au lait de l'écran cathodique – autant de jalons d'une mémoire collective bien plus vivace que tout ce qui a pu être retenu de l'école : l'inspecteur Columbo plutôt que Jean Valjean, Dallas plutôt que Rastignac...

Tout a été dit sur la « politique spectacle » : de l'affirmation prémonitoire de Ronald Reagan dès 1966 selon lequel « la politique, c'est exactement pareil que le show-business [1] », au débat télévisé qu'il ne faut pas perdre pour être élu à la Maison-Blanche ou à l'Elysée. Qui ne se souvient par exemple des petites phrases restées dans l'anthologie de la politique télévisuelle : du « vous-parlez-au-Premier-Ministre-de-la-France », au « vous-n'avez-pas-le-monopole-du-cœur », pour ne prendre que quelques répliques célèbres de l'Hexagone.

Bref, nous croyons savoir, et pourtant nous ne mesurons pas l'influence extraordinaire – et le mot est encore faible ! – de la télévision sur la vie politique de nos démocraties.

D'abord sur la personnalisation de la vie politique : sans télévision, point de Berlusconi, point de Tapie, de Le Pen, de Perot ou d'Hosokawa. Car même au Japon, pays de culture très différente de la nôtre, la télé s'est imposée comme le véhicule de notoriété... et de popularité. Et la notoriété, par télé interposée, est devenue un métier que les politiques doivent apprendre, tout comme les acteurs répètent leur texte. Il faut avoir vu certains députés, le mardi ou le mercredi après-midi vers 14 h 45, juste avant les questions au Gouvernement, « draguer » la

---

1. Cité dans Neil Postman, *Amusing ourselves to death, public discourse in the age of show business*, Londres, Penguin Book, 1985.

caméra ou le micro dans la salle des Quatre Colonnes! D'autres encore s'agglutiner autour du député inscrit pour être sûr d'apparaître à l'écran quand l'intéressé posera sa question... D'autres enfin participer à d'invraisemblables émissions de variétés, ou à des foires d'empoigne en direct sur des sujets dits « de société »... sans parler de telle femme ministre socialiste, envoyée spéciale de *Paris-Match* pour son propre accouchement!

Mais cela, si j'ose dire, ne vaut que pour les sans-grade de la politique... Les chefs, eux, se battent pour entrer dans la cour des sélectionnés aux « grandes » émissions politiques, puis pour choisir leur date en fonction de leur propre calendrier politique, puis – cercle suprême et éthéré – pour discuter discrètement des thèmes des questions avec le présentateur vedette peu avant le « direct »...

Et puis, il y a les moments « historiques » où il faut être vu : la grande manifestation après la profanation du cimetière juif de Carpentras, celle qui suivit les événements de Tien An Men, ou la cérémonie du Trocadéro après l'assassinat des sept moines français en Algérie par exemple. Autant de grand-messes dont le seul but est de servir de décor à d'immenses happenings médiatiques mettant en scène l'ensemble des « autorités » politiques, « morales » ou religieuses de la société. Les nouveaux notables viennent ainsi rappeler leur existence au bon peuple dans les moments de grande émotion collective. Dans l'affaire de Carpentras, le Président Mitterrand, en instance de départ ce jour-là en voyage officiel aux Etats-Unis, avait fait savoir qu'il ne serait pas présent. Au dernier moment pourtant, il s'arrangea pour retarder son avion, devenant ainsi la vedette surprise du défilé. Suprême habileté : les télés l'attendaient à l'endroit voulu, selon un ordonnancement secrètement négocié par l'Elysée, en l'absence d'ailleurs des organisateurs de la manifestation réunis à plusieurs centaines de mètres de là. Je me souviens d'avoir vu ce jour-là, au milieu d'une foule compacte, des excellences ministérielles socialistes littéralement portées dans les airs par un service d'ordre venu tout exprès, jusqu'au « point télé », en tête du cortège, où se trouvait le Président de la République. Quelques années plus tard, il m'a été donné de voir sur l'esplanade du Trocadéro – avec une certaine admiration je dois le dire devant tant de professionnalisme – des ministres, des anciens ministres de tous bords discrètement – mais férocement – jouer des coudes pour être sûrs de figurer, une fleur blanche à la main, dans le champ des caméras. Sept moines assassinés valaient bien – faute de toute autre réaction française contre les terroristes algériens – une messe médiatique...

A ce jeu-là, je dois avouer que les socialistes, et la Gauche en général, sont de loin les plus forts. Des toujours élégantes excentricités vestimentaires d'un Jack Lang, à l'enthousiasme éternellement juvénile de Bernard Kouchner, à la maîtrise d'une Martine Aubry : quels « pros »!

Sans parler bien sûr des inévitables « satellites » devenus fort habiles à ce jeu : religieux (l'abbé Pierre et l'inévitable Monseigneur Gaillot bien sûr), ou professionnels de l'antiracisme : Harlem Désir en tête.

Car s'il faut être vu, il faut également savoir parler vite et aux tripes du téléspectateur. « Les médias », comme le note fort justement Jacques Rigaud [1], « ne vivent pas dans le même espace-temps que la société qu'ils décrivent : tout y est accéléré. Pour la satisfaction du téléspectateur ou de l'auditeur, mais aussi par rationalité économique. » On touche là à l'autre impact majeur du média télévisé : le raccourcissement du temps et la caricaturisation du débat politique. Une interview filmée pour le journal de 20 heures, c'est au mieux 10 à 15 secondes, passées effectivement à l'antenne, sur un sujet d'une minute trente au total. L'invité du journal, à moins d'être Président ou Premier ministre, n'aura droit qu'à 4 ou 5 minutes tout au plus. Difficile, dans ces conditions, de traiter à fond les grands problèmes de société... Et encore la télévision française reste-t-elle relativement « civique » par rapport à ses consœurs étrangères ! Aux Etats-Unis par exemple, une étude récente a démontré que le temps accordé par les grands « *networks* » à un candidat à l'élection présidentielle était tombé de 42 secondes en 1968, à une moyenne de 9,8 secondes vingt ans plus tard [2]. Qui dit raccourcissement du temps d'expression, dit aussi simplification. Le « pro » ne doit pas hésiter ici à « descendre » le plus bas possible, tant dans l'expression qu'au niveau du contenu (une idée, deux au maximum) et mieux encore à jouer carrément les « tripes » de l'auditoire. L'idéal étant bien entendu de s'indigner, de protester en récupérant d'emblée les bons sentiments pour soi. L'époque étant à la victimisation, le Rwanda, la Bosnie, les exclus, les Maliens sans papiers avec enfants, fournissent autant d'occasions pour de sublimes protestations de foi humanitaire. Dans cette médiacratie mondialisée, l'acteur (Reagan) devient politique, le vendeur (Tapie) transite par la politique avant de finir (?) acteur ou poète-comédien (Noir) ; quant aux acteurs eux-mêmes, ils n'hésitent plus à prêter leur image pour un candidat, ou pour une cause. Qui ne se souvient de la prestation si émouvante (!) de Mme Emmanuelle Béart lors de l'affaire des sans-papiers de Saint-Bernard en août 1996, la larme à l'œil sur le plateau de 20 heures... face au ministre de l'Intégration !

De caricatures en mélange des genres, la médiacratie conduit tout droit à sa logique ultime : une sorte de gigantesque « reality-show », où le téléspectateur-citoyen finit par ne plus distinguer ce qui appartient à la réalité et ce qui relève de la fiction. De même qu'en politique étrangère, l'humanitaire tient lieu, on l'a vu, de cache-sexe médiatique à l'absence d'une politique de puissance, de même, en politique inté-

---

1. J. Rigaud : *La République des médias, op. cit.*
2. Kiku Adatto : *Picture Perfect : The art and artifice of public image making*, New York, Basic Books, 1993.

rieure, la compassion médiatisée, la proximité du peuple, viennent à point nommé faire oublier les carences, les impuissances et les renoncements des politiques.

Les journalistes-reporters de la télé vous le diront : pour passer au 20 heures, il faut que le sujet (1 minute trente) « raconte une histoire » et soit construit comme tel. Il faut dra-ma-tiser ! Concrètement, cela veut dire que sur tel ou tel dossier politique « chaud », ne seront reprises que les opinions de députés de la majorité hostiles ou critiques à l'égard de la position gouvernementale. Rarement ou jamais l'inverse... De même, on traitera tel fait divers (l'effondrement d'un supermarché, l'inondation d'un camping), non pas sous l'angle des responsabilités techniques et des mesures à prendre pour éviter que de tels faits ne se reproduisent, mais sous la forme de longues interviews de survivants en état de choc, sur fond d'images de dévastation et de mort. En sens contraire – et en quelque sorte pour boucler la boucle – des producteurs de fiction pour la télé, imitant leurs devanciers américains, s'emparent de faits divers réels ayant bouleversé la société (le sang contaminé par exemple, ou l'affaire de « l'Human Bomb ») pour filmer des « docu-dramas » mêlant, sous forme romancée, fiction et réalité. L'idéal étant que de telles « œuvres » soient diffusées aussi vite que possible après le déroulement de la tragédie en question, afin de profiter de la réceptivité d'un public encore traumatisé. La télé fiction désigne alors ses coupables, avant même que les affaires en question ne soient tranchées par la Justice [1]. Un siècle et demi plus tard, le fameux discours de Charles de Rémusat de 1819 sur la liberté de la presse trouve ainsi son aboutissement : notre « société se fait spectacle à elle-même »...

Le problème est que tout cela est en train d'altérer profondément – je dirais même de tuer à petit feu – nos démocraties. Les politiques deviennent des acteurs plus sensibles à l'humeur de « leur public », auquel ils s'adressent par le biais de la télévision, qu'aux intérêts à long terme du pays dont ils ont pourtant la charge. Pour être élu, pour durer, il faut plaire ; et pour plaire il faut séduire, « coller » le plus près possible aux souhaits, à l'humeur du citoyen-zappeur devenu consommateur de politique spectacle. Conséquence dont la classe politique américaine fournit sans doute l'exemple le plus achevé : les qualités dont il faut disposer pour être élu aux responsabilités suprêmes de la nation n'ont rien à voir avec celles de l'homme d'Etat. Et inversement... La médiocrité renforce ici la *médiacratie*, devenant alors le trait

---

1. Choqué par l'importation de ces pratiques américaines sur les chaînes françaises, j'ai d'ailleurs déposé une proposition de loi interdisant la diffusion de ces « docu-dramas », avant que les faits en cause ne soient traités par les juges. La proposition, à l'époque, m'avait valu d'être violemment accusé par certains producteurs de porter atteinte à la « liberté de création artistique »...

dominant de la sélection des élites politiques dans nos systèmes démocratiques... du moins en temps de paix...

Comme le note Putnam, dans nos vidéocraties, les politiques parlent aux électeurs par télévision interposée, et les électeurs leur répondent par voie de sondages. L'ensemble forme alors une sorte de pseudo-démocratie populiste, fondée sur des apparences de politique, le tout étant traité à la va-vite, et le plus émotivement possible. Ce que Jacques Pilhan, orfèvre en la matière, résume ainsi [1] : « Le réel est dans l'écran de télévision, et l'opinion est dans le sondage. Un univers en boucle pseudo-réel s'est constitué ; puisque la télé me raconte le sondage et que le sondage me restitue la télé. » Et de conclure non sans humour : « On pourrait essayer bientôt de se passer des gens. » Shimon Pérès, évoquant le processus de paix au Moyen-Orient, m'a dit un jour que l'homme d'Etat ne devait pas « faire la politique d'une nation comme le médecin traite son patient à l'hôpital : en lui prenant sa température tous les matins ». Nous sommes très près d'arriver très exactement à cela. Les « publicitaires », devenus les conseillers « gourous » des « grands » politiques, le savent bien. Eux connaissent l'art qui consiste à mesurer en permanence le pouls de l'opinion, en multipliant enquêtes et études « qualitatives ». L'idéal étant pour un « grand » politique, de ne pas se soumettre à la perpétuelle accélération du « temps médiatique ». Et Pilhan d'ajouter qu'il est « arrivé à la conclusion que l'image d'un homme public est autant déterminée par son " écriture médiatique " que par le contenu de ce qu'il dit ». Diagnostic malheureusement trop exact lorsque l'on sait que la mémoire télévisuelle « de ce qu'il dit » (même quand l'intéressé est Président de la République) est au maximum de deux mois...

Les dérives de la vidéocratie sont innombrables, et à chaque fois très graves. En matière de justice, c'est l'atteinte souvent mortelle à la présomption d'innocence et au secret de l'instruction : une fois révélée, surtout si elle concerne un homme public, une enquête en cours tourne rapidement au lynchage médiatique. Signe des temps, il n'est plus rare de voir des magistrats rendre une décision en fonction de l'horaire du journal télévisé... Une mise en examen devient alors une condamnation télévisuelle, donc une condamnation tout court. Ce que Jacques Rigaud appelle justement un « pré-jugement de la part de l'opinion », au mépris des droits de la défense.

La vidéocratie, c'est aussi l'émergence d'une petite caste de journalistes vedettes qui, éblouis par l'étendue de leur pouvoir, dérivent bien souvent vers d'autres fonctions : faiseurs d'opinion, porte-parole autoproclamés d'une morale publique définie par eux... ou alternativement faire-valoir du pouvoir en place. Le comble est atteint lorsque ces mêmes vedettes du journalisme politique télé sont eux-mêmes liés par

---

1. J. Pilhan : « L'écriture médiatique », *le Débat*, 1995.

le mariage aux responsables politiques en place... (chose fréquente en France, mais parfaitement impensable aux Etats-Unis), ou lorsqu'ils sont eux-mêmes « interviewés » sur des plateaux de télévision pour donner leur opinion sur les problèmes de l'heure...

La vidéocratie a également bouleversé, comme je l'ai déjà noté plus haut, la conduite d'opérations où doit être engagée la force publique, qu'il s'agisse d'opérations de sécurité intérieure, et plus encore, de situations de guerre.

Désormais, pour être politiquement réussies, de telles opérations doivent se faire sans bavures, et si possible sans le moindre mort. Instruit par une opération qui avait mal tourné contre une secte, le FBI a ainsi tenu le siège d'une ferme où étaient barricadés des militants « *Freemen* » pendant plusieurs mois, jusqu'à ce que l'affaire se solde par une reddition sans victimes... loin des caméras tenues à des kilomètres de distance. En France, le Gouvernement Juppé a tergiversé cinq mois durant avant de faire évacuer les familles de Maliens sans papiers, en partie à cause de l'impact redouté des images télévisées. Finalement, et bien que l'évacuation de l'église Saint-Bernard n'ait provoqué aucune victime, l'image restée gravée dans les mémoires est celle des CRS brisant les portes de l'église à coups de hache.

De même, pour être acceptable par l'opinion, la guerre télévisuelle doit être propre et tendre vers le « zéro-mort ». Margaret Thatcher, instruite par les leçons du Vietnam, sut gagner la guerre des Malouines en gérant étroitement les télévisions : nul ne vit par exemple les images du vieux croiseur argentin *Belgrano*, coulé par un sous-marin nucléaire d'attaque britannique, et ses 1 500 morts. La même recette fut employée pendant la guerre du Golfe où, grâce à un contrôle total des télévisions, personne ne vit l'étendue des dommages causés par le déluge de feu qui s'abattait sur l'Irak. Au contraire, le téléspectateur put découvrir avec émerveillement le monde imaginaire de la « guerre propre », des bombes intelligentes guidées par laser, des missiles de croisière « chirurgicaux », et des feux d'artifice des missiles antimissiles Patriot interceptant des Scud irakiens dans le ciel de Tel-Aviv...

On pourrait bien sûr multiplier les exemples à l'infini [1]. Le point capital ici est que notre univers démocratique est en train d'être totalement transformé par l'avènement de la télévision, de l'information instantanée et mondialisée à la fois, puisque répercutée immédiatement d'un bout à l'autre d'un pays, d'un bout à l'autre de la planète. Cette révolution, qui modifie en profondeur l'attitude du citoyen, qui fait de la plupart des politiques les otages et parfois même les marionnettes d'un théâtre télévisuel permanent, n'en est pourtant qu'à ses débuts. La technologie, grâce notamment à la numérisation des informations et à

---

1. J'ai traité par ailleurs l'impact de la télévision dans l'affaire des essais nucléaires français, voir mon article : « Essais nucléaires : Leçons d'un psychodrame planétaire », *Politique internationale*, n° 70, hiver 1995-1996.

leur compression, va entraîner toute une série d'autres bouleversements dans les comportements sociaux. Le citoyen disposera d'un sup-
port unique, interface commune aux services informatiques, téléphoniques et audiovisuels en provenance du monde entier. Il pourra
dialoguer directement, via Internet, avec la planète entière dans l'univers virtuel du « *cyberspace* ». Chaque téléspectateur deviendra enfin
non plus un anonyme dont l'opinion n'est recueillie que par voie de
sondage, mais comme le dit Jacques Rigaud un « citoyen interactif »
adepte du « zapping gouvernement »... Autant d'innovations qui ne
manqueront pas d'ajouter à la crise existentielle des Etats-nations, déjà
évoquée.

La quête d'un sens

Mais au-delà de la télévision, des modes de sélection des élites politiques, ou de la disparition du contre-modèle communiste, la crise des
systèmes démocratiques nous ramène à une interrogation plus fondamentale sans doute sur le sens même de nos sociétés.

Malgré son caractère lancinant, omniprésent, ses conséquences ter-
ribles sur le tissu humain, social ou politique – et même financier – de
nos sociétés, le chômage n'est en définitive que le symptôme le plus
criant de leurs dysfonctionnements à l'ère de la mondialisation post-
capitaliste, non leur problème existentiel principal. Au risque de sur-
prendre sans doute, à l'heure où il est de bon ton pour tout homme
politique de faire de la lutte contre le chômage la priorité absolue de
toute action publique, je tiens pour ma part que là ne résident pas
l'alpha et l'oméga de la problématique politique de l'avenir de nos
démocraties.

Tout en étant éloigné de ses conclusions, je rejoins Dominique
Méda[1] qui, dans ses réflexions souvent brillantes sur le travail, nous
rappelle justement que « comme l'histoire passée et présente le montre,
les sociétés ne survivent pas uniquement grâce à la production de
richesses matérielles. Elles parviennent aussi à résister aux assauts intérieurs et extérieurs de toute nature, en étant capables de sécréter du
sens, de la sagesse, de la solidarité, de la beauté ».

Le fait même que cela ait depuis longtemps été perdu de vue par la
quasi-totalité de nos élites politiques, que tout le débat soi-disant
« politique » de nos sociétés se résume à l'affichage ou à la discussion
d'un catalogue de mesures techniques pour lutter contre le chômage,
baisser les déficits publics, améliorer la productivité, etc. est en soi
symptomatique de la faillite de nos sociétés démocratiques à produire

---

1. D. Méda : *le Travail, une valeur en voie de disparition*, Aubier, 1995. V. également
l'important travail de Jeremy Rifkin : *The End of Work*, New York, G. P. Putnam, 1995.

du sens pour elles-mêmes, à fabriquer un avenir autour duquel les citoyens peuvent se reconnaître, au-delà du seul économisme.

Cette interrogation existentielle dont le Pape s'est fait à plusieurs reprises l'écho [1] quant au sens même de nos sociétés, n'est autre que la réinjection du politique dans la vie publique. Elle est cependant le grand absent du débat démocratique, en France bien sûr, mais aussi dans la plupart des autres grandes démocraties.

Tout se passe comme si, une fois la parenthèse communiste refermée, et le monde définitivement et quasi unanimement unifié par le capitalisme, le seul problème de tous les dirigeants politiques était de gérer le moins mal possible des sociétés dont la seule raison d'être, le seul but serait la production de richesses matérielles, et leur distribution de la façon la plus compétitive possible (au regard des contraintes internationales), et la moins inéquitable possible (au plan de la cohésion de la société).

Il n'est assurément pas question pour moi – on l'aura compris à la lecture de ce livre – de sous-estimer le moins du monde ni la production de richesses – activité que je tiens pour noble, et qui est par ailleurs la condition de toute redistribution sociale (on ne fait pas de social sans travail et sans argent!) – ni les contraintes nouvelles d'une société internationale en pleine mutation historique. C'est au demeurant sur ce point que je me sépare totalement de toute une école de pensée désormais au pouvoir en France, et qui rêve pour notre pays comme pour l'Europe, d'une société où le travail serait « désenchanté » (désacralisé), où l'inactivité serait un objectif social et même étatique, et où chaque citoyen travaillant ou non, bénéficierait d'une « garantie inconditionnelle de revenu » chère à André Gorz... L'oisiveté érigée en système à l'ombre du « partage du travail », curieuse resucée en cette fin de siècle des théories soixante-huitardes sur la « croissance zéro », n'est certes pas ma tasse de thé. On ne construit pas une société sur l'inactivité et l'assistanat généralisé, à supposer même que l'on trouve quelque généreux donateur, quelque part, pour la financer. La France n'est pas le Koweït, et c'est tant mieux! Quant au Koweït lui-même, ses ressources pétrolières ont une fin programmée...

Reste que le productivisme à lui seul, de surcroît dans une société où les inégalités seront nécessairement appelées à s'accroître du fait de la mondialisation (que ce soient les inégalités entre ceux qui auront ou n'auront pas accès au travail, ou entre les revenus des salariés du savoir et les autres [2]), ce productivisme-là ne saurait à lui seul tenir lieu d'avenir, ou d' « horizon indépassable » si l'on préfère.

C'est sur ce plan qu'il n'est pas exagéré de parler du « dépérissement de la politique » dont souffrent nos sociétés. Tant que l'URSS existait,

---

1. V. Jean-Yves Naudet : *La liberté pour quoi faire ? Centesimus annus et l'Economie*, Ed. Mame, 1992.
2. V. sur ce point, ch. 3, ainsi que J. Rifkin, *op. cit.*.

et avec elle la menace de l'extension de son modèle totalitaire sur le monde démocratique, tant qu'existait un modèle alternatif à notre façon d'exister, de produire, de partager, de nous gouverner, notre système capitaliste démocratique pouvait aisément évacuer ses propres incohérences, ses injustices, derrière l'impératif de survie. Derrière, également, l'affirmation politique et idéologique de notre système de libertés formelles (au sens des libertés politiques).

Mais dès lors que ce contre-modèle a disparu, qu'aucun système idéologique alternatif (y compris le fondamentalisme islamique) n'est susceptible, à vision humaine, de venir vraiment menacer nos sociétés, ressurgissent alors sous une lumière crue les contradictions internes de notre système, les inégalités sociales, et bien sûr le chômage, et à travers eux, le vieux débat philosophique sur l'homme et son lien avec la société : communauté qui s'impose à lui comme le pensaient les philosophes allemands du XIXᵉ siècle ? Ou au contraire primauté des libertés individuelles qui fondent la libre contractualisation par le citoyen de son lien avec la société, notion que nous avons héritée du siècle des Lumières et des penseurs libéraux des Révolutions française et américaine ?

Cette alternative, posée en termes philosophiques, n'a pourtant rien de théorique. Elle est bel et bien au cœur de la question centrale du devenir de nos sociétés et du rôle de l'Etat.

La deuxième thèse, que je partage, conduit naturellement au modèle libéral, conceptualisé par Rawls [1]), dans lequel sont clairement séparées comme deux sphères distinctes, les libertés « de base » (libertés politiques, d'expression, de réunion, de la presse, de pensée et de conscience, protection de la personne et de ses biens) garanties par un *Etat instrument* de la société civile, et la répartition des richesses et des revenus qui, elle, n'a pas besoin d'être égale, et doit simplement se faire à l'avantage de chacun – l'Etat n'intervenant que pour protéger ceux qui en ont effectivement besoin.

La première au contraire cherche à combler le fossé entre libertés formelles et libertés réelles, en s'appuyant sur l'Etat pour que celui-ci vienne corriger en permanence les activités humaines, celles du « marché », conçues non comme le régulateur normal de la vie, mais comme le droit du plus fort. L'ennui, c'est que le rêve de Hegel qui tenta de définir le véritable individu comme celui qui s'incarnerait, qui s'accomplirait dans une Communauté et dans un Etat, devait donner naissance au XXᵉ siècle aux totalitarismes les plus meurtriers de l'Histoire.

D'où l'impasse tragique, existentielle, même, déjà évoquée au chapitre précédent, dans laquelle le concept même de démocratie est enlisé aujourd'hui, et qui explique – bien plus que le chômage – le mal-

---

1. *A Theory of Justice*, Harvard University Press, 1971.

être de nos sociétés : n'aurions-nous donc le choix, en définitive, qu'entre les inégalités d'un côté, et de l'autre l'oppression de l'individu ? Serions-nous donc condamnés à gérer (ou à subir) une société par essence inégalitaire, le moins pire des deux maux ?

Louis Dumont[1] touche du doigt cette contradiction apparemment indépassable lorsqu'il écrit : « Les faits que nous avons devant nous sont suffisamment lourds pour justifier une réflexion. Ils montrent que jusqu'ici, l'alternative entre la richesse comme fin, et des formes forcées, pathologiques de subordination, est notre lot. C'est ici, selon toute vraisemblance, que se noue le drame du totalitarisme. C'est ici en particulier que les doctrinaires généreux qui ont prétendu nous tirer de " l'individualisme possessif " font figure d'apprentis sorciers. »

Toute notre difficulté (et « notre » se réfère ici aussi bien aux théoriciens des idées politiques qu'aux responsables politiques eux-mêmes) tient à ce que les grands systèmes démocratiques ne sont pas parvenus jusqu'ici à fabriquer « un sens » à nos sociétés entre ces deux extrêmes : contractualisation des libertés formelles d'un côté, risquant de conduire à la balkanisation de nos sociétés (comme on commence à le craindre aux Etats-Unis) ; écrasement progressif et presque consenti de l'individu de l'autre, dans des communautés totalement dominées par un Etat-providence omniprésent, régentant tous les secteurs de la vie des citoyens (comme on le voit en France).

Ce constat d'impuissance est d'autant plus tragique que chacun ressent bien – presque physiquement – le terrible vide de sens qui est le nôtre. Un vide qui déplace à Paris un million et demi de personnes à la rencontre du Pape, en août 1997 (quel leader politique pourrait rêver d'un tel « meeting » !). Un vide que l'on retrouve aussi dans l'immense psychodrame émotionnel mondial qui a entouré la disparition d'une princesse britannique, trop aimée des médias.

Tous les symptômes que l'on vient d'évoquer ramènent à cette formidable quête de sens, à la perte de repères des citoyens, à leur éloignement de leurs élites : refuge dans le sectarisme et le communautarisme ; atomisation du corps social en autant de corporations, de classes d'âge... Jusqu'au succès de librairie de certains ouvrages de philosophie « vulgarisée » : le besoin de sens est partout, et la classe politique demeure de façon criante incapable d'y répondre, tant elle est devenue elle-même un métier à part entière, un petit univers (un « microcosme », comme l'a dit justement Raymond Barre) coupé de la société, trop occupé qu'elle est à se parler à elle-même ou aux médias, et surtout le simple répétiteur de la technocratie économiste.

Ayons la lucidité de le reconnaître : les démocraties, et la nôtre aussi bien sûr, sont en voie de dépolitisation. A sa manière, la France découvre un phénomène plus ancien aux Etats-Unis ou en Allemagne

---

1. L. Dumont : *Homo aequalis I, Genèse et épanouissement de l'idéologie économique*, Gallimard, 1985, p. 134.

depuis les années 50. La masse des citoyens subit sans les comprendre des « trains de mesures » techniques établis par des fonctionnaires, et relayés par des politiques qui (de Droite ou de Gauche) sont le plus souvent, eux-mêmes, d'anciens fonctionnaires. Quant aux « politiques », ils appellent politique ce qui n'en est pas : à savoir un discours (essentiellement semblable d'ailleurs depuis 1983) sur l'économie, émaillé de positions tactiques et de « petites phrases » destinées à amuser la cohorte médiatique, devenue elle-même partie intégrante du système.

Comment s'étonner alors que face à ce vide sidéral dans la discussion de la finalité même de notre communauté nationale, face à l'impuissance démontrée de ces mêmes élites à traiter les incohérences de notre société, les citoyens, déjà privés de Dieu et du cadre familial d'antan, se laissent dériver les uns dans le désespoir, la drogue et la violence, les autres dans la solitude, d'autres encore dans des revendications catégorielles, ou dans la quête de solutions « radicales » à la mode lepéniste ?

France : l'ambition de la liberté

Je ne prétendrai pas détenir ici la vérité, la pierre philosophale sur le devenir de nos sociétés. Comme Dumont, je crains fort, moi aussi, qu'entre nos bonnes vieilles libertés individuelles du XVIIIe siècle, et le totalitarisme hélas tant expérimenté au cours de ce siècle, il n'y ait rien. Quant au fatras étatiste à la fois ruineux et démoralisant pour nos concitoyens, que constitue l'idéologie, hélas dominante aujourd'hui, de l'Etat-providence socialiste, ou bien celui-ci finira par s'écrouler sous le propre poids de ses dettes, ou bien il engendrera une forme molle de totalitarisme étatique, l'Etat ayant fini par dévorer la société civile au lieu de la servir.

Reste que, dans l'intervalle, le lien sociétal en France doit impérativement être reconstruit. Qu'il ne se limite pas aux seuls liens sociaux – et à la redistribution du travail et des richesses – bien que ce point soit essentiel. Il nous faut donc réfléchir concrètement non pas à des théories de l'inactivité, ou à un idéal sociétal à mi-chemin entre l'Agora antique et le Kibboutz des années 60, mais à une société qui soit d'abord une société de liberté, à la fois efficace et juste dans son fonctionnement économique, et surtout pleine de sens, et de sens fort au plan de son existence politique et culturelle.

C'est ici que le Gaullisme – cette attitude, plutôt que doctrine, qui désigne l'ambition pour la France – peut nous aider à sortir de la nasse.

A condition bien sûr de refuser d'en pervertir le sens, comme c'est hélas trop souvent le cas à l'intérieur même de la famille qui s'en réclame.

Pour ma génération, née pendant la Guerre froide, pour les jeunes Français qui nous suivent, le Gaullisme est tout l'inverse d'une France frileuse, repliée derrière ses frontières et les murailles de son donjon étatique. C'est au contraire une nation fière et conquérante, ouverte sur le monde, porteuse de valeurs universelles, d'un message de liberté pour tous les hommes qui, où qu'ils soient, peuvent se retrouver dans le drapeau de la France et ses idéaux. Je réfute pour ma part cette vision caricaturale d'une République sociale-démocrate, qui confond égalité et égalitarisme ; fraternité et abolition du travail ; pour qui la démarche citoyenne n'a d'autre sens que la « culture du guichet » ou l'assistanat ; une France sacrifiant allègrement la liberté à l'inflation perpétuelle de droits sociaux exigés par telle ou telle corporation ou communauté. Je me refuse à considérer comme intangible, inréformable, cette France étatisée, immobile, dominée par une caste de fonctionnaires ; une France dont la fierté nationale et l'exception française ne se mesure-raient qu'au nombre des combats d'arrière-garde menés contre les bureaucrates de Bruxelles, tantôt pour préserver tel contingentement agricole, tantôt pour assurer la survie de tel monopole désuet de nos « services publics à la française ».

La France est tout l'inverse de cela : ce grand peuple, s'il redécouvre les valeurs de la Nation, de la famille, du travail et de l'effort en commun, mérite mieux que ce destin de communauté éclatée en autant de groupes shootés à l'assistanat public.

A l'image du 18 juin 1940 – acte de renaissance de la République – le Gaullisme est d'abord un sursaut : la capacité de trouver dans quel-ques-uns d'abord, puis dans tout le peuple, la force de refuser l'ordre établi, quand cet ordre signifie le déshonneur, le déclin ou la disparition de la France.

C'est en cela que ma démarche, que ce livre même, se veulent pro-fondément gaullistes.

Je refuse pour ma part la pente de ce déclin mou dans laquelle s'est engagé notre pays depuis le milieu des années 70. Je ne veux pas que des historiens puissent dire qu'aux « trente glorieuses » ont succédé en France depuis cette date les « trente calamiteuses » qui auront, à l'aube du XXIᵉ siècle, définitivement enterré le destin de la France en tant que grande puissance, ses idéaux mêmes, sans que le pays ait pu trouver en lui la force de réagir, celle de rebâtir un autre contrat de société.

Mais le sursaut à lui seul ne suffit pas. Il y a aussi dans la démarche gaulliste la prise en compte lucide, courageuse, pragmatique de la réa-lité du monde tel qu'il est, non tel qu'on aimerait le rêver, pour ensuite tailler, à la force du poignet, des marges de liberté pour la Nation.

De même que de Gaulle a su s'accommoder de la réalité d'un pays défait et occupé, puis d'un ordre bipolaire dans lequel il a su peu à peu recréer une place pour la France, de même il nous faut aujourd'hui regarder en face la réalité du monde de l'après-Guerre froide : inscrire le destin du pays dans ces nouvelles données incontournables que sont la démographie, la double révolution de la mondialisation et de la technologie.

Dans cette perspective, se contenter de dire « non » à l'Europe, « non » aux marchés, « non » aux révolutions inévitables de la technologie, est pour moi tout l'inverse de la démarche ambitieuse et conquérante qui fut celle du fondateur de la France moderne – lequel sut construire l'Europe à partir de 1958, et transformer une nation largement agricole encore en une grande puissance industrielle et technologique.

De cette conviction, découlent alors trois grandes lignes de force à partir desquelles notre démocratie en panne pourrait, demain, reconstruire « un sens » pour les Français.

Remettre l'homme au cœur de notre projet collectif

La première est de changer radicalement de logique. Mû par le louable souci de garantir aux individus une protection minimale contre les aléas de la vie quotidienne, l'Etat a progressivement transformé notre démocratie en une société de nature collectiviste, où la liberté et la responsabilité individuelles ont été placées au second rang, au profit de la protection matérielle systématique – du moins des groupes ou corporations les mieux organisés pour bénéficier de la manne publique. Ce faisant, notre République a fondamentalement changé de nature. L'homme, en dehors duquel, disait de Gaulle, « il n'y a pas de querelle qui vaille » a disparu en tant que cœur de la société ; de citoyen, il est devenu allocataire de subventions publiques.

La démarche citoyenne individuelle qui, depuis la Révolution, par l'adhésion de chacun au corpus de valeurs communes, fonde la légitimité même de notre République, a été progressivement vidée de son sens : dans la France de 1998, l'éducation civique a peu ou prou disparu à l'école, tout devoir militaire aussi ; la carte d'identité arrive par la poste à seize ans aux jeunes immigrés nés sur notre sol ; et à dix-huit ans l'on se trouve – sans la moindre démarche – inscrit sur les listes électorales (ceci étant supposé faciliter la participation aux consultations électorales !). La République est devenue comme l'on dit dans le jargon commercial américain « *user friendly* » : facile à l'emploi.

On enseigne au citoyen qu'il est d'abord consommateur d'aides, d'allocations, de « droits », de la naissance jusqu'à sa mort (en fonction des différents groupes, classes d'âge ou corporations auquel il appartiendra successivement). Scolarité gratuite, donc la plus longue possible, puis stages, emplois publics ou RMI à vingt-cinq ans, puis trente-cinq heures, puis retraite assurée à cinquante-cinq, voire à cinquante ans : voilà le parcours clés en main, tragique de par sa vacuité même, que le Mammouth étatique propose à notre jeunesse. C'est *la République des droits à tout*, jamais des devoirs. Le consommateur assisté a remplacé le citoyen acteur du destin collectif. Pendant ce temps bien sûr, l'Etat, lui, n'a fait qu'accroître sa puissance, au nom de ses missions sociales sans cesse agrandies, toujours plus onéreuses, et finalement toujours moins efficaces puisqu'elles engendrent elles-mêmes la paupérisation de tous. Au pays des Lumières, l'Etat-providence à la française a simplement oublié que « le pouvoir corrompt, et que le pouvoir absolu corrompt absolument » ceux qui le détiennent... mais aussi les citoyens à la fois victimes et complices de cette funeste spirale.

L'Etat est en train de créer chez nous une société d'assistés, de citoyens-consommateurs de « droits », générations d'invalides publics, de citoyens castrés, conditionnés à un asservissement déjà consenti, dès lors que les allocations diverses arrivent à l'heure, mois après mois. Peu importe alors qui gouverne – Droite, Gauche, politiques ou technocrates – pourvu que les « acquis » soient protégés et maintenus. Tel est désormais le seul critère de l'alternance au moment de voter. Peu importe aussi que les plus entreprenants, ceux qui refusent ce doux asservissement, aillent exprimer hors de France leur goût de la vie, et de l'aventure, appauvrissant ainsi la Nation tout entière. Peu importe enfin que la France décline et s'enfonce dans la médiocrité et la paupérisation de tous...

Aucune fatalité de l'Histoire ne condamne pourtant la France à l'étatisme, en tant que modèle intangible pour notre société, ni à une lente agonie collective sous le poids d'un Etat de plus en plus impuissant et de plus en plus en faillite. Là encore, les enseignements légués par de Gaulle gardent toute leur actualité.

Loin d'être antinomiques, comme certains le disent parfois, Gaullisme et libéralisme sont complémentaires : le Gaullisme c'est tout le libéralisme, mais avec un supplément d'âme, qui s'appelle l'ambition nationale, partagée par chaque citoyen ; l'autorité recouvrée d'un Etat ramené à ses missions spécifiques ; et bien sûr la responsabilité et la solidarité des Français, sur la base de la production de richesses, de la participation des salariés, non de la paupérisation de tous.

Alain Peyrefitte me rappelait récemment, avec raison, que sous de Gaulle la charge des prélèvements obligatoires sur l'économie n'avait jamais dépassé 30 % du PIB. Nous en sommes à près de la moitié. Lorsqu'il était ministre des Finances, Valéry Giscard d'Estaing avait prédit : « Nous entrerons dans le socialisme le jour où les prélèvements obligatoires excéderont 40 % de la production intérieure brute... » ce qui fut fait dès 1979, c'est-à-dire précisément sous son propre septennat [1]. Vingt ans plus tard le chiffre dépasse 46 %, tandis

---

1. Cité dans Bertrand Jacquillat : *Désétatiser*, R. Laffont, 1985.

que la dépense publique atteint 55 % du PIB. Et pourtant les missions essentielles de l'Etat (police, justice, affaires étrangères et défense surtout) sont les grands sacrifiés de nos dépenses publiques, et n'ont jamais été aussi mal – ou pauvrement – assurées.

Osons ce paradoxe : c'est uniquement en accomplissant son virage libéral vers une économie de liberté, c'est-à-dire en cessant de considérer l'augmentation perpétuelle des charges et des impôts comme la seule variable d'ajustement social, donc en établissant des choix dans les priorités de l'action publique, que la France parviendra à refonder sa République. Ce qui signifie d'abord recréer la pleine participation des citoyens en tant qu'acteurs du destin collectif; mais aussi restaurer l'autorité de son Etat aujourd'hui fortement malmenée : qu'il s'agisse de l'autorité de la loi dans les banlieues ou en Corse, du fonctionnement de la justice, du contrôle de nos frontières et de l'immigration, ou de l'inquiétant désarmement unilatéral qu'impose Bercy (et la grave légèreté du Gouvernement Jospin) à nos Armées.

Le citoyen en France ne retrouvera son rôle d'acteur dans la vie collective – l'Etat quant à lui ne reconstruira son autorité nécessaire – que si nous sommes capables de rendre à la société et à l'économie civiles ce qui leur appartient par nature : c'est-à-dire la liberté de créer et de produire biens, richesses et services, celle d'être récompensées pour le travail fourni au lieu de la spoliation perpétuelle que constitue l'accumulation permanente de charges et d'impôts nouveaux. *La réforme de l'Etat est donc, en France, inséparable de la réhabilitation du travail, et par ce biais, d'une société fondée sur le mérite de chacun, non sur une collection sans cesse plus fournie de droits sociaux octroyés par l'Etat, du haut vers le bas.* Ce n'est d'ailleurs pas par hasard si les partisans du gonflement perpétuel du « Mammouth » et de la dépense publique, sont aussi les grands défenseurs de la thèse du partage du travail, voire de sa disparition programmée à plus ou moins long terme.

A la logique infernale toujours plus d'Etat et de déficits publics – toujours plus de droits sociaux, toujours moins de libertés individuelles – il faut substituer une logique radicalement différente : moins d'Etat, mais mieux d'Etat du côté de l'autorité publique; plus de liberté, de responsabilité, et plus de récompense du travail du côté du citoyen. Au sous-citoyen, invalide car maintenu, sa vie durant, en situation d'assisté permanent, il faut substituer une autre culture citoyenne, celle de la République des origines : un citoyen responsable, *acteur* de son destin propre et du destin collectif de la Nation.

En France, et je résumerai ainsi la première de mes lignes de force pour le futur, la quête de sens, la renaissance de notre démocratie passent donc par le passage d'une *culture de la dépendance* donc de la domination des citoyens par l'Etat, à une *culture de la responsabilité* individuelle remettant l'homme, et non l'Etat, au cœur de notre projet de société.

Restaurer les valeurs

Corollaire de cette première conclusion : il ne faut pas avoir peur de réhabiliter, en même temps que la responsabilité individuelle du citoyen, les valeurs morales qui fondent et confortent cette responsabilité.

Or ce qui s'est produit en France depuis la fin des années 70 pousse notre société exactement à l'opposé. En supprimant à l'école l'essentiel de l'instruction civique et de la notion de récompense (donc de progression) par le mérite, nous fabriquons des générations de jeunes tous bacheliers ou presque, dont beaucoup font de longues études supérieures, mais qui ne connaissent de notre République que les affres du chômage qu'ils découvrent à la sortie du parcours scolaire. Du droit à l'instruction de chacun, nous sommes passés insensiblement au droit au Bac pour tous, au droit à l'université pour tous.... c'est-à-dire au droit d'être chômeur surdiplômé, puisque les diplômes se sont naturellement dévalués, et qu'ils ne correspondent plus ni à la réalité ni aux besoins de l'économie.

De même, sur un autre plan, le système de sécurité sociale mis en place par le général de Gaulle en 1945, a-t-il constamment dérivé de la promotion de la famille et de la protection des plus démunis, à un système aujourd'hui très mal géré, en faillite structurelle, qui pénalise ouvertement les familles au profit des retraités (la branche famille, 241 milliards en 1997, n'atteint que le tiers de la branche vieillesse, 727 milliards), qui sanctionne un nombre sans cesse plus faible d'actifs, au profit d'un nombre croissant d'inactifs.

On verra plus loin que la logique du système conduit tout droit à la démotivation de ceux qui travaillent le plus, et au contraire à une prime à l'inactivité pour ceux qui sont installés durablement dans la charité publique [1].

Là encore, il s'agit de changer de logique, non de se contenter d'homéopathie à la marge. Il s'agit à l'école, par le retour à une sélection organisée (mais non hypocrite, comme c'est le cas actuellement), de réhabiliter les notions de mérite et de travail personnels. Il s'agit dans notre système fiscal et de couverture sociale, de récompenser les créateurs de richesses et les familles qui sont l'avenir de notre société ; il s'agit de briser la culture d'assistanat en encourageant le retour au travail par un système d'impôt négatif, et en liant l'octroi d'allocations à un travail d'utilité collective.

Last but not least, il s'agit enfin dans la vie publique de réhabiliter la morale et la responsabilité, tant celles des élus que celles de la haute fonction publique, en sanctionnant fortement les « dérapages », en ren-

---

1. V. plus loin, ch. 16.

dant l'Administration responsable devant les citoyens, en cloisonnant enfin carrières politiques et carrières administratives.

Une ambition française pour l'Europe

Dernier volet enfin, dans cette quête de sens pour l'avenir : il nous revient de réconcilier la France craintive et frileuse de cette fin de siècle avec le monde qui l'entoure. Certes la mondialisation, la révolution des technologies de l'information vont bousculer en France nombre de structures et d'habitudes, souvent très anciennes. Mais outre le fait que ces bouleversements seront aussi synonymes d'un salutaire renouvellement des élites bureaucratiques en place, qu'ils verront émerger une classe nouvelle d'entrepreneurs, de créateurs d'idées et de richesses, il ne tient en définitive qu'à nous que la France sorte plus forte, plus conquérante, de l'immense redistribution des cartes de la puissance actuellement en cours à l'échelle de la planète.

Le thème de la Nation est ici essentiel : loin d'être condamné par l'évolution du monde, ou par la construction européenne, il propose à l'ensemble des Français un horizon, en même temps qu'un défi collectif : celui de rendre à notre pays le rôle prééminent qui lui revient sur la scène mondiale. Il n'y a pas de plus beau défi, de plus belle quête collective que de faire de la France, dans le monde multipolaire de l'après-Guerre froide, le pays porteur de paix, d'humanisme, de libertés, en même temps que d'excellence dans ses réalisations technologiques.

Là encore, prenons garde de ne pas confondre « indépendance nationale » et repli sur soi, « exception française » et défense illusoire d'un modèle étatiste déjà condamné.

A l'âge de la mondialisation plus encore qu'hier, une nation « indépendante » est d'abord une nation désendettée. Il ne sert à rien de geindre contre les marchés et leur « dictature totalitaire », si par ailleurs on laisse filer les dépenses publiques, si l'on continue de financer un Etat structurellement déficitaire par le gonflement de la dette, donc par des emprunts sur les marchés. Ce faisant, l'on ne fera qu'accroître la dépendance à l'égard des créanciers étrangers. C'est sous cet angle-là que doit d'abord être envisagé le débat que nous devrions avoir sur l'Europe. Au lieu de cela, l'actuel Gouvernement a préféré signer en catimini Maastricht II le 2 octobre 1997, et reporter tout débat sur la ratification aux calendes...

On peut certes argumenter, en se drapant dans le drapeau national, qu'un Etat digne de ce nom ne saurait abdiquer son droit régalien de frapper monnaie.

Mais cet argumentaire ne vaut que si l'Etat en question s'interdit en même temps toute manipulation des taux de change (par la dévaluation), ainsi que le recours systématique au déficit budgétaire accumulant ainsi la charge de la dette – autant de maladies chroniques de notre République. Quelles sont donc, dans les conditions actuelles de nos déficits, la force réelle et « l'indépendance » de notre Franc, lequel depuis belle lurette s'est ancré au Mark pour afficher sa crédibilité... avec pour conséquence que la Banque de France, toute « indépendante » qu'elle soit par la loi, n'a d'autre choix que d'aligner sa politique de taux d'intérêt sur celle de la Bundesbank ?

Outre qu'une monnaie européenne unique permettra demain au Vieux Continent d'échapper au diktat du dollar et au jeu des dévaluations compétitives (tant à l'intérieur de l'Europe qu'à l'extérieur), le passage du Franc à l'Euro a pour moi la grande vertu d'habituer la République française à mieux gérer ses finances. Tel est le sens ultime du « Pacte de stabilité » avalisé dans le Traité d'Amsterdam en 1997 : interdire les dévaluations nationales bien sûr, mais aussi, et ceci *de façon permanente* (sous peine d'importantes pénalités), le recours systématique aux déficits publics excessifs. En d'autres termes, la discipline financière, condition de l'indépendance, est inscrite dans ce système : c'est en cela qu'il est d'abord dans l'intérêt de la France. La monnaie commune fera-t-elle pour autant disparaître toute compétence nationale en matière budgétaire, économique ou sociale ? Certes non : si le système commun élimine dévaluations et déficits, il laisse libre chaque Etat d'entreprendre ou non les réformes nécessaires. A nous, là encore, de prendre les devants : nous pourrons, soit subir l'Europe libérale qui se construit autour de nous (et avec notre signature !), soit, en réduisant les dépenses publiques et en libérant notre économie, faire en sorte d'y prendre la place prééminente qui doit nous revenir. L'Euro est le début de la route, l'une des conditions de la modernisation de la France : non son aboutissement.

Ce qui est vrai pour la monnaie, l'est aussi pour l'économie en général, comme pour les grandes affaires de défense et de géopolitique.

Dans un monde de 10 milliards d'hommes en 2040, dans une économie mondiale uniformément capitaliste, où face au Vieux Continent, s'imposeront au moins deux grands pôles commerciaux (dans les Amériques et en Asie), le destin de la France ne saurait être celui d'une grande Suisse isolée derrière d'illusoires lignes Maginot (nucléaire ou commerciale). Son destin, bien au contraire, est inséparable du Continent : il ne tient qu'à nous d'être aux commandes de la locomotive européenne, au lieu de laisser ce soin à d'autres. Certes, l'ordonnancement du train de l'Europe réunifiée de l'après-Guerre froide est en partie affaire d'institutions : rôle du Conseil, de la Commission, du Parlement de Strasbourg. Mais que l'on permette à quelqu'un qui a beaucoup travaillé le détail de ces dossiers, de penser qu'ils ne sont finalement que secondaires. Les Traités (Maastricht I, II ou X) ne sont au final que la photographie à l'instant « t » du rapport de forces entre les nations. Tout est et sera fonction ici, de la capacité de la France à remettre de l'ordre dans ses finances, à réduire les charges qui pèsent sur son économie, donc à recréer des richesses et de l'emploi, faute de quoi, il n'y aura ni monnaie forte, ni défense forte, ni ambition française dans ce grand projet des décennies à venir que sera l'unification économique, politique et stratégique du Continent.

Tout commence donc, comme dirait Voltaire, par notre propre jardin : par la *Nation*.

Ceux qui, parfois au nom du Gaullisme, perçoivent une contradiction fondamentale entre le sens de la République française, ses valeurs et ses idéaux, et l'ambition d'une Europe unie dans la paix et la prospérité, commettent plus qu'un contresens : une faute.

Il n'est pas d'autre politique pour la France – et de Gaulle l'avait bien compris ! – que d'assurer la paix sur le Continent par l'ancrage d'une Allemagne démocratique dans un ensemble européen réunifié dans la liberté, et de conforter cet ensemble par des relations équilibrées d'amitié avec la Russie et d'alliance avec l'Amérique.

Ce qui était vrai en 1958, l'est plus encore en 1998, alors que l'Europe de l'Est, libérée du joug communiste, rejoint la famille européenne. Fondamentalement, la France a le choix entre deux Europes : une Europe allemande qu'elle laissera se construire sans elle, faute de se réformer à temps pour recouvrer puissance et ambition ; ou une Europe à direction franco-allemande, avec sans doute la pleine participation à terme des Britanniques, si nous entreprenons rapidement l'œuvre de redressement national dont la France a besoin.

Rapidement, en effet, car le temps joue contre nous. Tandis que nous nous complaisons par le jeu des cohabitations successives et des alternances à répétition, à reculer l'échéance des inévitables réformes, tandis que nous ralentissons le rythme des privatisations, que nous encourageons les Français à travailler moins, que nous alourdissons sans cesse la facture fiscale, le reste de l'Europe fonce, sans nous, dans la direction opposée. Plus de liberté, moins d'Etat, moins de charges autour de nous ; toujours plus de rigidité, d'impôts et d'allocations en France : à force de cultiver notre « exception nationale » dans une Europe totalement ouverte, nous risquons de transformer notre marginalité en un formidable échec collectif.

Changer de logique, pour reprendre la main en Europe : on le voit, là encore, le tournant libéral est inséparable de l'ambition gaulliste...

Deuxième partie

DÉSÉTATISER [1]

CHAPITRE 6

La déprime française

Une spécialité nationale

Résumons-nous. Si la France va mal, avons-nous dit, c'est que, contrairement à d'autres grandes démocraties, qui connaissent comme elle les secousses de l'immense révolution géopolitique et géoéconomique du monde, la France se contente de les subir en geignant, rigidifiée dans ses habitudes sociales et son modèle étatiste.

Toutes les contraintes en effet qu'on a évoquées dans la première partie de ce livre, sont essentiellement les mêmes partout : de Tokyo à Paris, ou de Washington à Auckland. La contrainte européenne ellemême (Maastricht) n'est d'ailleurs, n'en déplaise à ses procureurs, que la conséquence consentie de l'évolution du système économique mondial. D'où vient alors ce contraste saisissant, pour qui voyage au-delà de nos frontières, entre l'optimisme américain (Canada et Amérique latine compris), la vigueur asiatique, et la mélancolie française – plus perceptible encore que dans le reste de l'Europe ? D'où vient que l'Amérique continue de créer 200 000 emplois chaque mois (ce qui en proportion de notre population équivaudrait à quelque 55 000 emplois mensuels en France !), tandis que nous continuons mois après mois à stagner ou à en détruire chez nous [1] ? D'où vient qu'un Candide débarqué ces jours-ci sur notre sol, aurait rapidement l'impression que ce pays s'enfonce dans la déprime et la désespérance, entre une classe politique impopulaire, fragilisée et impuissante, et une société en révolte sourde, à la fois impatiente « d'en sortir », mais rétive à tout changement dans ses habitudes, ou dans les « acquis » de telle ou telle de ses corporations ?

D'où vient que le monde, hier champ d'action privilégié pour le rayonnement français, soit devenu le révélateur de nos blocages internes, tantôt alibi, tantôt repoussoir de nos propres échecs ?

---

1. Le chiffre officiel des « demandeurs d'emploi » atteignant 3 203 000 personnes en août 1997, soit 12,8 % de la population « active » !

Mondialisation des échanges et révolution des technologies sont vécues comme une sorte d'agression contre notre consensus social et politique républicain, sans qu'à aucun moment des alternatives à ce modèle soient même considérées. Dans le même temps, chômage de masse, vieillissement de la population et immigration incontrôlée aggravent à leur tour la spirale des déficits publics, des impôts, et de l'atonie de la croissance. Face à cette (vraie) « horreur économique »-là, nos gouvernements successifs paraissent comme pétrifiés, figés dans l'impuissance. Malgré les effets de manches et les appels incantatoires au volontarisme politique, les grandes fonctions régaliennes de l'Etat appartiennent peu ou prou à un passé révolu ; l'Europe a organisé de son côté une sorte de désarmement général qui interdit le recours national aux armes classiques que constituaient les déficits budgétaires et la dévaluation ; et plus généralement, la géographie des problèmes dépasse de très loin désormais la géographie des Etats, ajoutant ainsi au grand désarroi d'un débat idéologique droite-gauche, devenu orphelin de modèle en même temps que d'adversaire. Si l'on ajoute à cette liste déjà impressionnante les problèmes nouveaux de « gouvernance » qu'engendrent des sociétés devenues totalement médiatisées, l'omniprésence de la télévision sur le débat public, la sélection des élites et... le peu de courage des gouvernants, alors nous obtenons un premier éclairage, peu réjouissant, il est vrai, des grandes mutations, qu'à défaut d'entreprendre, nous subissons, dans la douleur.

Le moment est donc venu de fouiller plus avant l'énigme française, de rechercher les causes proprement internes ou nationales de ce nouveau « mal français ». Car il ne sert à rien de dénoncer les « horreurs économiques » de la mondialisation ou du capitalisme planétaire que de toute façon nous ne changerons pas (à supposer, d'ailleurs, qu'elles soient plus « horribles » que les horreurs meurtrières du Communisme), si nous ne sommes pas capables de connaître et de gérer nos propres blocages.

Si la mondialisation ne nous propulse pas hors de l'Histoire – comme veulent le croire nos nouveaux conservateurs de gauche et de droite, la conséquence de cette soudaine ouverture au monde du XXIᵉ siècle est d'abord de faire jaillir tout aussi brutalement nos travers nationaux les plus négatifs : incapacité de « nous penser » nous-mêmes, sauf par rapport à notre passé, à nos habitudes, et nos « acquis », tandis que nous éprouvons les plus grandes difficultés à voir la France dans le monde tel qu'il est, et non tel que nous aimerions qu'il soit ; incapacité de nous parler à nous-mêmes, l'absence de mécanismes et de vrais vecteurs de dialogue social rendant alors quasi automatique le recours à l'Etat et/ou à des « explosions sociales » récurrentes ; étatisme précisément, qui conjugue étatisation, bureaucratisation et impuissance ; arrogance mais incompétence d'élites administratives propulsées aux postes stratégiques du pays, tant politiques qu'économiques ; quasi-faillite enfin d'un « capitalisme à la française » mêlant un libéralisme parfois plus extrême qu'ailleurs, avec l'omniprésence d'un Etat mauvais gestionnaire et mauvais actionnaire sur des pans entiers de notre économie.

Les conservatismes français

On a beaucoup reproché au Président Jacques Chirac d'avoir eu la franchise certes un peu rude, lors de son intervention télévisée du 12 décembre 1996, de résumer tout cela en un mot : « conservatismes ».

Nombre d'observateurs patentés, d'éditorialistes et autres publicistes, s'étaient empressés de s'émouvoir devant tant d'audace présidentielle : comment, les Français conservateurs ? Et en particulier, les lecteurs de *Libération* ou du *Monde*, par définition hommes de Gauche, donc de « progrès » ? Pensez donc ! Et que dire alors des plus malheureux, chômeurs ou autres « exclus », à la recherche d'une simple place dans la société ? Eux, des conservateurs ? L'occasion était trop belle, et on ne s'en priva pas, pour enfoncer le clou : article après article, on dénonça d'une même voix l'imprécateur présidentiel : le prétendu conservatisme des Français n'était-il autre chose que l'aveu d'impuissance d'un pouvoir incapable, éloigné des réalités du pays ? Comment un chef d'Etat osait-il ainsi « mettre en accusation son peuple » ? J'entendis même sur un plateau de télévision un député de la majorité d'alors ironiser, en déformant à dessein le titre d'un ouvrage de Raymond Aron, sur le Président « spectateur engagé » de sa propre impuissance...

Le déferlement même des critiques montrait cependant que le Président avait visé juste. La France inventive, généreuse et entreprenante de la Révolution, puis de la grande période gaulliste de la décolonisation, de la modernisation et de la construction européenne, cette France-là n'est plus, à présent, que l'ombre d'elle-même. Figée dans l'immobilisme, malgré les alternances politiques successives, elle s'est rigidifiée dans ses habitudes, ses « acquis » corporatistes, sa manie d'attendre toujours plus de protection de l'Etat, tout en pestant contre ses conséquences inéluctables : toujours plus d'impôts et de charges ! Cette France-là se complaît dans une profonde défiance du pouvoir, de tous les pouvoirs, et pourtant elle n'a de cesse que d'être enfin gouvernée par un « vrai chef » à la tête d'un « vrai Etat [1] ».

Là réside en effet tout le paradoxe – et la profondeur même de la déprime française.

---

1. Un sondage SOFRES (le *Monde* du 11 avril 1995) réalisé à la veille de l'élection présidentielle révélait que 64 % des Français souhaitaient « un vrai chef qui remette de l'ordre et qui commande », tandis que 67 % désiraient plus d'Etat et d'action publique dans la vie économique, l'intégration des immigrés (61 %) ou la construction de l'Europe (63 %).

D'un côté, les Français se sont donné ce « chef » et cet Etat en 1993 puis, surtout, en 1995. Jamais, en tout cas, majorité politique n'aura contrôlé sous la République autant de leviers de pouvoirs (du moins en apparence) que durant la période séparant la dernière élection présidentielle des élections législatives anticipées de mai-juin 1997.

De l'autre, pourtant, la bataille de l'opinion (ce que les Américains appelaient au temps de la Guerre froide, « la bataille pour les cœurs et les esprits ») sombra très rapidement dans les grèves de novembre 1995, et l'impopularité d'Alain Juppé, avant de se traduire par la défaite électorale du printemps 1997. Loin d'avoir lancé dans tout le pays un vaste mouvement de réformes entraînant l'adhésion de tous, le pouvoir élu en 1995 donnait vite l'impression de la paralysie : ses réformes, ou ses tentatives de réformes, furent systématiquement combattues, parfois dans la rue, tandis que le pays, lui, s'enfonçait dans ce que Serge July a appelé « le cafard français [1] ». Sondage après sondage, les Français confirmaient leur désaveu de l'Exécutif, du Premier ministre lui-même et de sa politique, quand ils ne se laissaient pas tenter par les démagogies faciles de l'Extrême Droite (la moitié des Français, a-t-on appris, approuvant « certaines idées du FN »).

Contradictions françaises

Ce pouvoir-là a été chassé en juin 1997. Mais la maladie, elle, demeure. Profondément déstabilisée par le chômage de masse, la France est devenue une société sans repères à la limite de la schizophrénie collective :

— Les Français sont saturés d'impôts, et pourtant ils pratiquent la grève par procuration pour soutenir des revendications sectorielles voire corporatistes, et attendent encore plus d'allocations de l'Etat.

— Ils ont instinctivement compris que l'Etat en 1998 a perdu une bonne part de ses pouvoirs d'antan, et que sa puissance s'est éparpillée (Europe, pouvoirs locaux, médias, société civile). Et pourtant, c'est de l'Etat comme l'a dit très justement le Président de la République le 12 décembre 1996, qu'on attend encore et toujours des solutions pour tout problème : du conflit des routiers, au statut de l'étudiant, en passant par les infirmières, les équarrisseurs ou les intermittents du spectacle...

— Ils se méfient, voire se détournent de leur classe politique, et pourtant c'est vers leurs élus qu'ils se tournent à la recherche de solutions pour « changer d'avenir »... ou trouver du travail pour leurs enfants (merci, Madame Aubry !).

---

1. *Libération*, 2 janvier 1997.

— Ils sont fiers de leurs prouesses à l'exportation (Airbus, Ariane) et savent à quel point ils sont dépendants du reste du monde (agriculteurs, professions du tourisme), et pourtant la peur de l'étranger, le Mark, « l'impérialisme économique » asiatique ou américain, sont devenus les nouveaux boucs émissaires, qui à partir de l'Extrême Droite ou de l'Ultra Gauche, contaminent progressivement les partis dits de Gouvernement (Droite comprise).

— Ils sont obsédés par le chômage, mais sont plutôt d'accord avec Jacques Attali qui avant sa récente conversion libérale, affirmait tranquillement à la télévision face à George Soros, qu' « il vaut mieux être chômeur en France que détenteur d'un petit boulot aux Etats-Unis ».

— Ils sont scandalisés (à juste titre !) par le trou béant du Crédit Lyonnais (150 milliards) mais acceptent sans broncher de financer chaque année entre 30 et 50 milliards pour la SNCF ; de même, ils savent que le rôle de l'Etat n'est pas de produire des téléviseurs, mais ils préfèrent payer pour Thomson Multimédia plutôt que de la céder à de vilains Coréens.

Et on pourrait multiplier les exemples : sur l'immigration (Saint-Bernard et la fameuse « hache » des CRS), la violence à l'école (et l'affaire NTM), la fiscalité ou le débat surréaliste sur la retraite à cinquante-cinq ans ! La France est un pays où la cécité peut devenir collective et même intellectuellement « chic » : alors que le pays croule sous l'immigration clandestine, laquelle fournit le meilleur terreau du FN, il aura fallu six mois pour déloger – et non expulser – 350 clandestins qu'on régularisera ensuite en catimini, avant d'ouvrir à nouveau les portes de la régularisation pour 150 000 autres « sans-papiers » grâce à M. Jospin... et de débattre de la 27ᵉ (!) révision de nos lois sur le séjour [1] des étrangers et sur la nationalité ; alors que la drogue et la violence sont entrées à l'école, de bons esprits s'émeuvent qu'un juge vienne entraver la liberté d'expression d' « artistes » qui appellent au meurtre de policiers ; alors que l'Europe entière allonge la durée des annuités pour la retraite et que *nous savons* que notre système actuel est déjà condamné par la démographie, la France se plaît à rêver d'une société de quinquagé-

---

1. L'attitude des Français sur l'immigration reflète une autre de nos grandes contradictions nationales. Selon une série de sondages publiés par le *Figaro-Magazine* (13 décembre 1997), en pleine discussion des lois Guigou et Chevènement à l'Assemblée, 85 % des personnes interrogées considéraient comme « importante » ou « très importante » la question de l'immigration, 58 % pensaient que les immigrés « ne font guère d'efforts pour s'intégrer » et 52 % estimaient que « les différences culturelles et les modes de vie » sont le principal obstacle à l'intégration. Et pourtant ! Ces mêmes Français approuvaient à 58 % l'assouplissement du regroupement familial, à 57 % l'élargissement du droit d'asile et à 52 % l'attribution automatique de la nationalité pour les enfants nés en France à leur majorité.

naires oisifs [1]. Alors que le monde entier travaille plus, que 3 milliards d'hommes entrent dans le marché de la production, les Français devront par la loi (!) travailler moins (trente-cinq heures), sans réduction de salaires, le tout pour soi-disant libérer des postes de travail !

Le moins que l'on puisse dire, c'est qu'il n'est pas facile de gouverner un pays dans un tel état mental, ou pour citer à nouveau Jacques Chirac [2], « d'adapter la France à son temps ».

Plus difficile encore est de comprendre le pourquoi de cet état mental, et de distinguer entre ce qui relève du conjoncturel, et les quelques tendances lourdes de notre histoire et de notre société.

Le mauvais départ du septennat de Jacques Chirac

Au chapitre du conjoncturel, comment ne pas mentionner les conditions politiques particulières qui ont présidé au lancement du septennat de Jacques Chirac, et particulièrement à la nomination du premier Gouvernement Juppé ? Loin de moi, bien entendu, l'idée de rouvrir ici les plaies de la campagne présidentielle : je veux parler bien sûr des plaies que l'ancienne majorité s'était infligées à elle-même... Une fois n'est pas coutume, j'utiliserai donc une terminologie modérée, à la limite de la litote. Disons seulement que la candidature « surprise » d'Edouard Balladur ayant quelque peu brouillé les cartes, la plateforme de Jacques Chirac se trouva mêler, entre le mois d'octobre 1994 et le mois de février 1995, deux projets de société assez peu compatibles... sinon radicalement contraires : l'un personnifié par Alain Madelin proposait une vision libérale d'une France ouverte, résolument européenne et capitaliste sans complexes, dans une économie mondialisée ; l'autre, autour de Philippe Séguin, prétendait revenir à une France nettement plus étatiste et nationale, où l'Etat retrouverait un rôle dominant dans la protection sociale et le pilotage de l'économie.

Si le talent de Jacques Chirac fut de réussir la synthèse de ces deux projets autour de sa personnalité propre (faite à la fois de charisme, de volonté, de force et de proximité des citoyens), on ne peut que constater que l'exercice du pouvoir, à partir de cette ambiguïté de départ, allait se révéler particulièrement ardu pour le Président – et surtout pour son Premier ministre.

1. Un sondage réalisé en janvier 1996 révélait que 61 % des Français aspiraient à cesser de travailler dès cinquante-cinq ans. Apparemment, personne n'avait songé à préciser dans la question ainsi posée le coût pour chacun en termes de charges supplémentaires, sur le salaire par exemple, pour financer ladite retraite.

2. Message de vœux, 31 décembre 1996.

Après six mois d'hésitations, le cap fut enfin tracé le 26 octobre 1995 : assainissement des finances publiques, réduction des déficits, ancrage européen, autant de conditions indispensables à l'édification d'une France à la fois plus moderne et plus solidaire demain. Plus que de longs développements, deux phrases, à dix mois de distance, résument le chemin parcouru : 17 février 1995 (discours du candidat Chirac de la Porte de Versailles) : « Nous en sommes arrivés à penser que nos marges de manœuvre étaient nulles, dans un environnement où les marchés dictaient leur loi » ; 12 décembre 1996 (intervention télévisée du Président Chirac) : « Je fais confiance au Gouvernement pour conduire cette politique, tout simplement parce qu'il n'y en a pas d'autre... »

Mais de ce nouveau cap, parfaitement juste sur le fond et de toute façon inévitable, les Français ne devaient cependant retenir (très naturellement d'ailleurs), que les efforts supplémentaires qui leur étaient demandés tout de suite. Pour eux, ce nouveau cap contredisait en outre directement les promesses de la campagne présidentielle, entre autres : les dépenses de santé que la croissance retrouvée, mais non l'impôt, prendrait tout naturellement en charge ; « la feuille de paie » que l'on verrait augmenter pour stimuler la croissance ; et surtout les impôts, déjà trop élevés, que le candidat Chirac avait exclu d'alourdir encore. A l'impression, ressentie par la majorité de l'opinion, d'avoir été flouée par des promesses de campagne non tenues, s'ajoutait le fait que les efforts demandés étaient par nature impopulaires (ponction fiscale de 120 milliards, restructuration des entreprises publiques, et de la Sécurité sociale). Mais le plus grave est ailleurs : au-delà de ces contradictions, de ces promesses non tenues, il manquait à ce nouveau cap une véritable cohérence d'ensemble, une « architecture » qui fût compréhensible par les Français.

Il y manquait aussi – et surtout – une raison positive, qui eût donné aux Français l'envie de suivre le Président et son Premier ministre sur le chemin.

Or, la vraie question que les Français n'ont cessé de se poser entre 1995 et 1997, et à laquelle la dissolution couplée au maintien d'Alain Juppé, ne fournit pas davantage de réponse était la suivante : quel modèle de société Jacques Chirac entend-il construire d'ici à 2002 pour la France ? Quelle Nation (Europe, immigration, intégration) ? Quel Etat (rapports avec les citoyens et avec l'économie, réforme des institutions) ? Quels emplois (libéralisme, responsabilité, solidarité, place du travail et types de rapports sociaux) ? En un mot, Chirac voulait-il ou non pour la France une société libérale ? Et si tel n'était *pas* le cas, quelle était alors la différence entre ce que faisait la Droite au pouvoir et ce que proposait la Gauche ?

Je l'ai dit dès l'introduction de ce livre : c'est l'absence de débat politique (et non l'inverse) sur les projets alternatifs de société que ne proposent plus ni la Gauche, ni la Droite, qui mine la Nation. Et c'est d'abord parce que la Droite au pouvoir n'a pas été capable d'articuler clairement et de mettre en œuvre un tel projet – lequel ne pouvait être que libéral –, qu'elle a perdu les élections législatives du printemps 1997.

Certes, par quelques touches successives sur l'Europe et la monnaie unique, sur l'emploi (privatisations, amorce de débats sur la flexibilité et les fonds de pension), sur la Nation (débat sur les lois Pasqua et Debré), le Gouvernement Juppé avait semblé avancer sur la voie d'une France plutôt libérale, et résolument européenne, mais conservant nos principes républicains. Mais ces « signes » avaient été contredits par tellement d'autres (la forte augmentation des impôts, le recul sur les régimes spéciaux de la RATP et la SNCF, la sacralisation des « acquis » ou du service public à la française), le tout culminant sur un dernier recul avec le déplafonnement de l'ISF en décembre 1996, que cette politique-là perdit toute lisibilité et ne parvint à satisfaire personne. Ni les déçus de la Droite qui avaient espéré une vraie révolution libérale, ni les critiques de la Gauche, ni les hésitants, qui ayant voté Chirac en 1995 décidèrent de sanctionner le Président, et surtout son Premier ministre, deux ans plus tard. Mai 95-mai 97 ? « De l'homéopathie appliquée avec la douceur d'un adjudant-chef », a ainsi résumé devant moi un chef d'entreprise, pourtant proche du Président de la République...

L'impopularité d'Alain Juppé

Au titre du « conjoncturel », il n'est pas possible en effet d'éluder la question de l'impopularité du Gouvernement Juppé, ni les erreurs de communication (ou les erreurs tout court) qui ont émaillé son action au cours de ces deux années.

Que la réforme courageuse et indispensable de la Sécurité sociale, longuement applaudie sur les bancs de l'Assemblée et plébiscitée par les observateurs, ait abouti quelques jours plus tard à la paralysie du pays, par le biais de la grève de la SNCF et de la RATP en novembre-décembre 1995, n'est pas sans signification, ni sur l'état mental du pays, ni sur la façon dont le Gouvernement d'alors choisit d'approcher son travail de réformes. De même, que la baisse de l'impôt sur le revenu annoncée à grand renfort de publicité un an plus tard, ait été immédiatement démentie dans l'esprit des Français par la hausse des impôts locaux décidée par les collectivités locales, révèle là encore encore un certain flottement dans l'action gouvernementale, ou à tout le moins, dans la façon qu'a eue ce Gouvernement d'expliquer et de « vendre » sa politique aux citoyens. Ce télescopage malheureux a cependant achevé de convaincre les Français que leurs gouvernants faisaient le contraire de ce qu'ils annonçaient. On pourrait multiplier les exemples : évoquer entre autres la cacophonie des privatisations ratées ou mal gérées (CIC, Matra-Thomson) à l'automne 1996, qui à partir de décisions pourtant nécessaires et justes sur le fond, devaient dégénérer en un procès en règle, non pas des nationalisations ruineuses des socialistes !, mais des privatisations elles-mêmes. Quant aux cafouillages sur le déplafonnement nécessaire, mais là encore politiquement mal géré, de l'impôt sur la fortune, ils me valurent la réflexion suivante d'un électeur : « Décidément, pour un gouvernement de Droite, vous réussissez bien mieux à chasser les investisseurs hors de France qu'à expulser nos clandestins... »

Qu'on me comprenne bien : mon propos n'est pas ici « d'en rajouter » sur l'impopularité des Gouvernements Juppé, ni au contraire de glisser complaisamment sur les erreurs qui ont pu être commises. J'ai du respect pour Alain Juppé, que je tiens pour un homme courageux, tout entier dévoué au service de la Nation. Mais l'intelligence technique, même supérieure, n'est pas le seul, ni le meilleur critère dans l'art de gouverner les hommes... surtout dans un pays profondément en crise. Et la politique la plus sage ne pèse guère, si elle n'est ni préparée, ni expliquée à l'opinion qu'il s'agit de convaincre, ou si elle se confond avec l'exercice solitaire du pouvoir entre quelques grands commis.

Ce que je crois, c'est que le procès en arrogance, en autoritarisme déshumanisé qui a été fait sans relâche à un Premier ministre au départ adulé par ceux qui l'ont critiqué le plus durement depuis, est à la fois très exagéré, et surtout trompeur, puisque à côté du problème. Ce qui est en cause ici, c'est moins la personne du Premier ministre lui-même (à qui l'on a reproché tantôt d'être un « robot déshumanisé », tantôt d'être trop sensible quand il répond à ses accusateurs par un livre [1]), que la façon d'engager une politique de réformes dans une société bloquée, figée d'angoisses et de rigidités corporatistes, et qui, quel que soit le détenteur du pouvoir en place, proteste d'une même voix dès lors que la moindre initiative est prise pour remettre en cause les « acquis » ou les habitudes. Dans l'un de ses éditoriaux, Claude Imbert a justement comparé la France à un patient qui se sait malade, dont la circulation sanguine est compromise par des artères bouchées, qui veut bien accepter le diagnostic du médecin, mais qui dès qu'il est question d'administrer la moindre médecine, voit chacun de ses membres, chacun de ses organes pris d'un brusque raidissement...

Reste que la politique est avant toute chose un art d'exécution et, dans nos sociétés médiatiques, un art d'explication et de conviction. Comment ne pas observer que ce travail a été largement négligé par l'ancienne majorité au profit du souci – certes louable – de privilégier le fond des réformes ? (M. Jospin fait l'exact inverse et s'en porte fort bien, hélas...).

---

1. Alain Juppé, *Entre nous*, Editions Nil, décembre 1996.

Si bien qu'au total – et même si l'impopularité d'Alain Juppé est d'abord due aux conditions objectives que l'on vient de rappeler (état « mental » d'une société en mutation difficile, conditions politiques particulières de l'élection présidentielle de 1995, absence d'une ligne politique claire en faveur de l'option libérale) – il est malheureusement plus que probable que les erreurs commises, et notamment le manque de « lisibilité » et d'explication de l'action gouvernementale, aient fortement compromis les chances de la Droite au printemps 1997. Plus grave encore, en ajoutant au désarroi de l'opinion, elles ont contribué à cet état dépressif qui fait aujourd'hui la particularité de la France et dont on trouve une autre illustration dans les « dérapages » extraordinairement malsains du procès Papon.

Ce cheminement est d'autant plus regrettable que les réformes entreprises par les Gouvernements Juppé avaient, dans certains domaines, courageusement tenté de rompre avec deux décennies d'immobilisme. Même incomplètes, ces réformes allaient fondamentalement dans la bonne direction : celle de la modernisation, de l'ouverture de notre société, qu'il s'agisse de l'assainissement de nos finances, de la résorption des déficits sociaux, de la modernisation du secteur public ou de l'encouragement aux PME, à la formation professionnelle, etc.

La double faillite

Ceci posé, il nous faut pousser l'analyse un peu plus loin, au-delà du conjoncturel, des circonstances politiques de l'élection présidentielle de 1995, ou de l'impopularité du chef de l'ancienne majorité parlementaire.

A l'évidence, les racines du « mal français » de cette fin de siècle sont infiniment plus profondes, et à bien des égards plus anciennes.

Comme beaucoup de Français, j'ai mille fois tourné et retourné cette question dans tous les sens : d'où vient que la France réagit aussi mal au monde qui change ? Qu'elle démontre tant de difficultés à accepter l'idée même du changement, et tant d'opiniâtreté à compromettre les réformes en cours, quand il se trouve quelque intrépide ministre pour finalement les lancer ? D'où vient que ce peuple qui se veut porteur d'exemplarité dans ses valeurs, dans sa culture et son mode de vie pour l'humanité tout entière, se complaise aujourd'hui dans une sorte de défaitisme national face à l'Histoire en marche ? Sommes-nous donc si gâtés par la géographie et l'histoire – comme on l'entend souvent ces jours-ci à l'étranger – que nous en avons oublié le sens de l'effort et de la compétition avec d'autres nations qui, elles, ont « plus faim que nous » ? Sommes-nous donc devenus si vieux, si fatigués, qu'il ne nous reste pour toute gloire qu'à livrer des batailles d'arrière-garde perdues d'avance afin de tenter de défendre l'existant, c'est-à-dire le passé, en refusant de regarder l'avenir en face (sauf pour nous en effrayer nous-mêmes ?).

Faut-il voir dans cette sorte d'affaissement national la faute de nos responsables – donc quelque part, la mienne également ? La trahison de nos élites administratives et politiques ? Et que penser de ce peuple qui ne demande qu'une belle et bonne relève pour repartir de l'avant et qui refuse ensuite la moindre réforme ? Pascal Salin [1] a-t-il raison de dénoncer la « terrible complicité au sein de la classe politique française, tous ses membres défendant des idées semblables... » et n'ayant plus qu'une obsession : la prise de pouvoir par la caste à laquelle ils « appartiennent » ? Sont-ce plutôt nos institutions – mélange de monarchie gaullienne et de décentralisation plutôt anarchique – qui expliquent la lente érosion de l'Etat, cet instrument tellement inséparable de l'âme française ? Ou bien est-ce « l'Europe », et la fuite en avant perpétuelle qu'elle engendre vers le compromis, qui vide peu à peu le sentiment national, épuise toute ambition d'accomplir quelque chose pour la Nation, au profit d'une lointaine et brouillonne constellation de pouvoirs à Bruxelles, Francfort ou ailleurs ? Est-ce enfin la faute de nos patrons, trop longtemps frileux, « franchouillards », plus près de leurs sous que de l'intérêt général, à des années-lumière de l'esprit d'entreprise ou de conquête qui règne à New York, à Tokyo ou même à Rome ?

Et quelle est dans tout cela la part de responsabilité de tout un chacun, c'est-à-dire des citoyens dans leur ensemble ? Ayons le courage de le dire : d'où vient que nombre de Français se contentent fort bien d'être installés depuis belle lurette dans le rôle d'assistés à vie, de consommateurs d'Etat « de la sortie du sein maternel jusqu'à la tombe », pour reprendre la formule qu'emploient les Américains pour définir notre système d'Etat-providence *(« Womb to tomb system »)* ?

D'où vient que ce peuple surendetté et en panne, dont un jeune sur quatre est aujourd'hui condamné au chômage, n'aspire qu'à réduire ou à partager le temps de travail, qu'à retarder le plus longtemps possible l'entrée dans la vie active, pour ensuite partir à la retraite dès cinquante ans ? Le suicide moral serait-il donc collectif ?

Pas facile dans tout cela de trouver une trame, une ligne d'explication, unique et cohérente, qui ne soit autre chose qu'une caricature trompeuse d'une réalité, on le voit, extrêmement complexe et multiforme. Après avoir beaucoup écouté, beaucoup lu, beaucoup regardé, consulté autour de moi, je livre au lecteur, pour ce qu'elle vaut, ma propre grille de lecture, que je tenterai de développer dans les chapitres qui vont suivre.

La racine du poison français de cette fin de siècle tient, selon moi, à

---

1. *Op. cit.*

une double faillite vers laquelle ramènent inéluctablement toutes les interrogations qui précèdent : faillite tout d'abord d'un certain modèle étatique, ou étatiste, français – et bien sûr de ses élites et de ses institutions ; faillite également d'un modèle économique bien particulier, que par commodité j'appellerai « le capitalisme à la française », mélange d'économie mixte socialiste, d'un fort secteur public au statut exorbitant, d'un secteur privé très déséquilibré entre très grandes et très petites entreprises, d'un droit du travail et d'un droit des entreprises dépassés, et d'un secteur bancaire vieillot lui-même en crise, le tout sur un arrière-fond d'une nation qui feint de mépriser l'argent (comme jadis François Mitterrand) et qui continue de rêver pour ses enfants de la sécurité de la fonction publique, plutôt que de l'aventure et des satisfactions de la création et de l'entreprise.

Ce sont ces deux faillites-là qui tout à la fois expriment et expliquent le mal français d'aujourd'hui. Ce sont elles auxquelles il faudra impérativement porter remède si l'on veut – et c'est l'objet de ce livre – espérer redresser ce pays, en bâtissant un autre projet de société – un projet de liberté – pour la France du XXIᵉ siècle.

CHAPITRE 7

La maladie de l'Etat : le poids de l'histoire

Relisons Peyrefitte

La France s'est faite par le haut. Par l'Etat, dont Georges Pompidou disait que lui seul, dans notre histoire, avait « sauvé la nation[1] ». Par l'Etat, ce complément consubstantiel de la nation, en même temps que de l'âme française. Aujourd'hui, si la France est malade, c'est d'abord parce qu'elle est malade de son Etat, malade d'avoir appris depuis trop longtemps à trop attendre de lui, alors que tout désormais (en dehors de quelques rares domaines d'essence régalienne, la justice ou l'armée par exemple), tout ce qui bouge, vit, invente et crée, se fait et se fera en dehors de l'Etat.

Mais si la France est malade, c'est aussi parce que son Etat l'est également : malade de son hypertrophie, de ses « bureaux », de ses élites, de ses institutions souvent contradictoires et anarchiques, de son incapacité à « mordre » sur une réalité de plus en plus complexe et qui lui échappe progressivement ; malade de son érosion non contrôlée vers le bas (villes, départements, régions) comme vers le haut (Bruxelles, l'Europe, le monde).

Si la France est plus malade que d'autres, c'est d'abord pour cela : parce que l'habitude de tout attendre de l'Etat y est plus ancienne, plus profonde qu'ailleurs. A l'inverse du monde anglo-saxon bien sûr, qui lui s'est construit dans la défiance de l'Etat et de son despotisme, mais aussi de l'Italie, pays qui s'accommode très bien de par son histoire d'un Etat faible voire inexistant, ou encore de l'Espagne, où les particularismes régionaux et les structures familiales continuent d'encadrer fortement l'individu.

Corollaire de notre dépendance extrême vis-à-vis de « notre Etat », l'étatisme fait partie intégrante de la culture politique française, elle-même étant d'ailleurs directement issue, façonnée, dictée même, par des élites administratives omniprésentes non seulement dans les

---

1. Cité par Alain Peyrefitte, le Mal français, Plon, 1976.

bureaux, mais aux postes clés de la politique et de l'économie de ce pays.

Cette histoire-là n'a rien de récent. Il suffit pour s'en convaincre de relire les pages écrites il y a vingt-deux ans par Alain Peyrefitte, et qui pour l'essentiel n'ont pas pris une ride. Et pourtant ! Que d'événements depuis la parution du *Mal français* en 1976 [1] : second choc pétrolier, victoire de François Mitterrand en 1981, virage socio-idéologico-politique de 1983, première cohabitation avec un Gouvernement inspiré par la « révolution conservatrice » de Thatcher et Reagan (1986-1988), réélection de François Mitterrand (1988), chute du Mur de Berlin (1989), guerre du Golfe (1990-1991), désintégration de l'URSS et fin de la Guerre froide (1991), seconde cohabition (1993-1995), victoire de Jacques Chirac (1995), puis victoire de la Gauche (1997)... La France, dans un monde en plein bouleversement, a-t-elle elle-même changé ? En fait, très peu. Tout un atavisme jacobin la retient en arrière et la ramène chaque fois dans ses ornières. Le long règne du Président Mitterrand n'a pas modifié cette tendance de fond. Au contraire.

En vérité, de génération en génération, et ce depuis près de quatre siècles, la France vit son « mal français » à merveille, dans ses défauts tout au moins. La défiance, induite par notre culte de l'Etat, est solidement ancrée dans notre caractère. Défiance de l'appareil d'Etat et de l'Administration envers les citoyens ; défiance des citoyens envers leurs gouvernants ; défiance des citoyens et des groupes sociaux entre eux... Quant au modèle centralisateur romain, lié à celui de l'Eglise catholique, puis à la progression de la monarchie absolue, il constitue jusqu'à ce jour notre toile de fond historico-mentale. Ce qui est frappant à relire Peyrefitte, mais aussi Tocqueville, Braudel, Furet, Crozier ou Foucault, c'est la permanence de notre caractère national tout au long de l'Histoire : de la monarchie aux révolutions, des Empires aux Républiques. Nous ne cessons de reproduire les mêmes travers, ce qui n'est d'ailleurs pas forcément antipathique, mais pas nécessairement le plus sûr moyen de faire évoluer notre société pacifiquement et sereinement. Entre nos comportements et les exigences de la compétition économique mondiale, le constat en effet est fâcheux : systématiquement, le réflexe conservateur l'emporte, et nous gaspillons nos chances, avec un goût très sûr pour la défaite et la tragédie. Après avoir raté la Révolution industrielle au tournant du siècle passé, serions-nous aujourd'hui et pour les mêmes raisons, en train de rater la mondialisation ?

---

1. Travaillant déjà sur ce livre, j'avais suggéré en 1995 à Alain Peyrefitte, alors mon collègue à l'Assemblée nationale, de rééditer son *Mal français* que je trouvais d'une extraordinaire actualité. Je ne sais si c'est cette insistance qui, entre autres, a convaincu l'auteur de donner une nouvelle parution à ce texte. Toujours est-il que *le Mal français* a fait l'objet d'une heureuse réédition récente, en même temps que d'autres travaux (v. Alain Peyrefitte : *De la France : le Mal français, les Chevaux du lac Ladoga, la France en désarroi*, Omnibus, 1996).

De Chaban à Jospin

Systématiquement aussi, nous revivons les mêmes débats. Presque trente ans se sont écoulés : à relire les déclarations du Président Chirac, fin 1996, dénonçant les « conservatismes français » et l'omniprésence de l'Etat, celles de son Premier ministre d'alors promettant lui aussi de « réformer l'Etat » et « libérer les énergies des citoyens », celles aussi de son successeur Lionel Jospin reprenant à son tour l'idée d'un nouveau « Pacte républicain », je ne puis m'empêcher de repenser au fameux discours de Jacques Chaban-Delmas à l'Assemblée nationale sur « la Nouvelle Société ». C'était le 16 septembre 1969, et Chaban assénait aux députés un diagnostic dont je pourrais aujourd'hui reprendre chaque phrase :

« L'Etat est tentaculaire et en même temps inefficace. Par l'extension indéfinie de ses responsabilités, il a peu à peu mis en tutelle la société française tout entière... le renouveau de la France après la Libération a consolidé une vieille tradition colbertiste et jacobine, faisant de l'Etat une nouvelle providence. »

Et Chaban d'ajouter : « Ces déformations et ces malfaçons sont le reflet de structures sociales, voire mentales, encore archaïques ou trop conservatrices... Nous ne parvenons pas à accomplir des réformes autrement qu'en faisant semblant de faire des révolutions. »

A l'époque, Georges Pompidou n'avait pas apprécié. Alain Peyrefitte rapporte que le Président, fâché que son Premier ministre eût « lui aussi son projet de société », mais « qu'il avait oublié de lui en parler », se lança dans une longue diatribe contre le modèle anglo-saxon, « société de l'argent, oligarchique, méprisante aux humbles et au moins aussi conservatrice que la nôtre », et dans un vibrant plaidoyer en faveur du conservatisme à la française :

« Avant tout, les Français sont conservateurs. C'est ce qu'on appelle l'instinct de conservation, figurez-vous ! Moi, je trouve que c'est une preuve de santé... Qu'on ne parle pas aux Français de leurs vices nationaux. Cela ne prendrait pas... "La société bloquée", "la nouvelle société", "le nouveau contrat social", le "changement", c'est un langage bon pour les intellectuels parisiens qui ne savent pas reconnaître une vache d'un taureau. Qu'on s'en gargarise à Saint-Germain-des-Prés, mais qu'on ne prétende pas gouverner la France avec ces amusettes ! » Et le Président de la République d'alors d'ajouter : « L'accusation d'immobilisme ne me fait pas peur. Pourquoi cette manie de bouger ? Alors que tout bouge autour de nous, l'essentiel est de garder notre équilibre, d'éviter les écueils et de ne pas sombrer ! »

A trente ans de distance, l'héritier de Georges Pompidou, qui connaît, comme chacun sait, « la différence entre une vache et un taureau », a tenté non sans courage de prendre le parti inverse. L'intention était bonne, mais la contradiction avec les thèmes de la campagne présidentielle, l'impopularité des Gouvernements Juppé, et la résistance presque physique de la société ont rapidement mené à la paralysie. Quant à la tentative de passage en force via la dissolution, mais en conservant le même Premier ministre, elle ne fit que provoquer le sursaut conservateur que l'on sait. Du reste, si les « conservatismes » de la France de 1998 sont si profonds, c'est que leurs racines remontent fort loin dans l'Histoire. Un exemple, moins anecdotique qu'il n'y paraît, mérite d'être rappelé ici : je veux parler de la commémoration du baptême de Clovis en 1996.

Notre société de défiance

Celle-ci fut en effet bien instructive. Célébrer ainsi le baptême du premier roi franc, avec l'onction du Pape, fournit l'occasion de constater que notre conception centraliste et paralysante de l'Etat trouve ses racines au plus profond de notre histoire.

Passons sur le folklore : une nouvelle fois cette commémoration fut l'occasion d'une empoignade entre républicains laïcs et partisans de l'Eglise (ces derniers promptement récupérés par le Front national. Et l'on vit Jean-Marie Le Pen s'exhibant avec, en arrière-plan de sa tribune, un immense guerrier franc, blond et moustachu à souhait).

Mais l'essentiel n'était pas là. Au-delà des approximations historiques sur le chef de tribu franque et le poids des évêques d'alors, l'essentiel est qu'effectivement la France est bel et bien née dans ses structures politiques et sociales, dans sa mémoire collective, de ce mariage-là, en 496, entre l'Eglise et l'Etat. Et que cette union ne cessa d'être confirmée par la suite.

Au fil des siècles, la France passera de la royauté féodale à l'Etat national, mais l'imprégnation du modèle religieux sur les structures mêmes de l'Etat ne fit que s'accentuer. Citons encore Peyrefitte : « Au VIe siècle, l'organisation de l'Eglise romaine avait copié celle du Bas-Empire ; au début du XVIIe siècle, l'organisation des Etats catholiques – de la France plus que d'aucun autre – copie à son tour l'organisation de l'Eglise. Les prêtres reçoivent leurs pouvoirs de l'évêque, qui reçoit les siens du Pape ; pareillement, le subdélégué (équivalent du sous-préfet), au fin fond d'une province, recevra ses pouvoirs de l'intendant, qui les recevra du ministre, qui détiendra les siens du roi. Le plus modeste fonctionnaire participe de la souveraineté séculière de la couronne, comme le plus modeste vicaire de village participe, aux yeux de ses fidèles, à la souveraineté spirituelle du Saint-Siège. Ainsi naît le centralisme bureaucratique, bien vivant dans nos institutions, parce qu'il vit toujours dans nos esprits. »

Après Max Weber et son *Ethique protestante et l'esprit du Capitalisme* (1904), Alain Peyrefitte a brillamment mis en lumière les racines religieuses et culturelles de la « translation de pouvoir » qui s'est opérée au fil des siècles à partir de l'Europe du Sud catholique au profit de l'Europe du Nord protestante. « Le christianisme, écrit Alain Peyrefitte, avant la Réforme et la Contre-réforme, comportait des éléments contradictoires. Religion de la destinée personnelle, il libérait des forces d'émancipation, de vitalité, par un dialogue de l'effort et de la grâce. Simultanément, en signant le détachement terrestre et la soumission, il portait à la résignation, au fatalisme, à l'acceptation du principe hiérarchique. »

Tout est dit! Du dynamisme hollandais à l'expansion de la Grande-Bretagne d'un côté, au lent déclin des pays latins de l'autre.

Alors que les uns organisent leurs communautés avec la souplesse nécessaire pour que l'initiative individuelle puisse s'épanouir, les autres font au contraire en sorte que toute contestation puisse être à l'avance réfutée et punie, si elle dépasse les normes admises : on brûle à Paris l'éditeur d'Erasme; on jette au cachot de l'Inquisition Galilée et ses théories sur la Terre et le Soleil. Aux uns l'industrie et le commerce, aux autres l'agriculture et la ruralité sur fond de monarchies administratives, comme en Espagne ou en France.

Ces deux types de mentalités dominent nos sociétés depuis quatre siècles au moins. Les premières n'ont pas d'hostilité envers la compétition économique. Cela se marque dès l'école où, dans un système décentralisé qui privilégie la diversité et l'autonomie, les enfants reçoivent un enseignement qui met en valeur les disciplines pratiques, concrètes, et qui est adapté aux règles de l'économie de marché. Le sens de la collectivité repose sur l'autodiscipline. Un droit plutôt coutumier les régit. Elles sont particulièrement sourcilleuses de la liberté individuelle, ce qui donne en général des démocraties où l'exécutif est tempéré par des assemblées élues, parties prenantes du dialogue, avec cependant un respect de la règle, une fois celle-ci décidée. Ces sociétés encouragent le goût pour l'innovation et l'initiative. C'est pourquoi elles sont décentralisées, souples, ayant souci d'efficacité : les échanges doivent être rapides, qu'il s'agisse des échanges d'idées ou de produits.

A l'inverse, les sociétés héritières de l'esprit de la contre-réforme sont caractérisées par la force du dogmatisme, dicté par la hiérarchie, laquelle accepte mal qu'on la conteste. Ce sont des sociétés méfiantes, rentières, où le commerce est considéré par les élites comme une activité infamante. A l'école, on enseigne plus volontiers les matières abstraites, sous l'autorité d'un maître nommé par l'autorité centrale, et qui obéit aux ordres de sa hiérarchie. Le droit est écrit, détaillé, il entend recouvrir le plus vaste domaine possible : il est contraignant. Ce sont des sociétés de défiance, qui développent volontiers une forte bureaucratie, donc des règlements compliqués. La défiance fait que l'on cherche plutôt à se protéger et à contrôler, qu'à prendre des risques, des initiatives. C'est dans un tel cadre que l'Etat-providence trouve à s'épanouir, et tout ce qui a trait à l'argent, au profit, est entaché de suspicion. « Nous n'avons pas besoin des monopoles, nous n'avons pas besoin des maîtres de l'argent », s'exclamait François Mitterrand il n'y a pas si longtemps [1]. « L'argent... les nouveaux seigneurs, les maîtres de l'armement, les maîtres de l'ordinateur, les maîtres des produits pharmaceutiques... L'argent, toujours l'argent, eh bien oui, il faut que ce monde change. »...

Dans ce type de société, une bonne banque est une banque nationalisée. Vincent Auriol, ministre des Finances du Front populaire, premier Président de la République, a eu ce mot révélateur : « Les banques, on les ferme, les banquiers, on les enferme. » En matière politique, du reste, ces sociétés favorisent un système d'opposition qui combat le pouvoir en place avec des stratégies de rupture. Des partis extrémistes y expriment souvent une contestation radicale ; la centralisation est forte, l'incivisme puissant : l'esprit d'initiative se manifeste dans la débrouillardise, la tricherie, le chacun pour soi.

C'est sur ce terrain que l'histoire des corporations et du corporatisme se confond elle aussi avec l'histoire de notre pays, dont elle épouse les contradictions et les revirements. Dès le Moyen Age, le corporatisme s'enracine dans notre société ; il reçoit du pouvoir d'Etat et de l'Eglise l'appui sans lequel il n'aurait jamais existé. Que ce corporatisme prenne une forme souple à travers les métiers « réglés », où l'autorité municipale édicte les règles auxquelles sont soumises les corporations et désigne leurs dirigeants, appelés selon les régions eswardeurs, bayles ou sobreposats ; qu'il prenne une forme plus rigide à travers les métiers « jurés », où les « jurandes » disposaient de la personnalité juridique, de ressources financières tirées notamment des cotisations et pouvaient se constituer en assemblées délibérantes sur tous les sujets intéressant la profession : le corporatisme offrait invariablement aux membres de ses professions un strict monopole d'exercice à l'abri de toute concurrence.

Les règles régissant le fonctionnement de la corporation concernaient ainsi la durée du travail (usuellement de la levée du jour jusqu'à vêpres ou complices sonnées), les critères de qualité (très détaillés, les textes précisent la nature des matériaux à utiliser, les procédés à mettre en œuvre) et, bien évidemment, les rapports entre maîtres (interdiction de détourner la clientèle, de s'attacher les services du compagnon d'un autre maître, l'obligation de partager avec des confrères, à prix coûtant, les matières premières, en vertu du principe de « convivialité »).

On recensait à Paris au temps de Saint Louis plus de cent corporations, allant des boulangers aux tisserands, en passant par les couteliers

---

1. François Mitterrand : *Politiques*, Fayard, 1977.

et les tanneurs. L'Etat et l'Eglise y trouvaient leur compte, ces corporations s'engageant à une stricte allégeance aux pouvoirs temporel et spirituel et étant par ailleurs censées garantir une formation de qualité (élitisme professionnel des compagnons) et donc une protection du consommateur.

Ce corporatisme s'étendait aussi à l'appareil administratif, économique et judiciaire, où les officiers royaux exerçant des attributions semblables formaient un collège doté de sa personnalité propre, de ses règles et ses privilèges de rang et de fonction. Les plus puissantes de ces corporations, les parlements, ajoutaient à ces pouvoirs « réglementaires » des pouvoirs de puissance publique.

En a résulté la structuration de notre société en ordres, résumés au début du xe siècle par l'évêque de Laon Adalbéron : « *Qui orant, qui pugnant, qui laborant.* » La fonction économique, résumée à la production agricole, était évidemment placée en dernier...

Hiérarchie bureaucratique et Animus corporatiste ont survécu à tous les régimes, à toutes les guerres, à tous les bouleversements. Ils se perpétuent le mieux dans les secteurs où la tradition est vivace (haute fonction publique, services publics, secteurs de l'économie tels que l'agriculture, le petit commerce...), mais leur influence est telle qu'elle gagne sans cesse des secteurs nouveaux.

Avec Louis XIV – et bien sûr Colbert – la logique étatiste et corporatiste atteint en France son apogée. Tandis que le Roi-Soleil guerroyait dans toute l'Europe, Colbert bâtit une économie étatique et centralisée des plus perfectionnées : l'Etat crée ses propres entreprises : « manufactures royales », « forges royales », « arsenaux royaux [1] », « compagnies royales » ; il décide de tout : du poids des chandelles à la largeur des pièces de tissu ; il gère tout, protège les jurandes, accorde des monopoles loin de toute initiative privée. D'autres mécanismes complètent l'édifice : ainsi, l'institution de la « Paulette » (vente héréditaire des offices) détourne la bourgeoisie française de l'aventure capitaliste. « Les honneurs d'une charge confortable et sûre sont préférés aux risques du commerce et de l'industrie [2]. » La révocation de l'Edit de Nantes en 1685, et l'exode massif des élites protestantes feront le reste.

Nous payons chaque jour sans le savoir, le prix de ces deux tares : mépris de l'économie, poids incommensurable de l'Etat sur la société. Non sans une certaine nostalgie chez beaucoup de nos concitoyens pour cette France, brillante représentante d'une société de défiance, qui sut tirer avantage d'une organisation fortement centralisée, longtemps facteur d'unification et de cohésion. La Révolution, en effet, en

---

1. Ce sont les héritiers de ces ouvriers royaux, aujourd'hui appelés « ouvriers d'Etat », qu'il fallut tenter de réformer à l'occasion de la grande réforme militaire initiée par Jacques Chirac en 1995.

2. Inès Murat, *Colbert*, Fayard, 1980.

accentuant le centralisme hérité de la monarchie des Bourbons, a pu vaincre ses adversaires, et finalement, forger l'idée même de Nation.

De fait, la Nation se constitue autour d'un Etat régissant et contrôlant la société civile ; elle est aussi fille de la guerre : ce sont les périls de 1793 qui conduisent le Comité de Salut Public à théoriser le principe de centralisation : « L'unité et l'indivisibilité de la république signifient aussi que la Convention doit gouverner seule et que seule, elle doit gouverner. » Barère, en 1793, prononce son célèbre discours sur la Vendée, alors en rébellion : « La force des coups qui doivent être portés aux brigands dépend de beaucoup de la simultanéité, de l'ensemble de ceux qui frappent, et de l'esprit uniforme qui les meut. » De même, la Convention justifiait ainsi le principe de « centralité législative » : « Il faut que l'épée de Damoclès plane désormais sur toute la superficie. » La France est découpée en départements suffisamment petits pour qu'ils ne puissent rivaliser avec l'Etat central. Quand Robespierre tombe, les Girondins ne remettent pas en cause ce principe de gouvernement : ils le perfectionnent. La période du Directoire, qui imagine un exécutif à plusieurs têtes, en réaction à la période précédente, a pour principale conséquence, dans une nation qui ne peut concevoir un Etat modeste, l'essor d'une bureaucratie tentaculaire et compliquée. Et l'on sait que Bonaparte portera au pinacle l'organisation administrative de la France, en s'appuyant sur les préfets, relais efficaces pour surveiller et contrôler à chaque instant tout l'Empire.

C'est que le rouleau compresseur de la centralisation, nullement remis en cause par la Révolution, se poursuit de plus belle sous l'Empire. Mieux, c'est en accentuant encore le centralisme de l'Ancien Régime qui avait pourtant engendré la Révolution, que Napoléon fit sortir la France de sa période révolutionnaire. Retour à la case départ : les régimes changent, le pivot étatiste – et les corporations à peine égratignées par la loi Le Chapelier – demeurent. La République d'ailleurs n'y changera pas grand-chose : la brièveté et la faiblesse des gouvernements sous les IIIᵉ et IVᵉ Républiques ne firent que conforter les pouvoirs de l'Administration et le règne des bureaux. Quant à la Vᵉ, si elle déclencha avec de Gaulle à partir de 1958 un formidable mouvement de modernisation et d'urbanisation, ce fut là encore en s'appuyant d'abord sur l'Etat et sur un foisonnement d'initiatives publiques, de grandes entreprises publiques et de diverses structures étatiques, qu'il s'agisse du nucléaire (CEA et ses filiales), de l'aéronautique (Aérospatiale), de la construction des villes nouvelles, voire des ordinateurs, de l'industrie d'armements, ou de l'agriculture... Depuis, ce grand mouvement de modernisation s'est progressivement arrêté, avec la disparition du général de Gaulle et de Georges Pompidou, la « crise » du début des années 70, et plus généralement, l'avènement d'une planète économique de plus en plus privatisée et internationalisée, loin de la puissance tutélaire de l'Etat centralisé à la française. Mais le poids de l'Etat, lui, n'a cessé de se renforcer, conforté par le long règne de la Gauche depuis près de vingt ans.

L'idéologie française du progrès par l'Etat

Loin de menacer la surpuissance de l'Etat, ce cheminement de l'Histoire a abouti chez nous à la sacralisation d'une idéologie française du progrès économique à travers et par l'action publique[1].

Peu importe que pour financer et supporter tout cela, la part des dépenses publiques (hors protection sociale) dans le produit intérieur ait été multiplié par 4 entre 1815 et nos jours, ou que le nombre des fonctionnaires civils par habitant ait, lui, été multiplié par 8 pendant la même période[2] !

C'est cette histoire-là, longue de près de quatre siècles, à peine entamée par les lois de décentralisation de 1982 et la première vague de privatisations de 1986-88, qui vient heurter aujourd'hui de plein fouet, le mur de la mondialisation et des mutations du capitalisme à l'aube du nouveau millénaire.

C'est cette histoire-là qui transparaît, avec une étonnante actualité, au fil de nos réflexes nationaux, de nos débats, ou plus prosaïquement de tel ou tel conflit social dans nos (chères !) entreprises publiques. Napoléon tenait la Grande-Bretagne pour une « nation de boutiquiers », mais c'est bien la fille d'un épicier, Margaret Thatcher, qui au cours des années 80, par une série de réformes libérales impensables en France, a fait qu'aujourd'hui la Grande-Bretagne a retrouvé son dynamisme commercial, avec un taux de chômage inférieur de moitié au nôtre. Quand la presse française, relayée par bon nombre de nos responsables politiques et syndicaux, dénonce les dérives inégalitaires du libéralisme anglo-saxon, John Major ou son successeur Tony Blair ne font qu'appliquer cette formule de Pitt : « La politique britannique, c'est le commerce britannique. »

Quand, face à l'inévitable mouvement de déréglementation et d'ouverture des marchés publics, la classe politique française presque unanime se dresse pour défendre envers et contre tous « le service public à la française » et prétend étendre à toute l'Europe « le modèle social français », c'est là encore dans le droit-fil de cette formidable croyance étatique.

Quand Fénelon critiquait il y a trois siècles l'indifférence du pouvoir royal à l'égard de ses sujets, quand Anatole France ironisait sur « la raison d'Etat » qui n'est autre que « la raison des bureaux », quelle per-

---

1. R.F. Kvisel : *le Capitalisme et l'Etat en France*, Gallimard, 1984.
2. Denis Olivennes : *les Français et l'Etat : un réformisme de proximité*, in Olivier Duhamel et Philippe Méchet : *l'Etat de l'opinion 1997*, Sofres, Seuil, 1997.

manence là encore, avec nos débats d'aujourd'hui sur l'introuvable
« réforme de l'Etat », et l'exaspération des citoyens contre l'administration, les technocrates ou leurs impôts... (Qui n'a d'égale d'ailleurs que leur demande constante de toujours plus de protection étatique.)

Et que dire alors du poids de cette histoire lorsqu'il s'agit de réformer – pour les sauver ! – nos grandes entreprises publiques, héritières de Colbert. Des villes, des régions entières vivent encore d'arsenaux en sureffectifs, gérés depuis des lustres hors de toute rationalité économique, mais que finance la générosité forcée du contribuable. Rude tâche par exemple – j'ai pu l'expérimenter à Rennes – que d'expliquer que la DCN (Direction des Constructions Navales), poumon économique de villes telles que Lorient, Brest ou Cherbourg, mais dont les déficits se chiffrent en dizaines de milliards, dont les surcoûts à la production dépassent 30 %, dont les « ouvriers d'Etat » (héritiers des ouvriers royaux) travaillent vingt-huit heures par semaine, doit pour survivre voir ses effectifs amputés de moitié [1]. C'est toujours cette même histoire qui resurgit en 1996-97 quand il s'est agi de restructurer la SNCF – l'Etat reprenant à son « compte » (si j'ose dire !) 130 milliards de dettes – ou de sauver le Crédit Foncier de France, établissement au statut invraisemblable hérité du second Empire : privé d'un côté, mais de l'autre doté d'un Gouverneur nommé par l'Etat et surtout d'un monopole inévitablement condamné sur la distribution des prêts au logement...

C'est encore à cette même histoire que j'ai pu être confronté tout récemment à l'occasion d'une cérémonie à la Chambre de Commerce et d'Industrie de Paris. Une association d'entrepreneurs « Paris-Ile-de-France », décidée à faire de Paris et sa région la capitale économique de l'Europe du XXIe siècle (louable programme !), remettait ce soir-là des prix récompensant les entreprises les plus dynamiques. Qui fut choisi ? Trois sociétés *publiques* : l'une, dirigée par un préfet, pour avoir réalisé des études sur le site de Marne-la-Vallée ; la seconde était un syndicat de communes en charge d'une déchetterie dans la région de Cergy-Pontoise ; la troisième, filiale de la Région Ile-de-France, gère l'espace commercial du Louvre-Carrousel. A trois siècles de distance, une véritable ode à Colbert !

C'est cette histoire-là que l'on retrouve plus généralement dans l'étatisme au quotidien qui caractérise notre pays – à commencer par son coût, qui grève notre devenir économique ; par son inefficacité, y compris dans les missions régaliennes de l'Etat ; et jusqu'à la désignation de nos élites, autant de facteurs clés des blocages actuels de notre société, vers lesquels il nous faut maintenant nous tourner.

---

1. Ce qui a pu être obtenu sans licenciements par Charles Millon, grâce à la reprise de ces personnels dans les armées ou à des primes de départ de 240 000 francs par personne... mais sans toucher au statut des personnels restant, ni, pour l'heure, au statut dinosaurien de l'entreprise – toujours en régie d'Etat !

CHAPITRE 8

Notre cher, très cher Etat...

« Le juste prix »

Il existe sur l'une des chaînes de télévision françaises, une émission fort populaire intitulée « le Juste Prix », où les joueurs doivent deviner le prix des différents objets qui leur sont proposés. En observant, année après année, l'explosion de nos déficits publics, j'ai souvent regretté que la République n'ait pas créé un exercice civique du même ordre (mais une télévision citoyenne pourrait peut-être en prendre l'initiative demain...) pour informer les citoyens sur ce que leur coûte, au juste, *leur* Etat.

Bien que ce coût soit devenu exorbitant – on va y revenir –, qu'il obère désormais sérieusement notre économie et l'emploi, tout est fait en France pour occulter ce débat. A commencer par le fait – on y reviendra également – que la moitié des foyers fiscaux français, sans doute considérés comme indigents !, ne paient pas l'impôt, donc ne se préoccupent pas de ce qui est fait des deniers publics. Le débat budgétaire à l'Assemblée, à la fois très long et très technique, échappe largement au grand public, qui ne retiendra que telle ou telle augmentation d'impôt (vignette, essence ou CSG). Quant aux excellents rapports annuels de la Cour des Comptes, tel ou tel abus qui s'y trouve dénoncé, est en général révélé par la presse sur le mode ironique, mais tout cela tourne rapidement court. Très vite, le pays retombe dans l'ignorance de ses finances publiques, connues seulement de quelques rares spécialistes appartenant en général à la Direction du Trésor.

Les politiques, quant à eux, qui d'ordinaire se contentent de ratifier les choix (ou plutôt les non-choix) faits pour eux par les technocrates de Bercy, multiplient les gadgets médiatiques en direction du bon peuple-contribuable. Tel Premier ministre supprimera les hors-d'œuvre des menus matignonesques dans le but fort louable de faire des économies ; le deuxième supprimera le GLAM (mais non les avions, toujours utilisés, on respire !) ; le troisième enfin se fait photographier en TGV alors qu'il se rend en vacances. Les mêmes ont inventé depuis quelque

temps une nouvelle forme de joute financière : l'audit. Tout gouvernement, à peine installé, charge une commission d'experts d' « auditer »
les comptes de son prédécesseur. Ainsi l'opinion publique est-elle prise
à témoin, d'entrée de jeu, de « l'état calamiteux » des finances
publiques léguées par les prédécesseurs, donc des inévitables ponctions
supplémentaires qu'elle devra subir par leur faute (naturellement).
S'ensuit un jeu, bien réglé, d'accusations mutuelles par médias interposés, mais très vite le système reprend le dessus, et le budget suivant
est voté à peu près dans les mêmes termes – « faute de marges de
manœuvre suffisantes », expliquera le nouveau pouvoir. L'appareil
d'Etat et les millions de gens qui en vivent continueront donc, imperturbablement, « comme avant ».

Ainsi, lors de la présentation de l'audit commandé par Lionel Jospin
en juillet 1997, le nouveau ministre des Finances, Dominique Strauss-
Kahn, insista sur le fait que seuls 10 % des dépenses de l'Etat pouvaient faire l'objet d'arbitrage, les dépenses de fonctionnement (essentiellement des salariés et retraités de la fonction publique) constituant
une masse qu'on ne peut réduire [1]. L'impôt supplémentaire au détriment des citoyens et de l'économie devient donc la seule variable
d'ajustement d'un système qu'apparemment tout le monde a renoncé à
réformer. Le vieil adage « les gouvernements passent, les administrations restent » colle parfaitement à notre triste réalité nationale.

Pour qui cherche à connaître le « juste prix » de notre appareil
d'Etat, la première surprise qu'il rencontrera est que personne en
France, pas même les spécialistes, ne sait exactement combien de fonctionnaires sont employés par l'Etat, donc payés par les contribuables.
La question n'a rien d'académique, et de grâce, qu'on n'y voie pas de
procès d'intention contre une catégorie de Français. Il n'empêche que
la caractéristique essentielle de notre fonction publique, qui constitue
pour ses détenteurs tout son attrait, est la sécurité absolue de l'emploi.
Une fois recruté, un fonctionnaire est payé sa vie durant par la collectivité, qui assure également le paiement de sa retraite, y compris des
régimes spéciaux, dont on verra plus loin l'ampleur des déficits. Toute
politique visant, comme l'a justement proposé le Président de la République, à « réduire le train de vie de l'Etat [2] » en vue de baisser les
impôts et relancer l'économie, doit donc impérativement passer par
une analyse de la productivité, de la politique salariale de la première
entreprise de France qui dépasse largement celle des plus grandes multinationales qu'il s'agisse d'IBM ou de General Motors [3] ; une entreprise qui emploie le quart de notre population active contre 15 % chez
nos principaux partenaires). Or le chiffre même des emplois publics
actuels est mal connu !

---

1. François Roche : « Comme un air de déjà-vu », *l'Expansion*, 24 juillet-27 août 1997.
2. J. Chirac : « Le chantier est immense, il est ouvert à tous », *le Monde*, 7 mai 1996.
3. B. Jacquillat : *Désétatiser, op. cit.*

René Chapus remarque ainsi [1] qu' « il n'est pas recommandable de s'en remettre absolument aux statistiques existantes, même pour une fonction publique d'Etat (la moins mal connue) ». En effet, les « effectifs budgétaires » dont certains documents rendent compte, ne concordent pas avec les « effectifs réels, que d'autres documents ont pour objet de faire apparaître, ne sont susceptibles que d'une détermination approximative ». Et R. Chapus de conclure qu'il nous faut donc nous contenter « de chiffres erronés qui donnent un ordre de grandeur, qui suffisent à la connaissance que l'on doit avoir des effectifs de la fonction publique ».

Cette « connaissance » est rendue plus complexe encore par la taille même du colosse étatique, de ses multiples démembrements, de la diversité des statuts des agents, mais aussi du fait de pratiques aussi illégales que répandues (notamment par les collectivités territoriales), qui consistent à faire financer des emplois publics par des associations locales – pratiques régulièrement dénoncées par la Cour des Comptes elle-même [2].

Six millions de fonctionnaires

Dans une note qui fit grand bruit [3] puisqu'elle fit l'objet d'une « fuite » dans la presse, un inspecteur des finances, Jean Choussat, pourtant classé à Gauche, évalue à 10 %, soit 500 000 agents (selon son estimation), le nombre de fonctionnaires en sureffectifs – soit 150 milliards de coût annuel (l'équivalent d'un Crédit Lyonnais par an !). A partir des chiffres de l'INSEE, M. Choussat dénombre au total 5 millions de fonctionnaires.

D'autres auteurs aboutissent au chiffre de 5 935 000 fonctionnaires [4], en comptabilisant l'ensemble des personnels employés par l'Etat, les collectivités territoriales, les administrations de Sécurité sociale et les exploitants publics (tels que la Poste ou France Télécom), ainsi que les 200 000 appelés servant (encore) sous les drapeaux (mais hors les 350 000 emplois publics de Mme Aubry). On trouvera ci-dessous le détail de cette évaluation.

---

1. R. Chapus : *Droit administratif général*, tome 2, p. 6, Editions Montchrestien.

2. V. rapport public de la Cour des Comptes, 1996 (2ᵉ partie et 14) ; v. aussi sur ce point Pierre P. Kaltenbach : *Associations lucratives sans but*, Denoël, 1995.

3. Cette note est publiée intégralement dans *l'Express* du 30 oct. 1997.

4. Vincent Jolys, Les Dossiers de l'IFRAP (Institut Français pour la Recherche sur les Administrations Publiques), n° 50, janvier 1997.

TABLEAU 8-1 : « 6 MILLIONS DE FONCTIONNAIRES »

ADMINISTRATIONS PUBLIQUES CENTRALES		**En milliers de personnes**
Etat	Titulaires civils	1 558
	Non titulaires civils	182
	Militaires/civils-Ministère de la Défense	396
	Appelés	202
	Enseignement privé sous contrat	139
	CES	36
Total		*2 513*
Organismes divers d'administration centrale		
	Etablissements publics	191
	Associations para-administratives	148
Total		*339*
TOTAL ÉTAT		**2 852**

COLLECTIVITÉS TERRITORIALES		
Collectivités locales	Emplois à temps complet	1 130
	Emplois à temps non complet	108
	Assistantes maternelles	57
	CES et CEC	60
Total		*1 355*
Organismes divers d'administration locale		
CCI et CRCI	Sous statut	15
	Hors statuts	8
	Vacataires	30
Chambres d'agriculture		7
Chambres des métiers		7
Associations para-administratives		
	Associations	80
Total		*147*
TOTAL COLLECTIVITÉS TERRITORIALES		**1 502**

ADMINISTRATIONS DE SÉCURITE SOCIALE		
Sécurité sociale	Organismes nationaux	6
	Organismes locaux	163
	Régimes particuliers	24
UNEDIC et ASSEDIC		11
Total		*204*
Organismes dépendant de la Sécurité sociale		
Hôpitaux publics		
	Personnel hors médecins	639
	Médecins	54
	Internes et étudiants	33
	CES et CEC	68
Total		794
Hôpitaux privés participant au service public	84	
	Personnel médical	8
	Personnel non médical	76
Etablissements publics sociaux et médicaux sociaux		
Associations para-administratives dépendant de la Sécurité sociale		95
Total		*179*
TOTAL POUR L'ADMINISTRATION DE SÉCURITE SOCIALE		**1 177**

EXPLOITANTS PUBLICS, LA POSTE ET FRANCE TELECOM		
	Fonctionnaires	409
	Contractuels	62
EXPLOITANTS PUBLICS		**471**

TOTAL GÉNÉRAL		**6 002**

Nous reviendrons plus loin, à l'occasion de la discussion sur la décentralisation, sur le nombre de fonctionnaires territoriaux. Mais si l'on se borne, à ce stade, à analyser la masse des fonctionnaires d'Etat uniquement employés par les seuls ministères (environ 2 millions de personnes au total), on observera que ce nombre a subi une augmentation massive de plus de 100 000 agents (!) à partir de 1981. Parce que la Gauche croyait (et qu'elle croit toujours, hélas!) que l'Etat peut vaincre le chômage par des embauches massives, Pierre Mauroy crée 38 957 postes de fonctionnaires en 1981, 40 497 en 1982, et encore 20 761 en 1983. Il faudra attendre « la rigueur » et 1984 pour que cesse cette avalanche d'embauches [1]. Depuis lors, le chiffre s'est à peu près stabilisé (comme le montre le tableau 8-2 ci-dessous. La baisse des effectifs des armées (– 55 000 entre 1984 et 1995), celles du Quai d'Orsay (– 2 100) et des Anciens Combattants (– 3 000), ayant à peu près compensé la création de 72 300 emplois pendant cette période dans les principaux ministères civils (Education nationale : 945 002 en 1995 au lieu de 853 559 en 1980; Intérieur : 163 306 contre 139 360; Justice : 58 356 au lieu de 42 880).

TABLEAU 8-2 : LES EMPLOIS BUDGÉTAIRES
DANS LA FONCTION PUBLIQUE D'ÉTAT 1980-1995

TOTAL (hors postes et télécommunications)

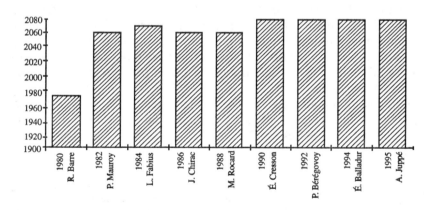

PAR SECTEURS

En milliers	1980	1985	1990	1995	SOLDE 80-95
Education nationale	853,6	907,4	928,2	945,0	+ 91,4
Services financiers	174,9	188,2	179,3	177,6	+ 2,7
Intérieur	139,4	150,7	157,7	163,3	+ 23,9
Défense	459,9	453,1	430,6	401,1	– 58,8

Source : le Monde, 16 mai 1996.

1. *Le Monde,* 16 mai 1996.

La modération, cependant, ne sera que de courte durée car il est malheureusement acquis que la plupart des 350 000 « emplois-jeunes » créés par Lionel Jospin et Martine Aubry aboutiront à la titularisation de ces emplois dans cinq ans, donc un nouveau cycle d'inflation de la fonction publique – assorti naturellement de son corollaire financier pour le pays.

Là encore, le sujet n'a, hélas, rien d'académique. Il est infiniment plus facile de créer d'un trait de plume 350 000 fonctionnaires nouveaux (même sans métiers bien définis), que de supprimer de tels emplois, après coup. Les déboires rencontrés par Alain Juppé lorsque celui-ci avait tenté de toucher, même modestement, aux effectifs d'alors le démontrent abondamment. L'homme à qui on a tant reproché son procès de la « mauvaise graisse [1] », qui s'était donné comme objectif pourtant modeste, pour la loi de finances 1997, de ne pas remplacer 25 000 des 65 000 fonctionnaires qui partent à la retraite chaque année (soit à peine 1 % de la fonction publique d'Etat, et 0,4 % du nombre total de fonctionnaires) n'a pu en fin de compte en supprimer que 6 471. Or, comme parallèlement les Armées commençaient leur processus de professionnalisation, et qu'elles engagèrent 6 436 soldats professionnels en 1997, le solde total des réductions d'emplois publics pour 1997 s'élève à... – *125 postes* (sur 6 millions [2] !). Au rythme initialement prévu par Alain Juppé, la France aurait donc mis quarante ans pour réduire d'1 million le nombre de ses fonctionnaires. Au rythme effectivement atteint par la loi de finances 1997, c'est huit mille ans qu'il nous faudrait attendre pour une réduction du même ordre !

Les défenseurs du service public à la française n'ont donc pas de soucis à se faire : le bloc étatique français est bien parti pour survivre... au Vatican lui-même.

Je ne résiste pas au plaisir de citer ici le délicieux plaidoyer signé par quatre syndicalistes de la fonction publique dans *le Monde* du 13 juin 1996 pour la défense des emplois publics, et contre les sinistres projets d'Alain Juppé. MM. Bonniol (CGC), Le Néouannic (VNSA), Renaut (CFDT) et Mme Prud'homme (CFTC) écrivent ainsi : « Il est faux de laisser croire que la fonction publique est la source de l'accroissement des dépenses publiques et des déficits de l'Etat... Toute diminution du nombre total des emplois de l'Etat remet en question le service public lui-même. Car elle ne peut se réaliser qu'en ne satisfaisant plus les besoins accrus d'éducation et de formation, de sécurité et de justice. Elle est impossible sans suppressions d'écoles, de commissariats, de tribunaux. Elle ne peut qu'aboutir à la mise à mal des principes même du

---

1. « Il faut, avait-il déclaré à l'Assemblée, préférer une fonction publique efficace et moins nombreuse... à une fonction publique qui fait de la mauvaise graisse. »
2. V. Assemblée nationale – Rapport de M. de Courson n° 3030 pour la Commission des Lois sur le projet de loi de finances pour 1997.

service public, les secteurs participant le plus directement à la lutte contre l'exclusion étant nécessairement touchés. » Et nos syndicalistes d'ajouter : « Tout cela pour une très faible économie budgétaire : 10 000 suppressions d'emplois, c'est moins de 2 milliards de francs d'économies... »

Le combat syndical (que je respecte) n'étant pas nécessairement ennemi des faits, il n'est pas inutile ici de rappeler quelques vérités simples que, sans doute emportés par leur zèle, nos bons auteurs ont omis de préciser dans leur démonstration.

Le premier de ces faits ressort du rapport publié chaque année sur la fonction publique. Pour l'année 1995-96 [1], il apparaît que l'entretien des 9 millions de personnes actives et retraitées relevant directement de la politique salariale de la fonction publique (ceci n'inclut donc pas tous les employés publics tels que dénombrés dans le tableau 8-1), coûte 630, 789 milliards de francs à la collectivité soit 39,3 % du budget de l'Etat – ou si l'on préfère plus du double de son déficit actuel !

La masse toujours plus importante de l'argent public consacré à l'entretien des fonctionnaires contraste avec les sacrifices qu'a dû subir depuis vingt ans le secteur marchand sous l'effet de l'ouverture des frontières, de « la crise », et de la mondialisation. D'un côté – je cite la note de M. Choussat – on a vu se multiplier « les licenciements, les plans sociaux, les baisses de salaire, les blocages de promotion et les délocalisations,... bref une recherche frénétique de productivité par les entreprises » ; de l'autre « les effectifs publics ont tranquillement conti- nué à croître : 570 000 de plus de 1975 à 1980, 386 000 de 1980 à 1985, et encore 112 000 de 1985 à 1990 ».

En d'autres termes, il y a en France deux poids, deux mesures, ou si l'on préfère deux catégories de Français : les uns, employés de l'Etat, ignorent la crise et la compétition économique ; les autres, qui les entre- tiennent (puisque l'économie marchande finance seule l'Etat), doivent s'y plier et subissent tous les chocs.

Le second fait, curieusement peu connu de nos syndicalistes, est que le pouvoir d'achat des fonctionnaires n'a cessé d'augmenter, tandis que celui du secteur privé stagnait. Pour les fonctionnaires, l'augmentation est en moyenne de 2 % par an (soit + 36,4 % depuis 1981), ceci hors inflation et hors « protocole Durafour », ou toute autre négociation salariale. L'avancement dans la fonction publique étant en effet princi- palement lié à l'ancienneté (le fameux GVT ou « glissement vieillesse technicité »), nous avons affaire ici à un phénomène quasi auto- matique : plus la population de fonctionnaires vieillit, plus elle coûte cher. Or l'augmentation d'un point de la masse salariale de la fonction publique coûte à l'Etat plus de 6 milliards de francs par an ! Générosité de l'Etat employeur, ou efficacité des syndicats de fonctionnaires, tou-

---

1. Pour un résumé de ce rapport, v. *le Figaro-Economie*, 24 avril 1996.

jours est-il que depuis 1994 le pouvoir d'achat des fonctionnaires a progressé plus vite que dans le secteur privé, et que le salaire moyen dans la fonction publique est supérieur de 6 % au salaire moyen du secteur privé [1] (de 6 à 24 % pour les non-cadres de la catégorie C!). Il est donc grand temps de mettre fin à l'une de nos légendes nationales les mieux ancrées, selon laquelle les fonctionnaires se satisferaient d'une moindre rémunération (et une moindre productivité) en échange de la garantie de l'emploi. La vérité est tout autre : en plus de la garantie de l'emploi et d'une productivité très inférieure au privé, notre fonction publique bénéficie de rémunérations désormais supérieures au privé. Si l'on en croit un rapport récent de l'INSEE [2], la moitié des agents titulaires de l'Etat ont perçu en 1996 un salaire mensuel net de 11 300 francs ! 10 % des fonctionnaires ont gagné moins de 7 600 francs, alors qu'à l'autre extrémité : 10 % des fonctionnaires ont disposé de plus 18 100 francs ; le tout alors que 70 % des fonctionnaires ont, avant même Mme Aubry et ses 35 heures, une durée du travail inférieure aux 39 heures légales. Par comparaison, la moitié des salariés du secteur privé ont gagné moins de 8 600 francs et un quart en dessous de 6 770 pour un travail à temps complet... Comme le note justement Michel Godet [3] : « C'est la France qui brâme contre la France qui rame. » Le contraste est désormais flagrant avec nos partenaires étrangers : en Grande-Bretagne, aux Etats-Unis, mais aussi en Allemagne ou en Espagne, l'écart de rémunération du secteur public est de − 15 à − 25 % par rapport au privé. Nos fonctionnaires sont sans conteste de loin les mieux traités !

Enfin, ce que nos bons auteurs ne nous disent pas, mais qu'expliquent les tableaux 8-3 à 8-5 ci-dessous, c'est qu'à la différence du secteur privé, qui, lui, a équilibré ses comptes de retraites depuis l'accord du 25 avril 1996 [4], dans le secteur public en revanche, les perspectives sont alarmantes : sauf économies comparables à ce qui a été réalisé dans le privé, le déficit des régimes de retraite des fonctionnaires de l'Etat et des collectivités locales atteindrait 65 milliards en 2005 et 150 milliards en 2015, soit la moitié du produit de l'impôt sur le revenu de 1995 [5].

---

1. Rapport sur les rémunérations de la Fonction Publique, Projet de Loi de Finances pour 1997; v. aussi *le Figaro-Economie*, 25 octobre 1996.

2. « Les salaires des agents de l'Etat en 1996 », v. *la Tribune*, 28 nov. 1997.

3. M. Godet : « Les quatre France », *op. cit.*

4. Lequel prévoyait d'importantes économies : augmentations du prix d'achat du point, moins de revalorisation des pensions, économies de gestion...

5. Denis Kessler : Cartes sur Table 1996 − CNPF, p. 34.

TABLEAU 8-3 : ÉTAT FINANCIER COMPARÉ DES RÉGIMES DE RETRAITE DU SECTEUR PRIVÉ ET DU SECTEUR PUBLIC

*Déficit cumulé de l'ARRCO et de l'AGIRC
(Milliards de francs constants)*

RÉGIMES DE RETRAITE DU SECTEUR PRIVÉ

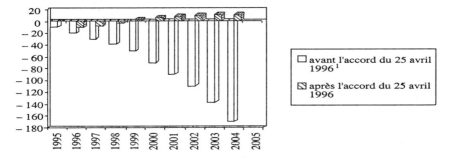

1. Accord prévoyant une revalorisation des pensions inférieure à l'inflation, un enrichissement du coût du point et des économies des gestions.

*Déficit cumulé des régimes de retraite de l'Etat
et des collectivités locales (Milliards de francs constants)*

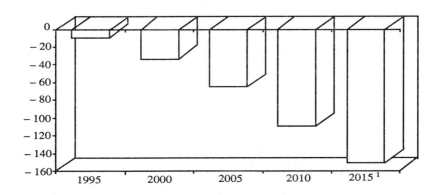

1. Soit l'équivalent de 50 % de l'impôt sur le revenu de 1995.

Source: Denis Kessler, Cartes sur Table *1996 – CNPF, p. 34.*

TABLEAU 8-4 : SOLDE DES RÉGIMES DE RETRAITE
DU SECTEUR PRIVÉ (AGIRC ET ARRCO)

Solde annuel moyen en milliards de francs constants	avant l'accord [1]	après l'accord
1996-1999	− 9,6	+ 0,5
2000-2002	− 16,1	+ 3,8
2003-2005	− 27,1	− 0,5

(1) L'accord signé par les partenaires sociaux prévoit une progression des pensions inférieure de 1 % à celle des salaires, une revalorisation du prix d'achat du point de 3,5 % par an entre 1996 et 2000 à l'ARRCO, et de 4 % à l'AGIRC, ainsi que des économies dans la gestion et l'action sociale des caisses.
Source : CNPF.

TABLEAU 8-5 : SOLDE DES RÉGIMES DE RETRAITE
DE LA FONCTION PUBLIQUE

Solde cumulé en milliards de francs constants	Etat	Collectivités locales	TOTAL
1993	0	0	0
1995	− 3,8	− 2,8	− 6,6
2000	− 16,5	− 13,6	− 30,1
2005	− 34,2	− 31,4	− 65,6
2010	− 56,0	− 49,5	− 105,5
2015	− 80,2	− 70,8	− 151

Source : « Perspectives à long terme des retraites » (Rapport du Groupe de travail présidé par R. Briet, Commissariat Général du Plan).

Nos syndicalistes n'ont cependant pas tort sur un point : les fonctionnaires dont j'ai pu moi-même pour beaucoup d'entre eux mesurer le dévouement sur le terrain, sont indispensables à la Nation, du moins quand ils sont en charge des missions proprement régaliennes de l'Etat. Or curieusement, c'est précisément ceux-là dont les budgets de fonctionnement et d'investissement sont les plus modestes, et les conditions de travail les plus difficiles.

Prenons la loi de finances 1997 : sur un budget qui s'élève à 1 635 milliards de francs, la part réservée à ce que Christian Bonnet appelle le « trépied régalien » de l'Etat atteint à peine 66 milliards de francs soit 4 % : 24 milliards à la justice, dont chaque justiciable connaît la lenteur faute de moyens (avec 6 100 magistrats, la France compte aujourd'hui à peine plus de juges qu'en 1910 (5 800), alors que la Nation s'est agrandie de 20 millions de Français) ; 28 milliards pour la police, dont les effectifs font cruellement défaut un peu partout dans le pays, j'y reviendrai ; 15 milliards pour les affaires étrangères dont les effectifs et les moyens ne cessent d'être réduits au moment même où la France subit, en première ligne, le grand défi de la mondialisation ! Si l'on ajoute les sommes (en nette réduction ces dernières années) consacrées à la défense nationale (180 milliards de francs), le total « régalien » sécurité intérieure et extérieure, justice, affaires étrangères, se monte à 246 milliards de francs, soit autour de 17 % du budget de la Nation ! C'est bien dans ce paradoxe que réside tout notre problème. *L'Etat français est à la fois trop onéreux, au point d'être en faillite chronique, mais sous-financé et inefficace dans ses missions principales !* Précisons que le libéralisme, à nos yeux, ne signifie pas la suppression de l'Etat, mais moins d'Etat (donc moins de charges) et mieux d'Etat, puisque recentré sur des missions qui sont réellement – et uniquement – les siennes. Mon libéralisme n'est donc pas, contrairement à certains modèles américains, l'expression d'une idéologie anti-étatique. Ce que nous disons c'est que l'Etat est nécessaire, indispensable même, mais qu'il peut et doit être mieux géré.

Ceci implique naturellement – et ce point est essentiel – que les responsables politiques prennent enfin leurs responsabilités, et qu'ils fassent des choix à la fois sur les missions et sur l'efficience de l'action publique – toutes choses que bon nombre de nos partenaires étrangers ont déjà mises en œuvre depuis plusieurs années. Devons-nous entre autres exemples vraiment continuer à entretenir 30 000 fonctionnaires au ministère de l'Agriculture alors que le nombre d'exploitants agricoles a chuté du tiers en dix ans (985 000 en 1996, contre 1,5 million en 1985) ? Aurons-nous le courage de résister à l'un des lobbies les plus puissants de France, les anciens combattants, dont l'émanation étatique (le ministère du même nom) consomme 26 milliards de francs par an (soit plus que la justice !) et emploie 4 300 fonctionnaires ? Une intéressante étude comparative entre la France et l'Allemagne due à Michel Didier et Peter Taubert [1], montre par exemple que les effectifs des administrations publiques représentent 25 % de l'emploi total en France contre 16 % en Allemagne. Comme le note justement Jean-Claude Casanova [2], « on administre donc 80 millions d'Allemands avec autant d'agents publics que 58 millions de Français ». Autre constatation éloquente : l'enseignement et sa formation coûtent 30 % plus cher chez nous, alors que nous avons à la sortie de l'école quatre fois plus de chômeurs de moins de vingt-cinq ans qu'en Allemagne. Au total, depuis le tournant de 1981, l'Etat français dépense 5 points de plus de PIB (!) que son homologue allemand, alors même que ce dernier a dû, à partir de 1990, prendre en charge 17 millions d'Allemands de l'Est, et reconstruire de fond en comble l'administration des nouveaux Länder !

Que nous puissions faire mieux pour moins cher ne fait donc aucun doute, ni pour l'OCDE qui chaque année multiplie ses avertissements en ce sens au Gouvernement français, ni même – fait plus significatif encore – pour les magistrats de la Cour des Comptes –

1. *Perspectives économiques*, nº 53, Revue de Rexecode, 4e trimestre 1996.
2. *Le Figaro*, 5 février 1997.

auxquels Lionel Jospin avait confié la tâche d'auditer la situation financière de la France, en juin 1997.

Les auteurs du rapport, Jacques Bonnot et Philippe Nasse, écrivent en effet : « Quel que soit le jugement porté sur la valeur du " modèle " américain, il est frappant de constater que, dans ce pays qui vient de connaître six années de forte expansion, le rééquilibre des finances publiques a nécessité de compléter les avantages tirés de la croissance par des réformes de fond de l'action publique. »

Et nos magistrats de conseiller : « Concernant l'Etat, une maîtrise prolongée de la dépense publique compatible avec le maintien ou l'amélioration de l'efficacité des services impose, à notre avis, un réexamen en profondeur des missions et des modes d'intervention, ainsi que l'organisation même des services. La question posée, qu'il n'est plus possible d'éluder, est celle *de l'efficience de l'Etat* (c'est moi qui souligne), pour résumer dans ce seul mot ce qui regroupe l'efficacité de son organisation d'ensemble et la productivité des agents. Cette question est d'autant plus importante que *le poids de l'Etat dans l'économie est, en France, l'un des plus lourds par rapport à nos grands concurrents.* »

Et de poursuivre :

« La réalisation de gains de productivité nous semble donc le préalable indispensable avant qu'il ne soit débattu de leur utilisation à l'amélioration et au développement du service rendu, ou à l'augmentation de la rémunération des agents, ou encore à la diminution des charges des contribuables, ou enfin, à une combinaison de ces divers éléments. Dans les organismes de Sécurité sociale et dans les collectivités locales, la même approche doit s'envisager et donner lieu à des efforts analogues. »

Tailler dans l'énorme masse d'argent, au demeurant mal employée par l'Etat, est donc devenu pour le pays une urgence absolue – Maastricht ou pas – car on va le voir, ces sommes ainsi détournées de l'économie réelle commencent à avoir un effet désastreux sur l'emploi.

S'agissant du premier point – l'ampleur même des déficits – je me contenterai, pour ne point être accusé de partialité, de citer à nouveau l'audit réalisé en juin 1997, à la demande du Premier ministre Lionel Jospin.

Que dit cet audit [1] :

« Les finances publiques de la France sont en crise. Les efforts réalisés ces dernières années ont permis d'en contenir les manifestations, mais n'ont pas suffi à enrayer la progression de l'endettement. Certes, plus de croissance est susceptible de faire tomber un peu la fièvre. Mais les difficultés financières témoignent d'un mal plus pro-

---

1. Reproduit dans *le Monde*, 22 juillet 1997.

fond : elles perdureront tant qu'on ne s'efforcera pas de faire croître l'efficience de l'Etat, y compris dans l'articulation de ses responsabilités avec celles des collectivités territoriales, et tant qu'on ne mettra pas en œuvre les instruments d'une régulation plus efficace de la dépense sociale. Les réformes, il est grand temps de les entreprendre, il est plus que temps. »

Autrement dit, ce rapport que M. Jospin avait conçu comme devant être une machine de guerre politique contre ses prédécesseurs, s'est révélé être une photographie lucide de la réalité, allant même jusqu'à rendre un hommage discret à Alain Juppé pour ses efforts visant à contenir la hausse des déficits, doublée d'un avertissement pour son successeur.

C'est qu'en effet la situation est grave. Denis Kessler écrit dans son rapport du CNPF pour 1996 que « la France est dans la situation d'une entreprise dont la dette représente trois années de chiffre d'affaires, et le déficit le quart de ce même chiffre d'affaires. Le chiffre atteint près de 25 % des recettes nettes de l'Etat (contre 9 % en 1990)... Aujourd'hui, la dette publique (Etat, collectivités locales, régimes de protection sociale) avoisine les 4 000 milliards de francs, soit 176 000 francs par actif occupé, contre 115 000 francs en 1990 ». Et l'auteur de conclure : « Sans action rigoureuse sur les dépenses, le maintien du déficit budgétaire à son niveau actuel conduirait mécaniquement en 2005 à une dette publique trois fois supérieure à celle de 1990, représentant 350 000 francs par actif occupé. »

Les tableaux 8-6 et 8-7 ci-dessous tirés du même rapport, illustrent ce constat.

TABLEAU 8-6 : FINANCES DE L'ÉTAT

Milliards de francs	Recettes nettes de l'Etat [1]	Déficit de l'Etat	Dette de l'Etat	Déficit/ recettes nettes (%)	Dette/ recettes nettes
1990	1 018,9	93,2	1 731,0	9,1	1,7
1991	1 012,9	131,7	1 817,5	13,0	1,8
1992	995,8	226,3	2 047,7	22,7	2,1
1993	976,5	315,6	2 364,7	32,3	2,4
1994	1 017,6	299,1	2 800,5	29,4	2,8
1995	1 063,2	321,6	3 178,2	30,2	3
1996	1 149	289,7	3 500	25,2	3,1

(1) Recettes nettes des remboursements et dégrèvements et des versements aux collectivités locales et à l'Union Européenne.

TABLEAU 8-7 : DETTE DES ADMINISTRATIONS PUBLIQUES [1]

	Evolution de la dette publique [2]			Actifs occupés [3]	Dette/actif
	Milliards de francs	*Pourcentage du PIB*	*Milliards de francs*	**Milliers**	**Milliers de francs**
1990	2 304,0	35,4	2 576,2	22 477,5	114,6
1991	2 425,8	35,8	2 628,3	22 501,5	116,8
1992	2 653,2	39,6	2 812,8	22 338,3	125,9
1993	3 241,3	45,8	3 355,7	22 103,7	151,8
1994	3 732,0	50,5	3 795,3	22 127,3	171,5
1995	3 914,3	51	3 914,3	22 238	176,0
1996	4 319,1	53,8	4 234,4	22 349,2	189,5
1997	4 752,9	56,6	4 568,3	22 460,9	203,4
1998	5 243,8	59,7	4 941,4	22 573,2	218,9
1999	5 779,0	62,9	5 338,9	22 686,1	235,3
2000	6 371,6	66,3	5 771,0	22 799,5	253,1
2001	6 996,4	69,8	6 212,6	22 913,5	271,1
2002	7 663,2	73,3	6 671,3	23 028,1	289,7
2003	8 385,3	76,9	7 156,7	23 143,2	309,2
2004	9 166,6	80,6	7 670,2	23 259,0	329,8
2005	10 011,5	84,4	8 212,9	23 375,3	351,4

(1) Etat, collectivités locales, régimes de protection sociale.
(2) Pour la période 1996-2005, hypothèse du maintien du solde primaire à son niveau de 1995 (1 % du PIB), hypothèse de croissance du PIB en valeur de 4,6 % l'an de 1996 à 2000, puis de 4,3 % l'an de 2001 à 2005, avec une inflation de 2 %.
(3) 1990-1995 : Comptes de la Nation ; 1996-2005 : hypothèse d'une progression de l'emploi de 0,5 % l'an tout au long de la période.
Source : 1990-1995 : Rapport Auberger (Commission des Finances de l'Assemblée Nationale) 1996-2005 : « L'endettement public. » Rapport Prate, Conseil Economique et Social – février 1996.

Encore faudrait-il pour être complet ajouter à ces chiffres déjà « calamiteux », pour reprendre une formule célèbre, l'inquiétant « paquet » de déficits connexes qui ne sont pas inclus dans les statistiques officielles (aux termes de Maastricht), ni dans l'audit précité. Parmi ces déficits, il faut mentionner :

— 140 milliards de dettes accumulées par la Sécurité sociale pour les années 1994, 1995 et 1996, lesquelles ont fait l'objet d'une structure financière distincte (la CADES), pour éviter de les transférer directement sur la dette de l'Etat[1] ;

— 670 milliards d'emprunts garantis par l'Etat provenant d'organismes autres que les entreprises publiques (par exemple la BFCE, la caisse de prêts HLM, la Caisse française de développement) mais aussi 260 milliards d'encours du Crédit Foncier de France, que l'Etat a dû garantir pour rassurer les marchés devant le risque de faillite de cet établissement ;

---

1. Etablissement public, la CADES (Caisse d'Amortissement de la Dette Sociale) empruntera sur les marchés financiers une somme de 140 milliards dont les remboursements initialement prévus sur treize ans seront financés par le RDS. Ce dispositif ainsi que le RDS viennent d'être prolongés de cinq ans par le Gouvernement Jospin...

— 620 milliards de passif des entreprises publiques, dont 220 pour la SNCF[1], et 141 milliards pour EDF;

— 150 milliards au moins pour les « ardoises » laissées par le Crédit Lyonnais et le Comptoir des Entrepreneurs;

— 250 milliards, enfin, pour les retraites de France Télécom, après la privatisation de celle-ci.

Au total, donc 1 830 milliards de dettes supplémentaires[2], qu'il convient d'ajouter aux 4 000 milliards officiellement recensés en 1996...

On l'a dit, le problème de tels déficits n'est pas leur conformité ou non aux critères de Masstricht. Ces considérations-là sont certes importantes, mais elles sont d'un autre ordre : géopolitique et diplomatique. Ce qui nous importe ici, c'est mesurer l'impact d'une telle masse de dépenses publiques sur la situation économique du pays et sur l'emploi.

Depuis 1980, c'est-à-dire au cours de la période couverte par les deux septennats de F. Mitterrand, la France a connu deux phases d'expansion brutale – et considérable – de la dépense publique : en 1981-83, on l'a vu avec l'embauche de 100 000 fonctionnaires d'Etat (sans compter l'explosion du nombre de fonctionnaires territoriaux à la suite des lois de décentralisation de 1982); puis dix ans plus tard, en 1990-93, lorsque l'explosion du budget social de l'Etat a été utilisé comme amortisseur social de la crise (Maastricht oblige). Si bien que la stabilité monétaire de la France n'a été obtenue qu'à crédit, tandis que le poids des déficits commençait à peser fortement sur l'emploi.

Que constate-t-on en effet? Dans le pays où la religion établie à Gauche bien sûr, mais même à Droite, prétend que le salut ne peut venir que de l'Etat et de l'investissement public, on observe au contraire que le gonflement continu de l'Etat et des déficits publics est devenu l'un des handicaps essentiels, et probablement le premier, à la relance de l'activité et de l'emploi.

Ce phénomène pèse en effet simultanément sur les trois déterminants essentiels de la croissance, donc de l'emploi :

— L'investissement tout d'abord : en France, l'épargne, combustible essentiel de l'investissement productif, est littéralement stérilisée par les déficits publics. L'Etat ponctionne sur les marchés l'essentiel d'une épargne française qui ne va donc que très marginalement sur les titres émis par les entreprises. Le tableau 8-8 ci-dessous résume cette situation mieux que de longs développements.

---

1. La création de « Réseau Ferré National » a permis de reprendre 125 milliards de cette dette.
2. V. *l'Expansion* du 13-26 juin 1996, et *les Echos* « Audit de la France », Hors série 15 mai 1997.

TABLEAU 8-8 : L'ÉPARGNE FRANÇAISE PONCTIONNÉE PAR L'ÉTAT

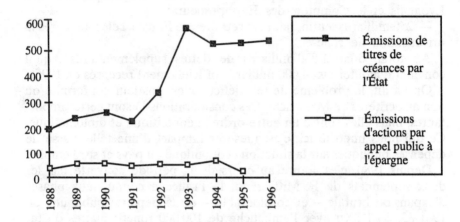

— Deuxième impact : la hausse des dépenses publiques (de 46,6 % à 55 % du PIB en France) a pour effet de stabiliser le niveau de l'emploi par l'embauche de fonctionnaires, mais en pénalisant fortement les effectifs du secteur marchand.

Ainsi sur la période 1980-1995, le nombre total de fonctionnaires a augmenté de 1,1 million tandis que le secteur marchand *perdait* 900 000 emplois (– 5 %).

C'est une trajectoire exactement inverse qui a été obtenue en Allemagne, et surtout au Royaume-Uni et aux Etats-Unis, où la baisse des dépenses publiques en pourcentage du PIB, a été accompagnée d'une augmentation parallèle de l'emploi marchand. Une étude de l'OCDE portant sur la période de 1979-1995 montre que chaque fois que la population en âge de travailler a augmenté de 100, les pays du G-7 dans leur ensemble ont créé 68 emplois marchands, 11 emplois publics, 18 chômeurs et 3 inactifs. La France, elle, a *détruit* 18 emplois privés, créé 27 emplois publics, 45 chômeurs et 46 inactifs. Triste bilan ! Mais qui montre, *a contrario*, que moins l'Etat coûte cher, et moins lourdes sont les charges sur l'emploi, plus les emplois peuvent se développer dans le secteur productif.

Telle est la leçon des années 1980-95 résumée dans le tableau 8-9, ci-après :

TABLEAU 8-9 : LES DÉPENSES PUBLIQUES
ET L'EMPLOI (1980-1995)

LES DÉPENSES PUBLIQUES ET L'EMPLOI (1980-1995)

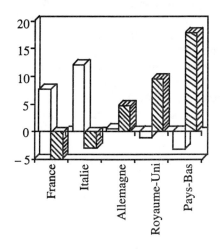

— Le troisième déterminant est évidemment l'impôt.

L'Etat français, par la taille même qu'il a atteinte et par ses déficits, est engagé dans une course infernale où *ses déficits augmentent parallèlement à ses prélèvements* (et à ses dettes !), tandis que le chômage continue de croître. Pour financer plus de 9 millions de personnes salariées ou pensionnées directement par lui, sans parler des millions d'autres allocataires qui vivent de telles ou telles subventions sociales (au total, près de *la moitié* des familles françaises vivent de la redistribution d'argent public), l'Etat ne cesse de creuser sa propre faillite, en recourant à la fois à l'emprunt (qui augmente encore sa dette, donc son déficit l'année suivante), et à l'impôt qui finit par tuer l'activité, donc par créer d'autres chômeurs... et de nouveaux déficits.

Comme le montre fort justement Philippe Manière[1], tout le problème c'est que trop d'impôts, non seulement tue l'impôt, *mais finit par tuer l'emploi également*. Notre système fiscal étant ce qu'il est par la faiblesse des Gouvernements successifs, ces impôts supplémentaires sont en effet supportés par la même minorité : celle des revenus moyens qui créent des richesses et de l'emploi, et qui de plus en plus sont conduits à s'expatrier[2].

Ainsi le vrai clivage en France n'est pas tant celui de « la fracture

1. Ph. Manière : *De la pression fiscale et de notre porte-monnaie en particulier*, Plon, 1996.
2. V. « France, tes impôts chassent tes talents », *l'Expansion*, 27 juin-10 juillet 1997.

sociale », ni même celui qui sépare (on y reviendra) ceux qui ont du travail de ceux qui n'en ont pas, mais celui qui sépare la moitié des Français en âge de travailler qui vivent de l'Etat, de l'autre moitié qui les financent !

Si l'on additionne en effet les 6 millions de fonctionnaires, les 3,5 millions de chômeurs et les 3,3 millions de Français qui vivent de « minima sociaux [1] », on obtient près de 13 millions de personnes, soit plus de la moitié de la population en âge de travailler, qui dépendent directement de l'Etat ! On comprend aisément, dès lors, pourquoi *le poids des fonctions régaliennes classiques est devenu, en France, marginal par rapport aux fonctions redistributives de l'Etat.* Mais pourquoi aussi, à mesure que ces fonctions ne cessent de croître, on assiste en France à une véritable asphyxie de l'économie marchande, et à une hémorragie constante de l'emploi : la courbe des chômeurs suivant très exactement celle des dépenses publiques !

Ayant ainsi analysé le « juste (mais triste) prix » de notre appareil étatique – et ayant pu en mesurer l'étendue du désastre, voyons à présent ce que les Français obtiennent en échange, « pour leur argent ».

---

1. Un rapport récent du CSERC (Conseil Supérieur de l'Emploi, des Revenus et des Coûts) : « Minima sociaux : entre protection et insertion » (la Documentation Française 1997), évalue à 3,3 millions d'allocataires et à 6 millions avec les conjoints et autres personnes à charge, le nombre de personnes directement concernées par les minimas sociaux. Les différents dispositifs (minimum vieillesse, minimum invalidité, allocation adulte handicapé, allocation de solidarité spécifique pour les chômeurs de longue durée, RMI, allocation de parent isolé et assurance veuvage) ont vu l'effectif des bénéficiaires croître de 12 % entre 1989 et 1996. Quant à la masse des allocations, elle s'est accrue de 17 % pendant cette période (+ 2,6 % par an), pour atteindre aujourd'hui 80 milliards de francs, soit davantage que le trépied régalien police-justice-affaires étrangères (67 milliards) !

CHAPITRE 9

L'Etat au quotidien :
Une France surétatisée, mais sous-gouvernée [1]

Inconsciemment ou non, avec résignation ou avec passion, chaque Français est porteur du mythe collectif de l'Etat : de l'ordre par l'Etat, des valeurs républicaines par l'Etat, du progrès social par l'Etat. En France la sécurité individuelle, qu'elle soit physique ou économique, est synonyme d'Etat.

Etudiant, j'ai appris à Sciences Po, comme tous mes condisciples, à en admirer la puissance, à respecter ses nobles serviteurs – les hauts fonctionnaires (nos professeurs !) – naturellement appelés à diriger non seulement l'Administration, mais aussi notre vie politique et nos grandes entreprises. Au début des années 70, la foi dans le modèle étatique français, un instant ébranlée par la grande fête estudiantine de Mai 68, demeurait plus forte que jamais. Nourris de l'épopée des « grands commis » qui, tels Paul Delouvrier ou Pierre Guillaumat, avaient littéralement « fait » la France moderne de l'après-guerre, la plupart de mes camarades n'ambitionnaient que d'être admis à leur tour dans ce sérail royal (et républicain) : l'ENA, puis la haute administration, puis, qui sait ?, la Politique. Sans doute victime d'une nature quelque peu rebelle, j'appréciais assez peu, pour ma part, ces classes de travaux dirigés en forme de Conseils pour apprentis ministres, où le formalisme des éternels exposés en deux parties n'avait d'égal que celui des blasers-cravates et des jupes plissées à carreaux de mes condisciples. J'aspirais quant à moi à la spontanéité et à l'imagination de la discussion que j'allais découvrir plus tard à Harvard. Je ne pouvais alors imaginer une seule seconde que je passerais par la suite l'essentiel de ma vie professionnelle à me frotter à l'Administration et ses énarques (y compris en enseignant à l'ENA !)...

Mais tandis que nous apprenions par cœur les structures de la machine étatique dans les polycopiés de nos maîtres (eux-mêmes sortis du même moule), c'est avec la même condescendance hautaine que

---

1. J'emprunte la formule à mon ami Jean-François Revel, v. *le Figaro*, 15 février 1996.

nous jugions de la médiocrité des pauvres politiciens américains, allemands ou britanniques de l'époque, par rapport au talent et à la culture de l'élite de nos grandes écoles.

Que nous partagions ou non leurs idées, nous admirions tous la supériorité intellectuelle de nos « grands commis », devenus les grands ténors politiques de la République : Pompidou, le normalien ; Giscard d'Estaing, Rocard, Chirac, les énarques. De même que nous nous félicitions de nos bonnes mœurs : la classe politique française, nourrie du culte de l'Etat, nous paraissait immunisée contre la corruption et les scandales alors largement répandus à l'étranger.

Vingt ans après ma sortie de Sciences Po, ma première élection comme député de la 8e circonscription du Val-d'Oise, en mars 1993, fut l'occasion d'un tout autre apprentissage...

Par nature, le député est d'abord une courroie de transmission : entre le peuple, c'est-à-dire le citoyen de base, et l'Etat, c'est-à-dire ceux, fort nombreux (élus locaux, fonctionnaires, ou ministres), qui détiennent une parcelle de pouvoir. Le député, lui, quand il n'a pas de mandat local (je reviendrai plus loin sur le problème essentiel du cumul des mandats), n'a aucun pouvoir direct. Outre sa mission principale qui, théoriquement, est de « fabriquer » et de voter la loi au nom de l'intérêt général[1], il est en effet essentiellement impuissant au plan local. Même si pour la plupart de ses électeurs, le député est d'abord supposé les « représenter », donc les aider comme le ferait une « super-assistante sociale », celui-ci ne dispose ni d'emplois publics, ni d'appartements à distribuer, ni de subventions à répartir à telle municipalité ou association[2].

En vérité, le député ne peut intervenir sur les problèmes locaux (qui vont de la recherche d'un emploi ou d'un logement HLM pour tel administré, au tracé d'une autoroute) qu'en courant les bureaux, en multipliant lettres et coups de téléphone, pour essayer de peser sur les décideurs, fonctionnaires nationaux ou territoriaux, élus locaux, membres du Gouvernement. Tâche ardue, ingrate, le plus souvent frustrante, mais qui a l'avantage immense d'offrir à l'esprit curieux un formidable observatoire sur ce qu'est en réalité « l'Etat ».

Pour le citoyen ordinaire, l'Etat c'est l'uniforme du policier, du postier ou du pompier, le guichet de la Sécurité sociale, des allocations familiales ou de l'ANPE. Le député, lui, a la chance de passer derrière les guichets, d'explorer les hiérarchies, les budgets, la façon de penser des 6 millions de fonctionnaires et du million d' « élus » qui sont, en fait, l'Etat français.

---

1. Belle notion, malheureusement en passe de tomber en désuétude sous la pression des intérêts locaux et des multiples « lobbies » représentés à l'Assemblée...

2. Hormis la pratique dite de la « réserve parlementaire » qui permet en cours de mandat aux plus chanceux, de disposer de quelques dizaines ou centaines de milliers de francs, à allouer sur le budget de tel ou tel ministère en vue d'un projet ou d'un équipement local.

Une évidence extraordinaire s'impose alors à l'explorateur de nos structures étatiques : cet Etat omniprésent, en apparence tout-puissant, dont les agents, les véhicules et les bâtiments peuplent en permanence notre vie, cet Etat-là est le plus souvent inexistant, inconsistant, faible au point d'être impotent... quand on a vraiment besoin de lui. Pour paraphraser une phrase restée célèbre depuis une certaine campagne présidentielle : « trop d'Etat tue l'Etat », y compris dans ses missions les plus essentielles. Tout se passe comme si l'extraordinaire lourdeur du système se combinait avec la complexité tout aussi effarante de ses structures, pour aboutir à une sorte d'incapacité générale des différents services de l'Etat à travailler ensemble à la mission qui, théoriquement, devrait être la leur : le service de la Nation et de nos concitoyens.

Surétatisée, la France en fait, est à la fois sous-gouvernée et sous-administrée par un Etat congestionné, impotent du fait de son propre poids, de ses propres circuits, trop nombreux, trop complexes pour être efficaces. Cet Etat-là donne l'impression d'une machine sans pilote, qui tourne avant tout pour elle-même : ignorant bien sûr les citoyens qu'elle est supposée servir, mais broyant aussi ses propres agents : souvent motivés, capables et pleins de courage et de bonne volonté au départ, mais dont beaucoup peu à peu, au fil de leurs carrières, tentent simplement de survivre, en attendant mutations ou retraites. C'est que l'Etat récompense l'ancienneté – et la docilité – bien plus que le mérite et l'imagination.

Etat omniprésent mais inefficace, et souvent impuissant : plusieurs livres ne suffiraient pas à relater ici les multiples dysfonctionnements dont nous sommes tous, en tant que citoyens, quotidiennement les témoins, qu'il s'agisse des Administrations centrales ou territoriales, sans parler des services publics. Au demeurant, entre les rapports régulièrement commandés par le pouvoir politique sur la réforme de l'Etat (et qui moisissent en général au fond d'un tiroir [1]), ceux fort nombreux que les ministres aux prises avec un problème épineux confient à telle personnalité, en général pour gagner du temps, et qui connaissent naturellement le même sort [2], les rapports de la Cour des Comptes, les dizaines de rapports parlementaires réalisés notamment à l'occasion de la discussion budgétaire, sans parler bien sûr des ouvrages extérieurs à l'Aministration, la littérature consacrée à ces sujets ne manque pas chez nous ! Quant à l'utilité de tous ces travaux, c'est une autre affaire...

Aussi est-ce avec beaucoup d'humilité, et à la vérité, assez peu d'illusions sur les chances d'être entendu, que je développerai dans les pages

---

1. Le dernier en date, intitulé « L'Etat en France : servir une Nation ouverte sur le monde », réalisé en mai 1994 par un groupe de hauts fonctionnaires présidé par Jean Picq, n'a évidemment pas dérogé à la règle malgré la pertinence de certaines analyses.

2. Quand ils ne sont pas publiquement désavoués par le ministre en question pour cause d'idées iconoclastes ou de réformes trop audacieuses (le Rapport Fauroux de juin 1996 sur l'Education Nationale est de ceux-là, j'y reviendrai un peu plus loin).

qui vont suivre quelques exemples, tirés de mon expérience de député, qui, je le crois, illustrent assez bien l'ampleur de notre problème national : l'introuvable, mais indispensable, réforme de l'Etat.

L'Ecole

En France, l'école gratuite, laïque et obligatoire pour tous, est en quelque sorte consubstantielle à l'image que nous nous faisons de la République, donc de nous-mêmes. L'image de l'instituteur de la IIIᵉ République, nouveau missionnaire du savoir dans les campagnes les plus reculées, le mythe du creuset républicain à l'Ecole et par l'Ecole de la République, la croyance que c'est là que se joue l'avenir de la Nation et l'égalité des chances entre les citoyens, tout cela fait que la France est fortement attachée à un système d'éducation d'Etat, centralisé et monopolistique. Si un secteur privé subsiste en la matière, celui-ci est étroitement encadré par la loi (laquelle interdit à l'Etat de financer plus de 10 % des investissements des écoles privées) ; l'enseignement se fait en général « sous contrat », c'est-à-dire par l'Education nationale, et les professeurs sont alors payés par l'Etat (bien que ne bénéficiant pas du statut de fonctionnaires). Produit de cette histoire hautement politique (en France, la guerre scolaire menace en permanence), l'Education nationale est aujourd'hui un véritable empire étatique : au sens propre, un Etat dans l'Etat. Une armée d'un million de fonctionnaires dotés du premier budget du pays est en charge d'éduquer la Nation[1].

En apparence, le système fonctionne à merveille : tous les enfants, qu'ils soient français ou non, sont scolarisés. 80 % d'entre eux, puisque telle a été la grande ambition des septennats socialistes, ont le baccalauréat. Tous ceux-là auront ensuite accès à une Université quasiment gratuite.

Peut-on rêver d'un système plus généreux, plus démocratique ? Hélas, oui[2] !

Car les faits, là encore, ne sont pas à la hauteur des investissements consentis par le citoyen contribuable. Première découverte consternante, que j'ai faite pour ma part en 1996, lors des auditions de la Mission d'Information de l'Assemblée sur l'avenir du Service National : un

---

1. 950 000 fonctionnaires exactement (hors les 50 000 emplois-jeunes récemment créés dans l'Education nationale), pour un budget (1997) de 277,2 milliards de francs. A noter que le nombre des maîtres est resté stable malgré la diminution du nombre d'élèves dans les premier et second degrés (– 30 000 élèves entre 1994 et 1997). Ceci expliquant sans doute cela, un instituteur sur cinq ne travaille pas face à une classe, tandis que le taux d'absentéisme des professeurs atteint 10 % dans le secondaire...

2. Je dis « hélas », car pour avoir suivi toute ma scolarité dans l'enseignement public, je mesure la dette qui est la mienne à l'égard de l'Ecole de la République... d'alors...

peu plus de 45 500 appelés (soit le septième d'une classe d'âge) testés par la Direction Centrale du Service National, étaient considérés comme illettrés [1] !

Chiffre qu'on doit rapprocher *des 35 %* d'enfants français (!) qui arrivent en 6ᵉ sans comprendre ce qu'ils lisent, dont 9 % sont carrément incapables de déchiffrer [2] !

Cette situation proprement inacceptable dans la France de l'an 2000 n'est évidemment pas sans incidence sur l'emploi des jeunes, comme le montrent les tableaux 9-1 et 9-2 ci-dessous.

TABLEAU 9-1 : EFFECTIFS SORTANT DU SYSTÈME ÉDUCATIF

1994	Nombre de sorties	Nombre d'échecs
CE1	800 000	130 000 ne sachant pas reconnaître un mot courant ou faire une addition
CM2	870 000	225 000 ne sachant ni lire ni écrire
Secondaire	430 000	78 000 sans qualification
Enseignement supérieur	390 000	120 000 sans diplôme

Source : Données scolaires (INSEE), Direction de l'Education et de la Prospective (Ministère de l'Education nationale).

TABLEAU 9-2 : TAUX DE CHÔMAGE EN FONCTION DU DEGRÉ DE QUALIFICATION

Pourcentage de la catégorie	Non qualifiés	Qualifiés	Très qualifiés
1970	2,5	1	1
1975	5	2	2
1980	9	5	3
1985	18	10	5
1990	17,5	9,5	4,5
1994	22	13,5	8

Source : « Les études économiques de l'OCDE » France (1995).

On notera d'ailleurs que cette situation ne date pas d'hier. Un rapport remis au Premier ministre Pierre Mauroy en 1984 par Véronique Espérandieu (devenue depuis secrétaire générale au Groupement Permanent de Lutte contre l'Illettrisme – GPLI) estimait déjà qu'il fallait chiffrer « par millions plutôt que par centaines de mille » les personnes qui « ne maîtrisent pas la lecture ou l'écriture, ou qui sont gravement gênées pour utiliser celles-ci [3] ».

Deuxième découverte tout aussi consternante : le Gouvernement

---

1. V. *le Monde* du 10 avril 1996.
2. V. l'article de Luc Ferry, Président du Conseil National des Progammes, dans *le Point*, du 27 sept. 1997.
3. Cité dans *le Monde* du 24 janvier 1997.

français (en l'occurrence celui d'Alain Juppé) a dû ordonner, après avoir émis de vigoureuses protestations, de retirer la France d'une étude comparative de l'OCDE qui démontrait que 40,1 % des Français (!) de seize à soixante-cinq ans éprouvent de grandes difficultés à lire [1]. Comparé au taux américain (20,7 %), canadien (16,6 %), allemand (14,4 %), néerlandais (10,5 %) ou suédois (7,5 %), notre score national plaçait la France en avant-dernière position des pays évolués... juste devant la Pologne. Pas une voix – y compris la mienne, je le confesse – ne s'était élevée alors dans le pays pour s'émouvoir d'une situation aussi catastrophique pour une nation si fière de sa culture et de son rayonnement mondial. A l'heure de la révolution de l'information, près de la moitié des Français ont du mal à maîtriser la lecture !

Le paradoxe, cependant, c'est que jamais autant de Français n'ont, ou n'ont eu le Bac (le nombre des jeunes Français sans diplômes étant passé depuis vingt ans de 224 000 à 64 000), de même qu'ils n'ont jamais été aussi nombreux à fréquenter l'Université.

Est-ce à dire que les chiffres sur l'illettrisme n'ont guère de signification et que le système éducatif français au total fonctionne bien – c'est naturellement la ritournelle des syndicats très fortement implantés dans l'Education nationale ? Ou bien le mal est-il plus profond ?

La réalité, les Français parents d'élèves la connaissent fort bien.

Si « tout le monde » va jusqu'au Bac, c'est que précisément, depuis 1968, l'idée de sélection au mérite – qui était pourtant la clé de l'héritage de la IIIe République – a été bannie de notre système éducatif.

Aujourd'hui, tous les enfants passent automatiquement en classe supérieure, et quand bien même l'équipe pédagogique s'y opposerait, les parents ont le droit de faire appel, et finissent en général par obtenir le passage en classe supérieure. En privé, nombreux sont les maîtres et les directeurs d'école qui m'ont confié à quel point ce système était devenu désastreux. Symbole, dont la signification dépasse de très loin la cérémonie familiale dont elle faisait jadis l'objet, toute distribution de prix a été supprimée dans notre enseignement public depuis 1968, éradiquant du même coup toute idée de mérite, ou de récompense du travail bien fait.

La passion française pour l'égalitarisme l'a donc emporté dans notre système éducatif, au moment même où (nous l'avons vu dans les chapitres consacrés à la mondialisation) jamais les Français n'auront autant eu besoin de se préparer à la compétition !

Là encore, les Français ne sont pas dupes : ils savent que des études supérieures longues dans une Université, par ailleurs quasi totalement déconnectée du marché du travail, n'offrent aucune garantie d'emploi pour leurs jeunes. C'est la raison pour laquelle, malgré l'idéologie dominante du « Bac pour tous » et de la suppression de toute sélection,

---

1. V. *l'Express* du 19 décembre 1996.

une majorité de Français sont favorables à la sélection à l'entrée à l'Université (57 % [1]). En réalité, par la faiblesse et la démagogie des gouvernants, et la force d'inertie des syndicats d'enseignants [2], la machine étatique française, au départ généreuse et soucieuse d'égalité des chances, a dérivé vers un mode parfaitement hypocrite de sélection – et de sélection *par l'argent* et le milieu d'origine.

Le système éducatif français en effet est d'abord parisien : mieux vaut être issu d'une famille parisienne préférablement de hauts fonctionnaires ou de cadres supérieurs habitant le VIe, le VIIe ou le XVIe arrondissement que d'un milieu provincial, si l'on veut avoir des chances d'accéder à l'un des quatre ou cinq grands lycées parisiens, où tout l'avenir se joue ; pour les mêmes raisons, et ces critères étant remplis, mieux vaut ensuite ignorer l'Université désormais dévalorisée et ouverte à tous vents, et se concentrer sur quelques « grandes écoles », si l'on veut trouver un emploi et ensuite faire une belle carrière [3].

Pour qui connaît un peu « le milieu parisien », c'est-à-dire la caste de très hauts fonctionnaires, de politiques ou de dirigeants d'entreprises publiques ou privées qui dirige ce pays, tous sont issus peu ou prou du même cursus – écoles primaires de bon niveau (publiques ou privées d'ailleurs), élites des lycées parisiens, grandes écoles – tandis que le commun des mortels ne parvient qu'exceptionnellement à franchir ce mur invisible [4].

En vérité, ce qui me choque dans cette situation, ce n'est ni l'inégalité des cursus scolaires, puis des carrières qui s'ensuivent, ni la sélection elle-même, on l'aura compris. Toute société humaine génère son propre système de sélection des élites, et je tiens pour ma part la sélection au mérite, non pour un mal ou une quelconque punition sociale, mais pour une des valeurs fondamentales d'une société fondée sur l'homme et les libertés de chacun. Reste que cette sélection doit partir d'une réelle égalité des chances au départ, et qu'elle doit effectivement se fonder sur la motivation et le travail de chacun.

Or ce qui me scandalise, c'est l'hypocrisie d'un système présenté comme égalitaire, qui au nom d'un égalitarisme dévoyé affaiblit ensuite l'éducation elle-même et dévalorise les diplômes, et qui à côté d'un cursus ouvert à tous, et apparemment le même pour tous, a laissé se

---

1. Sondage BVA réalisé en mars 1997 pour les Assises nationales de l'Education, *le Monde* du 13 mars 1997.

2. Le Parti socialiste lui-même étant « le parti des profs » et le porte-parole de ces syndicats.

3. Le sondage précité le confirme : 88 % des sondés estimant que les diplômes des grandes écoles arrivent en tête pour trouver un emploi (contre 68 % pour une licence ou une maîtrise).

4. Je peux en témoigner personnellement – tant par l'histoire de ma propre scolarité, ayant eu la chance d'être admis au lycée Condorcet, que par le nombre d'interventions dont j'ai été saisi à peine élu à Paris, en juin 1997, pour des « dérogations » d'inscriptions dans ces fameux lycées.

développer en parallèle une filière véritablement « réservée » à l'élite, qui, elle, est sélective et conduit à de vrais emplois. L'Education chez nous, c'est la cantine pour le tout-venant, et au fond de la salle, dans une petite pièce à part, le menu gastronomique réservé aux privilégiés.

Que tout cela se traduise « à la sortie » par un chômage record parmi les moins de vingt-cinq ans n'a donc rien de très surprenant. Le système est caractérisé par une opacité totale dans la gestion des personnels enseignants (les collectivités n'ont que le droit de payer, mais n'ont aucunement celui de s'exprimer sur le choix ou les performances des équipes pédagogiques qui sont affectées dans tels collège, lycée ou université), par la dilution des responsabilités, et bien sûr par une absence totale d'évaluation des résultats.

Présenté au printemps 1996, le rapport Fauroux, qui fit grand bruit à l'époque, tentait de remédier à certains de ces dysfonctionnements en prônant notamment l'autonomie de gestion des établissements (les professeurs auraient ainsi pu être choisis par le conseil d'administration... bien que sur la base d'une liste établie par le recteur) ; en revalorisant les filières technologiques dès la 3e ; en conférant aux Universités une véritable « autonomie » ; et surtout en réhabilitant quelque peu la sélection à l'entrée à l'Université (le candidat à l'Université devant rédiger « un dossier, comprenant une lettre de motivation, à l'appui d'un livret scolaire et d'un cahier individuel de formation établi à partir de la quatrième »).

Bien que loin d'être révolutionnaires, les propositions Fauroux « fuitées » dans les colonnes du *Monde* (12 avril 1996) avant même la publication du rapport, déclenchèrent immédiatement (et bien sûr sans surprise) une avalanche de diatribes : « provocation » s'exclama l'UNEF-ID ; « minimum culturel, sélection à tous les niveaux, éclatement du service public d'éducation » répondirent en écho les syndicats enseignants, SNES et FSU en tête, qui appelèrent à manifester.

Jean-Pierre Chevènement, ancien ministre de l'Education nationale crut bon d'en rajouter : la Commission Fauroux, selon lui, aboutirait si elle était suivie par le Gouvernement à « un démantèlement de l'Education nationale, qui se ferait inévitablement au détriment des jeunes issus des catégories les plus modestes et qui ne trouvent pas de soutien en dehors de l'école [1] ».

Suivie, la Commission ne le fut pas.

Dès le lendemain, 13 avril, le ministre de l'Education nationale crut bon de se désolidariser publiquement de ce qui n'était qu'un « pré-rapport »... « d'une commission indépendante qui travaille de son côté, sans que le Gouvernement soit associé à sa réflexion ». Pour faire bonne mesure, François Bayrou crut bon d'exprimer son « désaccord fondamental » avec des initiatives qui risqueraient de « couper à nou-

---

1. *Le Monde*, 13 avril 1996.

veau la France en deux ». Le mois de juin suivant et quelques manifestations plus tard, le Premier ministre enterrait définitivement les propositions de réforme. Jugeant « excessives » certaines d'entre elles qui selon lui « porteraient atteinte à l'unité nationale garante de la justice et de l'égalité entre nos enfants », Alain Juppé précisa : « Le recours à la déconcentration et à la déréglementation tous azimuts... comme l'idée de vider de sa substance la rue de Grenelle, n'est pas une proposition que nous retenons [1]. » *Exit* M. Fauroux et sa réforme.

Quelques mois plus tard, le ministre de l'Education nationale annonça « sa » réforme, qui fut saluée par tous les observateurs comme un véritable chef-d'œuvre d'habileté politique, puisqu'elle rencontra l'accord de l'ensemble des syndicats, des professeurs et des étudiants... A ceci près que la réforme en question ne réformait rien du tout. La sélection était enterrée, et avec elle toutes les réformes de structure qui auraient pu déranger les bastions syndicaux de la rue de Grenelle.

Je souhaite pour ma part bonne chance au nouveau ministre de Gauche, lui-même ancien universitaire, qui s'est engagé à « dégraisser le Mammouth » Il est difficile cependant de s'illusionner quant aux résultats. En fait de « dégraissage », M. Allègre a entamé son ministère par l'embauche de plusieurs dizaines de milliers de sous-fonctionnaires supplémentaires, lesquels nous dit-on, seront titularisés dans cinq ans ! Le Mammouth grossit en toute tranquillité...

La Sécurité

Deuxième exemple de notre maladie étatique : la sécurité – mission régalienne s'il en est – à laquelle j'ai été amené à consacrer l'essentiel de mon énergie au cours de mon premier mandat de député.

Tous les élus de banlieue – quelle que soit leur couleur politique – savent, au contact des habitants, que la sécurité est devenue, avec les questions liées au chômage, le problème numéro un de ces zones urbaines.

Dans chaque conversation, dans chaque remarque entendue, l'insécurité et la peur s'imposent comme un leitmotiv lancinant : agression des enfants à l'école, agressions dans le RER, attaques de bus ou de centres commerciaux, fermetures de commerces ou d'entreprises au bout du énième cambriolage et que personne ne voulait plus assurer, terreur des personnes âgées barricadées à l'intérieur de leur F-3, vols à la tire sur les marchés, victimes de pitbulls, de pistolets à grenaille ou de bombes lacrymogènes utilisés à bout portant, adolescents poignar-

---

1. *Le Monde*, 22 juin 1996.

dés sous les yeux de leurs mères... et de plus en plus, la drogue omni-présente par ses trafics et ses ravages.

J'arrête là cette triste énumération. En proie à la peur au quotidien, la plupart des habitants de ces quartiers – immigrés compris – mani-festent soit un profond sentiment d'injustice : celui d'avoir été aban-donnés par l'Etat dans sa mission première qui est de protéger les citoyens, soit le « ras-le-bol » du désespoir. Colère et désespérance ont déjà fait le lit du Front national pour bon nombre d'entre eux. Quant aux autres, beaucoup n'aspirent qu'à imiter les plus chanceux ou les plus fortunés : quitter ces quartiers de « haine », fuir pour s'installer dans des cités plus sûres. Ce que l'on découvre dans ces quartiers c'est que dans le pays du culte de l'Etat, l'Etat précisément a renoncé, en fait, à assurer sa mission régalienne de base : la sécurité. Que cette liberté essentielle, reconnue dans *notre* Déclaration des Droits de l'Homme, qui est le droit à la sécurité des personnes et des biens, de vivre et de se déplacer sans crainte, est quotidiennement, ouvertement bafouée.

Dans certains quartiers, l'insécurité engendre presque mécanique-ment la ghettoïsation : l'Etat de droit ayant laissé s'installer un état de jungle (« zones de non-droit » en langage administratif), les classes moyennes partent, ne laissant sur place que notre version des « pauvres Blancs » (retraités, chômeurs, mères célibataires), quelques commu-nautés rassemblées pour des raisons religieuses, et surtout des immi-grés essentiellement maghrébins et africains, socialement et écono-miquement marginalisés pour la plupart. De façon tout à fait significative, j'ai découvert en analysant les résultats électoraux sur quinze ans dans l'Est du Val-d'Oise, que le nombre des électeurs ins-crits n'avait cessé de *décroître*, alors que la population, elle, avait aug-menté considérablement, avec notamment une très forte proportion de jeunes de moins de vingt-cinq ans. Ajoutée aux flux migratoires, la question de l'insécurité contribue donc directement à la ghettoïsation des banlieues, tant par l'exode des classes moyennes, que par la ferme-ture des commerces, donc des lieux de vie. Restaurer l'Etat de droit et l'ordre au sens propre du terme, en finir avec les « zones de non-droit » où les forces de *l'ordre* (précisément !) n'osent plus s'aventurer, de tels objectifs devraient donc figurer au tout premier rang des priorités de l'Etat.

L'expérience montre hélas que la bonne volonté d'un élu, voire d'un ministre, ne suffit pas toujours, et que la force d'inertie de la machine étatique dépasse, de très loin, le « poids » personnel de l'homme placé à la tête d'un ministère, et plus encore celui du député.

Dès mon élection, muni du précieux appui du nouveau ministre, Charles Pasqua, qui était venu me soutenir au cours de ma campagne, j'entrepris donc de convaincre les hauts fonctionnaires clés du minis-tère de l'Intérieur de redéfinir l'ensemble du déploiement policier dans ma circonscription, et plus généralement dans l'Est du Val-d'Oise : la région la plus peuplée mais aussi la plus « difficile » sur le plan du chômage, de l'immigration et de l'insécurité de ce département. Je proposai de redessiner les anciennes circonscriptions policières (Sarcelles et Gonesse), lesquelles ne correspondaient naturellement pas aux découpages électoraux, de renforcer les effectifs policiers, et dans un premier temps, de créer de toute urgence à Garges-lès-Gonesse (47 000 habitants et 38 % de chômeurs et RMIstes) un commissariat dit « de plein exercice ». Le bâtiment était déjà construit (souvenir de la première cohabitation de 1986-88), mais les effectifs – squelettiques – n'avaient pas suivi...

Ce n'était là, à mes yeux, qu'une première étape : deux autres communes de ma circonscription, Villiers-le-Bel (28 000 habitants) sinistrée par le chômage et l'immigration, et Arnouville-lès-Gonesse (17 000 habitants) petite ville pavillonnaire abritant une importante communauté arménienne sans histoires, subissaient quotidiennement l'insécurité des quartiers avoisinants. Les deux villes demeuraient sans la moindre protection policière, malgré une gare SNCF desservant chaque jour 150 000 passagers...

A Villiers-le-Bel, je découvris à ma grande stupeur un poste de gendarmerie anonyme (puisque sans drapeau, car le drapeau avait été maintes fois volé et on avait fini par renoncer à le déployer) logé, au sens propre du terme, dans un appartement au rez-de-chaussée d'une barre de HLM. Je trouvai là trois ou quatre gendarmes (dont deux auxiliaires effectuant leur service militaire), qui me firent visiter la petite chambre où l'un des leurs s'était donné la mort quelques mois plus tôt avec son arme de service... Trop peu nombreux pour faire des patrouilles, ils se contentaient de garder leurs locaux, et deux fois par jour d'aller chercher puis retourner leur 4L de service sur la base principale, près de Pontoise, car il n'était bien sûr pas question de laisser la 4L dormir sur le parking HLM : le véhicule aurait été entièrement « désossé » en quelques heures... Ces gendarmes-là (et je pouvais les comprendre !) n'avaient qu'une envie : partir au plus tôt. Au demeurant, le ministère de la Défense – malgré mes interventions en sens contraire – profita d'une réforme dite « Gendarmerie 2002 » pour fermer le poste de Villiers-le-Bel en 1995. A vrai dire, ce poste, survivance d'une époque où Villiers-le Bel n'était qu'une petite commune rurale couverte de vergers, n'avait plus guère de raison d'être à l'âge du béton, sauf à être transformé en une véritable brigade ajustée à la dimension du problème. Les militaires m'expliquèrent que la Gendarmerie allait retrouver ses missions traditionnelles en milieu rural à l'ouest du département tandis que la police nationale serait, elle, redéployée en milieu urbain [1].

---

1. Début 1997, je pus néanmoins lire, non sans stupeur, dans un document intitulé « Gendarmerie 2002 », que la Gendarmerie allait s'impliquer davantage dans les banlieues...

Ce redéploiement policier, malheureusement, s'annonçait mal. Compte tenu de l'extrême maigreur des effectifs, des temps de repos et de récupération, des congés tout court et des congés maladie, le nombre des fonctionnaires de police physiquement présents sur le terrain, à tout moment du jour ou de la nuit, était ridiculement bas. Avec ses 47 000 habitants et sa masse de problèmes sociaux, Garges, par exemple, ne disposait en tout et pour tout que de 4 fonctionnaires sur le terrain pendant la journée. Quant au reste de la circonscription, les habitants devaient se contenter de rondes en voiture, d'autant plus espacées que le périmètre était fort étendu. Les habitants se plaignaient devant moi – autre leitmotiv constamment entendu – du fait que même en cas d'urgence, la police ne se déplaçait pas, ou qu'il fallait subir plusieurs heures d'attente pour déposer plainte, procédure à laquelle beaucoup de citoyens avaient d'ailleurs renoncé [1]. Certains pharmaciens, las d'être agressés la nuit par les drogués, refusèrent d'assurer leur tour de garde, sans protection policière. Un garagiste dont l'établissement avait été entièrement détruit lors d'une nuit d'émeutes et à qui je rendais visite pour m'enquérir des dommages, me montra de l'autre côté du boulevard un groupe de jeunes en train de piller, en plein jour, un véhicule sur le parking de la HLM d'en face. Je dus moi-même appeler le commissariat... qui cette fois envoya une voiture.

Au cabinet des ministres de l'Intérieur successifs, où je fus reçu de fort nombreuses fois pour plaider mon dossier, je trouvai une oreille compatissante et attentive... mais seulement une oreille et guère de réponses pratiques. Oui, me dit-on, la situation des banlieues devenait très inquiétante, d'autant qu'à la criminalité ordinaire s'ajoutaient désormais la drogue et l'infiltration, dans certains cas (dont ma circonscription), de groupes islamistes. Oui, il serait sans doute souhaitable de créer de nouveaux commissariats, encore que de telles structures « consomment », me dirent les experts, davantage de fonctionnaires « statiques » qu'elles ne permettent de déployer des hommes sur le terrain. Mais l'ennui, m'expliqua-t-on, c'est que je n'étais pas le seul député à entreprendre pareille démarche. Des dizaines de villes, étaient dans le même cas en France : la police n'avait pas suivi, depuis belle lurette, le processus d'urbanisation du pays ; quant à la carte du déploiement policier, elle datait des années 50. Si bien que le gros des troupes était resté « à l'arrière », loin de la nouvelle « ligne de front » des banlieues.

Quand je demandai pourquoi on ne modifiait pas immédiatement cette fameuse carte du déploiement national de la police, on m'expliqua poliment que ce n'était pas aussi facile ! Les fonctionnaires les plus

---

1. Les statistiques sur la criminalité étant fondées sur les « faits constatés », c'est-à-dire le dépôt de plaintes ou de « mains courantes », « l'abstention des victimes », si j'ose dire, n'est évidemment pas sans effet sur leurs chiffres. Résultat : fonctionnaires et élus auront pourtant tendance à donner des chiffres rassurants à des citoyens dont le vécu sera tout autre...

chevronnés n'étaient pas très enthousiastes à l'idée de quitter « l'arrière » pour « le front », d'autant que le système des primes en vigueur encourageait plutôt l'inverse, en région parisienne en tout cas. Ainsi, la prime dite de SGAP, payée aux fonctionnaires employés en petite couronne et à Paris (900 francs par mois), était interdite aux policiers les plus exposés travaillant en grande couronne...

Je découvris enfin – un peu – les arcanes du jeu syndical à l'intérieur de la police. Sous la pression des syndicats, les policiers avaient obtenu en 1984 du ministre de l'époque, Pierre Joxe, une réforme fondamentale mais peu connue du public, de la durée du travail : « cinq brigades », au lieu de quatre, se relayaient pour assurer la permanence dans les commissariats. De l'aveu même des policiers [1], cette réforme était lourde d'effets pervers : en accroissant la fatigue des agents (le cycle professionnel étant concentré sur 3 jours et 3 nuits), en permettant à certains d'entre eux d'exercer un « deuxième métier » et d'habiter souvent fort loin de leur lieu de travail. Ainsi en région parisienne, il est fréquent que bon nombre de policiers, souvent d'anciens mineurs reconvertis des bassins houillers du Nord, ne résident sur place que le temps de leur service, le reste de la semaine s'effectuant au domicile familial à deux heures d'autoroute plus au nord. Au total, ce système avait fait perdre à la police nationale l'équivalent en effectifs disponibles de 10 000 fonctionnaires, et dans la pratique, la règle des trois jours de travail, 2 jours de repos s'était transformée en 2 jours de travail, 3 jours de repos [2].

Tout cela expliquait que malgré un accroissement sensible des effectifs (74 000 policiers en 1950, 113 000 en 1993), le potentiel policier réel avait en fait décru « sous l'effet de réductions massives de la durée du travail [3] ».

Je pus d'ailleurs mesurer « physiquement » ce phénomène lorsque je me rendis en 1994 avec Eric Raoult, alors mon collègue à l'Assemblée, en Grande-Bretagne visiter les banlieues dures de Manchester et des quartiers Nord de Londres. Lors d'un îlotage à pied avec un « bobby » britannique (non armé), j'appris que chaque fonctionnaire effectuait quarante heures de patrouille sur le terrain par semaine, tandis que le ratio policier / population était sensiblement le double que dans le même type de « quartiers » en France. Ce déploiement policier, ajouté à un strict contrôle de l'immigration, et à une politique d'urbanisme aux antipodes de nos tours et de nos barres, explique que les Britanniques, malgré des difficultés inévitables, parviennent au total à gérer beaucoup mieux que nous la sécurité dans les zones dites difficiles.

---

1. V. Erich Incyan, « Aux origines du malaise policier », *le Monde*, 20-21 avril 1996.
2. Eléments communiqués aux députés par J.-L. Debré, alors ministre de l'Intérieur, dans une lettre en date du 25 octobre 1996.
3. Dominique Monjardet, *Ce que fait la Police : Sociologie de la force publique*, La Découverte, Paris, 1996.

Lorsqu'à l'occasion du débat sur le Pacte de relance sur la ville, en juin 1996, je me décidai à évoquer la question de la durée du travail des policiers à la tribune de l'Assemblée, je fus dans l'heure qui suivit l'objet d'attaques d'une rare violence de la part de certains syndicats de policiers.

Le porte-parole de l'un d'entre eux [1] s'inquiéta de savoir si je n'avais pas « été atteint du syndrome de la vache folle » avant de m'accuser (excusez du peu) d' « incitation à la haine » et de « racisme » contre la police.

Un membre éminent du cabinet du ministre de l'Intérieur m'appela ce même après-midi pour me recommander de ne pas répondre : le ministre négociait en ce moment même une modification des horaires de travail (ce qu'il obtint depuis), et voulait éviter à tout prix une radicalisation des syndicats...

Et pourtant : en affirmant que la présence policière sur le terrain était inférieure en France à celle de bon nombre d'autres grandes démocraties, je n'avais fait que dévoiler un secret de Polichinelle bien connu des policiers eux-mêmes et de toute la hiérarchie policière. Combien de policiers m'ont confié en privé leur malaise devant les inégalités de charges de travail au sein même de leurs rangs : entre les îlotiers qui travaillent effectivement trente-neuf heures sur le terrain, et d'autres « planqués » dans des fonctions administratives à vingt-huit heures par semaine !

Au demeurant, mon propos n'était pas de désigner la police comme bouc émissaire de tous les dysfonctionnements dans nos banlieues. Bien au contraire : dans de multiples interventions publiques j'avais dénoncé le fait que l'Etat s'étant essentiellement retiré des banlieues, la police, dernier rempart existant de l'autorité publique, demeurait bien souvent comme la voiture-balai de tous les problèmes non résolus de notre société : laissés pour compte de l'Education nationale, chômeurs, drogue, immigration irrégulière...

De surcroît, pour avoir rencontré la plupart des îlotiers de ma circonscription, dont plusieurs avaient été blessés lors d'incidents dans les quartiers, j'étais trop conscient des difficultés extrêmes de leurs missions, de la pauvreté de leurs moyens et de leurs effectifs, pour dénigrer l'institution.

Au final, une émeute de trois jours et de deux nuits à Garges-lès-Gonesse, qui entraîna la destruction de l'essentiel des commerces de la ville et d'une centaine de véhicules, me permit enfin d'obtenir gain de cause. Garges obtint son commissariat de plein exercice, des effectifs supplémentaires y furent affectés... dont beaucoup en provenance du commissariat voisin de Gonesse (ce qui me valut l'ire des élus de cette ville). Lorsque je réfléchis aujourd'hui sur le bilan de mon action – et

---

1. Syndicat National de la Police, France-Inter, 21 juin 1996.

sur celle des Gouvernements Balladur et Juppé dans ce domaine, je mesure à la fois la modestie des résultats et l'extrême difficulté de « faire bouger » un système aussi lourd qu'un grand ministère, comme celui de l'Intérieur.

Sur le terrain, j'ai pour ma part essayé de remplir au mieux mon contrat : les habitants de Garges ont leur commissariat, et un autre (obtenu de Jean-Louis Debré) devrait voir le jour à Arnouville-Villiers-le-Bel.

Mais le problème de l'insécurité des banlieues a-t-il pour autant été résolu ? Amélioré un peu sans doute : les horaires des agents ont pu être modifiés, des incitations financières accordées, les effectifs (un peu) renforcés par le déploiement de quelques milliers de policiers supplémentaires dans le cadre du « pacte pour la ville » défini par Jean-Claude Gaudin et Eric Raoult.

Résolu, certes non, comme en témoigne la flambée de violence de ces derniers mois dans plusieurs villes de France. Les conditions objectives qui nourrissent la délinquance dans les quartiers (urbanisation, immigration, chômage, paupérisation des populations) demeurent, même si, ici ou là, notamment grâce au système de zones franches mises en place par A. Juppé, les perspectives d'emploi s'améliorent un peu dans certaines cités. D'autres problèmes pourtant restent entiers : que faire par exemple des jeunes de moins de seize ans arrêtés pour des actes délictueux et qui, faute de textes applicables, sont remis aussitôt en liberté par la justice ? (Ce qui incite d'ailleurs nombre de policiers à ne plus procéder à de telles arrestations...)

Que faire des parents qui laissent de tout jeunes enfants traîner en bandes dans les quartiers tard dans la nuit ? Est-ce à l'Etat d'intervenir ? Ou bien, faute d'action de sa part, revient-il aux maires, comme l'a fait mon collègue Gérard Hamel à Dreux suivi par un certain nombre d'élus, de décréter le ramassage de ces enfants après vingt-trois heures, pour être reconduits chez leurs parents ?

Comment faire pour redéployer les effectifs de police, les rendre plus présents sur le terrain ? En engageant de nouveaux fonctionnaires ? Mais on a vu au chapitre précédent les limites financières de l'exercice. La solution, ici comme ailleurs, c'est bien sûr mieux d'Etat. Améliorer l'efficacité de l'action publique en matière de sécurité, réorganiser le déploiement policier à l'échelon de tout le pays, par une meilleure formation des personnels, en obtenant de ceux-ci qu'ils renoncent à certains avantages acquis notamment en termes d'horaires. Une tâche, on l'a vu, qui n'a été qu'ébauchée entre 1993 et 1997.

En octobre 1997, Lionel Jospin a mobilisé plusieurs de ses ministres et l'ensemble des médias à l'occasion d'un grand colloque sur l'insécurité dans les banlieues. A l'en croire, la Gauche, désormais, se chargera du problème. Tant mieux ! Elle commence mal cependant si sa seule réponse consiste à y affecter des jeunes inexpérimentés recrutés au titre des emplois Aubry, à régulariser en masse les immigrés clandestins, et à ouvrir toutes grandes les frontières grâce à la loi Chevènement sur le séjour des étrangers. Dans les quartiers, tout le monde sait que l'apaisement de la violence passe par l'intégration et l'emploi, eux-mêmes compromis par l'afflux incessant de nouveaux immigrants...

La politique de la ville

J'ai dit plus haut que mon libéralisme se situe aux antipodes de l'idéologie anti-étatique. Si l'Etat coûte trop cher au point de nuire à l'économie, s'il est surchargé de tâches qui ne sont point de son ressort, certaines missions, qu'il accomplit malheureusement de façon peu satisfaisante, n'appartiennent pourtant qu'à lui. L'Etat est l'instrument fondamental de la nation en matière de sécurité, même si, on l'a vu, la mission n'est pas toujours parfaitement remplie. Il devrait être aussi, à mes yeux, l'acteur principal de la grande mutation urbaine que connaît notre pays depuis trente-cinq ans. C'est le sens de ce qu'il est convenu d'appeler « la politique de la ville ».

Aujourd'hui, en effet, la France c'est la ville. 80 % des Français vivent dans des villes ou des banlieues. Plus de la moitié de nos enfants sont nés et sont élevés dans les périphéries des villes. Réussir nos villes, c'est donc réussir la France de demain.

Faute d'actions décisives en matière de politique de la ville, depuis vingt ans, une importante partie de la population vivant dans nos banlieues – plusieurs dizaines de millions de personnes – n'en peut plus de son mal-vivre au quotidien. Les banlieues ou quartiers difficiles sont à présent, comme l'a dit si justement Philippe Séguin, « le concentré explosif de tous les dysfonctionnements de la société française » : urbanisation ratée des années 60, concentration de populations paupérisées vivant l'exclusion, concentration d'immigrés dont d'autres ne veulent pas, chômage dans une proportion très supérieure à la moyenne, surtout parmi les jeunes.

Se trouve ainsi constituée en un mélange particulièrement instable la double spirale de l'exclusion et de l'enfermement, dans des quartiers où la déstructuration sociétale et familiale s'ajoute tragiquement au recul de l'Etat. Résultat : les communautés se replient sur elles-mêmes dans une dangereuse peur de l'autre ; ceux qui le peuvent partent. Cette situation est d'une extrême gravité. J'y vois le risque d'une vraie brisure de la République ; faute de vouloir regarder la réalité en face, nous allons directement vers un pays balkanisé, où la *discrimination sociale et urbaine recoupe peu à peu une ségrégation raciale inavouée*. Nous avons en germe, en France, la création de véritables ghettos qui échappent peu à peu aux lois de la République : une France à plusieurs vitesses est en train de s'installer sous nos yeux.

Le sujet est peu évoqué, peu médiatique – sauf lorsqu'il s'agit de filmer les mêmes scènes d'émeutes ou de violence. Ce qu'on appelle « la politique de la ville » a commencé en 1981, à la suite des premières explosions de la banlieue lyonnaise. Le bilan de cette politique – en dehors de « taper le ballon avec les jeunes des cités », comme me l'a dit un jour François Mitterrand, en se référant à Bernard Tapie qu'il avait nommé à ce ministère – personne n'a jamais tenté de l'établir. Il est impossible de savoir, aussi incroyable que cela puisse paraître, quel a été l'impact réel des dizaines de milliards dépensés depuis 1981. C'est pour cela que j'avais demandé, en juillet 1993, la constitution d'une commission d'enquête parlementaire pour procéder à une telle évaluation. Cela me fut refusé pour des raisons d'opportunité politique : pas question de trop remuer les choses en cette période de « double » cohabitation, et alors que se profilait la présidentielle de 1995... Il est pourtant raisonnable d'avancer qu'entre 100 et 150 milliards de francs ont été dépensés entre 1981 et 1993. Le Gouvernement Balladur a doublé les crédits pour l'année 1994, puis a maintenu l'effort pour 1995, lequel a ensuite été maintenu par les Gouvernements Juppé. Au total, la politique dite « de la ville » a mobilisé énormément de crédits de l'Etat, comme des collectivités territoriales. Le problème c'est que nous n'avons pas cherché à savoir comment cet argent a été dépensé, et que nous sommes incapables aujourd'hui d'imaginer d'autres types d'action, d'autres procédures de décision. Nous continuons simplement sur la lancée du Gouvernement précédent en ajoutant, au rythme des émeutes des banlieues, toujours plus de crédits, dans l'espoir que quelques poignées de subventions, quelques animateurs de plus, suffiront à calmer les choses... Jusqu'à l'émeute suivante... Le syndrome corse, en quelque sorte.

Depuis seize ans, notre système technocratique a produit toutes sortes de plans et de programmes divers et variés. Dans la grande majorité des cas, ces budgets ont été utilisés à repeindre les barres de HLM et les tours construites il y a trente ans, et amorties depuis longtemps par la Caisse des Dépôts, qui est largement complice de cette situation. Il faut savoir tout de même que ces immeubles, qui ont coûté très peu d'argent à la construction et dont beaucoup de logements ont été revendus, ont été largement amortis par vingt ou trente ans de loyers. Beaucoup de moyens ont été affectés à l'amélioration des équipements publics (sportifs notamment), à la rénovation des appartements, le reste a été dispersé dans des associations de toutes sortes ou pour faire de « l'insertion », avec souvent de bonnes choses d'ailleurs, beaucoup de bonnes volontés... et souvent aussi, beaucoup de gaspillages. En vérité, ce système a atteint depuis longtemps ses limites. On ne soigne pas un cancer avec des bouts de sparadrap, même coûteux. Et nos banlieues sont sur le fil de rasoir, au bord de l'explosion.

Comment en sortir dès lors ? Et surtout, comment réussir nos villes à

l'horizon du prochain siècle, sachant que nous avons raté la grande
mutation urbaine des années 60 ?

Première idée capitale, mais très controversée, je le sais, y compris
dans les rangs de l'actuelle opposition : s'agissant du pilotage de la politique de la ville et des procédures de décision, il existe une *incompatibilité totale entre la décentralisation commencée par les socialistes en 1982
et l'ampleur du problème posé par les grandes zones urbaines.* Ce qui
caractérise la politique de la ville aujourd'hui, c'est qu'elle est totalement engluée dans l'enchevêtrement des procédures et des structures
administratives, verticales (celles des grands ministères concernés), et
horizontales (celles des collectivités territoriales : communes, conseils
généraux, conseils régionaux).

Simone Veil, titulaire d'un grand ministère social et de la ville dans le
Gouvernement Balladur (un ministère à peu près aussi vaste que celui
de Martine Aubry aujourd'hui) avait bien tenté de rationaliser cet
écheveau en 1993-95, mais elle le fit dans le même esprit de décentralisation que précédemment : sa politique s'appuyait sur un partenariat
entre l'Etat, les communes et les collectivités territoriales. L'acteur
principal n'était pas l'Etat, qui se bornait à signer les chèques, mais la
commune. Sur le papier, l'idée paraissait séduisante : la décentralisation n'est-elle pas censée rapprocher l'Administration des gens, mais
surtout, ne donne-t-elle pas à celui qui est le mieux informé de la situation sur le terrain, c'est-à-dire le maire, les moyens d'agir directement ?
Voilà pour la théorie. Dans la réalité cela ne fonctionne pas du tout
comme cela.

Qu'est-ce qui caractérise les banlieues ? D'abord, le fait que nous
avons affaire à d'immenses tissus urbains, surtout dans les grandes
agglomérations, dans lesquels les communes sont complètement imbri-
quées les unes dans les autres. La ligne de frontière administrative
entre Sarcelles et Garges-lès-Gonesse par exemple, est complètement
arbitraire : elle passe entre deux barres de HLM identiques. Connue
des seuls technocrates, elle est inconnue des habitants : pour eux c'est
le même RER, la même gare qui dessert les deux villes, la même ligne
de bus. En revanche la frontière humaine, physique est souvent plus
réelle à l'intérieur d'une même ville : entre le vieux Sarcelles des Français de souche, et la ville nouvelle de Lochères avec ses nouveaux
venus et ses immigrés. La même observation vaut pour la commune
voisine de Villiers-le-Bel qui est en fait constituée de trois ensembles
humains distincts. Dans ces conditions, déconcentrer le pouvoir de
décision au niveau des communes, c'est donc créer un écran artificiel
dans la décision qui rend impossible toute espèce de vision globale de
ce que l'on essaie de faire. Tout plan d'organisation des écoles, des
routes d'accès, des transports, doit s'élaborer au niveau du tissu urbain
concerné, et non à l'échelle de chaque commune prise isolément.

Il en va de même pour les efforts entrepris en faveur de l'insertion des jeunes. Il n'y a pas de différence entre un jeune de Sarcelles et un autre de Villiers-le-Bel : c'est le même type de problèmes qui se pose. Or la décentralisation et le report de certaines compétences sur les maires conduisent à la fragmentation d'un problème qui, plus que tout autre, mérite une action d'ensemble. Certains agissent avec beaucoup de bonne volonté et sont efficaces. D'autres pas. Un exemple : j'ai eu à régler le cas d'une PAIO (Permanence d'Accueil d'Information et d'Orientation) qui traitait 4 000 jeunes par an et qui était sur le point de fermer faute de financements municipaux. Le ministère de la Ville me répondit que ses crédits étaient déjà déconcentrés et qu'en tout état de cause, c'était à la commune en question de payer sa part. Mais que faire quand telle municipalité (en l'occurrence, communiste) refuse de payer, alors que dans d'autres cités, la PAIO voisine fonctionne parfaitement dans un partenariat entre les communes et l'Etat ? Une situation qui, loin d'être exceptionnelle, montre là encore le décalage criant entre l'enchevêtrement des structures et des procédures administratives, et la nécessité d'un acteur étatique unique capable d'intervenir fortement, y compris au plan financier. La nécessité d'un recentrage de l'action publique sur l'Etat est d'autant plus sensible qu'il n'est pas rare de voir, à l'intérieur d'une même région urbaine, des villes utilisant la politique de logement social, en sens parfaitement opposés : les unes pour se protéger contre l'installation d'immigrés ou de populations identifiées comme difficiles, les autres jouant au contraire délibérément la carte de la ghettoïsation pour bénéficier des aides publiques, et accessoirement pour maintenir telle municipalité de gauche au pouvoir (les classes moyennes fuyant peu à peu, et le FN s'installant comme l'allié objectif le plus sûr des équipes en place).

Un tel système conduit tout droit vers une cassure entre villes riches et villes pauvres. Que l'Etat renonce à toute politique d'ensemble, en déléguant ses pouvoirs aux maires me paraît donc constituer une première erreur conceptuelle. On mesure pourtant combien il sera difficile de revenir sur cette situation, ne serait-ce que parce que les maires, les conseillers généraux ou régionaux sont désormais habitués à leurs pouvoirs et n'y renonceront pas facilement !

Enfin dernier élément, le maquis décisionnel ne se résume pas au partenariat entre la ville et l'Etat. S'y ajoutent, en effet, les collectivités territoriales, Conseils généraux, et Conseils régionaux, qui détiennent un pouvoir financier considérable, mais qui ont aussi leur propre agenda et leurs propres priorités. Chacun tire donc tel projet ou équipement dans son sens, en fonction de priorités qui souvent ne correspondent pas. La procédure des « contrats de ville » inaugurée par Mme Veil, essaya bien de coordonner l'action de ces différentes autorités, en tentant de promouvoir l' « intercommunalité » notamment. Mais dans la pratique, elle ne fit qu'engendrer la prolifération d'organes de coordination et de concertation, une multitude d' « observatoires », de sigles et d'instances en tous genres où les fonctionnaires des différentes autorités concernées sont censés se rencontrer pour harmoniser leurs points de vue. Au bout du compte, et après moult réunions de « pilotage » ou de concertation, chaque commune finit par faire prévaloir ses priorités initiales ; quant au sous-préfet ville, qui représente l'Etat, celui-ci « voit passer les trains » et se borne, au final, à signer les chèques. Il ne reste, dans tout cela, aucune place pour le rôle d'impulsion et d'arbitrage qui devrait être celui de l'Etat.

Le système des zones franches introduit par le Gouvernement Juppé en 1995 (et fort heureusement maintenu par les socialistes) n'a qu'en partie, mais en partie seulement, renversé cette tendance.

Côté positif, les zones franches devraient permettre, par les importantes exonérations fiscales prévues, de relancer le tissu économique local dans certaines cités... mais à condition que tout cela ne se perde pas en effet d'aubaine : l'avenir le dira.

Deuxième avantage : les communes sont incitées à se regrouper et à travailler ensemble à l'échelon d'un bassin économique. Enfin, le système a permis de concentrer l'action publique sur un nombre gérable de zones prioritaires (44 au total dont 9 en région parisienne), alors qu'on avait assisté précédemment à une sorte d'inflation continue du nombre de quartiers recensés comme « sensibles », donc susceptibles de recevoir des aides spécifiques au titre de la politique de la ville (l'Administration en était arrivée au chiffre de 1 500 au début des années 90...)

Pour autant, l'enchevêtrement des structures administratives, et la dilution des responsabilités qui en résulte, n'a pas pour autant disparu. Loin de là !

Ainsi, il m'a été donné d'assister en tant que député aux réunions de travail entre les communes de Garges et Sarcelles[1] en 1995-96, lesquelles devaient, ensemble, devenir bénéficiaires d'une zone franche. Bien que ce système fût d'abord destiné aux entrepreneurs et autres acteurs de la vie économique de la région, qu'il fallait encourager à venir s'installer dans ces quartiers, ces réunions auxquelles assistaient entre 40 et 70 personnes, étaient uniquement peuplées d'élus et surtout de fonctionnaires. Fonctionnaires municipaux bien sûr, mais aussi représentants de l'Etat (Préfecture et Sous-Préfecture), du Conseil général, de la Région et des différents organismes publics implantés sur la zone (ANPE, Caisse des Dépôts, etc.). Dans tout cela, à aucun moment l'Etat ne pilotait vraiment l'exercice : les projets prévus par les maires se retrouvèrent *ipso facto* dans le projet de zone franche ; à aucun moment non plus les vrais acteurs de la zone franche, c'est-à-dire

---

1. Lors des élections municipales de juin 1995, la première passait à ma suppléante, Nelly Olin (RPR), tandis que la seconde était perdue par le maire sortant (RPR), Raymond Lamontagne, et gagnée par D. Strauss-Kahn.

les entrepreneurs susceptibles d'y investir, ne purent être entendus, et encore moins écoutés !

De cette expérience, j'ai tiré pour ma part plusieurs enseignements.

Le premier (sur lequel je reviendrai plus loin) concerne le cumul des mandats, devenu, j'en suis convaincu, l'une des sources principales de la dilution de l'autorité de l'Etat, là où précisément l'on a en général le plus besoin de lui. Comme pour rester député mieux vaut être maire, et qu'une fois élu, on s'accroche à ses pouvoirs de maire, qui sont bien plus considérables que ceux du député, le résultat c'est que le cumulard perd progressivement de vue l'intérêt général pour privilégier les intérêts particuliers qui assurent son assise politique. Le mandat national est ainsi dévalué : la préoccupation strictement locale l'emportant sur une vision plus globale, et surtout plus objective, des problèmes.

Deuxième observation : pour que la politique de la ville ait véritablement un sens, autre que la simple gesticulation médiatique, il faut, avant toute chose, qu'elle soit ressentie comme une priorité nationale, ce qui n'est absolument pas le cas. J'entends par priorité nationale, une ambition du même ordre que celle qu'avait fixée le général de Gaulle lorsqu'il lança la Force de frappe en 1958, en décrétant contre l'avis de la plupart des acteurs concernés de l'époque (armée, recherche, partis politiques) que la constitution de cette force de dissuasion serait l'objectif numéro un sur le plan intérieur, pour les cinq ou dix ans qui suivraient. Une fois cette priorité retenue, il faudra ensuite créer une structure politique capable de la mener à bien avec une autorité incontestable sur l'ensemble des services de l'Etat. En clair, il s'agit de mettre en place auprès du Premier ministre une sorte de super-ministre chargé de concentrer l'action de l'Etat sur les banlieues. Telle est à mes yeux la seule façon de mettre fin à la situation actuelle, caractérisée par la double dispersion du processus décisionnel dans les différents ministères verticaux d'une part, au niveau des collectivités territoriales d'autre part, aboutissant à un enchevêtrement du vertical et de l'horizontal qu'une maigre structure interministérielle, la DIV (la Délégation Interministérielle à la Ville), n'est en aucun cas capable de coordonner.

Avant les élections législatives de 1993, Charles Pasqua et Philippe Séguin avaient envisagé la création d'un grand ministère de l'Aménagement du territoire séparé du ministère de l'Intérieur, mais traitant à la fois, de la désertification des campagnes et de la gestion des grandes agglomérations urbaines. J'irais pour ma part un peu plus loin : je suis, en fait, beaucoup plus favorable à une structure entièrement tournée vers la ville, laissant la gestion du milieu rural à une autre entité politico-administrative. Ce sont là en effet deux problèmes complètement distincts, même s'ils sont évidemment liés au plan démographique. Autant le milieu rural se prête à la décentralisation, autant dans un milieu urbain où l'on traite souvent plusieurs millions de personnes, la nécessité d'une action coordonnée par l'acteur étatique reprend tout son sens...

Reste que pour qu'une telle politique de la ville fonctionne réellement, son responsable devra disposer de l'autorité, du poids politique et de la volonté absolue du Président et du Premier ministre, qui seuls lui permettront d'obtenir les moyens qui lui seront nécessaires : en fait, une sorte de « droit de tirage » prioritaire sur les moyens des différents ministères concernés. En matière d'éducation dans les zones difficiles, par exemple, le ministre de la Ville devrait avoir le même poids que le ministre de l'Education nationale, afin d'affecter dans ces quartiers les meilleurs fonctionnaires, les meilleurs enseignants ; de même en matière de sécurité, la ville devrait pouvoir bénéficier d'un droit de tirage prioritaire sur le ministère de l'Intérieur, etc.

Si l'objectif est de véritablement casser les ghettos, de redistribuer la population, de reconstruire ou de réaménager un certain nombre de quartiers, de promouvoir l'habitat individuel, alors une telle politique de la ville exigerait nécessairement une réforme profonde du fonctionnement de l'Etat, tant au niveau de la répartition des tâches entre les grands ministères concernés, que des rapports entre l'Etat et les collectivités territoriales – on y reviendra. On peut regretter (mais non s'étonner), sur ce point, que Lionel Jospin reprenne à l'identique les schémas précédents : comme sous le Gouvernement Balladur, la ville est à nouveau noyée (après avoir semble-t-il été oubliée, lors de l'annonce du nouveau Gouvernement) dans un nouveau super-ministère des Affaires sociales, tandis qu'aucune clarification n'est prévue des rapports avec les collectivités locales. Le fameux « malaise des banlieues » va donc pouvoir se poursuivre...

On le voit, sur ce chapitre comme sur beaucoup d'autres, la réforme de l'appareil d'Etat ressemble à la célèbre Arlésienne, qu'on n'en finit pas d'attendre, sans la voir jamais venir...

Enfin, nulle politique de la ville n'est concevable sans maîtrise des flux migratoires, laquelle conditionne le succès, ou l'échec, de l'intégration des étrangers déjà installés sur notre sol dans la République.

Immigration : mais où est donc passé l'Etat ?

Sur ce dossier apparemment inextricable chez nous, le besoin de gouvernance est, là encore, patent ; mais là encore, l'Etat fait défaut, de façon presque spectaculaire !

Mais il y a plus grave.

L'ensemble du dossier de l'immigration est dominé chez nous par un climat profondément malsain, mêlant ignorance des faits et terrorisme idéologique, laxisme et angélisme chez certains, racisme et xénophobie chez d'autres, référence permanente aux « idéaux républicains » (la tradition d'asile, le creuset républicain, l'intégration républicaine), le tout sur un arrière-plan littéralement explosif : poursuite d'une immigration incontrôlée ; ghettoïsation et violences désormais quotidiennes dans les « quartiers » ; et bien sûr, poussée de l'extrême droite, source d'exploitation permanente à Gauche et de tentations de surenchères chez certains à Droite.

L'immigration en France est devenue un dossier pourri, potentiellement dévastateur pour le pays si l'autorité publique ne reprend pas rapidement les choses en main.

Elle doit le faire tout d'abord en prenant pleinement conscience du fait que les écarts de croissance démographique entre l'Europe et sa périphérie Sud, ainsi que les flux migratoires qui en résulteront, constitueront l'un des défis géopolitiques majeurs des premières décennies du XXIᵉ siècle. On ne peut pas raisonnablement parler d'immigration en France, et encore moins légiférer sur ce sujet, si l'on ignore que [1] :

— d'après les études démographiques de l'ONU, sur 10 habitants de la planète en 2025, les 6 premiers seront chinois, indiens ou asiatiques ; les 7ᵉ et 8ᵉ seront africains (y compris arabes du Maghreb et du Proche-Orient), le 9ᵉ latino-américain, le 10ᵉ (en fait un petit peu plus) sera Blanc : européen, russe ou américain ;

— la population de l'Union européenne dans ses limites actuelles s'établit à 372,7 millions d'habitants. Elle représentait 12 % de la population mondiale en 1950, contre 7 % aujourd'hui [2] et autour de 6 % en 2025. Il s'agit d'une population vieillissante : avec 17,4 % de moins de 15 ans, tandis que les plus de 65 ans représentent 15,6 % ;

— en face, l'Afrique dont la population triplera dans les 25 années à venir représentera 1,5 milliard d'Africains, dont une centaine de millions de Maghrébins), le Moyen-Orient sera peuplé de 400 millions de personnes ; la Turquie à elle seule regroupera 200 millions d'individus, soit plus de la moitié du total de la future Union européenne de 30 membres qui englobera pourtant toute l'Europe de l'Ouest et de l'Est [3].

Je ne reviendrai pas ici sur l'explication du phénomène, connue des experts sous le nom de « transition démographique » : chute brutale du taux de fécondité dans l'Europe riche (la moyenne actuelle tourne autour de 1,5) ; explosion de la courbe de natalité et baisse de la mortalité dans les pays du Sud, favorisées par une amélioration de l'environnement médical (malgré des fléaux tels que le sida ou les guerres [4]).

---

1. Je reprends ici mon analyse des grands flux démographiques présentée dans *Nouveau Monde, op. cit.*

2. *Eurostat*, Statistiques démographiques, 1997.

3. Ceci expliquant sans doute cela, les portes de l'Union européenne ont donc été fermées à la Turquie en décembre 1997 lors du sommet de Luxembourg sur l'élargissement. Décision stratégique majeure pour l'avenir du Continent et passée largement inaperçue... sauf en Turquie !

4. Jacques Véron : « Stabilisation de la population mondiale, un effectif revu à la baisse », *Esope* n° 516, sept.-nov. 1997.

Si l'on ajoute à ce déséquilibre celui des richesses, on aboutit à des flux migratoires potentiellement énormes, proportionnellement sans précédent historique.

Ainsi, si l'on prend avec Jean-Claude Chesnais [1], l'exemple du groupe d'âges 15-25 ans (les candidats à l'emploi, donc), on constate qu'en Europe (hors Russie), la taille de ce groupe d'âges est restée constante, autour de 75 millions entre 1975 et 1990 ; ce groupe tombera à 60 millions en 2010 et à 50 en 2025. En Afrique, au contraire, ce même groupe d'âges passera de 78 millions en 1975 à 480 millions en 2025, soit une multiplication par 6 !

Ainsi, si une petite partie de ces jeunes, disons 1 sur 10, venait à tenter sa chance en Europe, nous aurons alors entre 30 et 50 millions d'immigrés supplémentaires en Europe du Nord – soit l'équivalent de la taille d'un pays comme l'Espagne ou l'Italie... ceci sans compter les regroupements familiaux qui, s'ils étaient autorisés, doubleraient ou tripleraient aisément ce chiffre.

Il n'est pas évident du tout que ces données aient été sérieusement intégrées par nos autorités publiques dans l'élaboration de notre politique en matière de nationalité et de maîtrise des flux migratoires. Certes, depuis le choc pétrolier de 1973 et la crise, l'immigration largement encouragée précédemment ne l'est plus : officiellement depuis cette date, la France lui a fermé ses portes ; elle n'a plus vocation, selon la formule célèbre de Michel Rocard, à « accueillir toute la misère du monde ».

Reste que dans la réalité, l'Etat français ne s'est pas donné les moyens de gérer sérieusement un défi de pareille ampleur.

En matière d'outil statistique, en premier lieu. Alors qu'aux Etats-Unis, au Canada, en Australie, pays démocratiques et traditionnellement d'immigration, on connaît, sans que personne s'avise de s'en offusquer, la composition de la population par origines et par groupes ethniques, (Caucasiens, Noirs, Asiatiques, Hispaniques, etc.), la France, au nom de l'idéologie républicaine, refuse de distinguer entre Français (de souche ou par naturalisation), entre étrangers (par origine géographique ou ethnique), ou entre étrangers et immigrés. Comment souvent en France, les intentions les plus généreuses font le lit de l'hypocrisie, puis des idéologies les plus destructrices...

Dans le cas particulier de l'immigration, le résultat est qu'il est impossible de connaître avec quelque précision que ce soit, le nombre des étrangers, des immigrés, et des Français issus de cette immigration (soit par mariage avec un Français, soit par naissance en France et acquisition automatique de la nationalité). De telles données, nécessaires pour gérer une politique urbaine ou de logements, éviter la ghettoïsation, améliorer le niveau scolaire, ou tout simplement organiser

---

1. J.C. Chesnais : « Immigrés, la ruée vers l'Ouest », *Politique Internationale*, printemps 1991.

l'exercice normal du droit à la liberté religieuse, sont chez nous considérées comme discriminatoires, et donc n'existent pas. Imperturbablement, les différents services officiels continuent de prétendre que le nombre d'étrangers en France (3,6 millions de personnes ou 6,35 % de la population) n'aurait pas bougé depuis 1931 (6,58 %). Et pourtant, les services officiels eux-mêmes reconnaissent qu'il entre en France chaque année au moins 150 000 personnes tandis que 50 000 repartent dans leurs pays d'origine. Le solde migratoire serait donc au moins de 100 000 personnes par an, et ce depuis 25 ans (ceci sans compter 30 000 clandestins, pense-t-on). Au total – à supposer que ces chiffres soient fiables – la France aurait donc reçu entre 1973 et 1998, au moins 2,5 millions d'étrangers, en plus des 3,7 millions officiellement recensés. Ceci sans compter les enfants nés sur le sol national de cette immigration, et qui sont déjà ou vont devenir français[1].

Question? Où sont passés 2 à 2,5 millions de gens apparemment non comptabilisés comme étrangers?

La réponse est simple : ils sont « juridiquement sortis » de la colonne « étrangers » en devenant français. Ainsi, si le Haut Conseil à l'Intégration confirme une stabilité apparente du nombre des étrangers résidant en France (3 521 000 au recensement de 1982 et 3 596 000 à celui de 1990), le flux des entrées physiques entre 1982 et 1989 (663 500 personnes au total) est littéralement aspiré par les sorties juridiques par francisation (396 300 naturalisations et 252 000 attributions sans formalité pendant la même période)[2]! Ces personnes ont-elles été convenablement intégrées dans la communauté nationale? Peu importe!

Le tour de passe-passe est admirable : les statistiques des étrangers juridiquement définis comme tels restent stables, et l'immigration qui fait quotidiennement exploser les banlieues et les scores de l'extrême droite est censée n'avoir jamais existé, ou mieux encore n'être qu'un « fantasme » agité par des nostalgiques de Maurras[3]!

De ce brouillard statistique délibéré, de cette cécité collective organisée par l'Etat découle alors tout le reste :
— dans les pays d'émigration tout d'abord – le plus souvent d'anciennes colonies françaises avec lesquels nous sommes liés par de nombreux accords de coopération, voire de défense : là, rien n'est fait pour lier l'octroi de notre aide à la maîtrise de flux migratoires. Au lieu

---

1. Au recensement de 1982, on n'a dénombré que 210 736 Français par acquisition âgés de 18 à 32 ans, nés sur le territoire métropolitain, alors que leur effectif réel, selon les travaux de Michèle Tribalat, avoisinerait 890 000. (V. M. Tribalat : « Cent ans d'immigration, étrangers d'hier, Français d'aujourd'hui », INED – Travaux et Documents, cahier n° 131, 1991.)

2. Jacques Dupâquier, « Nation, Population, Démographie », *Conflits Actuels* n° 1, automne-hiver 1997.

3. Qualificatif qui me fut attribué en séance publique par le ministre de l'Intérieur J.-P. Chèvenement en décembre 1997, après que j'eus osé critiquer les dispositions de son texte concernant le regroupement familial.

de cela, nous continuons à financer des régimes qui nous exportent une main-d'œuvre ne trouvant pas à s'employer sur place. Mieux, dans une belle unanimité nationale sur la Francophonie nous investissons massivement dans l'apprentissage du français dans des pays qui comptent parmi les plus pauvres, sans nous rendre compte que la maîtrise de notre langue est pour le jeune chômeur de Douala ou de Nouakchott le premier passeport vers l'Eldorado français. Le même argent utilisé à créer des emplois sur place en dialecte local, voire même en anglais, serait sans doute plus judicieusement utilisé. Enfin, nous confions le soins à un nombre toujours plus réduit d'agents consulaires (économies budgétaires sur le Quai d'Orsay oblige), le soin de traiter des centaines de milliers de demandes de visas...

— l'improvisation se poursuit ensuite en France même. Puisque le nombre d'étrangers est censé rester le même, l'État fait mine d'ignorer la cascade de problèmes sociaux posés par l'arrivée incessante d'immigrés le plus souvent en situation très précaire.

L'insécurité, que l'on attribue pudiquement aux « jeunes » des quartiers, car il serait politiquement incorrect de dire tout haut ce que tout le monde vit au quotidien dans les banlieues, à savoir que cette insécurité est essentiellement le fait de jeunes le plus souvent français issus de l'immigration et qui expriment ainsi leur « haine » du système français, dans lequel ils ne parviennent à trouver ni emploi ni espoir d'avenir.

De même l'Islam, que la République refuse de gérer en tant que tel et laisse à des Gouvernements étrangers le soin de financer et de piloter à distance. La religion musulmane est devenue en France la deuxième religion du pays : certaines villes comme Roubaix sont à majorité musulmane (53 %). Mais l'État feint de l'ignorer et n'est toujours pas parvenu à créer l'équivalent d'un CRIF pour cette importante communauté religieuse. Du ministre de l'Intérieur, ministre des Cultes, aux maires, chacun fait mine d'ignorer les mille mosquées décrites par Gilles Kepel qui existent dans nos banlieues, le plus souvent dans des conditions indignes. Pour avoir vu moi-même des musulmans prier dans des boutiques désaffectées de centres commerciaux de banlieues, ou dans des sous-sols de HLM, je sais que nous plantons là les semis d'un mal durable.

Mais il est tellement plus simple n'est-ce pas ? – et surtout tellement plus « correct » politiquement – d'ignorer le problème, et de prétendre qu'il n'existe aucune différence entre les immigrés : hier Italiens, Portugais ou Polonais, aujourd'hui Africains ou Maghrébins, où est la différence ? Le « creuset républicain » fonctionnera demain comme il a fonctionné hier. Soulever cette différence de culture et de religion revient même dans le terrorisme idéologique qui entoure toute discussion de ce sujet dans notre pays, à un véritable blasphème, voire une profession de foi fasciste !

Louis Mermaz devant qui j'évoquais, lors d'une émission récente sur RTL, la difficulté d'intégrer des cultures si différentes de la nôtre, me répondit en citant l'intégration si réussie de Modigliani... Jean-Pierre Chevènement, lui, plaide que la société française « marche au mélange »... « Oui », lui répond justement Claude Imbert [1], « du temps qu'il n'était pas explosif. Mais, bon Dieu, qu'on arrête de nous bassiner avec l'exemple passé des Italiens, Espagnols, Portugais, Polonais, tous de culture catholique, zélateurs émouvants de l'intégration républicaine, élèves modèles des instituteurs de jadis, pour nous convaincre qu'un même processus entraînera vers une immigration harmonieuse des immigrés de culture, traditions, mœurs et religions si étrangères aux nôtres. Quelle imposture que de confondre le droit *à l'indifférence* que réclamaient les premiers avec le droit *à la différence* qui titille les seconds. »

C'est cet angélisme hypocrite qui explique que dans le même mouvement la France socialiste régularise en masse les immigrés en situation irrégulière (150 000 en 1981, probablement autant en 1997-98), libéralise aujourd'hui les visas, le regroupement familial et le droit d'asile (lequel a été entièrement réécrit même au regard des conventions internationales), dénonce les « charters » pour renvoyer chez eux les clandestins, durcit les conditions d'expulsion et pour faire bonne mesure supprime la manifestation de la volonté pour les jeunes étrangers nés en France (comme s'il était infamant de demander de devenir français !), le tout en laissant l'Etat incapable de gérer les conséquences de tout cela en matière de sécurité dans les banlieues de scolarité d'emploi et de protection sociale.

Mais il y a mieux : pendant que la France s'ouvre généreusement à l'immigration, non pas vers le travail qu'elle ne sait plus créer, mais vers ses prestations sociales, les mêmes prestations sont désormais réduites pour les jeunes couples français pour lesquels, à partir d'un certain revenu, l'éducation des enfants est « privatisée ». Voudrait-on nourrir l'argumentaire du FN qu'on ne s'y prendrait pas autrement !

Ainsi, à l'irresponsabilité française en matière d'immigration correspond une politique tout aussi irresponsable de destruction de notre politique familiale, encore aggravée par la préférence organisée dans notre dispositif social en faveur des retraités et au détriment des jeunes [2]. « Le mélange », pour reprendre l'expression de J.-P. Chèvement, n'est rien moins que dévastateur...

---

1. *Le Point*, 13 décembre 1997.
2. Je reviendrai plus loin (v. p. 282 et s.) sur le déclin de la branche famille au détriment des dépenses de santé et de retraites.

L'avenir

Dans les mois qui viennent, la France devra finir par trancher sur ce dossier. Comme souvent, elle laissera à d'autres, c'est-à-dire à l'Europe, le soin de le faire. L'immigration devenant le parfait symétrique de la monnaie, si j'ose ainsi m'exprimer.

De même en effet que la monnaie unique forcera, via Maastricht [1], les réformes de structure que la classe politique française a été incapable de mener toutes ces dernières années, de même, les dispositions contenues dans le Traité d'Amsterdam du 2 octobre 1997 vont-elles confier à terme (dans 5 ans) les décisions essentielles sur la politique d'immigration aux instances européennes. Par le jeu de l'article 73 du Traité, les visas, le regroupement familial, les conditions d'entrée et de séjour, le droit d'asile seront « communautarisés » c'est-à-dire décidés à la majorité qualifiée du Conseil européen, sur proposition de la Commission (qui deviendra ainsi le seul architecte de cette politique), après consultation du Parlement européen. Exit donc les Parlements nationaux... et nos débats idéologiques.

Le paradoxe est que ce transfert massif de souveraineté (sur une mission régalienne s'il en est puisqu'il s'agit de contrôler les entrées et le séjour sur le territoire national) ait été consenti par Lionel Jospin (et par Jacques Chirac) alors même que le Gouvernement préparait son propre projet de loi sur l'immigration lequel est infiniment plus laxiste que l'ensemble des autres législations européennes (s'agissant de l'accès aux prestations sociales, du droit d'asile et du regroupement familial entre autres). Autrement dit, signe que toute l'affaire était bien une opération politique visant une fois de plus à « stimuler » le Front national et à affaiblir l'opposition républicaine, le Gouvernement Jospin savait pertinemment que sa loi (la 27e modification des ordonnances de 1945 et la 2e au cours de cette année 1997) n'aurait au mieux qu'une durée de vie de 5 ans...

Comme prévu, le Conseil Constitutionnel, saisi conjointement par le Président de la République et le Premier ministre de la conformité du Traité d'Amsterdam avec notre Constitution, a conclu en décembre 1997 à l'inconstitutionnalité des dispositions du Traité s'agissant de l'immigration.

Conséquence : si la France persiste dans ses intentions de ratifier le Traité il lui faudra préalablement amender sa Constitution, ce qui, aux termes de l'article 89 de notre loi fondamentale, dans un premier temps exigera un vote dans les mêmes termes du projet de révision par chacune des deux Assemblées, suivi d'un référendum... sauf si le Président de la République en décide autrement. Dans ce cas, le projet de révi-

---

1. V. plus haut, p. 114 et s.

sion est adopté à la majorité des trois cinquièmes par le Parlement réuni en Congrès.

Le référendum est donc la règle, le Congrès la prérogative du chef de l'Etat : le Président restant seul maître de sa décision. A la date de remise de ce manuscrit, le Président n'avait pas encore tranché.

Pour ma part cependant, il me paraît inévitable, compte tenu de la masse des flux migratoires prévisibles en direction de l'Europe dans les décennies à venir, que le problème de l'immigration ne puisse être sérieusement traité qu'à partir d'une étroite coordination des différentes législations nationales existant en Europe sur la nationalité et les conditions d'entrée et de séjour des étrangers. Ce que la France a d'ailleurs commencé à faire en mettant en œuvre l'accord de Schengen en 1992-93. Au point de laxisme et de désorganisation où en est arrivée la législation française, après l'adoption des lois Guigou et Chevènement fin 1997 et début 1998, et compte tenu du fait que ces lois, beaucoup plus généreuses que celles de nos voisins, risquent de concentrer sur notre pays l'essentiel des flux en direction de l'Europe, mieux vaut me semble-t-il une harmonisation européenne dans un sens plus restrictif (et si possible avec un système de quotas), que l'incohérence des législations européennes actuelles. Mon inclination serait donc de jouer les dispositions du Traité, à la condition bien sûr qu'un futur Gouvernement français sache enfin prendre la mesure du problème... et de ses responsabilités.

CHAPITRE 10

Le mirage de la démocratie locale :
la décentralisation ratée

De la théorie à la pratique

Il est impossible de prendre toute la mesure de notre système éta-tique – et de ses dysfonctionnements! – sans faire entrer à ce stade dans notre équation la question essentielle de la décentralisation.

Celle-ci repose au départ sur une ambition généreuse : celle d'une « décongestion » salutaire de la société française, mise à mal par des pouvoirs accaparés par l'administration centrale, dont la puissance aveugle conduirait les acteurs locaux à subir des diktats absurdes, et à voir leurs initiatives ignorées ou bridées.

La décentralisation est ainsi fondée sur la conviction d'une impuis-sance de l'Etat à se déconcentrer effectivement, et sur la nécessité de créer ou de développer de nouveaux « centres d'impulsions » que seraient Communes, Départements et Régions, ainsi que de nouveaux établissements publics « ad hoc », placés sous leur tutelle.

Elle repose enfin sur la volonté de restaurer le dialogue réputé rompu entre l'Administration et les citoyens, en substituant au fonc-tionnaire d'Etat devenu intouchable à force d'éloignement de la struc-ture politique centrale, le fonctionnaire local, mieux éclairé des réalités du terrain et soumis à l'autorité directe d'un élu local, responsable poli-tiquement devant ses électeurs de ses actes et de ceux de ses subordon-nés.

Se superpose à ces arguments de portée technique, une revendica-tion plus profonde et plus symbolique : la reconquête (ou plus simple-ment la reconnaissance) d'une identité locale presque « martyrisée » par deux siècles d'indifférence républicaine.

En bref, la décentralisation devait fournir au pays la solution à notre mal étatiste, en même temps qu'une grande ambition nationale : la refondation de notre démocratie en la rapprochant des désirs du citoyen. Il y a vingt-deux ans, Alain Peyrefitte concluait ainsi son fameux *Mal français* : « Dotons le département d'un exécutif élu responsable devant cette représentation renouvelée : une municipalité départementale, ou " directive ", véritable ministère local qui préparerait et exécuterait ses propres délibérations... La règle devait être que le département gère et que l'Etat contrôle ; l'Etat ne gérerait plus que par exception. Alors que pour le moment, la règle est que l'Etat fait tout, et l'exception qu'il laisse quelque chose. Quant à la région, elle continuerait à être le cadre où s'élaborerait la planification régionale, les harmonisations nécessaires et les entreprises communes. Tâchons de concilier région et département, au lieu de les dresser l'un contre l'autre. »

Aujourd'hui encore, tant au sein de la classe politique, que parmi les commentateurs de notre vie publique, l'on trouve peu ou pas d'adversaires de la décentralisation (en tout cas peu d'avoués). Qui aujourd'hui oserait remettre en cause le principe de libre administration des collectivités locales ? Qui oserait revenir sur les pouvoirs souvent considérables désormais aux mains de nos nouveaux notables républicains ? Et pourtant, pour qui veut bien s'aventurer hors du terrain des principes toujours généreux pour observer le « terrain » tout court, l'analyse des faits conduit à une tout autre conclusion : le système marche mal, et même très mal ; la décentralisation n'a fait qu'ajouter un volet local pléthorique et fort dispendieux à notre religion de l'étatisme : au lieu de libérer le citoyen, elle l'enserre dans de nouvelles contraintes, y compris économiques ; au lieu d'ouvrir notre classe politique sur la société, elle a reconstitué ici et là de véritables baronnies féodales, dont certaines dérapent trop souvent hélas dans le gaspillage des deniers publics, voire dans des malversations.

Pas un mois ne passe en effet sans que soient apportés les plus nets démentis aux mérites supposés de la décentralisation, à l'efficacité de la gestion des affaires publiques déléguée dans un cadre communal, départemental ou régional. Pas un mois, sans qu'éclate tel nouveau scandale sur la gabegie des deniers publics, voire sur une nouvelle affaire de corruption.

Proximité ? Si les élus et les fonctionnaires locaux sont « visibles », ils n'en sont pas moins réputés appartenir à une « sphère de pouvoir » éloignée des préoccupations de leurs « administrés ». Lorsqu'un blocage survient, personne ne fait la distinction entre les fonctionnaires de l'Etat et ceux des collectivités locales, surtout lorsqu'ils appliquent les mêmes règles, ou utilisent les mêmes méthodes de travail ! Il en va de même d'ailleurs pour la feuille d'impôt : l'expérience montre (et Alain Juppé l'a appris à ses dépens) que le citoyen ne fait pas la différence (et cela se comprend !) entre l'impôt « national » et ses impôts locaux. Lorsque le Premier ministre de l'époque annonça solennellement en 1996 une baisse non négligeable de l'impôt sur le revenu (la première depuis vingt ans !), mais que cette bonne nouvelle fut malencontreusement suivie quelques jours plus tard par l'annonce d'une augmentation sensible des taxes locales, l'immense majorité des citoyens eut l'impression d'avoir été flouée une nouvelle fois ! Impression fondée, d'ailleurs : ce que l'Etat lui concédait d'une main, l'Etat le reprenait de l'autre...

Efficacité ? Le doute est ici plus flagrant encore.

Les collectivités locales ont rarement été autant mises en cause dans le gâchis d'argent public. Si les accusations de dépenses inopportunes ou de gaspillage sont toujours formulées à l'encontre des pouvoirs publics quel que soit leur statut, elles n'épargnent pas, loin de là, les choix de gestion des collectivités locales.

Responsabilité ? Depuis le début des années 90, la gestion locale est le lieu de tous les dangers. De multiples « dérapages » ont été imputés aux élus locaux dans l'exercice de leurs fonctions. Ils concernent aussi bien des erreurs commises de bonne foi que des attitudes scandaleuses, mais accréditent l'idée selon laquelle la fonction politique locale est naturellement corruptrice. La responsabilité politique des élus apparaît vaine face à la multiplication des affaires, qui laissent l'électeur désemparé face aux accusations de corruption lancées par les oppositions locales, auxquelles répondent les accusations de calomnie lancées par les élus en place. Le citoyen, là encore, ne s'interroge pas sur l'origine locale, ou nationale du mal : le « tous pourris ! » s'applique uniformément à l'ensemble de la classe politique, confortant l'impression que la République entière est gagnée par le mal.

La maladie du système de décentralisation à la française tient, pour l'essentiel, à l'aspect ambigu des règles mises en place depuis une vingtaine d'années, et que les lois de décentralisation du début des années 80 sont loin d'avoir clarifié. Au contraire.

Un système inachevé

Deux traits principaux caractérisent notre système : son inachèvement, tout d'abord ; le flou des missions confiées aux collectivités territoriales, en second lieu.

L'explication tient là encore à notre histoire : la France a longuement hésité entre jacobinisme et décentralisation. Mais redoutant d'aller trop avant dans la décentralisation, elle a malheureusement choisi une position fâcheuse : se tenir au milieu du gué, ce qui cumule les défauts des deux modes d'organisation, entraînant, on va le voir, l'empilement de strates successives, fort coûteuses et redondantes, de services et de fonctionnaires.

Commencée tardivement, notre décentralisation, n'est pas achevée. Comme le constatait simplement le rapport Picq précité : « Les conséquences de la décentralisation n'ont jamais été tirées. » Aujourd'hui se dressent face un Etat dont les services paraissent amputés d'un certain nombre de leurs prérogatives et de leurs possibilités d'action, des collectivités multiples qui ont hérité de missions majeures de service public sans avoir totalement reçu les moyens nécessaires à leur conduite, moyens politiques, mais surtout financiers.

Système inachevé, la décentralisation est aussi et peut-être surtout victime de l'imprécision de ses finalités. Où commence en effet, et où finit l'ambition décentralisatrice ? Quelle est la ligne de partage entre ce que l'élu local doit faire et qu'il ne peut vraiment accomplir, faute de moyens adéquats transférés par l'Etat, et ce qui ne ressortit en rien à sa mission mais que les collectivités locales, sous la pression du quotidien, ou par volonté d'affirmation politique, cherchent à exercer ? Que doit-il demeurer du ressort exclusif de la République et quelles missions peuvent-elles être gérées localement ? A ces questions, nos institutions comme notre vie publique n'apportent guère de réponses claires. La France, contrairement à bien d'autres démocraties, ne connaît pas, à l'heure actuelle, de théorie des pouvoirs à l'échelon local, permettant d'attribuer sûrement et rationnellement ce qui ressortit à l'échelon décentralisé et ce qui demeure prérogative d'Etat. Curieusement, entre Etat et collectivités, le contrat d'union est précis dans le détail, mais flou dans son objet.

Certes la « charte » que constituent les lois de décentralisation de 1982 dénombre de façon précise les obligations légales que doivent remplir les collectivités. Mais on aurait tort d'y voir autre chose qu'un texte pragmatique et... amendable à l'infini. Depuis dix ans en effet, la décentralisation supporte le poids de 70 lois et de 750 décrets nouveaux. Comme le souligne fort justement Jean-Louis Levet[1] : « Quelle collectivité locale – surtout petite ou moyenne – peut se doter des moyens juridiques lui permettant de s'y retrouver dans le maquis des textes existants ? Les préfectures elles-mêmes, n'arrivent plus à supporter l'accumulation de dizaines de milliers de pages de circulaires. »

Au total, c'est de l'absence d'une vision politique claire de ce que devrait être notre démocratie demain, que naissent, avec l'ambiguïté des missions, la gabegie financière et la fuite des responsabilités, autant de caractéristiques trop souvent synonymes, hélas, de la décentralisation à la française.

---

1. Jean-Louis Levet, *Sortir la France de l'impasse, op. cit.*

Le bateau ivre des finances locales

La décentralisation est un chantier inachevé, mais un chantier qui demeure toujours ouvert... et cher. Depuis plusieurs décennies, l'échelon local n'a cessé d'attirer à lui hommes, structures et moyens financiers.

Moyens humains tout d'abord. La première surprise réservée à l'honnête homme qui voudrait savoir combien d'élus, de fonctionnaires ou d'agents contractuels sont aujourd'hui en place à l'échelon local est la difficulté même du chiffrage. Difficulté plus sérieuse encore que celle que nous avions rencontrée un peu plus haut lorsque nous nous étions intéressés aux fonctionnaires d'Etat [1], du fait de la pratique fort répandue – bien que parfaitement illégale – qui consiste à recruter des emplois publics par le biais d'associations locales.

Ce chiffre serait, pour les collectivités locales, de l'ordre de 1 400 000, dont les quatre cinquièmes seraient constitués d'agents communaux. Il a été en constante croissance ces dernières années, mais paradoxalement, c'est avant 1982 qu'il connaît la plus forte hausse (+ 4 % par an, soit un doublement des effectifs entre 1970 et 1984), ce qui démontre l'autonomie de sa croissance, qui n'est pas directement fonction de l'accroissement des missions des collectivités. Le nombre des agents publics territoriaux s'est ensuite accru de 20 % entre 1982 et 1992 [2].

A l'inflation du nombre des agents publics correspond l'explosion des finances locales depuis le début des années 80. A la décharge des collectivités territoriales, une partie non négligeable du problème résulte de l'Etat lui-même qui s'est défaussé de certaines de ses responsabilités (en matière sociale notamment) sur les collectivités, sans toujours accompagner ces transferts de compétences du montant des ressources nécessaires à leur accomplissement. Ainsi, dans de nombreux départements, le transfert de la vignette et des droits de mutation aux Conseils généraux, ne suffit à financer qu'environ la moitié des dépenses en matière d'action sanitaire et sociale (décentralisée depuis 1982), entraînant donc une hausse importante des impôts locaux. Par ailleurs, et du moins jusqu'à Alain Juppé, l'Etat n'a guère montré l'exemple depuis vingt ans en matière de limitation de la dépense publique, et les collectivités locales se sont contentées de lui emboîter le pas.

Si à présent les collectivités locales affichent une situation financière plus saine que celle de l'Etat [3], cette situation est plus apparente que

---

1. V. chapitre 8, p. 177 et s.
2. V. Jean-Luc Gréau, « Comment réduire les dépenses publiques ? Perspectives françaises », *le Débat*, n° 95, mai-août 1997.
3. V. l'audit précité, commandé par L. Jospin, et P. Richard : « Plaidoyer pour les " bons élèves " de l'Audit », *le Monde*, 12 août 1997.

réelle : d'une part les collectivités ont eu massivement recours à l'impôt pour équilibrer leurs comptes, et d'autre part, un tiers des dépenses locales est transféré sur le contribuable national par le biais des dotations versées par l'Etat [1]. Résultat de ce processus indolore pour l'élu local : les dérives sont hélas trop fréquentes parmi les collectivités locales. Trop souvent, celles-ci ont usé et abusé de leurs libertés nouvelles, ce qui a abouti à doter certaines communes de constructions pharaoniques réalisées dans le plus grand mépris de l'intérêt financier des contribuables locaux.

Jacques Blanc et Alain Marzials [2] dressent ainsi la typologie des « sinistres » qui ont pu survenir à ce sujet, et notamment dans l'usage des facilités d'emprunt consenties aux collectivités : « Depuis la loi du 2 mars 1982, les communes bénéficient d'une totale liberté, le contrôle de l'Etat étant exercé *a posteriori*. La capacité d'emprunt des collectivités a été démultipliée, grâce aux nombreux organismes " satellites " souvent créés à cet effet (sociétés d'économie mixte, associations). Dans un contexte d'abondance de la ressource, une offre de prêt parfaitement élastique à la demande a incité les élus, en période de haute conjoncture (1987-1990) à accélérer le rythme de leurs dépenses. A un coût modéré : le regain de la concurrence sur le marché incitait à la baisse des taux, quitte à supporter une érosion des marges. Avec de solides garanties : les compensations financières des compétences transférées de l'Etat, la forte augmentation des produits fiscaux, confortaient la surface financière. »

Cette belle époque a pris fin avec le très net ralentissement de la croissance. Et l'emprunt a constitué le seul moyen d'honorer les engagements précédemment pris. On peut alors démêler l'écheveau des responsabilités. Celles d'élus bâtisseurs, parfois franchement mégalomanes, qui ont jugé que l'explosion des dépenses était infiniment plus payante, en termes politiques, que les vertus de la rigueur de gestion. Celles de fonctionnaires, qui ont tardivement pris conscience des funestes effets de l'exercice d'un tout nouveau pouvoir financier. Celles de banquiers, attirés par l'appât du gain... et confrontés à l'insolvabilité de clients très particuliers...

Les erreurs peuvent elles-mêmes être clairement identifiées.

Il y a les fameuses garanties d'emprunt, accordées à un organisme « satellite » (la commune de Plan-de-Cuques, dans la banlieue de Marseille, doit surmonter des pertes de 60 millions de francs, des dettes de plus de 200 millions de francs, dont plus de 140 garanties : la société d'économie mixte œuvrant théoriquement dans le logement social, n'est contrôlée par personne...).

Il y a le « surdimensionnement » des équipements. On investit à tout

---

1. Jean-Luc Gréau, *op. cit.*

2. Jacques Blanc et Alain Marzials, *les Relations financières entre l'Etat et les Collectivités locales*, LGDJ, 1993.

va... sans réaliser le coût des dépenses induites de fonctionnement. Telle a bien été l'expérience d'Angoulême : un centre de la bande dessinée, un conservatoire de musique, des bâtiments socioculturels (une mini-Maison de la Culture, soit une mini-« cathédrale » à la Malraux), de multiples crèches. Et l'on connaît tel élu, soucieux d'attacher son nom à la réalisation d'un grand projet : en région parisienne, un opéra ou une gare de Train à grande vitesse ; dans le Midi, un gigantesque palais des congrès-opéra, jouxtant un nouveau quartier d'inspiration mussolino-antique. Pour tous ceux-là, la récession qui frappe durement leurs budgets les ramène à de dures réalités.

Il y a aussi les déconvenues commerciales. Et d'abord le mirage des parcs de loisirs. Yerres, dans l'Essonne, devait y accueillir environ 400 000 visiteurs par an, condition indispensable à la rentabilité. Ce fut 50 000... Fleury d'Aude n'a pu ouvrir au public certains équipements mal conçus. Le dossier aussi, mal traité techniquement, ménageait au surplus, de douteuses perspectives financières.

Mais aussi les illusions des sports d'hiver. Trop de petites communes ont souhaité relayer l'action des grandes stations. Elles n'en avaient ni les moyens, ni la vocation.

Encore cette énumération est-elle loin, très loin, de donner une idée exacte de l'ampleur des dérives. La seule lecture de la deuxième partie du rapport de la Cour des Comptes pour 1996 consacré aux collectivités territoriales (soit 120 pages grand format et fort denses !) révèle 10 cas de défaillances dans la gestion, ou bien de méthodes franchement douteuses dans la conduite de grands équipements publics, un peu partout en France [1].

Le plus grave dans tout cela, c'est précisément que de telles dérives continuent à se multiplier, année après année, sans contrôle sérieux d'une quelconque autorité. Si la décentralisation a supprimé la tutelle *a priori* de l'Etat (c'est-à-dire celle des préfets) sur les collectivités locales, la contrepartie de cette liberté, à savoir l'instauration de contrôles financiers et juridictionnels efficaces, au plan local ou national, continue quant à elle de faire gravement défaut.

Sur un domaine très sensible, celui du droit de l'urbanisme, le Conseil d'Etat dressait en 1992 un constat très sévère : « Les illégalités demeurent nombreuses, par exemple pour les décisions d'application anticipée des dispositions d'un plan d'occupation des sols en cours de révision. De même, les observations formulées par les services de l'Etat ne sont pas suivies dans 10 à 20 % des cas, ce qui laisse subsister plu-

---

1. Faute de place, encore que ce rapport mériterait d'être annexé in extenso au présent chapitre, je me contenterai de renvoyer le lecteur au rapport lui-même, lequel cite pêle-mêle les abattoirs publics en Aquitaine, les zones portuaires de Sète-Frontignan (Hérault), le centre de traitement des déchets de Vert-le-Grand (Essonne), l'Opéra-Théâtre de Massy (Essonne), le Festival d'Art Lyrique d'Aix-en-Provence, etc.

sieurs centaines d'actes dont l'illégalité est connue, sans qu'aucune conséquence contentieuse ne soit tirée [1]. »

Les écrans de contrôle ont donc peu ou prou disparu, ou sont notoirement inefficaces : les Cours régionales des comptes interviennent trop peu, et en tout cas trop tard ; le simple contrôle de légalité du préfet, qui, lui, subsiste, est également trop tardif, et faute de moyens, insuffisant [2] ; quant au contrôle politique local, il est par définition même inexistant – on va y revenir – puisque le maire ou le président du Conseil général commandent à la fois l'exécutif local *et* la majorité municipale ou départementale.

En l'absence de contrôle efficace sur l'opportunité et l'effectivité des dépenses, la porte est donc grande ouverte à tous les débordements mégalomaniaques de certains, ou au pur clientélisme politique de certains autres. Résultat : tandis que les impôts locaux flambent, les collectivités locales croulent elles aussi sous les dettes, et c'est le juge pénal qui, en dernière analyse, devient l'arbitre des dérapages les plus visibles ! Au final, et bien que fort heureusement, la majorité des élus locaux fassent leur travail avec beaucoup de dévouement et de rectitude morale, c'est le citoyen, auquel la décentralisation était supposée apporter une démocratie plus proche et humaine, qui a souvent l'impression d'être la victime de nouveaux pouvoirs qui se superposent à ceux déjà omniprésents de l'Etat. Comment s'étonner ensuite de la « crise française » et de la désaffection des Français envers la politique ?

Le pendule de Molière

La France, avons-nous dit plus haut, n'a pas su trancher entre sa tradition centralisatrice et une authentique gestion décentralisée.

Reste qu'une fois amorcé, le mouvement a été suffisamment puissant pour déclencher des forces politiques, des habitudes de pouvoir sur lesquelles il sera fort difficile de revenir, du moins tant que perdurera l'une des causes de notre mal : le cumul des mandats. On voit mal en effet une Assemblée et un Sénat composés en majorité de cumulards, s'amputer eux-mêmes de mandats fort utiles pour leurs membres. A l'Assemblée nationale (élue en juin 1997), 331 députés sur 577 sont également maires, présidents de Conseil général ou régional ; 199 autres sont aussi conseillers municipaux, généraux ou députés euro-

---

1. Cité dans : Rapport du Commissariat Général au Plan : *Décentralisation : l'âge de raison*, Préparation du XIᵉ plan, la Documentation Française, 1993.
2. En Eure-et-Loir, par exemple, le préfet ne dispose que de 15 agents pour « surveiller » 160 communes et a dû hiérarchiser les priorités : marchés publics, délégations de services publics, actes concernant les libertés. (*Le Monde*, le 13 décembre 1996.)

péens... Ce qui laisse 47 députés à plein temps, dont l'auteur de ces lignes. Idem au Sénat : sur 321 sénateurs 262 cumulent un autre mandat local...

En l'absence d'une grande initiative nationale par voie de référendum – que je souhaite – il est à craindre que la coûteuse confusion des pouvoirs que subit notre pays soit donc appelée à perdurer. Tout se passe en effet comme si les fameuses lois de 1982 avaient réveillé les vieux réflexes de féodalité enfouis au plus profond de notre histoire. La France, on le sait bien, ne connaît guère le « juste milieu » cher à Molière. Que le jacobinisme se fissure un peu, et les vieux réflexes de l'Ancien Régime refont immédiatement surface et avec quelle vigueur ! Le pendule, sans qu'on s'en aperçoive, est peut-être déjà passé de l'autre côté.

Jugement excessif ? Albert Malibeau écrit dans son *Système local en France* [1] :

« Au châtelain et au curé royalistes, ont succédé le notaire, le médecin et l'instituteur de la République. La position sociale du notable lui permet de disposer d'un réseau de relations personnelles pour jouer un rôle de médiateur et d'intervention auprès de l'administration... Avec la décentralisation, le notable a acquis une fonction de décideur... La classe des notables occupe aujourd'hui la place centrale dans le système local qu'elle a ravi au Préfet. »

Encore faut-il préciser que ces nouveaux « notables décideurs » ont des pouvoirs considérables, sans égal même dans notre pays.

Mon ancien collègue Pierre Mazeaud, dont on connaît l'exceptionnelle compétence de constitutionnaliste, a coutume de dire qu'un président de Conseil général jouit de plus de pouvoirs que le Président de la République lui-même. La même remarque, qui s'applique également au maire, n'a rien d'une boutade. Dans l'exercice de son mandat, le Président de la République doit en permanence compter avec les Assemblées, et il peut perdre – on l'a vu récemment – sa majorité parlementaire, ce qui déplace alors vers le Premier ministre le centre de gravité du pouvoir.

Un maire ou un président de Conseil général ignorent de telles limites. Ils concentrent entre leurs mains la totalité des pouvoirs exécutifs et législatifs, celui de nommer adjoints ou délégués, celui de reprendre les délégations, celui de lever l'impôt, celui d'engager l'argent public, le tout sans le moindre contrôle *a priori*, et sans contrepoids institutionnel efficace, on l'a vu.

Pour avoir vu ce système fonctionner dans différents départements, et au risque de me brouiller avec certains de mes collègues, je partage pour ma part le jugement de Jean-Louis Levet [2] : « Le notable-élu a recours au clientélisme qui fait de son pouvoir local un véritable sys-

---

1. Montchrestien, 1992, p. 84.
2. *Sortir la France de l'impasse, op. cit.*, p. 265.

tème de gouvernement. Rapports de dépendance entre le patron-notable et ses clients citoyens : le premier accorde au second des avantages particuliers, qui lui apporte en échange son soutien. Il devient ainsi un relais au service de l'élu qui s'assure alors, en les multipliant, un véritable contrôle politique et social de la commune. » Le jeu de clientélisme est au demeurant d'autant plus fort que le tissu économique local est fragile : par son intervention directe (la distribution d'emplois publics bien sûr, ou de telle ou telle aide sociale) le détenteur du pouvoir local pèsera ainsi directement sur le sort de ses administrés. « J'emploie, donc je suis » : la puissance et la popularité d'un maire sont également fonction des emplois publics que l'on peut distribuer, voire du CDD, du CES et demain de « l'emploi-jeunes » Aubry dans tel service municipal ou à l'hôpital public, qui aidera telle famille à s'en sortir ou procurera un travail à l'un de ses enfants. On comprend mieux pourquoi près de 50 députés de l'opposition, souvent maires par ailleurs, s'empressèrent de soutenir la loi Aubry lors de sa discussion à l'Assemblée en octobre 1997... On trouve ainsi en France des villes moyennes ou, peu ou prou, le quart de la population en âge de voter doit quelque chose au maire ou à la municipalité, où le premier employeur est la municipalité, ou l'hôpital local... « Nos employés, sont nos premiers électeurs : multiplions-les [1]. »

La même remarque vaut pour le président de Conseil général qui par le jeu des subventions contrôle ses vassaux, maires ou conseillers généraux du département, qui savent à l'avance qu'ils seront jugés par leurs électeurs sur leur capacité à « ramener » telle subvention du département ou de la région, en vue d'aider telle association, de créer tel équipement ou de pérenniser telle manifestation sportive ou culturelle.

Dans certaines villes, notamment du sud de la France ou en Corse, ce système peut alors déraper, dans l'indifférence générale des services de l'Etat, mais parfois avec le soutien sans faille d'une opinion publique que l'édile local aura su quadriller et flatter, dans de véritables « principautés » proprement maffieuses, voire fascisantes, au sein même de la République : des enclaves parfaitement hors-la-loi, où le potentat local négocie pour son propre compte permis de construire, contrats publics, casinos bien sûr, et jusqu'aux terrasses des cafés, le tout en pleine conformité avec les règles de la décentralisation. Je peux en témoigner pour m'y être un temps frotté... à mes dépens.

Même sans de tels abus, qui fort heureusement ne constituent pas la règle !, un clientélisme efficace, appuyé sur les pouvoirs délégués par l'Etat, assure alors la pérennité de l'élu local (d'où le phénomène bien français de « l'hérédité républicaine » qui permet aux enfants des notables élus de succéder à leurs pères, quand ce ne sont pas les veuves qui recueillent le mandat de leurs maris !) Au total, cette longévité est

---

1. Jean-Luc Gréau, *op. cit.*, p. 121.

largement supérieure à celle du député. Au demeurant, le premier conseil qu'entend le nouveau député une fois arrivé à la buvette de l'Assemblée de la part des anciens, est de conforter son siège en se faisant élire le plus rapidement possible à un poste de maire ou de conseiller général dans sa circonscription, postes qui eux sont réellement synonymes de pouvoir, donc de faveurs (logement, travail, etc.) qu'on pourra accorder à ses électeurs.

Mais le système a également l'immense avantage (pour le notable-élu) de « l'autonomiser » si j'ose dire par rapport à son propre parti politique. Le maire d'une grande ville, le patron d'une région ou d'un département devient alors incontournable. « Pesant » souvent plus qu'un ministre ou qu'un ancien ministre, son avenir électoral se joue sur son nom propre et sa notoriété, plutôt que sur son investiture par telle ou telle formation. Au contraire du simple député sans moyens, le notable local qui réussit est le plus souvent patron d'une Fédération de son parti, et par conséquent un « poids lourd », comme disent les journalistes.

Les effets d'un tel système sont légion et ils sont loin d'être uniformément positifs. En premier lieu, ce type de féodalités se prête naturellement assez mal au renouvellement, au rajeunissement et à la féminisation de la vie politique. Le notable-élu, une fois solidement installé ne sera guère enclin à céder la place... sauf peut-être à son propre fils.

Il peut malheureusement conduire aussi à de détestables dérapages. Faute de contrôles adéquats, la tentation peut être forte de profiter de la position acquise pour servir des intérêts autres que ceux des électeurs... C'est ainsi que la décentralisation eut pour effet de démultiplier la corruption en France, puisque c'est précisément aux niveaux que l'Etat a concédés aux pouvoirs locaux que sont passés la plupart des contrats avec le monde économique : urbanisme, mais aussi marchés publics, concessions, etc. qui souvent se chiffrent en millions, voire en dizaines de millions de francs.

Que tout cela ait été mis en place sans prévoir des rémunérations adéquates pour ceux qui sont chargés de passer de tels contrats et de gérer des budgets à hauteur de plusieurs centaines de millions, voire de milliards de francs, est aussi l'une des causes de notre mal. Un maire de grande ville – occupation à plein temps s'il en est – dispose de 18 000 francs d'indemnités mensuelles. Conseillers municipaux et conseillers généraux touchent des indemnités plus faibles encore. Est-ce à dire que la fonction d'élu doit être réservée à des fils de familles fortunées ou à des « saints » nourris d'abnégation républicaine ? Si les Français ont raison de penser comme l'indique un sondage récent [1] que la « décentralisation a favorisé le développement de la corruption et des clientélismes locaux » (67 %), encore devraient-ils

---

1. Sondage BVA pour *l'Hebdo*, le 8 février 1997.

s'interroger sur les moyens de contrer ce phénomène, y compris en ne considérant pas à l'avance qu'il est inutile de payer convenablement ceux que l'on va élire, puisqu'ils iront tout naturellement « se payer sur la bête »...

Toujours est-il que le mandat local est devenu désormais le premier échelon du *cursus honorum* de la vie politique, et impose à beaucoup de ceux qui en sont les détenteurs, un rythme, un style de vie et un type de rapports avec leurs concitoyens qui les rapprochent de plus en plus d'un élu national. La première délégation donnée au conseiller municipal le fait basculer dans un autre monde, le charge de responsabilités souvent importantes, le met en contact direct avec la complexité administrative et lui confère les vraies joies d'être autre chose qu'un simple citoyen, le faisant aussi accéder à la dignité républicaine de l'élu du peuple.

Même dans une petite ville, la coupure est rude. Placé à la direction d'un service (qu'il aura à cœur de développer, son importance étant raison directe de l'effectif de ses collaborateurs), pratiquant ses premières « interventions » en faveur de tel ou tel de ses administrés (des services qui se refusent rarement) et surtout, devenant le familier des « grands élus » locaux que peuvent être maires, conseillers généraux et présidents d'exécutifs départementaux ou régionaux, l'honnête homme devenu élu aura désormais à coup sûr une nature seconde : il sera (s'il ne l'est déjà) un politique.

Sollicité sur les sujets les plus divers, intronisé médiateur, conseiller, protecteur, avocat de centaines voire de milliers de foyers qui défileront dans son bureau, conscient à la fois de la misère du monde mais aussi (et surtout) de la limite de ses moyens d'action, il s'appliquera à rendre service, tantôt avec sincérité, tantôt par politesse, hésitant à chaque instant à chasser l'importun qui lui rappellera perfidement, au début de l'entretien qu'il a « voté pour lui » (ce qui est parfois vrai).

Parfois sans s'en rendre compte, l'élu local sera désormais, pour ses concitoyens, extrait de la « société civile », celle des citoyens, pour dépendre désormais de l'énigmatique sphère des « pouvoirs publics ». Ce qui aura pour effet, aux yeux de certains, d'inclure l'élu dans ce vaste continuum de pouvoir qui commence au préposé des postes pour finir au Président de la République, et au sein duquel beaucoup ne font que peu de distinctions.

Il faut joindre à cette analyse un facteur psychologique supplémentaire : celui qui est ainsi distingué l'est également au sein de son milieu géographique de naissance, ce qui bouleverse du jour au lendemain tous les rapports qu'il peut avoir avec ses familiers.

On comprend donc que dans ce contexte certains élus locaux aient littéralement « craqué » et se soient révélés, à force d'honneurs, d'évidents mégalomanes. On a appris avec stupéfaction que telle ville de banlieue parisienne disposait de limousines princières, dont l'achat n'a correspondu à aucune des définitions du service public connues jusqu'ici. On a appris aussi les habitudes de certains anciens ministres et présidents d'exécutifs locaux, nostalgiques des moyens associés à leurs anciens portefeuilles, qui ont mis à la charge de leurs concitoyens le financement de leurs anciens avantages ministériels. Tel ancien ministre dans le Gouvernement de Pierre Bérégovoy, a ainsi facturé au Conseil général de son département ses déplacements individuels en avion Falcon 10, et utilisait l'hélicoptère du service départemental d'incendie et de secours pour des vols vers sa résidence secondaire sur la Côte d'Azur ou vers sa commune [1].

Mais les ors de la République ne sont souvent rien face au train de vie somptueux que s'accordèrent naguère certains présidents de Conseils généraux, qui bénéficièrent, et firent bénéficier leurs collègues, d'un système complexe de revenus parallèles. Grâce à la gestion de certaines associations paradépartementales, alimentées par des subventions régulièrement votées en assemblées, les heureux bénéficiaires reçurent, en plus de leurs indemnités de fonction, quantités de dédommagements pour leur présence (supposée réelle) à chacune des réunions de ces organismes créés par leur propre volonté, ce qui aboutit à surmultiplier leurs revenus dans la plus totale discrétion. Le président d'un Conseil général du sud de la France percevait ainsi une rémunération annuelle pour la direction d'une association gérant... les achats de matériel informatique du Département, parfait doublon du service informatique de sa collectivité, mais au fonctionnement duquel il ne pouvait être intéressé.

Au-delà de ces « dérapages » malheureusement trop réels, le problème plus général est celui de l'éloignement existant entre les problèmes concrets de la vie locale et le statut de nombre de ses élus. A côté de centaines de milliers d'élus locaux qui ont souvent pris beaucoup de leur temps pour mener à bien telle ou telle opération, est apparue une nouvelle caste de notables locaux, certes nantis d'une forte légitimité populaire, mais bien plus étrangers à la vie réelle que ne peuvent l'être certains parlementaires, qui, quoique chargés d'un mandat national, continuent à se rendre accessibles à leurs concitoyens.

Au Royaume d'Ubu : le « partage » des compétences entre les pouvoirs publics à l'échelon local

Chantier inachevé, la décentralisation est marquée, dans bien des domaines, par une répartition des compétences proprement kafkaïenne.

---

1. *Le Monde*, le 15 mars 1997.

Connaître aujourd'hui qui fait quoi à l'échelon local n'est plus à la portée de l'honnête homme, mais requiert les lumières de spécialistes.

Un exemple parmi beaucoup d'autres : l'action en faveur des personnes handicapées [1].

Dans ce domaine, tous les partenaires institutionnels sont appelés à intervenir : Commune, Département, Région, Etat, auxquels s'ajoutent les organismes sociaux, partenaires habituels de ce type de politique publique.

Au titre du schéma départemental des établissements et services sociaux et médico-sociaux, et en fonction des catégories d'établissements, les compétences sont soit locales, soit exercées conjointement par le Conseil général et le préfet.

Malheureusement, le schéma ne couvre pas toutes les catégories d'établissement et certains d'entre eux restent de la compétence exclusive de l'Etat. Les compétences sur les établissements sont donc émiettées, une partie seulement de ceux-ci faisant l'objet d'une politique conjointe.

Ces compétences conjointes sont elles aussi soumises à des frontières de compétence, certaines prestations étant prises en charge concurremment par le Département, par l'Etat, par ou un organisme d'assurance-maladie ou d'allocation familiale, ou d'assurance-vieillesse.

L'observateur avisé remarquera qu'aucune logique d'ensemble ne semble transparaître de ces lignes de partage : l'Etat prend en charge les prestations qui relèvent de la politique de l'Etat, les Départements, celles qui relèvent de la politique du Département, sans le moindre critère de fond qui permettrait de les différencier.

Ainsi le Département, qui a pour mission de gérer l'essentiel de l'aide sociale aux handicapés, ne prend pas en charge l'allocation adulte handicapé sur le budget des affaires sociales mais sur celui... de l'agriculture, et voit sa compétence en matière de création d'établissement tempérée par les pouvoirs du Préfet si l'assurance-maladie contribue également à leur financement.

En matière de soins à domicile, la compétence de l'Etat (financement des auxiliaires de vie) s'enchevêtre avec celle des associations ou organismes locaux gérant l'allocation compensatrice pour tierce personne, que pimente la pluralité des organismes assurant le remboursement des soins ; qu'il s'agisse des allocations familiales (intervenant par exception dans le domaine de l'assurance-vieillesse, pour les cotisations vieillesse des personnes assurant au foyer l'entretien d'un handicapé mineur ou adulte) ou de l'assurance-maladie...

Les conséquences de telles incohérences sont hélas lourdes à porter pour les principaux intéressés, les personnes handicapées. « L'éclate-

---

1. Je suis ici le rapport de mon collègue Gérard Cornu, député, au nom de la Commission des Affaires Culturelles, Familiales et Sociales, sur les crédits de l'action en faveur des personnes handicapées inscrits au projet de loi de finances pour 1997.

ment des responsabilités pénalise les usagers car il freine les décisions d'investissement et de placement ou bien a pour effet des orientations vers des modes de prise en charge mal adaptés [1]... » note ainsi Gérard Cornu, le rapporteur des crédits pour les personnes handicapées au cours de la discussion budgétaire pour 1997.

Le cheminement administratif des dossiers est synonyme d'épreuves supplémentaires pour ces personnes et pour les associations qui les aident, mais aussi d'un important gâchis d'argent public. « La multiplicité des intervenants tant sur le plan décisionnel que sur le plan financier ne permet ni une conception cohérente du dispositif, ni la maîtrise de ces coûts », d'où une condamnation polie mais sans appel de l'honorable parlementaire chargé de rapporter ce dossier : « L'ensemble du dispositif en faveur des personnes handicapées, fruit de facteurs historiques, politiques, économiques, nécessite d'être formellement repensé pour retrouver une efficacité digne de l'effort financier que lui consacre la Nation. »

Conçue sans cohérence d'ensemble, sans véritable partage des tâches entre l'Etat et les différentes collectivités territoriales, la décentralisation s'est donc traduite souvent par un empilement de services et de fonctionnaires, source de gabegie financière, d'inextricables circuits administratifs et bien entendu de confusions pour le citoyen. Aux services préexistants de l'Etat – qui ont en fait été maintenus – se sont ajoutés, par strates successives, les moyens mis en œuvre tantôt par la Commune, par le Département ou par la Région.

L'un de mes collègues, Louis de Broissia, également président du Conseil général de la Côte-d'Or, m'expliquait ainsi que l'action sanitaire et sociale est menée simultanément à quatre niveaux différents, ce qui fait que plus personne ne s'y retrouve, ni ne comprend la raison d'être de tel ou tel service. Ainsi :

1. Le « SROSS » (le Schéma Régional des Organisations Sanitaires et Sociales) et le « CROSS » (le Comité Régional des Organisations Sanitaires et Sociales) : présidés par le Préfet de Région, ces organismes décident de la création, de la fermeture ou du regroupement des hôpitaux.

2. La « DRASS » (la Direction Régionale des Affaires Sanitaires et Sociales) est censée instruire les dossiers du SROSS et du CROSS.

3. La DDASS (la Direction Départementale des Affaires Sanitaires et Sociales) sous l'autorité du Préfet du Département, est totalement coupée des organismes précédents et instruit ses propres dossiers.

4. Enfin, à la suite du Plan Juppé, une Agence régionale de santé vient de se rajouter à cet édifice, sans que personne ne sache au juste qui fait quoi, et qui doit remplacer quoi.

Conclusion de mon excellent collègue : « Chacun fait dans son coin

---

1. *Ibid.*, p. 18.

ses comités... naturellement avec les mêmes médecins. » Et d'ajouter :
« On retrouve malheureusement le même type de problèmes en
matière d'équipements routiers, d'écoles, etc. » Ce qui signifie pour
parler clair, qu'il est possible que dans notre pays on puisse laisser dans
un état de désorganisation notoire des pans entiers de l'action
publique, et que l'effort de rationalisation soit si complexe qu'il faille
des pages et des pages de rapports avant que ne puisse émerger un
consensus pour une réforme plus réaliste du secteur concerné.

Ce type de diagnostic est révélateur de l'absence d'autocontrôle du
système même de la décentralisation. Une fois que les compétences
sont éclatées, il devient extrêmement complexe de trouver une personne publique « chef de file » qui sera capable de peser en faveur
d'une remise en ordre des compétences. C'est *in fine* le législateur lui-
même qui sera obligé d'intervenir pour redonner un nouveau visage au
dispositif, s'écartant quelque peu de son rôle naturel de simple coordinateur des pouvoirs locaux.

Economie mixte locale : la responsabilité introuvable

Une des principales critiques adressées au fonctionnement des autorités décentralisées tient toujours à la multiplication des intervenants
financiers pour une même opération, propre à diluer de façon considérable les responsabilités de gestion... et à en augmenter dramatique-
ment le coût pour le contribuable !

Certes, il n'est pas contestable que la pratique des financements multiples soit une réponse adaptée aux coûts grandissants de l'action
publique. Elle témoigne par ailleurs d'un esprit louable de coopération
entre les diverses structures appelées à gérer, chacune à leur niveau de
responsabilité, les mêmes territoires et surtout les mêmes communautés humaines.

En revanche, la coordination de différentes entités publiques semble
fréquemment s'arrêter à un accord sur des mises de fonds initiales, sans
que les profits, tout comme les devoirs qui résultent de ces investissements, soient correctement déterminés par avance.

Le plus souvent, hélas, les intervenants financiers locaux, qu'ils
soient publics ou parapublics, tout en accordant parfois libéralement
des fonds, ne se sentent pas directement engagés dans la réussite des
opérations projetées et manifestent une fâcheuse tendance à se replier
sur eux-mêmes lorsque les résultats ne sont pas au rendez-vous, ou
lorsque bien plus communément, des surcoûts imprévus apparaissent.

Bien des collectivités, en fait de contrôle de gestion, se contentent de
vérifier si le nom et le « logo » de leur commune, de leur Conseil général ou régional, voire de leur établissement de crédit figurent sur les

pancartes, affiches ou plaquettes décrivant l'opération, réduisant ainsi la raison de leur participation, qui devrait être une affaire d'intérêt général, à une affaire de communication institutionnelle. Le fait que « le nom du Conseil général n'apparaisse même pas » dans une manifestation se déroulant sur ses terres, ou du moins pas en caractères assez gros sur des banderoles, condamne plus sûrement l'octroi l'année suivante d'une subvention à une manifestation sportive que la maigreur de son public. Et il vaut mieux risquer l'indifférence des citoyens que l'outrage au service de presse des organismes subventionneurs !

Un parfait exemple de fuite en cascade nous est donné par les difficultés qu'a connues le Festival International d'Art Lyrique d'Aix-en-Provence dans les années 90. Manifestation ancienne et prestigieuse (elle remonte à 1948), le Festival d'Aix-en-Provence s'est trouvé face à une série de problèmes financiers insurmontables, explicables largement non seulement par la baisse générale du pouvoir d'achat des vacanciers, mais surtout par la concurrence de plus en plus forte des nouveaux festivals voisins (comme celui d'Orange, de La Roque-d'Anthéron, etc.).

Face à ces difficultés, la municipalité aixoise initia la création d'une SEM (société d'économie mixte), la SEMETA, réunissant les efforts conjoints de la commune, de l'Etat, et d'autres intervenants comme la Société Marseillaise de Crédit.

La situation catastrophique de cette société fut « épinglée » à nouveau par la Cour des Comptes dans son rapport public de 1996. La Cour relevait pour l'essentiel que « quel que soit le sort réservé à la SEMETA, la pérennité du Festival d'Aix-en-Provence implique une répartition précise des financements et par voie de conséquence celle des responsabilités entre les divers partenaires concernés par cette manifestation ».

L'idée même de « responsabilité » dut faire frémir chacun des intervenants, qui répondirent chacun à la Cour combien leurs responsabilités étaient minces et la charge des autres partenaires en revanche, accablante.

L'Etat plaida son manque de moyens effectifs d'opposition, le ministère de la Culture n'ayant « occupé » dans cette nouvelle structure qu'une fonction de censeur, participant à ce titre aux réunions du Conseil de Surveillance, mais sans voix délibératoire : « C'est ainsi que l'Etat n'a pu s'opposer à des décisions qui ont contribué à alourdir le budget du festival. » Le ministère du Budget choisit quant à lui de porter l'attaque, en soulignant que « la Commune, le Département ainsi que les organes de décision – Directoire et Conseil de Surveillance – n'ont pas assumé l'ensemble de leurs responsabilités dans ce domaine ». De son côté, le maire désigna d'autres responsables : « A la critique imputée au Conseil de Surveillance, selon laquelle les collectivités publiques le composant majoritairement n'ont pas élaboré de projet artistique, le soussigné réplique en soulignant d'une part, que ce n'était pas à elle de le faire, et que d'autre part, surtout, que le Directoire leur en a proposé un (sic). » Et l'édile d'ajouter : « En troisième lieu enfin, les actionnaires publics ou privés n'ont pas manifesté un intérêt important pour la santé de leur société, à l'exception de deux d'entre eux, la Ville d'Aix-en-Provence et l'Etat, ce dernier n'étant même pas actionnaire de la SEM. » Mais *in cauda venenum* : « En tout état de cause, conclut le Maire, c'est à l'Etat, dont l'engagement financier va aller croissant, qu'il reviendra de piloter le Festival, dont la localisation à Aix-en-Provence (re-sic) ne doit pas faire oublier son caractère de manifestation nationale et internationale d'art lyrique... »

Autrement dit : « ce n'est pas moi, c'est l'autre... » Personne ne dirige, donc personne n'est responsable. Notons au passage un affaiblissement subit de la compétence territoriale de la Ville d'Aix-en-Provence, qui semble se demander pourquoi l'Etat a eu la fâcheuse idée de localiser une telle source de déficits à Aix-en-Provence ! A l'inverse des bénéfices en effet, les déficits sont souvent fort mal localisés...

Mais poursuivons. La réponse du Président du directoire de la SEMETA mettra enfin l'ensemble des intervenants à la même enseigne : « D'une façon générale, les moyens finalement accordés furent insuffisants au regard de l'ambition de prestige et de haute qualité voulue par les partenaires publics, alors que ce type d'institution suppose une activité pluriannuelle et d'anticipation. »

En fait, nul ne semble responsable de la santé financière du Festival, dont le prestige fut revendiqué par tous, mais dont la déconfiture actuelle ne l'est par personne. Il va sans dire naturellement que ce type d'exemples abonde, bien au-delà d'Aix-en-Provence, la procédure des SEM ayant connu une prolifération effarante dans toutes les villes de France...

La décentralisation, pour quoi faire ?

Si l'on en croit les termes d'un sondage IPSOS du 5 février 1997, la France, au dire des trois quarts des élus locaux eux-mêmes, reste un pays centralisé. 71 % des élus estiment en outre que la décentralisation est en panne. Ainsi, 49 % des élus locaux considèrent que le transfert de compétences de l'Etat vers les collectivités locales n'a pas été assez important et, comme on pourrait s'y attendre, 95 % de ces mêmes élus estiment que ces transferts n'ont pas été accompagnés de compensations financières suffisantes par l'Etat.

Ce sondage reflète très précisément la réalité : il y a sans conteste de la part des élus locaux de ce pays une véritable attente d'une décentralisation plus harmonieuse, plus équitable et plus achevée, en clair d'un renforcement de leurs pouvoirs, y compris au plan financier.

Mais, en vue de quels objectifs ? Les résultats donnés par le sondage précité révèlent une opinion incertaine – à l'image, serait-on tenté de dire, de la décentralisation elle-même. Interrogés eux aussi sur les effets de celle-ci, les Français dans leur ensemble jugent à 40 % qu'elle n'a eu aucun impact sur leur vie quotidienne, contre 35 % qui estiment cet impact positif.

A la base de cette incertitude de l'opinion, on retrouve bien sûr l'ambiguïté – voire la confusion – de la répartition des tâches entre l'Etat et les nouveaux centres de pouvoirs locaux. D'autant que parmi les missions principales des collectivités territoriales, ne figurent pas les principales attentes des Français en cette fin de siècle. Ainsi, ni la lutte contre le chômage, ni la sécurité des biens et des personnes, sujets de préoccupation prioritaires des Français, ne font formellement partie des attributions principales des collectivités locales. Au mieux celles-ci ne constituent-elles que des missions dérivées.

D'où la tentation naturelle des nouveaux pouvoirs à répondre aux attentes des électeurs, au mépris (pardon de ce réflexe jacobin !) de l'unité de la République, et des pouvoirs régaliens réservés à l'Etat.

Pour être juste, ce dernier est souvent trop content de laisser faire, choisissant le désengagement (notamment pour des raisons financières) au lieu de maintenir ses prérogatives. Ainsi de la prolifération des polices municipales, parfois armées, dont les compétences exactes ne sont pas toujours des plus limpides : complément ou substitut des forces de police nationale et de gendarmerie ? Ainsi également du statut hétérogène des pompiers : mission régalienne, la sécurité incendie est assurée tantôt par des professionnels dans les grandes villes, tantôt par des volontaires en province, et dans ce cas le préfet est responsable de leur emploi, tandis que le Conseil général prend en charge les moyens. Plus choquante encore est la prétention de certaines collectivités à conduire leur propre politique étrangère : tel département du Bassin parisien est célèbre pour sa politique africaine, d'autres régions ou départements n'hésitent pas à dépêcher (et à financer de véritables missions diplomatiques) à l'autre bout du monde... aux frais du contribuable local. Outre les stages de « familiarisation » où des cascades d'élus locaux sont envoyés étudier les charmes administratifs de certains pays exotiques, j'ai découvert à Tokyo l'existence de pas moins de quinze bureaux de représentation permanente de différentes régions ou villes françaises – le tout en dehors de l'Ambassade de France, bien entendu, et hors de son contrôle !

Et puis, bien sûr, il y a l'emploi. Dans un pays où l'on demeure convaincu que l'emploi est une mission qui relève de l'Etat, et où la moitié des foyers vivent peu ou prou de la redistribution d'emplois ou d'allocations publiques, il n'est pas un élu qui, à ce jour, n'ait essayé de conduire une action dans ce domaine, et qui ne s'en soit prévalu au cours de sa campagne électorale. Ceci vaut, naturellement aussi, pour les élus locaux. Là encore, le flou est entretenu par l'Etat lui-même, et l'on a vu successivement tous les grands leaders politiques faire l'éloge d'une action pour l'emploi décentralisé, dont les administrations déconcentrées, mais aussi et peut-être surtout les collectivités locales, seraient les fers de lance. Touchante continuité : Alain Juppé prétendait redynamiser l'emploi en mobilisant les préfets (!), Lionel Jospin et Martine Aubry eux font encore mieux, en faisant recruter une partie de leurs 350 000 « emplois-jeunes » par les collectivités territoriales, lesquelles sont « incitées » à en assurer 20 % du coût.

Mais même quand l'Etat ne fait pas appel à elles, les collectivités locales ne rechignent pas à se mêler d'emploi. Sans doute entraînés par leur zèle, et favorisés en cela par le flou des compétences à la fois légales et financières de leurs actions, certains élus ont été conduits à inventer une nouvelle forme d'interventionnisme public, cette fois dans la vie économique locale, s'engageant le plus souvent dans des opérations aux bénéfices bien risqués. Combien d'assemblées locales se sont-elles ainsi embarquées dans l'achat ou la reprise d'infrastructures commerciales, quitte à rechercher, des années durant, des repreneurs potentiels à des coquilles creuses qu'étaient devenus des entrepôts, des locaux de commerce, des ateliers (voire des fonds de commerce) ? Combien d'entre elles ont-elles réhabilité et bétonné consciencieusement des dizaines d'hectares en rase campagne dans l'espoir providentiel de voir arriver des entreprises ? Combien d'entre elles (je pense à la Lorraine et à certains investisseurs asiatiques) se sont laissé berner : finançant d'abord à grands frais la construction de telle usine, pour la voir ensuite déménager vers une autre destination plus rentable ! La volonté de réaliser des opérations en matière économique n'est pas la seule en cause. On pourrait en dire autant de l'inflation des festivals, dont le catalogue rappelle dans certaines régions la lecture des pages jaunes de l'annuaire, ou de certaines manipulations immobilières malheureuses.

Il est compréhensible que, confrontés à certains désastres économiques, les élus locaux soient tentés d'intervenir. Mais sont-ils pour autant bien inspirés et bien outillés en le faisant ?

D'où vient qu'en France, l'on considère *a priori* que toute structure publique (étatique ou locale) a vocation à intervenir dans l'économie, à devenir employeur ou industriel, en lieu et place du secteur marchand ? Ce qui vient aggraver ici ce vieux réflexe national, est l'irruption d'un autre mythe, renforçant le premier : celui du « développement du territoire ».

Les années 1993 ont connu le renouveau de l'aménagement du territoire, ou, plus exactement du « développement du territoire », terminologie moins statique et qui reposait sur une volonté louable de dynamisation de toutes les régions du pays. L'ambition du développement du territoire n'avait pas au départ principalement une origine économique, mais plutôt une vocation psychologique : celle de la reconnaissance par l'administration centrale et par le législateur de l'identité des échelons locaux, de leur égalité du moins formelle et de la légitimité de leurs particularismes réels ou supposés, élevant à la même dignité l'œuvre des administrateurs locaux.

En pointant l'inégalité réelle des territoires derrière leur égalité formelle, la loi sur le développement du territoire reposait sur un constat évident : la difficulté pour certaines zones rurales de conduire certains services publics dans des conditions correctes, et la nécessité d'assouplir les contraintes légales pour trouver des modes d'organisation mieux adaptés.

Par crainte de ne faire de ce programme qu'une réforme des structures de l'administration, on lui adjoint, et ce de façon peu heureuse, un objectif second : celui du développement économique local.

Une première conséquence de ce dispositif a été, au travers de cette volonté de différentialisme administratif, de faire ressortir du vieux fond de l'Ancien Régime, une complexité administrative inattendue.

Mais la principale source de difficulté réside dans la réapparition d'un climat d'interventionnisme public, surmultiplié par le nombre d'instances administratives nouvelles.

Tout le problème est alors d'en mesurer effectivement l'efficacité, comme le démontre ce témoignage de Michel Crozier : « Nous avons découvert avec stupéfaction que dans une région française moyenne, il y avait une centaine d'institutions qui donnaient des subventions aux entreprises. Or, non seulement, il n'y avait aucune coordination, mais de plus ces institutions se disputaient les clients. Pis encore, aucune étude de marché préalable n'avait été réalisée sur les possibilités de développement et aucune évaluation sur les résultats accomplis n'avait été tentée. Les actions se succédaient au gré des brillantes idées des responsables, sans la moindre continuité [1]. »

Mais il y a pire. Dans la pratique, en effet, ce système a abouti à la prolifération de dispositifs locaux qui ont alourdi encore plus le poids des administrations sur la vie économique locale : chaque situation devant respecter la règle fixée localement, chaque segment d'activités faisant l'objet d'autorisations, le tout aboutissant à rendre plus difficile l'exercice de toute activité qui n'aurait pas été préalablement reconnue.

Ainsi, loin de s'effacer au service de la liberté d'entreprendre, les administrateurs locaux ont trouvé là les moyens d'un interventionnisme accru, d'autant plus fort qu'il s'appuie désormais sur des réalités géographiques et sociologiques.

Si en théorie, le processus recherché de rapprochement entre le pays

---

1. Michel Crozier, *Etat modeste, Etat moderne,* Editions du Seuil, 1997.

« légal » et le pays « réel » dans toutes ses spécificités, présentait des avantages, notamment celui d'ajuster le cadre réglementaire national aux réalités locales, dans la pratique, c'est l'inverse qui en est résulté. En « décentralisant », c'est-à-dire en surmultipliant l'interventionnisme public dans l'économie, nous n'avons fait qu'ajouter une dimension supplémentaire à notre religion de l'Etat... et à notre ignorance de l'économie. Ce faisant, nous avons en fait aggravé cet éternel « mal français » qui consiste à ne voir la réalité qu'au travers du prisme inutile de catégories administratives abstraites. Résultat exactement inverse, par conséquent, aux espoirs qu'on aurait pu être en droit de fonder sur une administration allégée, décentralisée, au service de la vie économique locale, et non l'asservissant toujours davantage.

Pour le malheur du citoyen, le zèle interventionniste de l'élu local, de l'administrateur local, est sans limites ! Pour mieux agir, il voudrait toujours pousser plus avant les critères qui guident son action. Ce faisant, il entrera avec ses concitoyens dans un curieux dialogue, où plus il tentera de rapprocher son action de leur vie réelle, plus il leur compliquera la tâche, les rendra dépendant de ses décisions, sans jamais vraiment parvenir à leur rencontre.

En témoigne le texte délicieux d'un rapport de 1993 de l'Institut national de la Jeunesse et de l'Education populaire [1], qui consacre un chapitre à : « La formation du berger pluri-actif : une approche particulière pour de nouveaux enjeux. » L'auteur vient de remarquer que son association pour la formation a identifié une « formation-action nouvelle » permettant de répondre aux besoins ressentis par les futurs bergers pyrénéens. « Cet exemple illustre tout à fait la nécessité de tenir compte des besoins spécifiques à un territoire et à une micro-société locale. La formation de bergers d'estive pluri-actifs ne concerne que les Pyrénées et les Alpes. Elle doit enfin obtenir sa reconnaissance, sa labellisation comme métier à part entière, alors qu'il correspond à trois BEP différents (berger, maçon, agriculteur). »

Notons qu'il y avait quinze « bergers d'estive pyrénéens » en fonction à la date de publication du rapport cité, et douze en formation, démontrant qu'en matière de finesse des critères d'appréciation, on a pu aller très loin... sans toutefois créer vraiment des emplois. L'auteur fait part de ces difficultés en ajoutant : « Ce type de formule reste limité à une trentaine d'emplois. Il est évident qu'il n'est pas reproductible ailleurs mais combien existe-t-il de domaines, où, de la même manière, des bouts d'emplois pourraient faire un emploi, sans compter les gisements d'emplois spécifiques à un territoire ? (L'entretien des berges des canaux peut justifier l'emploi de trappeurs de ragondins (sic), comme en avait formé la mission locale rurale de R.). Il faut d'abord identifier

---

1. « Les jeunes dans l'espace rural », INJEP 1993, p. 114.

ces besoins puis construire un dispositif de formation original et enfin faire reconnaître la qualification correspondante [1]. »

Le texte que l'on vient de citer pourrait paraître pittoresque, s'il n'était pas le révélateur presque poignant de l'obsession de la bureaucratie française à créer coûte que coûte de l'emploi à la place du marché. Le nerf du problème est qu'à l'évidence, l'intervenant public (qu'il agisse directement ou par l'intermédiaire associatif ou professionnel) ne peut pas se substituer à une demande économique défaillante, et que toute son action est non seulement illusoire mais qu'elle est de surcroît erratique (puisqu'elle dépend du renouvellement de subventions publiques) et fondamentalement malsaine, puisqu'elle vient fausser le comportement des acteurs économiques. Notons par parenthèse que c'est très exactement le même cheminement intellectuel (sic) qui a été suivi par les inventeurs des emplois Aubry. On identifie d'abord les « besoins » : ici « berger pluri-actif », là « cavalier vert » (ou « agent d'ambiance »), puis l'on demande aux contribuables de financer l'« emploi » ainsi « créé ». L'imagination de nos technocrates est décidément sans bornes... La ponction fiscale des ménages et des entreprises aussi, hélas !

Dans le cas des collectivités locales, le caractère illusoire de telles mesures est plus évident encore. D'abord parce que le fait que l'Administration détecte des « besoins » ne suffit pas à conclure à l'existence d'une demande économique, qui ne pourrait perdurer autrement que par la hausse continue des impôts locaux.

En second lieu, parce que le constat d'une économie locale qui ne crée pas d'emplois ne doit pas conduire à mobiliser toute l'administration locale pour créer plus ou moins artificiellement des « bouts d'emplois », mais à inverser le processus fatal qui supprime des emplois normalement connus, en allégeant charges, impôts et procédures administratives qui pèsent sur l'entreprise et ses salariés, plutôt que de faire l'inverse.

En troisième lieu, parce que le métier d'une administration locale n'est *pas* de gérer l'économie. La plupart des dispositifs proposés par ces administrations sont des constructions artificielles, littéralement plaquées sur le réel, au moyen de contreparties financières pour ceux à qui elles s'adressent (contrats locaux aidés, « coup de pouce » de la mission locale pour l'emploi...), sans effets durables sur le tissu économique local.

Non, décidément, les collectivités locales ne pourront être une armada administrative au service d'une cause économique ! De même lorsque l'on parle d'une mise en réseau des collectivités locales (en particulier des Régions) pour la « conquête » du marché communautaire, on leur assigne un rôle qui les fourvoie et excède largement leur pou-

---

1. *Ibid.*

voir. L'enjeu européen se jouera dans l'entreprise, grâce aux hommes qui la composent, grâce aux technologies qu'elles sauront créer, et non en musclant jusqu'à l'exagération des milliers d'organismes de gestion publique.

Ce que les entreprises peuvent attendre des collectivités locales est simple : des garanties juridiques et fiscales plus affirmées, l'assurance du maintien en l'état ou du développement des infrastructures dans la limite des besoins effectifs, plus que des « coups de pouce » désordonnés et sans lendemain, ou des effets d'aubaines sur des zones provisoirement défiscalisées.

Il faut parler franchement : ce n'est pas à Mende que se construira, à coup de subventions et de zones franches, la future Silicon Valley européenne, pas plus que le ministère de la Fonction publique ne pourra installer ses locaux dans une vallée des Alpes...

Pour une théorie des pouvoirs locaux

Au terme de cette brève analyse, on peut relever un certain nombre de lignes de force qui résument bien la situation actuelle dans laquelle se trouve la décentralisation.

1. Il existe bien un large mouvement de décentralisation, qui a drainé avec lui personnel, financement et activités administratives en tous genres. Mais ce mouvement apparaît encore largement brouillon. Derrière l'apparente rationalité de l'organisation administrative locale (Communes, Départements, Régions) se révèlent de multiples hésitations sur la finalité même de l'ouvrage à bâtir, qui se manifestent clairement dans la difficulté d'attribution des compétences.

2. Les souhaits du public, à la recherche d'une administration plus proche et plus simple, se heurtent à une construction de plus en plus complexe, qui pourrait perdre progressivement, par rapport à l'échelon national, ce qu'elle avait gagné en crédibilité.

3. L'Etat n'a pas trouvé de mode d'intervention spécifique et continue à affirmer sa présence à l'échelon local, n'hésitant pas à faire des collectivités locales tantôt les instruments de sa politique, tantôt le prétexte à son effacement.

4. La France des élus locaux hésite entre une omnipotence affichée et une résignation attristée. Nul ne croit sérieusement qu'un maire, qu'un conseiller général ou régional, puissent créer des emplois et dynamiser l'économie sur commande, et pourtant chacun persiste à le leur demander et eux-mêmes continuent à vouloir être jugés en fonction de ce critère.

Les meilleurs esprits ont appelé de leurs vœux une vaste décentralisation, censée résoudre de nombreux problèmes. De fait, ceux-ci semblent aujourd'hui s'être multipliés. Pourquoi ? Certainement parce qu'on n'a pas voulu véritablement entendre le sens de la demande de décentralisation. Si les Français expriment le désir d'être gouvernés par des hommes « de terrain » et par des structures « de proximité », c'est parce qu'ils souhaitaient certainement avoir davantage de prise sur leur Administration, la rendre plus responsable, bref trouver là une issue à notre maladie étatique. Or c'est exactement l'inverse qui s'est produit : on a multiplié les notables et les centres de décision, tout en déresponsabilisant l'ensemble du système !

Un nouveau processus d'identification politique est ainsi apparu, qui a peu de chose à voir avec la gestion déconcentrée. Il est ainsi légitime de se demander si les alternances politiques à l'intérieur des collectivités constituent en fait la garantie ultime de la bonne ou de la mauvaise gestion. Le jugement final sur les opérations financières que conduisent les collectivités reste peu connu du grand public, et on a vu des maires de grandes villes, dont l'orthodoxie des pratiques de gestion était peu certaine, disposer d'un capital de popularité enviable dans leur cité. On a pu encore, ces dernières années, incarner « l'âme » d'une ville sans être pour cela un technicien hors pair ou un gestionnaire irréprochable. C'est dire que le « gouvernement de proximité » d'une collectivité dépend largement d'autres facteurs que les ratios comptables !

Ne nous y trompons pas : c'est pourtant là que l'enjeu se situe, dans l'émergence d'un pouvoir local proche des citoyens, clair et compréhensible dans ses actions, limité dans ses finalités, au fonctionnement transparent et aux responsables accessibles.

En d'autres termes, c'est maintenant à l'échelon local de démontrer qu'il peut exister un véritable « pouvoir citoyen » qui repose sur des modes nouveaux de participation des Français à la vie politique.

Ce qui suppose, définies brièvement, trois lignes d'action :

1) D'abord, la France ne peut faire l'économie d'un débat net et sincère sur l'attribution de ses pouvoirs locaux.

Il ne s'agit pas là de rouvrir un débat entre on ne sait quelle vision étriquée du jacobinisme d'Etat, lequel serait opposé à une vision idyllique des vertus de la décentralisation, mais bien de trancher ce que doit être la démocratie locale, sous quelle forme doit s'affirmer l'autonomie locale, et quelle doit être la portée exacte du mandat qui devrait revenir aux élus locaux.

Il n'y a aucun drame à confier aux échelons locaux des ambitions importantes, à peu de chose près celles qui dérivent explicitement des textes en vigueur, mais à la double condition de ne point toucher aux grandes missions de l'Etat, qui doivent être les mêmes pour tous les Français (la justice et la sécurité notamment).

2) Il importe ensuite de clarifier l'organisation des collectivités.

Il est plus que jamais nécessaire de faire passer le « rasoir d'Occam » sur notre organisation locale. Je n'ignore pas qu'il est paradoxal de réclamer l'achèvement de la décentralisation par une remise en cause de certaines situations existantes. Mais la France peut-elle encore s'offrir le luxe de quatre ou cinq niveaux d'administration – Communes, Départements, Régions, Etat, Union européenne –, qui plus est, passablement enchevêtrés ?

Il nous faut nous poser la question fondamentale de l'efficacité de chacun des niveaux des collectivités. Seule la commune en constitue la base sociologique irremplaçable, et l'intercommunalité le mode de traitement le plus naturel à l'éparpillement de ses structures.

Départements et Régions constituent, malgré l'ancienneté des premiers et l'avenir des secondes, des niveaux d'administration! qui méritent d'être fortement améliorés. Faut-il en faire un niveau de gestion unique? Je le crois. Sans doute est-il temps d'abandonner le Département trop étroit, pour recentrer les tâches de l'Administration décentralisée sur la Région. Le débat mérite en tout cas d'être conduit autrement que par le bout de la lorgnette d'une discussion d'experts sur le « 49-3 régional ». Formons l'espoir qu'un tel débat pourra se tenir sereinement au lendemain des élections régionales de mars 1998, si possible dans un contexte moins marqué par le cumul des mandats, libérant ainsi les parlementaires de leurs devoirs vis-à-vis des collectivités dont ils sont en général parties prenantes.

De ce point de vue, il est dommage – mais guère surprenant! – que la réforme de scrutin envisagée tant par Alain Juppé que par Lionel Jospin pour les élections régionales, n'ait pu être menée à bien, devant la résistance de nos notables de Droite ou de Gauche. Celle-ci (l'élection au suffrage universel de l'exécutif régional) ne deviendra possible que lorsque le législateur aura choisi entre le Département et la Région, et lorsque aura été remise à plat la distribution des tâches entre l'Etat et les collectivités locales.

C'est aussi sur de nouvelles structures locales que pourra s'appuyer une vraie réforme de l'administration de l'Etat, qui pourra prendre d'autres formes qu'un strict décalque sur des échelons locaux.

3) Enfin, il sera utile de renforcer les modes de participation des citoyens à la vie locale. Non pas en veillant à la représentation, de façon caricaturale, de toutes les catégories d'âge, de sexe, de qualification ou de religion dans des organismes ad hoc, mais en aménageant davantage de possibilités d'associer les citoyens à la décision et à la gestion, voire... en organisant une meilleure rotation des mandats locaux, en dehors de critères strictement partisans.

Ainsi, ce n'est pas seulement pour des raisons techniques mais surtout pour des raisons politiques que la décentralisation revêt dans notre pays le caractère d'un échec partiel. Il n'est donc pas déplacé de croire qu'un vaste effort de modernisation de notre vie politique pourra aussi donner un souffle nouveau à cette grande ambition.

CHAPITRE 11

La République des grands commis

Si l'exception française illustre d'abord notre religion nationale de l'Etat, l'Etat, quant à lui, repose sur une hiérarchie de grands prêtres : la noblesse technocratique issue de « ses » « grands corps ».

Les vrais gouvernants de la France, les quelques centaines de personnages clés qui contrôlent l'Administration, dirigent la plupart de nos grandes entreprises publiques, un bon nombre de nos firmes privées, et dominent nos appareils politiques (de Droite comme de Gauche), en un mot, *l'élite* au sens littéral du terme, est en France pour l'essentiel le produit du même moule : l'Etat.

Nulle compréhension de notre « exception » nationale, de ses forces comme de ses dysfonctionnements, de notre incapacité à débloquer les multiples verrous de notre République immobile, n'est donc possible sans s'arrêter, ne serait-ce que brièvement, sur nos élites si particulières.

Mal français, mal de nos élites...

Ici encore, le poids de l'histoire joue un rôle déterminant dans nos handicaps actuels.

Marquée par l'histoire, la bureaucratie n'oublie pas qu'au XVIe siècle, à la faveur d'un affaiblissement du pouvoir central, elle a fait triompher la patrimonialité des offices. Pour remplir les caisses de l'Etat très sollicitées par les guerres d'Italie, Louis XI puis François Ier créèrent des fonctions nouvelles dont l'exercice était soumis au versement d'un droit. Il en a évidemment découlé un gonflement important des effectifs de l'Administration.

Ces mises sur le marché ne faisait que mimer une pratique déjà établie, par laquelle un officier présentait son successeur à la Chancellerie moyennant une somme d'argent. Cette vénalité des offices fut pleinement consacrée aux environs de 1565, moyennant un prélèvement par le Trésor d'environ un quart du produit de cession de la charge. Une nouvelle dégradation fut consentie par Henri IV, et cette fois sans contrepartie financière : l'hérédité des offices, ceux-ci étant transmissibles par héritage, comme le reste du patrimoine.

De cette histoire fort ancienne découlent trois réalités, trois handi-caps, devrais-je dire, toujours très actuels :

— les affaires de l'Etat sont nobles par essence, alors que les affaires privées, mues par des considérations de profit, sont méprisables. Il est donc préférable, pour un étudiant brillant, qu'il soit littéraire ou scien-tifique, d'embrasser la carrière administrative plutôt que celle des affaires ;

— l'Etat ne peut mal faire. Postulat *ex ante* plutôt que constatation *ex post*, cet adage explique que l'Administration et ses actes soient sou-mis à des tribunaux spécifiques, les tribunaux administratifs, composés de magistrats issus de la même école et du même moule que les fonc-tionnaires de l'administration active [1], soumis à un droit spécifique, le droit administratif, dont le contrôle en dernier ressort appartient à un organisme, le Conseil d'Etat, qui est également le conseiller juridique du Gouvernement et un des plus grands pourvoyeurs de membres de cabinets ministériels ;

— le service de l'Etat est un métier réservé à des spécialistes, la tra-dition pouvant se transmettre de père en fils.

Loin de moi, cependant, l'idée de verser dans un procès démago-gique anti-élitiste. On sait trop de quel côté provient en général ce type d'accusations.

Ce qui est en cause ici, c'est moins le fait que toute société organisée, tout pouvoir, sécrète en son sein une « élite » chargée des postes de commande, que la façon dont notre pays a organisé cette sélection à partir d'un moule unique, étatiste et étatisé, substituant en quelque sorte à la noblesse d'épée ou de robe de l'Ancien Régime, une *noblesse technocratique*, aussi puissante qu'elle est irresponsable, puisque sans contre-pouvoirs et le plus souvent sans sanctions. En France, l'échec des élites est donc d'abord celui de la haute fonction publique.

Fascinée par le mythe égalitariste autant qu'elle demeure profondé-ment une société de castes, la France moderne de l'après-guerre s'est tellement habituée, identifiée même à ce système de pouvoir, qu'elle est incapable aujourd'hui d'en imaginer un autre... même si, de déra-pages en scandales retentissants en politique comme dans le monde des affaires, ce système rencontre aujourd'hui ses premières critiques sérieuses.

Pas un mois en effet sans que soit porté à la charge des « classes diri-geantes » de la haute administration, l'ensemble des maux de notre société : leur manque d'attention aux problèmes quotidiens des Fran-çais, leur mépris de l'alternance démocratique et leur propension à mener sous tous les Gouvernements, de Droite comme de Gauche, la même gestion du pays ; leur volonté d'étouffer dans l'œuf les idées ori-

---

1. Contrairement aux magistrats de l'ordre judiciaire, recrutés par la voie de l'Ecole Nationale de la Magistrature, les magistrats des tribunaux administratifs et du Conseil d'Etat sont recrutés à la sortie de l'Ecole Nationale d'Administration.

ginales au profit d'un prêt-à-penser dont l'échec est patent, leur arrogance et leur suffisance vis-à-vis de nos partenaires étrangers, et surtout, leur caractère de « Nomenklatura » à la française, à l'accès fermé, et qui se réserve pour elle seule le monopole du pouvoir...

Ces élites, d'où viennent-elles ? Principalement du réseau des « grandes écoles » (ENA, Ecole Polytechnique, Ecole Centrale...), spécificité bien française (que le monde ne nous envie d'ailleurs pas [1]), et dont le diplôme constitue l'unique voie d'accès aux grands corps de l'Administration (Inspection des Finances, corps des Mines, des Ponts & Chaussées), que les premiers de chaque promotion ont la possibilité de choisir, et où se concentre « l'élite de l'élite ».

Chacun de ces grands corps essaime ensuite l'ensemble de ses membres à la tête de toutes les directions administratives, les porte dans les cabinets ministériels puis en politique, ou mieux encore, à la tête des grandes entreprises publiques ou des sociétés privées ou privatisées, où l'Etat conserve encore un droit de regard suffisant.

Voit-on se manifester aujourd'hui un simple ressentiment, venu de ceux qui ne sont pas du sérail, vis-à-vis de ces « fils chéris du régime » qui, dès l'âge de vingt-cinq ans, se voient offrir à vie l'accès au pouvoir et aux privilèges ? Ou bien s'agit-il de l'expression plus sérieuse d'une vraie rupture entre un peuple angoissé et en proie à la crise, et des dirigeants qu'il juge aussi éloignés des citoyens, qu'incapables de résoudre les problèmes de la société [2] ?

L'accusation en effet a pris un tour nouveau. Ce n'est pas, paradoxalement, la plus ou moins grande dévotion des élites au pouvoir qui inquiète les Français ; c'est bien au contraire leur trop grande indépendance et leur absolue irresponsabilité qui effraient nos concitoyens. Ils en retirent, non sans bon sens, le sentiment qu'il existe en France un pouvoir absolu, qui se déroberait aux règles du jeu démocratique, qui fait fi de la volonté populaire pour imposer ses propres choix, condamnant les élus à n'être que les cautions impuissantes d'un jeu de pouvoir sur lequel ils n'ont pas prise.

Ainsi le fossé entre le peuple et les « hautes sphères » alimente-t-il le divorce évoqué au début de ce livre entre les Français et la politique, le sentiment de dépossession de leur destin, au profit de puissants à la fois lointains et intouchables.

Ce constat est particulièrement douloureux dans une société qui se

---

1. V. le dossier très dur (mais pas totalement immérité) que consacre *Newsweek* du 9 décembre 1996 à la France. Intitulé ironiquement « *Why brains aren't enough* » – pourquoi les cervelles ne suffisent pas –, le magazine américain détaille les ravages de la technostructure française, y compris en politique.

2. A lire l'intéressant sondage de *l'Expansion* (7-20 déc. 1995), le moins qu'on puisse dire est que les Français n'ont pas la meilleure opinion de leurs élites. Celles-ci sont en effet jugées conservatrices (50 %), peu soucieuses de l'intérêt général (61 %), et responsables d'à peu près tous les maux de notre société, de l'endettement du pays (86 %) aux scandales (84 %) en passant par l'exclusion sociale (78 %)...

veut et qui se dit républicaine. Les Français n'ont-ils pas obtenu avec la Révolution un système de « libre choix » de leurs élites, qui repose sur un certain nombre de garanties de compétence, de dévouement à la Nation et à ceux qui l'incarnent, de respect de la souveraineté populaire ? Le réseau des grandes écoles n'est-il pas la manifestation de ce principe, voulu par les rédacteurs de la Déclaration des droits de l'homme et du citoyen, qui pose l'égalité d'accès aux postes publics « sans autre distinction que celles de leurs vertus et de leurs talents » ?

Tels sont en tout cas les arguments de la défense. Contre les détracteurs du système, ceux-ci opposent le recrutement démocratique des élites, leur soumission à l'intérêt général, leur compétence issue d'une formation de haut niveau.

Ce sont là trois arguments traditionnels que les faits se sont pourtant chargés de réfuter.

De Debré à Jospin : la voie royale de l'ENA

On attribue généralement à Michel Debré la paternité exclusive de l'Ecole Nationale d'Administration. On oublie ce faisant qu'il la partage avec Maurice Thorez et la Gauche communiste...

La haute fonction publique sous la IIIe République était dominée par quelques grands corps de l'Etat (Conseil d'Etat, Inspection des Finances, Cour des Comptes, Corps diplomatique et consulaire...) recrutés par cooptation, en fonction de critères tenant au moins autant à l'origine sociale et familiale qu'aux qualités intellectuelles.

Profondément inégalitaire, entretenant un esprit de caste au double plan social et professionnel, cet édifice n'a pas résisté à la guerre, au cours de laquelle la collusion de bon nombre de ces élites avec le régime de Vichy et l'occupant est apparue en pleine lumière. A la Libération, une profonde réforme devenait indispensable.

D'où l'ENA. Et la création d'une école destinée à sélectionner et à former l'ensemble de la haute fonction publique, qu'il s'agisse des gros bataillons des administrateurs civils, les fantassins du monde administratif, ou des grands corps de l'Etat, les officiers d'état-major destinés à contrôler le fonctionnement du système et, selon les lois immuables du clan administratif, à occuper les principaux postes de responsabilités dans l'Administration.

A des concours de recrutement particuliers organisés par chaque corps, a donc succédé un seul et unique concours, organisé de telle sorte qu'il garantisse une promotion au mérite et non une promotion en fonction de la classe sociale. A l'issue du concours, une formation commune à tous les élèves est censée leur garantir les compétences nécessaires à l'exercice de chacune des missions de l'exécutif. Ce n'est qu'à l'issue de la scolarité, et en fonction d'un classement impartial, que se dessineront les carrières respectives des élèves d'une même promotion.

Dans ce creuset digne des ambitions d'un Jules Ferry, l'élitisme républicain est légitimé, sanctifié, par la garantie de l'égalité des chances et par l'utilité sociale.

L'Ecole Nationale d'Administration a connu après guerre son heure de gloire. Les nécessités de la reconstruction, les traditions jacobines et colbertistes ancrées au plus profond de l'Etat, ont fait des élèves de l'ENA les artisans de l'économie administrée des années 50 et 60. Qu'importent alors les erreurs de jugement ou les mauvaises décisions prises çà ou là : l'Ecole a produit à cette époque des hauts fonctionnaires de très grande valeur ; le taux de croissance de plus de 5 % par an qu'enregistrait notre pays pouvait bien gommer les quelques erreurs provoquées par le système. De plus, les départs des énarques vers le monde politique ou vers le privé ne concernaient qu'une proportion assez faible des anciens élèves.

Tout a évidemment changé avec la crise économique du début des années 70. Parce que s'est alors trouvé remis en cause le cœur même de notre système si particulier qui mêle la politique, la haute fonction publique et le monde de l'entreprise.

Dès lors, l'échec de l'ENA devenait le point de cristallisation de tous les dysfonctionnements du système.

L'ENA repose tout entière sur le sacro-saint classement final. Pour y exceller, il faut délaisser les travaux collectifs (séminaires) au profit des épreuves de classement individuel, participer à des « écuries » et surtout, se couler le plus rapidement possible dans le moule des anciens pour reproduire leur image. Ici, innover, rechercher des solutions réellement efficaces aux problèmes de notre temps compte peu.

Les mêmes « qualités » seront ensuite mises en œuvre dans le déroulement de carrière. Après quelques années d'expérience administrative, il est de bon ton de passer dans un cabinet ministériel, où l'on pourra parfaire ses relations administratives et développer ses contacts politiques. L'énarque recevra pour ce faire le soutien actif de son administration d'origine, qu'il remerciera en veillant à ce que son ministre n'agisse pas contre les intérêts de la corporation. Il est ainsi de tradition que le directeur de cabinet du ministre de l'Economie soit issu de la Direction du Trésor.

La composition sociologique des cabinets ministériels du Gouvernement Jospin est révélatrice des pesanteurs du système. Pour faire pièce à la gestion technocratique, distante et méprisante de l'énarque Juppé, ainsi épinglé à souhait pendant la campagne électorale, l'énarque Jospin et ses ministres n'ont rien trouvé de mieux que de s'entourer de la fine fleur de la technocratie française.

Ainsi, les grands corps de l'Etat, et notamment l'Inspection des

Finances, sont présents en force dans les cabinets ministériels. La Direction du Trésor, que l'on croyait pourtant atteinte au cœur tant les défaillances de sa gestion du secteur bancaire nationalisé avaient été criantes, figure de nouveau aux postes clés : le conseiller économique de Lionel Jospin et les directeurs de cabinet de Dominique Strauss-Kahn et Martine Aubry n'en sont-ils pas issus ?

N'est-il pas symptomatique de relever que le directeur de cabinet du ministre communiste des Transports Jean-Claude Gayssot, est un ingénieur des Ponts – s'appelât-il M. Rol-Tanguy – et que son directeur adjoint de cabinet est un Inspecteur des Finances ? N'est-il pas également symptomatique de noter que le directeur de cabinet du ministre « vert » de l'Environnement Dominique Voynet est un énarque du ministère des Affaires étrangères – fût-il le fils d'Edmond Maire – et qu'ici encore, le directeur adjoint de cabinet soit un Inspecteur des Finances ?

Quant au ministre de l'Economie, à tout seigneur, tout honneur, il ne pouvait décemment confier à un sans-grade la direction de son cabinet. Fallait-il choisir entre la Direction du Trésor et l'Inspection des Finances ? Fi donc, nous prendrons les deux. Avec un zeste d'Ecole Polytechnique pour parfaire le tableau, et un délicieux parfum vieille France, nous avons le personnage idéal : François Villeroy de Galhau, Inspecteur des Finances, ancien de la Direction, où il a notamment été le principal artisan de la mise en place de la monnaie unique avant de continuer cette noble entreprise à la Représentation permanente de la France auprès des communautés européennes à Bruxelles. Est-il seulement de Gauche ? Il serait bien malséant de poser la question. Il saura au moins rassurer les marchés : le grand soir n'est pas pour tout de suite.

D'Artagnan et Aramis

Peut-on pour autant revenir sur la « méthode démocratique » de sélection des élites ? Leur sélection, faite par voie de concours, ouverte à tous sans distinction sociale, constituerait, nous dit-on, la garantie de l'ouverture des sommets à tous les individus, pourvu qu'ils soient brillants, travailleurs et résolus.

Les choses ne sont pourtant pas aussi évidentes. On aurait bien du mal, à la lecture des origines des candidats admis dans nos grandes écoles, à y voir une proportion de fils d'ouvriers ou d'agriculteurs équivalente à celle que l'on rencontre dans notre société tout entière, ou même, pour prendre un critère plus resserré, à celle rencontrée parmi les bacheliers ou les diplômés de l'enseignement supérieur !

Alors que l'ensemble de notre système scolaire et universitaire se démocratisait – en apparence tout au moins [1] –, l'entrée dans les grandes écoles restait fondamentalement réservée aux fils de familles aisées.

Une enquête de la Direction des Etudes et de la Prospective le démontre d'ailleurs : en 1995, un enfant d'origine populaire (père paysan, ouvrier ou artisan) avait 24 fois *moins* de chances qu'un enfant des catégories les plus aisées d'entrer dans une des quatre grandes écoles (Polytechnique, ENA, ENS, HEC). Il en a à la fin des années 1990... 23 fois moins ! Autant dire qu'elles ne sont toujours pas faites pour lui. Dans le même temps pourtant, l'enseignement supérieur s'ouvrait aux familles modestes, et ce même individu, qui au milieu des années 50 avait dix fois moins de chances que ses amis aisés d'entrer à l'Université, n'en a aujourd'hui que quatre fois moins. L'égalité des chances à deux vitesses qu'on a déjà mise en lumière plus haut, joue ici à plein.

Pourquoi s'en étonner ? Tout est conçu pour pérenniser, génération après génération, le pouvoir et les privilèges de notre noblesse technocratique. Donc, pour éloigner les jeunes gens d'origine modeste, y compris les plus brillants, de ces carrières attrayantes : un enseignement de masse diffusant mal l'information, des stages de préparation à Sciences Po (l'antichambre principale de l'ENA) hors de prix, une différence qualitative encore importante entre les classes préparatoires des lycées de province et celles des grands lycées parisiens...

Mais là n'est pas seulement la raison de la faillite du recrutement démocratique des grandes écoles. Leur système de recrutement précoce (entre dix-huit et vingt-quatre ans) est une véritable machine inégalitaire. Tout se joue pour ces jeunes gens à l'âge d'entrée dans la vie adulte, où l'influence du milieu d'origine est la plus forte et la plus évidente. Entre des jeunes parisiens, eux-mêmes fils de diplômés des grandes écoles, habitués à voir à leur table familiale journalistes et cadres supérieurs, et leurs cousins de province et de grande banlieue, dont le quotidien n'est certes pas à la même hauteur, il y aura un écart d'expression, de maintien, de vêtements et d'apparente maturité qui fera la différence. Les premiers sont séparés de leurs examinateurs par l'épaisseur d'une feuille de papier à cigarette, les seconds par tout un monde. Le jury du concours retrouvera les siens à la table d'examen. On n'imagine pas d'Artagnan, arrivant à Paris sur son baudet efflanqué, réussir aujourd'hui au « Grand O » de l'ENA !

Lui-même pur produit de ce système, Laurent Fabius résume en expert ses conséquences [2] : « Sur 800 000 naissances annuelles, 80 bébés dirigeront la Nation quarante ans plus tard à partir d'un critère unique : le diplôme qu'ils auront obtenu à vingt ans. » Exception française, toujours...

---

1. V. plus haut, chap. 9, p. 196 et s.
2. Interview dans *Capital*, août 1995.

Intérêt (général) bien compris...

La dévotion rituelle de nos élites à « l'intérêt général » se révèle tout aussi problématique que le mythe de l'égalité des chances. Pourtant, aux yeux de ses défenseurs, elle ne fait pas de doute : choisies par l'Etat, formées par l'Etat, au service de l'Etat, nos élites ne peuvent par définition rechercher d'autre but que celui que le service public se propose d'accomplir, à savoir la satisfaction de l'intérêt général. Ce raisonnement, dont le caractère simpliste saute aux yeux, a néanmoins une certaine force de persuasion ; il s'ancre en effet sur un des présupposés les plus forts de notre système politique : la séparation radicale existant entre d'une part, la collectivité publique, dont la noble mission est administrative et les interventions économiques purement désintéressées et correctrices de marché, et d'autre part, la nébuleuse des intérêts privés, censés n'être au service que de particuliers [1].

La réalité, cependant, est fort éloignée une fois encore, du mythe ainsi présenté.

La reconstitution des carrières des dernières générations des « grands commis de l'Etat » fait en effet apparaître la très importante perméabilité des secteurs publics et privés, et un intéressant jeu de chassé-croisé auxquels se livrent les intéressés entre leur corps d'origine et les directions des grandes sociétés nationales, des grands établissements de crédit, voire des grands groupes industriels et financiers aux capitaux détenus majoritairement par des actionnaires privés.

Depuis les années 60, un nombre de plus en plus important de hauts fonctionnaires s'en sont allés confortablement, selon l'expression consacrée, « pantoufler » dans d'importantes sociétés privées, au sein desquelles ils pouvaient avantageusement tirer parti de leur carnet d'adresses acquis grâce à leur connaissance de l'Administration comme des organisations politiques. Une étude récente [2] révèle que 58 % de ces « pantoufleurs » passent moins de neuf ans au service de l'Etat (21 % restent moins de quatre ans dans leur administration !).

Embaucher un haut fonctionnaire, pour un chef d'entreprise, ce n'est en effet pas seulement accueillir un cadre de haut niveau, c'est aussi faire sien tout un réseau d'informations et de relations que le nouvel arrivant, pour se faire valoir, mettra immanquablement à contribution. Comment d'ailleurs pourrait-il procéder autrement ? Installé dès son arrivée au sommet hiérarchique de l'entreprise, dispensé la plupart du temps de faire ses preuves au contact du terrain (qu'il n'a d'ailleurs pas ou peu connu au cours de sa carrière administrative), il ne tirera sa valeur ajoutée que de la parfaite connaissance de son administration d'origine.

---

1. Sur l'idéologie française du service public, v. plus loin, chapitre 14.
2. Laurent Mauduit, « L'ère du soupçon », *le Monde de l'Economie*, 4 mars 1997.

Parfois, il s'agit aux yeux de l'entreprise d'un investissement à moyen terme. Philippe Guilhaume [1] le souligne plaisamment : « Au fur et à mesure que s'affirme le pouvoir de la caste (énarchique) dans l'Etat, les entreprises privées sont puissamment incitées à " s'offrir un énarque " ou à offrir à l'énarque provisoirement " écarté des affaires " le refuge confortable et rémunéré dont elles espèrent qu'il se montrera reconnaissant s'il revient aux affaires. » Fructueux échanges, en marge souvent de la légalité, et presque toujours de l'intérêt général. C'est ainsi, par exemple, que nombre de nos grandes sociétés d'armement s'attachent la collaboration de hauts fonctionnaires du ministère des Armées qui négocieront avec leurs anciens collègues des commandes pour leur nouvel employeur. Mais ce système vaut aussi bien dans d'autres domaines : des grands réseaux d'équipement, aux inspecteurs des impôts reconvertis dans le conseil fiscal...

Le phénomène, il faut en convenir, a atteint des proportions considérables. Philippe Guilhaume évaluait en 1993 à plus de la moitié des cent principales entreprises françaises celles qui étaient dirigées par de hauts fonctionnaires issus des grands corps et ayant participé à des cabinets ministériels. Encore faudrait-il ajouter à ces entreprises toutes leurs filiales et celles qu'elles contrôlent de fait par le jeu des participations croisées.

De son côté, Jean-Louis Levet [2] constate que « l'Etat reste le lieu de détection et de sélection principal de dirigeants des grandes entreprises, dans près de 50 % des cas. Ce phénomène s'est même renforcé au cours de ces dix dernières années, alors que 60 % des entreprises étudiées ont changé de dirigeants dans le même temps. A contrario, les patrons qui sont issus de leur entreprise ne représentaient que 21 % des cas. Dans tous les secteurs de l'économie française (industrie, finance, assurance), les grandes entreprises préfèrent sous-traiter à l'extérieur – à l'Etat dans la plupart des cas – le soin de détecter leurs propres dirigeants ».

Le flou entretenu par le système d'économie mixte que supporte la France depuis la Libération, a offert d'innombrables possibilités aux élites administratives de coloniser le monde économique tout en conservant, non sans paradoxe, des dossiers quasiment identiques à ceux de leurs administrations d'origine [3]. C'est ainsi qu'à quelques années d'intervalle, dans la même direction ministérielle, il est donné d'assister à des rendez-vous entre les mêmes fonctionnaires, chacun occupant tour à tour un côté différent du bureau ! La confusion est telle que le juge administratif a dû trancher pour savoir si le fonctionnaire

---

1. Philippe Guilhaume, *la République des clones*, Albin Michel, 1994.
2. Jean-Louis Levet, *Sortir la France de l'impasse*, *op. cit.*
3. Sur les dérives qu'engendre notre système d'entreprises publiques, v. plus loin, chapitre 14.

en place dans une entreprise publique avait occupé son poste pour le compte de l'Etat ou celui de l'entreprise.

Ainsi le Conseil d'Etat dut-il qualifier en décembre 1996 la nature exacte des fonctions du sous-gouverneur du Crédit Foncier de France, Jean-Pascal Beaufret, et examiner si l'intéressé y remplissait un emploi dans une entreprise ayant des activités dans le secteur concurrentiel ou était, comme l'avançait M. Beaufret... détaché auprès de cette entreprise pour y accomplir, au nom de l'Etat, une mission de contrôle ! La confusion des intérêts atteint son comble, quand on ne peut plus affirmer qui agit au nom de qui !

Les exemples sont nombreux et démontrent une pratique ancienne et générale : tel directeur des assurances, passé dans une grande compagnie, tel directeur du Trésor, passé dans un établissement bancaire... Une pratique que la toute récente commission de déontologie chargée de veiller à la bonne moralité des transferts des hauts fonctionnaires, mise en place au mois de mars 1995, n'est pas encore en mesure d'endiguer.

Ne plaignons pas trop vite ces quelques serviteurs de l'Etat destinés, un jour ou l'autre, à quitter ces postes prestigieux. Leur reclassement est bien fréquemment accompagné d'un « plan social » qui ferait rêver bien des cadres encore en place. Au mois de novembre 1995, une des filiales du Crédit Foncier de France, par ailleurs en état de quasi-faillite [1], révoquait un de ses dirigeants, énarque et haut fonctionnaire du Trésor, « indemnisant » le malheureux à hauteur de deux millions de francs ! Lequel n'eut pas vraiment de peine à poursuivre sa carrière, étant généreusement « repêché » par son ministère six mois plus tard.

Admis sur dossier

La compétence des élites issues de très grandes écoles ne devrait pas non plus se démontrer. Au sortir de l'école, elle est établie à vie. Comme le notent Michel Bauer et Bénédicte Bertin-Mourot [2] : « La fascination des Français pour la méritocratie républicaine joue indiscutablement. Mais c'est une constante. Les entreprises françaises ne cherchent pas à sélectionner les meilleurs dirigeants en interne. Tout résulte du diplôme initial. Ces recrues sont forcément bonnes. Elles ont prouvé à vingt-deux ans qu'elles étaient les meilleures, et ce label est collé à vie. Par la suite, elles ne seront jamais jugées sur leur parcours professionnel. » En douter, selon les intéressés, serait d'ailleurs un vrai scandale, signe d'esprits jaloux et obtus : en d'autres termes, digne de

---

1. V. plus loin, chapitre 14.
2. Michel Bauer et Bénédicte Bertin-Mourot : *Les 200. Comment devient-on un grand patron ?* Le Seuil, 1996.

gens qui, par leur incapacité ou leurs limites, n'ont pas pu faire partie de cette élite. Et de pointer autour d'elle, comme meilleure preuve, la grande rareté de dirigeants et d'administrateurs qui ne sont pas sortis du sérail !

Il est vrai que l'inconcevable concentration des élites administratives au faîte de la hiérarchie des entreprises et des organismes publics, mise en place par un système de cooptation parfaitement rodé, donne à l'énarchie l'impression d'être seule dans le monde des sommets... Daniel Gœudavert, devenu président de Volkswagen en 1990, le remarquait non sans justesse : « Ma carrière, je l'ai construite progressivement, et elle aurait été impossible en France, où à partir d'un certain niveau la mafia des grandes écoles ferme tout ; ma pauvre licence de lettres aurait été une tare trop grande. »

Témoignage que confirme l'ancien PDG de L'Oréal, François Dalle [1] :

« Aujourd'hui, si vous ne sortez pas de l'ENA qui n'était pourtant faite que pour former de hauts fonctionnaires, vous ne pouvez pas diriger une grande entreprise. Et si vous en sortez, vous faites partie de l'élite de la Nation... En tant que chef d'entreprise, j'ai ressenti ce poids d'un trop grand nombre de ces arrivistes qui se serrent les coudes pour arriver au pouvoir. Qu'ils se partagent les postes n'est déjà pas normal dans une vraie démocratie économique. Mais ce qui l'est encore moins, c'est qu'ils finissent par tuer le débat en France... »

C'est ainsi, par une démonstration en cercle fermé, que l'énarchie justifie son excellence intellectuelle, et pire encore qu'elle s'en persuade elle-même. La bureaucratie française est en effet profondément marquée par le sentiment de supériorité que confèrent à la fois une sélection très élitiste, la défense contre vents et marées de l'intérêt général (souvent conçu par opposition aux intérêts du secteur privé), et la détention quasi exclusive des pouvoirs exorbitants du droit commun qui ont été consentis à l'Administration au nom même de la défense de l'intérêt général. Si l'on devait résumer l'état d'esprit de la haute fonction publique vis-à-vis des citoyens, on pourrait reprendre l'hommage rendu par Sir Winston Churchill aux combattants de la bataille d'Angleterre : « *Never so much has been owed by so many to so few.* »

Conséquence logique : cette élite de « super-héros » n'accepterait que des critiques venues d'elle-même, et comme par instinct de conservation, elle ne s'en adresse aucune, elle n'arrive pas à trouver un humain suffisamment intelligent à ses yeux pour que ses objections soient retenues. Robert Pistre, DGA de Saint-Gobain, issu du corps des Mines, résume cette attitude en termes lapidaires. A la question de savoir si les grandes écoles pouvaient être mises en cause, il répondait au journaliste de *l'Expansion*, au mois de décembre 1995 : « Ce n'est

---

1. François Dalle : *le Sursaut*, Calmann-Lévy, 1994.

pas par la culture de la médiocrité que l'on pourra progresser. Par ailleurs, même les élèves qui intègrent les grands corps ne sont pas assurés
d'une carrière extraordinaire. Sur dix-sept ingénieurs du corps des
Mines par an, le grand public n'en connaît que trois ou quatre. » On
l'aura donc compris : hors des grands corps point de salut, sinon la
domination des médiocres. Ce dont a besoin l'oligarchie administrative,
c'est d'encore plus de reconnaissance. Le sommet de cette arrogance
fut certainement atteint par Alain Minc, lorsqu'il traça dans un de ses
ouvrages les frontières du « camp de la raison » (sic) solidement protégé par les élites, vouant aux ténèbres extérieures de la déraison tous
ceux qui pourraient s'en éloigner ! Une candeur qui prêterait à sourire
si l'on se trouvait face à un pays imaginaire dirigé par un collège de philosophes émules de Pangloss, mais il s'agit – hélas ! – de la France.

On l'aura compris : une véritable gangue de suffisance enrobe nos
grands commis, et il faudrait bien plus que de simples objections de
principe pour les faire douter d'eux-mêmes. C'est encore une fois aux
faits et aux chiffres qu'il faut recourir, pour pointer la prétendue
« compétence » à l'œuvre dans l'administration de nos grandes entreprises.

Le verdict y est sans appel. Une enquête conduite par le magazine
l'Expansion soulignait que la rentabilité des grands groupes industriels
français était inversement proportionnelle à la présence des fonctionnaires des grands corps aux postes de direction. Les dix grands groupes
les moins rentables sont pilotés à 90 % par des membres des élites (X,
ENA, Normale Sup, HEC, ESSEC, ESCP, Ecole Centrale), et des
« super-élites » (X-Mines, X-Ponts, ENA-Inspection des Finances ou
deux grandes écoles, X-ENA, HEC-ENA). Les dix plus rentables,
n'emploient eux que 40 % d'anciens hauts fonctionnaires et grands
corps, tandis que 60 % de leurs dirigeants possèdent une formation
supérieure (universitaire) sans provenir du sérail [1]...

Quant à l'ampleur des contre-performances réalisées par cette élite,
elle se chiffre dans des proportions colossales dont les montants
échappent au sens commun. *Le Nouvel Economiste* parlait au mois de
janvier 1997 d'une facture pouvant atteindre 200 milliards de francs,
l'essentiel devant bien évidemment être remboursé par le contribuable.

A côté du désastre du Crédit Lyonnais, devenu affaire d'Etat, du
Crédit Foncier, un autre naufrage qui devrait se chiffrer en dizaines de
milliards, pointent des désastres moins médiatiques mais tout aussi
douloureux, et qui concernent le secteur public comme privé : la
banque Worms, l'UAP, sans parler de la Cinq, de la BIAO ou des
4 milliards de perte de la firme Cerus, pilotée par Alain Minc, qui se
reconvertira dans de plus sûres mais non moins intéressantes activités

---

1. *L'Expansion*, 7 déc. 1995.

de conseil. On n'est pas loin de la fameuse « Promotion Titanic » portraiturée par *le Canard enchaîné*[1] !

On m'objectera que n'importe qui peut faire de mauvaises affaires. Certes ! Mais pourquoi cette étrange manie française qui consiste à confier les fleurons de notre industrie à des fonctionnaires ignorants du monde de l'entreprise, et dont le salaire, depuis leur scolarité, a toujours été versé par l'Etat ? Partout dans le monde, les entreprises sont gérées par des managers recrutés à cet effet, voire par leurs créateurs, ou par des ingénieurs ou commerciaux issus des rangs des salariés. Faut-il que nous soyons à ce point marqués par Colbert et ses manufactures royales, que nous considérions comme allant de soi qu'un haut fonctionnaire soit par nature meilleur que tout autre pour lui confier ainsi la création de richesses dans notre pays ! Très rares en tout cas sont les « pantouflards » venus de la fonction publique qui se sont illustrés en créant leur propre entreprise ou en tirant celle qu'on leur donnait à gérer vers les plus hauts sommets. « Un brillant haut fonctionnaire peut parfaitement se muer en un honnête gestionnaire d'une grande entreprise. Mais rien ne le prépare, bien au contraire, à devenir un patron capable de hisser sa firme en première division internationale et de la maintenir à ce rang, tout en obtenant de très beaux résultats financiers », notent avec justesse Michel Bauer et Bénédicte Bertin-Mourot.

En fait, le pire résultat que l'on pourrait reprocher à la haute fonction publique pantouflarde, est précisément d'avoir stérilisé, discrètement mais sûrement, une bonne part du patrimoine industriel français et d'avoir, par conformisme intellectuel, raté l'essentiel de la modernisation de notre outil économique qu'auraient pu entreprendre des dirigeants issus de la hiérarchie interne, ou venus par la force du poignet à la tête d'une grande entreprise ou d'un grand établissement financier.

Où chercher les causes de l'échec de ces élites, qui, en période de crise, peut se muer en aveuglement total ? Une première cause évidente tient à l'impunité à peu près totale dont elles jouissent, même après leurs échecs les plus retentissants. Culturellement en effet, tout autant que statutairement, l'obligation qui pèse sur nos hauts fonctionnaires est une obligation de moyens, non de résultats. L'échec personnel est gommé derrière l'énigmatique apparence du « service de l'Etat » et n'est jamais sanctionné... sauf peut-être par des mutations-promotions. Mais en aucun cas le gestionnaire public qui gère l'argent des autres, et non le sien propre, ne subit de conséquences directes, et personnelles – notamment pécuniaires –, qu'il réussisse ou qu'il échoue d'ailleurs. Même lorsque ces gestionnaires acceptent les risques du secteur privé, ils conservent un confortable filet de sauvetage pour leur propre carrière : le retour toujours possible dans les murs de l'Inspec-

---

1. Le naufrage du secteur bancaire nationalisé est analysé plus loin (v. chapitre 14).

tion des Finances ou d'un autre corps, d'où ils pourront « rebondir » quelques années plus tard, parfois à la suite de services rendus à quelque camarade resté dans un secteur économique soumis à leur vigilant contrôle.

A l'énoncé de ces quelques remarques, on se dira que la cause est entendue. « Faut-il tuer l'élite de la Nation ? », se demandait avec ironie *le Nouvel Economiste* dans l'un de ses derniers dossiers. Il est vrai, en effet, que la tentation est grande de rejeter sur ces hommes l'essentiel de la charge. Mais, la réponse aux problèmes que nous avons soulignés n'est cependant pas si simple...

Une tentation démiurgique

Avançons une hypothèse : dans notre souhait de donner à la République des cadres de valeur, nous avons succombé à une tentation démiurgique, celle de les créer par décret.

C'est une attitude qui, peu ou prou, nous habite depuis plus de deux siècles au moins, et qui est à l'origine, depuis l'époque du Consulat jusqu'à la Libération, de la mise en place de l'essentiel du réseau de nos grandes écoles.

On l'a vu, la création de l'ENA en 1945 n'échappe pas à cette règle. L'époque était alors vouée à un rêve bien compréhensible : dans une France à refaire, celui de la maîtrise des paramètres de l'avenir. Tout comme « l'ardente obligation » que pouvait constituer pour certains la planification, ambition à peine compréhensible aujourd'hui pour nos contemporains, il nous a alors paru nécessaire de fournir à la République son quota annuel d'hommes de valeur, en confiant ce rôle à l'Ecole Nationale d'Administration. C'est ce même sentiment qui aujourd'hui encore anime un Philippe Séguin (énarque lui-même), lorsque s'adressant à la promotion Marc-Bloch il s'exclame : « Cette école, qui est la nôtre, constitue depuis sa création – et singulièrement depuis 1958 – un élément essentiel du bon fonctionnement de notre Etat républicain... A travers l'ENA, c'est bien l'Etat qui est visé [1]. »

Mais outre que l'on peut légitimement s'interroger sur « le bon fonctionnement de notre Etat républicain » actuel, et sans mettre en cause la valeur des élèves ni leur foi républicaine, peut-on réellement créer sur commande publique des hommes de valeur ? L'Etat est-il véritablement capable de sélectionner quelques centaines de personnes, à peine entrées dans l'âge adulte, et de leur apprendre pour paraphraser Louis XIV, leur « métier de Roi » ? C'est, je pense, le fruit d'un taylorisme poussé à l'extrême, quelque peu angoissant même, que de songer

---

1. *ENA Mensuel*, avril 1977.

à fabriquer, dans une démocratie (!), et ce de façon précoce, toute une population de « chefs » sans même se procurer les moyens, dix ans, vingt ans plus tard, d'évaluer leur plus ou moins bonne réussite aux affaires et d'en tirer les conséquences, et surtout, sans donner la possibilité à ceux qui ont fait leurs preuves en dehors de cette sélection initiale, de parvenir aux responsabilités !

Michel-Ange et Meyssonnier

Imagine-t-on ainsi les Princes de l'Italie de la Renaissance, désireux de donner du lustre à leur Cité, plutôt que de faire venir des quatre coins de la péninsule ou même des quatre coins de l'Occident, les artistes les plus illustres, se mettre en tête de créer à grands frais une école publique de peinture, et, triant sur le volet des jeunes gens de vingt ans sur leur connaissance des lois de la perspective, leur donner à vie le privilège de réaliser leurs fresques murales ? A la place de Michel-Ange, Raphaël ou de Botticelli, c'est une armée de peintres pompiers qui auraient peinturluré les plafonds de leurs palais ou celui de la Chapelle Sixtine !

Ce sont malheureusement aujourd'hui les peintres pompiers qui accaparent le pouvoir. Du génie, pas la moindre trace. Comme le note Michel Crozier : « Nous devons réfléchir à ce paradoxe : la France est un grand pays culturel et scientifique, et pourtant, il n'y a plus aucun prix Nobel parmi les enseignants ou les élèves issus de ces (grandes) écoles. En comparaison, le système polytechnique fédéral de la Suisse, ce petit pays que nous traitons de haut, a généré le plus grand nombre de prix Nobel par tête d'habitant au monde. Les seuls prix Nobel français – Pierre-Gilles de Gennes et Georges Charpak – qui ont attiré l'attention ces dernières années, viennent de l'Ecole Supérieure de Physique et de Chimie Industrielle de Paris, qui était considérée comme une école de second rang. Mais ceux qui y travaillent ne sont pas arrogants, sont plus ouverts et savent raisonner différemment [1]. »

Assurés d'occuper les plus hautes places et de ne jamais être inquiets de leur sort, les élèves des grandes écoles n'ont pas à briguer les sommets de l'intelligence (qu'ils pensent d'ailleurs avoir atteints pour la plupart d'entre eux), mais à conquérir les plus hautes places de la société. Ils ne cultivent en rien l'originalité, mais deviennent ce que Philippe Guilhaume a appelé des « clones ». Leur objectif est désormais de coller au modèle de leurs aînés, d'imiter leur brillante réussite, tout en cultivant une pensée des plus conformistes. Il est vrai que la

---

1. A titre de comparaison entre 1946 et 1991 la France obtenait 9 prix Nobel au total contre 136 aux Etats-Unis et 42 pour la Grande-Bretagne... V. Jean-Louis Caccomo, « Les secrets de l'innovation », *op. cit.*

moindre tentative de rébellion intellectuelle pourrait les desservir dans une carrière qui se voudra désormais sans tache.

L'apprentissage de ce que j'ai appelé dans cet ouvrage « la pensée dominante » est à l'œuvre. Elle a pour eux un avantage essentiel : en ne posant toujours que les mêmes questions et en ne renvoyant toujours qu'aux mêmes solutions stéréotypées, elle ne remet pas en cause l'ordre social qui leur vaut carrière, privilèges et prestige.

Il est vrai que cette pensée domine leur mode de formation depuis leur premier jour d'entrée dans les classes préparatoires. La sélection précoce des élites interdit ainsi de faire émerger la moindre expérience humaine authentique, mais oblige au contraire à fixer l'excellence dans la vision stéréotypée des copies d'examen. Michel Crozier le souligne encore : « Comment peut-on penser, au XXIᵉ siècle naissant, que, par souci d'égalité, on va décider de la carrière des gens au travers d'un concours étroit ne correspondant pas au développement des sciences, en jouant sur les demi-points ? Ceux qui ont des qualités essentielles pour l'avenir, de reconnaissance des problèmes, d'imagination et d'intuition se trouvent sinon écartés de tout poste important de responsabilité, du moins fortement pénalisés dans leur carrière. »

Rodés à la langue de bois, ayant réponse à tout car ne maîtrisant qu'un seul système de référence, qui relègue au rang d'affabulation toute approche nouvelle des problèmes, nos jeunes élites ne seront dans leur carrière qu'une mécanique « plaquée sur du vivant » au service de la même idéologie étatiste. Auraient-ils quelque velléité de fantaisie qu'ils la confineraient aussitôt dans leur jardin secret, pour ne point nuire à leur précieux cursus, comme le sous-préfet aux champs de Daudet qui se laisse aller à faire des vers en cachette de ses administrés. Beaucoup de nos grands consensus nationaux – sur l'Etat, les services publics, etc. – que l'on constate aujourd'hui entre tel ou tel ténor de Droite ou de Gauche, auront été forgés quelques années plus tôt sur les mêmes bancs de l'ENA. Difficile dans ces conditions d'insuffler dans ce concert unanime la moindre bouffée d'air extérieur !

Pour avoir moi-même enseigné à l'ENA et à Sciences Po, je sais bien qu'à tout prendre, le système de formation des élites que nous avons mis en place ne « produit » guère mieux que ce que fait le reste de notre système d'éducation : on y retrouvera quelques années plus tard, à peu de chose près, mais sous un vernis plus élégant, la même proportion d'individus brillants et de sots que dans les formations universitaires « ordinaires ». Simplement, on y aura plus sûrement assassiné Mozart que si on l'avait envoyé à l'usine ou dans une étude d'huissiers.

Prenons un peu de recul. En contrepoint de la faillite de notre système de « création » des élites, se dresse un constat bien plus que douloureux : l'incapacité de notre « système » sociétal à détecter, hors de l'appareil étatique, les hommes et les femmes de talent pour demain, et à les propulser sur le devant de la scène. Au sein du système éducatif,

Michel Crozier a bien raison de suggérer un procédé de sélection différent de celui des « concours », « un choix sur dossiers et sur entretiens pour juger de l'ensemble des compétences intellectuelles et humaines d'un candidat ; pour tenir compte, non seulement de ce qu'il sait mais aussi de ce qu'il est et de ce qu'il a fait auparavant. C'est comme cela que ça se passe aux Etats-Unis. Les Américains sont-ils pour autant plus élitistes que nous parce qu'ils acceptent l'arbitraire humain de la relation, quand nous ne croyions qu'à la notation de copies anonymes ? »

En dehors du cadre universitaire, il faut aussi se garder de toute technique abstraite de recrutement, et au contraire, être attentif à ceux qui « émergent ». Mais pas pour en faire des cautions d'un statu quo invariable, comme c'est hélas trop souvent le cas. On ne compte plus le nombre de « personnalités » de la société civile entrées dans les Gouvernements successifs de la République, à qui l'on confie, à grand fracas médiatique, tel rapport ou la présidence de tel groupe de travail et qui se retrouvent, en fait, grâce à une équipe plus ou moins imposée, surveillées de près et ligotées par les technocrates que l'on avait fait mine d'écarter en les nommant...

La République des fonctionnaires

Mais sommes-nous réellement prêts à ce qui serait un véritable bouleversement culturel ? Depuis que le réseau des grandes écoles règne en maître sur nos destinées, s'est mise en place une gigantesque barrière empêchant les hommes d'expérience, les détenteurs du savoir-faire issus de la société civile d'accéder aux responsabilités. Ceci vaut pour l'Administration bien sûr mais aussi pour tout le service public, pour nombre d'entreprises privées également (on l'a vu), et plus tragiquement encore pour la politique, de plus en plus noyautée par la technocratie. Quant aux autres, les nouveaux roturiers, l'organisation de notre structure de pouvoir les aura systématiquement relégués à des tâches d'exécution subalternes, où, à moins qu'ils ne décident de voler de leurs propres ailes, ils resteront confinés.

Les élèves de l'ENA usent d'une boutade qui résume parfaitement la formation « idéale » qu'ils reçoivent : « lire un dossier pendant deux minutes, et en parler pendant deux heures à celui qui a travaillé dessus pendant deux ans ». Le pire étant que cette formation idéale leur conférera ensuite, toute leur vie durant, le droit régalien de régenter la vie de millions de citoyens ordinaires (dont ils ignorent tout), de décider ce qu'il est approprié de faire pour diriger une entreprise (qu'ils ignorent encore plus), quand ce n'est pas de diriger l'entreprise elle-même, voire le pays tout entier...

Excédé par ces pratiques dont je vois au quotidien les conséquences sur le pays, je me demande souvent où est passé le vieux bon sens français : viendrait-il à l'idée de quiconque de confier à un boulanger – fût-il meilleur ouvrier de France – la conduite d'un sous-marin nucléaire ? Ou l'inverse ? Pourquoi faut-il que nous considérions comme allant de soi qu'une toute petite caste de hauts fonctionnaires, le plus souvent débutants, régente ainsi, par le biais des cabinets ministériels qu'ils encombrent, la vie de ce pays malade ? Ou qu'un préfet, ou un magistrat de la Cour des Comptes, soit naturellement plus apte à prendre les commandes d'une grande entreprise où il est parachuté, qu'un cadre qui, lui, sortira des rangs de son entreprise ? Et l'on s'étonne ensuite des aberrations de notre système ? Qu'on se rassure en tout cas : l'énarchie et ses grands corps résistent à tout ; surtout à l'alternance. Le pourcentage d'énarques reste ainsi quasiment inchangé de Jospin à Juppé et de Juppé à Balladur [1]. On respire !

Mais la colonisation de la politique par l'Administration, et surtout par l'énarchie, ne se limite pas – tant s'en faut ! – aux seuls cabinets ministériels. La classe politique française elle-même est devenue une sorte d'annexe de la fonction publique, au point que l'on a pu se demander avec mon collègue Patrick Devedjian, si ce n'est pas « l'Administration qui dispose du Gouvernement » et non l'inverse, comme le stipule l'article 20 de la Constitution [2]. Devedjian a calculé en effet que sur les 16 Premiers ministres qu'a connus la Vᵉ République (Jospin compris), 14 étaient issus de la fonction publique (!), tandis qu'en moyenne plus de la moitié des ministres sont des fonctionnaires. Si les fonctionnaires colonisent les gouvernements et les cabinets ministériels, ils s'installent aussi en rangs serrés sur les bancs de l'Assemblée : ils sont par exemple 241 sur 577 députés (soit 41 % !) dans la législature élue en juin 1997 [3]. Or 70 % des parlementaires ayant fait l'ENA sont devenus ministres...

Mais il y a mieux (ou pire !) : tandis que le statut de la fonction publique élaboré après la Seconde Guerre mondiale repose sur le prin-

---

1. *Le Monde*, 20 juin 1997.

2. « Le Gouvernement détermine et conduit la politique de la Nation. Il dispose de l'Administration et de la force armée. »

3. Maladie très ancienne là encore : en 1840, la Chambre compte 170 fonctionnaires sur ses 450 députés (v. Louis Girard : *les Libéraux français 1814-1875*, *op. cit.* pp. 132-133) ; cette prédominance s'explique à la fois par le cens d'éligibilité très élevé, ainsi que par l'absence d'indemnité parlementaire : les fonctionnaires députés n'exercent plus leurs fonctions, mais continuent à bénéficier de leur traitement et d'un avancement souvent plus rapide que leurs collègues non élus. Autre temps, autres mœurs ? L'Assemblée élue le 1ᵉʳ juin 1997 compte 168 professeurs et 44 hauts fonctionnaires issus des grands corps de l'Etat. Le tout malgré un régime d'incompatibilité, et l'existence d'une indemnité parlementaire. La différence : le fonctionnaire député ne touche plus son traitement en cours de mandat, mais il le retrouvera à la sortie... en même temps que son administration d'origine et son avancement en cas de défaite électorale.

cipe de la séparation garantissant l'indépendance des fonctionnaires vis-à-vis de l'Exécutif, le fonctionnaire devenu responsable politique conserve tous ses avantages de carrière quels que soient les aléas de sa vie politique. En Angleterre, les fonctionnaires qui souhaitent se présenter à une élection doivent au préalable démissionner. En France, les fonctionnaires élus peuvent se mettre en détachement avec droit de réintégration, et le temps du mandat est intégré dans le calcul de l'ancienneté ! Il en va de même en cas de nomination au Gouvernement : tandis que le principe d'incompatibilité défini à l'article 23 de la Constitution obligera un salarié ou un chef d'entreprise à démissionner pour occuper un poste ministériel, le fonctionnaire lui conservera tous ses droits, et les portes de son administration d'origine lui resteront ouvertes après son passage au gouvernement...

Telle est bien notre République des Grands Commis : conçue, dirigée et colonisée par l'Administration, elle est d'abord à son service, avant d'être à celui du peuple !

TABLEAU 11-1 : PART DES FONCTIONNAIRES
DANS LES GOUVERNEMENTS SOUS LA Ve RÉPUBLIQUE

Michel Debré	46 %	Laurent Fabius	50 %
Georges Pompidou	50 %	Jacques Chirac	51 %
Maurice Couve de Murville	48 %	Michel Rocard	70 %
Jacques Chaban-Delmas	43 %	Edith Cresson	63 %
Pierre Messmer	61 %	Pierre Bérégovoy	55 %
Jacques Chirac	53 %	Edouard Balladur	55 %
Raymond Barre	61 %	Alain Juppé	33 %
Pierre Mauroy	55 %	Lionel Jospin	66 %

Source : Proposition de Loi Organique n° 288, 1er octobre 1997, Patrick Devedjian.

On imagine sans peine le degré d'immobilisme auquel on parvient avec un tel système. Tels les prétendants de Pénélope, les Français peuvent attendre longtemps des réformes de la part de ceux qui ne font que retoucher le travail de leurs prédécesseurs, et remettront le métier sur l'ouvrage plutôt que de pousser un peu plus loin la réflexion.

Fondamentalement, si aucune réforme de fond n'a pu être jusqu'à présent entreprise dans ce pays – et par réforme de fond j'entends d'abord la réduction indispensable du périmètre de l'Etat – c'est précisément parce que ceux qui sont chargés d'initier de telles réformes (en politique), tout comme ceux qui seraient chargés de les mettre en œuvre (la haute administration), *ont un intérêt personnel et collectif direct* à ne surtout rien changer à un *statu quo* dont ils sont les premiers bénéficiaires. La noblesse technocratique qui dirige la France est donc avant tout *conservatrice* de l'ordre étatique établi, même si elle sait habiller ce conservatisme, selon l'air du temps, des mythes égalitaristes prétendument républicains, gaulliens ou socialistes.

De ce point de vue, le marécage des lois et règlements constitue la plus sûre protection de ces conservateurs. Le degré de complexité du droit applicable est devenu le meilleur moyen de paralyser tout changement. Toute solution nouvelle, toute innovation, présuppose désormais la modification d'un nombre inconcevable de textes et de règles, ce qui est la plupart du temps non envisageable. Les technocrates de tous les niveaux trouvent là une méthode efficace pour contrôler et pour paralyser leur niveau d'administration, puisqu'en vertu de la règle du parallélisme des formes, c'est celui qui a fait qui doit défaire. Tout feu vert donné à un certain échelon d'une organisation gérée par des technocrates (Administration ou grande entreprise) sera immanquablement suivi de feux rouges au degré supérieur.

On le voit, cet idéal technocratique ne repose pas sur la réussite d'opérations ou la découverte de solutions originales, mais sur une lutte pour le pouvoir qui consiste en grande partie dans le blocage de l'initiative (la plus grande crainte pour un technocrate est d'être dépassé par un pouvoir venu « d'en bas » alors qu'il acceptera fort bien les diktats venus « d'en haut ») et sur le « marquage » incessant des rivaux issus de la même promotion.

Une anecdote, récente, puisqu'elle date de la dernière campagne législative : tous les cafetiers de France (mais non leurs clients) savent, pour en être victimes, qu'un sandwich au jambon consommé dans leur établissement sera taxé à 20,6 % de TVA, mais qu'en revanche, ce même sandwich n'est taxé qu'à 5,5 % à la « sandwicherie » ou à la boulangerie du coin. D'où la prolifération de ce type d'établissements dans nos villes. Au nom de quelle logique ? Nul ne le sait. En revanche, inutile d'essayer de faire bouger les choses du côté de Bercy. Après moult tentatives infructueuses, je soulevai directement l'affaire (politiquement loin d'être négligeable) auprès de l'un des très proches collaborateurs du Premier ministre, à qui je demandai d'aligner la TVA des restaurateurs sur celle de leurs concurrents. Le premier réflexe de mon interlocuteur fut tout naturellement de me renvoyer sur Bercy, avec en prime cette phrase : « On a déjà regardé : cela coûterait plusieurs milliards. Pas question. De toute façon les restaurateurs n'ont pas à se plaindre. » Dommage que ces Messieurs sortent si peu de leurs bureaux : cela éviterait, parfois, de perdre les élections...

Une servitude volontaire?

Que l'on ne se trompe pas de cible pourtant. Ces attitudes, ces comportements choquants, cette assurance sereine selon laquelle rien ne peut troubler leur déroulement de carrière, sont rendus possibles pour nos nobles-technocrates par toute une série de dérobades dont l'ensemble des acteurs de la vie publique sont en partie responsables, que ce soit dans la vie intellectuelle, politique ou économique.

Les universitaires en premier lieu. Reclus dans leur domaine de recherche, dans un magistère qu'ils ont péniblement conquis, ils sont les premiers absents des grands débats qui agitent la vie publique. Quelques points de vue, de « Sirius » ou de quelques grands noms, et qui font l'honneur des quotidiens qui les accueillent, ne compensent pas le désintérêt croissant de l'Université pour la gestion de l'Etat, comme pour la gestion de la vie économique. Quant à la recherche française, terrorisée à l'idée (effrayante, il est vrai!) que l'on pourrait songer à contraindre ses agents à monnayer leur talent, elle est la première à laisser le champ libre à la monotone gestion des élites administratives sur l'ensemble des grandes orientations du pays.

L'objectivité scientifique, le refus de prendre parti (sinon, de façon paradoxale, dans les listes de soutien aux candidats à l'élection présidentielle!), devient parfois le prétexte d'un farouche aveuglement. Attitude d'autant plus regrettable que le prestige de nos scientifiques serait utile pour compenser les prétendues décisions « raisonnables » que la plus haute élite du pays prétend imposer à tous, au nom de son excellence intellectuelle. Il faut aujourd'hui l'audace d'un Maurice Allais (même si je me réserve le droit de ne point adhérer à la totalité de ses thèses), pour oser encore, du haut de sa chaire, dire son mot à l'appareil technocratique dans son ensemble!

Pour le reste, l'heure est au show médiatique. N'y a-t-il pas eu hier quelque chose de choquant à voir se réunir, au mois de février 1997, à propos de la contestation des lois Pasqua et Debré sur les conditions d'entrée et de séjour des étrangers, une étrange coalition formée d'artistes de cinéma, d'étudiants, d'élus, d'enseignants, d'architectes, de journalistes et de diverses autres professions dites intellectuelles, cosignant à tour de bras d'innombrables pétitions contre un texte dont la plupart ne connaissaient pas vraiment le contenu exact? Comme s'il se fût agi, non de dénoncer le « crypto-fascisme » d'un Gouvernement (auquel ils ne croyaient pas eux-mêmes), mais de reprendre un droit à la parole qui leur aurait été ravi (ou dont ils se seraient eux-mêmes défaits) pour renouer avec le très démodé mais très réconfortant mythe de l'intellectuel engagé?

Je me souviens à ce propos d'un débat à RTL, où j'avais en face de moi deux personnalités célèbres et au demeurant fort sympathiques du monde du cinéma : l'un acteur, l'autre metteur en scène. Tous deux étaient férocement contre les lois Debré, aucun ne les avait lues...

Cette fameuse participation des gens d'arts et de lettres aux débats de société, nous nous en sommes nous-mêmes privés, cédant à l'avidité de l'image et de son immédiateté, simplifiant à l'extrême les enjeux pour tenir dans des « fenêtres » médiatiques d'une trentaine de secondes, et reléguant le reste des questions au bon vouloir des gestionnaires de métier [1].

Comment s'interroger sur la bonne gestion de nos organisations complexes, quand le débat de fond rejoint la catégorie de l'indicible, de l'inexprimable, de l'indémontrable, parce que le sujet en cause n'appartient tout simplement pas à la catégorie du médiatisable ! Il y a dans notre société de plus en plus de « zones d'ombre », où le débat est abandonné aux seuls initiés – quand il a lieu. Que l'on ne croie pas pourtant qu'il s'agisse de questions sans importance : la réforme du code de la propriété intellectuelle, par exemple, n'arracha que trois phrases au commentateur chargé de présenter la nouvelle loi. Il y va pourtant du sort que nous accordons à l'innovation.

Et que dire du désarroi du grand public, qui, à l'époque du débat sur la ratification du traité de Maastricht, découvrit d'un seul coup le monde caché de la construction européenne, à propos de laquelle on l'avait bien peu informé, parce que trop « technique » ?

Malgré les rituelles professions de foi en sens contraire, sous tous les gouvernements successifs, la délégation de pouvoir accordée aux technocrates ne fait que s'étendre. Avec une moyenne d'énarques oscillant entre 30 et 40 % des effectifs dans les cabinets ministériels, la caste technocratique conforte sa position. En lieu et place de conseillers atypiques, qui auraient pu aborder la gestion de l'Etat avec un œil neuf, nos cabinets se sont resserrés, avec pour conséquence le fait que leur composition est plus que jamais déséquilibrée : quelques proches du ministre y côtoient un noyau dur de hauts fonctionnaires qui détiennent les rênes du fonctionnement ministériel.

Quant aux politiques, quelles que soient leurs origines intellectuelles, ils semblent se satisfaire de voir leur maison si bien tenue et courent – ainsi le veut le temps – accomplir leur difficile tâche de représentation, sur la base de notes soigneusement édulcorées par nos élites, pour leur éviter, comme nous l'avons entendu dire, des « dérapages » !

Combien de politiques écrivent réellement leurs discours (sans parler des rapports parlementaires...) ? Combien ne cèdent pas à la tentation, (recommandée d'ailleurs par les instances – discipline partisane oblige –, de reprendre les « argumentaires » préparés par le ministre quand on est dans la Majorité (c'est-à-dire par l'énarque du cabinet chargé des relations avec le Parlement), ou par le service des études des

---

1. V. plus haut, chap. 5, p. 132 et s.

partis (eux aussi truffés de hauts fonctionnaires...) lorsque l'on siège dans l'Opposition ?

Jean-Pierre Chevènement a eu cette formule restée célèbre : « Quand on est ministre, on ferme sa gueule ou on s'en va. » Le problème c'est que pour le devenir, mieux vaut « la fermer » aussi. Si l'immense majorité des parlementaires rêve en effet de devenir ministre, le plus court chemin pour réussir passe – et le jeune député le découvre assez rapidement – par « le moins de vagues possible », donc le moins d'idées originales (et encore moins iconoclastes), donc le plus de notes et d'argumentaires plats et neutres qui ne dérangeront personne. Au pouvoir considérable de la technostructure s'ajoute par conséquent la défaillance des politiques eux-mêmes, qui se contentent le plus souvent, par ambition ou par discipline partisane, du rôle de porte-voix d'une politique en fait décidée par les bureaux.

Ainsi, du technocrate qui devient politique par le passage au cabinet ministériel, au ministre qui cajole et laisse faire ses services, en passant par le député qui souvent est lui-même issu de la fonction publique et qui, rêvant de devenir ministre, se contente pour cela de bien « coller à la ligne » du jour, nous avons là un système parfaitement hermétique à toute idée un peu nouvelle, une armure parfaitement au point pour protéger, quoi qu'il arrive, le statu quo.

Vers une nuit du 4 août ?

A l'issue de ces quelques pages, il paraît plus que temps de s'accorder sur quelques remèdes pour amoindrir la domination sans partage de l'élite technocratique sur notre système étatique, et au-delà sur l'ensemble de la société.

S'agissant des grands prêtres de notre technostructure, la première exigence est de prendre d'abord conscience des tentations auxquelles nous avons succombé : celle de faire du service de l'Etat le sommet du détachement du monde, donc de l'impunité ; dans un pays où l'Etat intervient massivement dans le jeu des intérêts privés et engage, sans contrôle efficace, les deniers des citoyens, celle de faire l'économie du « risque » que représente le fait de confier une parcelle de pouvoir à un homme capable, pour créer *ex nihilo* une armée de « clones » supposés nantis de toutes les vertus ; de croire à la formation initiale, plus qu'à l'apprentissage du savoir-faire, ce qui depuis au moins quatre siècles nous fait passer aux yeux du monde pour un peuple de doctrinaires sans une once de bon sens ; de penser que les hautes sphères de l'Etat sont le toit du monde, alors qu'il existe d'autres sommets aussi difficiles à gravir, et qu'un bon administrateur n'est pas forcément un bon homme d'entreprise ; de perdre enfin toutes nos illusions sur la possibilité d'un vrai changement de système, alors que tout, autour de nous, appelle au changement...

Si nous apprenons à nous défaire de ces réflexes tellement hexagonaux, le contrepoison consistera en un ensemble de mesures, finalement assez simples et évidentes : supprimer, tout d'abord, le système des classes préparatoires, et ouvrir les portes des grandes écoles aux diplômés d'Université nantis d'une première expérience professionnelle ; faire éclater les monopoles d'accès aux grands corps, en procédant à des concours autonomes ouverts à des candidats aux profils les plus divers ; de façon générale, reconnaître la supériorité de certaines formations continues sur les formations initiales, en instaurant ce fameux « droit à la seconde chance » dont la France est si avare.

Faire en sorte aussi que cesse cette terrible cooptation des chefs à partir des parchemins obtenus à vingt ou vingt-cinq ans. Le moyen simple : ne recruter les inspecteurs des Finances (pour ne prendre que cet exemple) qu'à trente-cinq ans, et non vingt-cinq, après dix ans d'expérience dans les différents ministères.

Quant à l'ENA, je ne suis pas certain que cette école – sas unique et obligé aux grands corps – ait encore sa justification en cette fin de siècle. Est-on réellement si sûr que la France qui doit impérativement se désétatiser ait encore besoin de se fabriquer, année après année, une super-élite de brillants esprits coupés de l'économie réelle ? Pourquoi faut-il que seuls des hauts fonctionnaires dont la formation est aux antipodes de la gestion d'entreprises, soient encore les seuls appelés à gérer un système étatique en état de semi-faillite permanente ?

Si l'on pense, comme c'est mon cas, que l'Administration, l'Etat, les services publics doivent absolument introduire dans leur mode de gestion des règles élémentaires de saine gestion financière, ne serait-ce que par respect pour l'argent public, alors la tâche de gérer l'Etat devrait revenir à des managers formés pour cela, non à des administrateurs civils...

D'où cette recommandation : pour avoir enseigné aussi bien à l'ENA, je l'ai dit, qu'à l'INSEAD, je préconiserai de choisir la seconde pour former nos responsables publics de demain... et de supprimer la première par mesure d'économie – pour ne pas dire plus !

Au-delà des problèmes de formation, deux règles essentielles me semblent également indispensables pour apurer notre système et éviter les risques de « consanguinité » dont on a vu les ravages ces derniers temps : tout d'abord interdire aux hauts fonctionnaires de réintégrer leur corps d'origine dès qu'ils entrent dans le secteur privé, en les contraignant à démissionner de la fonction publique à bref délai ; en second lieu, couper définitivement le cordon entre la fonction publique et la politique. Si l'on ne saurait interdire (au nom de quoi d'ailleurs ?) l'entrée en politique de fonctionnaires (« hauts » ou « bas »), du moins peut-on exiger de ceux-ci qu'ils renoncent à leur « parachute public » dès leur déclaration de candidature à un mandat électif, voire dès leur élection. Cela aurait l'avantage de placer les candidats à la vie publique sur un pied d'égalité, et éviterait que peu à peu, la vie politique en France ne soit réservée qu'aux « *happy few* » libérés de tout souci matériel, qu'ils soient fils de famille... ou fonctionnaires.

CHAPITRE 12

Changer de République : l'indispensable réforme de l'Etat

Dès le début de cet ouvrage, j'ai insisté sur l'idée, à mes yeux fondamentale, selon laquelle le préalable à toute réforme sérieuse dans le pays, qui le sorte de sa déprime et de son marasme social, politique et économique, passera impérativement par la réforme de l'Etat.

Il y va d'abord de notre projet collectif de société : à moins d'un changement radical de logique qui mettra un terme à la consolidation permanente de cette dictature étatique molle qui contrôle désormais la Nation tout entière, au nom de droits collectifs (« sociaux ») sans cesse exigés, sans cesse accordés [1], il est hors de question de voir un jour notre démocratie redevenir le lieu du libre épanouissement de l'homme et du citoyen. Sauf à entreprendre avec courage le travail si difficile de réduction de la taille de l'Etat, du choix des missions qu'il devra conserver, et de celles qu'il devra rendre à la société civile, nous nous résignerions alors, pour citer Benjamin Constant, à laisser l'Etat « s'emparer de nous dès les premiers moments de notre vie... régler nos moindres mouvements, présider à la diffusion des lumières, au développement de l'industrie, au perfectionnement des arts, conduire comme par la main la foule aveugle qu'il faut instruire, et la foule corrompue qu'il faut corriger ».

Réformer l'Etat, en second lieu, c'est précisément redonner tout son sens à la citoyenneté et à la Nation, refuser comme l'écrit justement A.G. Slama [2], « un Etat sans nation », puisque, éduquée dans la déresponsabilisation individuelle et collective, installée dans le rôle de consommatrice de protection étatique, celle-ci aura éclaté, comme c'est le cas à présent, en autant de corporations, de catégories, de communautés ou de classes d'âge, en concurrence permanente pour l'octroi de subventions publiques.

---

1. Le dernier en date étant, en fin d'année 1997, l'exigence par des « syndicats de chômeurs », d'un treizième mois » ou d'une prime de fin d'année à la charge de l'Etat. On n'arrête pas le progrès social : le problème n'est donc plus de sortir les gens du chômage en créant des emplois, mais de pérenniser la situation de chômeur en la dotant d'un statut et d'un sous-salaire !

2. *La Régression démocratique, op. cit.*

Réformer l'Etat, c'est en troisième lieu sauver notre économie en la libérant enfin. Il faut, là encore, rompre avec cette logique suicidaire qui fait de l'augmentation perpétuelle de la dépense publique, des impôts et de la dette, la seule variable d'ajustement aux contraintes incontournables que rencontre la France, faute pour les gouvernements successifs d'avoir le courage d'engager les réformes structurelles nécessaires. Avec ce résultat invariable d'une majorité à l'autre : + 120 milliards de prélèvements en deux ans sous Juppé ; + 60 milliards en cinq mois sous Jospin, et les taux records que nous connaissons : dépenses publiques à 55 % de la richesse nationale ; prélèvements obligatoires à 46 %, et les 4 000 milliards de dette publique (58 % du PIB) qui plombent notre économie.

A ce rythme, nous sommes collectivement en train d'étouffer littéralement l'économie française, de révoquer, comme le dit justement mon collègue sénateur René Trégouet, une nouvelle fois l'Edit de Nantes – mais par l'impôt cette fois – en chassant hors de nos frontières tous ceux qui créent et produisent de la richesse. Il faut sortir de ce piège fatal dans lequel nous nous enfonçons chaque jour davantage et que dénonçait en son temps Frédéric Bastiat : « L'Etat, c'est la grande fiction à travers laquelle tout le monde s'efforce de vivre aux dépens de tout le monde. » Sans réforme drastique de l'Etat, nous serons donc condamnés à voir continuer à grimper, en parallèle, les quatre courbes maudites de la dépense publique, des impôts, des dettes et du chômage.

Réformer l'Etat, c'est enfin, même si cela peut paraître paradoxal venant du libéral que je suis, sauver l'Etat lui-même et son autorité. Je l'ai dit plus haut : mon libéralisme qui se veut d'abord gaulliste, n'est ni libertarien (au sens de certaines dérives de société que je me refuse à cautionner comme la solution au problème de la drogue par la liberté du marché, ou la mise sur le même plan du mariage entre un homme et une femme, clé de voûte de toute société humaine, et du « contrat d'union sociale » envisagé pour les couples homosexuels), ni une forme d'anarchisme anti-étatique.

Comme le rappelle justement Albert Merlin [1], ce que prônent les partisans du libéralisme, ce n'est pas l'absence de règles du jeu, y compris sur le marché, mais tout le contraire : définir ces règles, les faire respecter, telle est l'essence même de l'Etat. Un Etat instrument, mais non possesseur de la société des citoyens ; un Etat arbitre et respecté. Or nous en sommes aux antipodes, en France ! J'ai démontré dans les chapitres précédents combien le gonflement du « Mammouth » dans des missions qui n'ont rien à voir avec ses fonctions régaliennes, conduisait en définitive à pénaliser celles-ci et à affaiblir l'autorité de l'Etat.

Quand il faut supprimer huit milliards d'achat d'équipements aux Armées françaises pour financer les emplois bidon de Mme Aubry, on

---

1. *Libération*, 13 juin 1997.

entre dans une logique profondément destructrice de l'Etat : 60 avions de combat cloués au sol faute de crédits d'entretien, 20 navires retirés du service, 7 qui resteront à quai faute de moyens, un porte-avions qui entrera en service sans avions faute de pouvoir les acheter, voilà une France qui désarme unilatéralement, et un Etat qui ne fait plus son travail d'Etat. Il est dommage – mais guère surprenant, hélas – que les protestations courageuses des chefs d'état-major n'aient rencontré d'écho ni dans la grande presse, ni dans l'opinion. L'époque est à la démagogie et au politiquement correct : on financera plutôt les « agents d'ambiance » de Mme Aubry que les Armées dont la France a besoin.

Sur un autre registre, quand la séquestration de dirigeants d'entreprise (au mépris de l'article 251 du Code pénal qui punit ce délit de cinq années d'emprisonnement) devient, du CCF à la Poste en passant par le Crédit Agricole, le mode usuel du « dialogue social » dans l'entreprise, et ce sans que l'Etat envisage une seconde d'intervenir, nous sommes là encore devant une dégénérescence lente, mais sûre, de l'Etat, qu'illustre à sa manière bien particulière un ministre des Transports communiste qui va « boire le coup » avec les grévistes, sur les barrages de routiers. M. Gayssot, qui avait pris soin de convoquer les journalistes et les caméras pour son souper militant, vient ainsi signifier la complicité du pouvoir politique dans l'affaissement de l'autorité de l'Etat.

Ainsi, dans cette France de la démagogie facile, l'Etat sanctionnera sans pitié l'automobiliste mal garé, mais il laissera avec la bénédiction de ses ministres bloquer les routes par les routiers, les pistes d'atterrissage, les gares ou les quais de métro par les employés du « service public », au mépris absolu de cette liberté fondamentale reconnue dans la Déclaration des Droits de l'Homme, qui est de pouvoir se déplacer et se rendre sur son lieu de travail.

De même encore, quand le droit sacré de propriété, lui aussi inscrit dans cette Déclaration, et donc dans notre Constitution, est ouvertement bafoué par les commandos médiatiques de squatters du DAL (Droit au Logement), avec la bénédiction un peu honteuse des pouvoirs publics, comment espérer ensuite faire respecter ce droit lorsque j'ai face à moi telle vieille dame sans ressources, dont l'unique bien est « squatté » par des profiteurs de l'impunité publique ?

Enfin, quand l'Etat abandonne à des chefs d'établissement scolaire (!) la responsabilité de proscrire ou non le « foulard islamique » à l'intérieur de l'école publique, qu'il crée mille comités Théodule à chaque fois que surgit un problème épineux, nous vivons là encore l'agonie d'un Etat omniprésent, responsable de tout, et capable finalement de rien... De tout cela résulte ce divorce de plus en plus inquiétant que l'on constate dans notre pays entre la Loi et le Droit. Lorsque le pouvoir politique ne trouve plus le courage d'assurer ses responsabilités, la Loi ne devient au mieux qu'une référence que le juge, voire même telle ou telle association, peut interpréter à sa guise. Le sans-papiers jouit ainsi d'une sorte de « droit » naturel aux papiers, pétitions d'intellectuels à l'appui et, loin de se cacher des services de police, défile dans les rues de Paris, bafouant ouvertement la loi du pays d'accueil ; le squatter a « droit » au logement, l'employé celui de séquestrer son patron ou de prendre en otage telle ou telle partie du public qui dépend de son entreprise ; le « jeune » de banlieue, au nom de l'exclusion dont il serait la victime, celui de détruire, en toute impunité, tous les éléments visibles de l'autorité publique : de l'autobus au commissariat... et ainsi de suite... Comment s'étonner alors que de démissions en reculades, on en arrive en Corse à assassiner les préfets de la République ?

Que ces dérives soient dictées par le « politiquement correct », la culture des minorités, les lâchetés, la démission des gouvernants, ou le terrorisme intellectuel de quelques-uns complaisamment relayé par les médias, n'enlève rien à l'érosion et de l'Etat, et de la démocratie qu'il est censé servir.

Que tout cela ait lieu dans le pays occidental le plus fonctionnarisé, le plus suradministré, le plus taxé, montre à quel point notre système est au bout du rouleau !

Changer d'Etat

Passer d'une logique étatiste à une logique de liberté citoyenne, implique en France plusieurs lignes d'action, que je schématiserai en quatre axes principaux.

Deux d'entre eux, la remise à plat des relations Etat / collectivités territoriales et la fin du règne de la haute fonction publique sur la vie de la Nation (et sur la politique !), ont déjà été évoqués dans les deux chapitres précédents ; je n'y reviendrai pas.

Les deux autres concernent la redéfinition du périmètre de l'Etat (le fameux « dégraissage du Mammouth ») et l'ajustement de nos institutions à la crise politique que nous connaissons depuis une dizaine d'années.

S'agissant du premier point, j'en mesure sans peine toute la difficulté. Il n'est certes pas facile de changer de culture, de passer de la culture du tout-Etat, si profondément ancrée chez nous, à une culture du moins et du mieux d'Etat. Encore moins facile de le faire dans un pays où six millions de personnes vivent d'un emploi public garanti et sûr, sans parler des millions d'autres qui vivent d'allocations diverses versées par l'Etat : au total une bonne moitié de la population en âge de travailler de ce pays.

Je reste convaincu pourtant que nos concitoyens, y compris parmi les fonctionnaires, ont compris que le système actuel a atteint le bout de sa logique ; qu'une France dont les dépenses publiques seraient ramenées à 40 % du PNB et le niveau de prélèvements obligatoires à 30 % – c'est-à-dire à la situation de la France dans les années 60, ou à celle de la plupart de nos grands concurrents industriels aujourd'hui, serait une France plus saine, plus dynamique, plus forte. Tel est à mes yeux en tout cas l'objectif premier qu'une alternance de Droite devrait proposer au pays sur la durée d'une ou, au maximum, deux législatures.

Cela implique naturellement un autre projet de société et une autre vision de l'Etat français du troisième millénaire.

Un Etat, tout d'abord, qui serait comptable devant les citoyens, au même titre que n'importe quelle autre structure ou collectivité.

Les dérives récentes de la raison d'Etat et du secret d'Etat (écoutes téléphoniques de la cellule de l'Elysée, qui, dans une démocratie anglo-saxonne, auraient provoqué un scandale d'ampleur au moins égale au Watergate) révèlent le déséquilibre entre le respect des libertés individuelles du citoyen posées par la Déclaration des Droits de l'Homme de 1789, et le respect des prérogatives exorbitantes du droit commun de l'Etat.

Un rééquilibrage doit donc être opéré. Une des pistes pouvant être explorées pour y parvenir, consiste à remettre en cause le *privilège de juridiction* dont dispose l'Etat, soumis, comme on l'a vu, à un droit spécifique et à des tribunaux spécifiques. L'Etat pourrait désormais être jugé, au même titre que les citoyens ordinaires, par les tribunaux judiciaires, déjà habitués à tenir compte de la spécificité de notre droit administratif. Ce dernier devrait voir ses particularismes limités à l'essentiel, un panel de juristes pouvant être constitué pour faire des propositions en ce domaine. Les tribunaux administratifs seraient supprimés et transformés en tribunaux de l'ordre judiciaire, dont le nombre et les effectifs devraient être réexaminés pour tenir compte du surcroît d'activité et des lacunes actuelles (plusieurs années avant une décision ou un jugement). Le recrutement de ces tribunaux ne serait plus effectué par l'ENA mais uniquement par l'ENM (Ecole Nationale de la Magistrature) de Bordeaux, laquelle serait également réformée.

L'Etat français du prochain siècle devra également repenser ses *missions* au service de la société, ainsi que ses modes de fonctionnement.

Sans doute est-ce le poids combiné de notre héritage colbertiste et des pesanteurs de notre « système » politico-administratif : toujours est-il que contrairement au remarquable travail de redéfinition de l'action publique qui a été accompli depuis une vingtaine d'années dans plusieurs pays, aux Etats-Unis et en Grande-Bretagne en particulier [1], aussi bien dans l'Université que dans les administrations elles-mêmes que parmi les milieux politiques, on ne trouve en France aucun effort

---

1. En dehors des ouvrages classiques de Peter F. Drucker, dont *The Age of Discontinuity* (New York, Harper Torchbook, 1978), il me faut citer ici le travail fondamental de David Osborne et Ted Gaebler : *Reinventing Government* (New York, Plum Books, 1992).

coordonné visant à repenser systématiquement l'Etat, ses missions et son mode de fonctionnement. A l'exception bien sûr d'épisodiques rapports internes commandés par l'Etat lui-même à d'autres fonctionnaires et aussitôt « oubliés » dans un tiroir...

Si bien que nous continuons à réfléchir dans les schémas classiques du XIXᵉ siècle : d'un côté l'Etat collecte l'impôt et fixe les règles, de l'autre il remplit des missions et des services, lesquels on l'a vu n'ont cessé de se développer depuis l'invention de l'Etat-providence.

D'où la situation sans issue et le non-débat dans lequel nous sommes collectivement enlisés : ceux qui s'inquiètent à juste titre de la progression sans fin des missions nouvelles et des charges de l'Etat raisonnent en termes d'amputation : en supprimant telle structure, ou telle mission, on parviendra pense-t-on à réduire la dépense ; ce à quoi s'opposent tous ceux qui, s'appuyant sur la demande sans cesse croissante de protection étatique, prétendent que toute réduction du périmètre de l'Etat ou du nombre de fonctionnaires serait un crime contre la société, voire contre la République elle-même. L'idéologie française de l'Etat et du service public, la forte politisation de ce débat et la puissante mobilisation syndicale dans certains secteurs clés de notre économie publique assurent, dès lors, que rien ne change...

Et si nous essayions de poser le problème différemment ?

Celui-ci n'est pas, on l'a vu, de supprimer l'Etat, ou ses fonctions essentielles à la collectivité publique. Il n'est pas non plus dans l'incompétence ou le manque de professionnalisme de ceux qui le servent ; le problème réside dans le fonctionnement même de la machine étatique. En vérité, l'objectif est de faire en sorte de modifier la façon dont l'Etat remplit ses missions, d'y imposer ce que Osborne et Gaebler [1], se référant à Jean-Baptiste Say, appellent une « culture entrepreneuriale », c'est-à-dire la faculté d'améliorer à la fois la productivité et la qualité du service rendu ; de considérer les services de l'Etat, non pas comme des structures au-dessus des lois du commun des mortels, mais comme des organismes responsables de la gestion d'argent public au service des citoyens, lesquels sont les clients de ces services, non des sujets de la puissance étatique.

Dès lors comme l'écrivait il y a vingt ans déjà Peter Drucker [2], l'objectif souhaitable « n'est pas de favoriser la disparition progressive de l'Etat » mais « au contraire, de le rendre plus vigoureux, plus fort, plus actif... ». Le choix que nous devons faire est entre un Etat disproportionné mais impotent, et un Etat fort parce qu'il se limitera aux tâches de décision et de direction, laissant la « réalisation » *(doing)* à d'autres. Nous avons besoin d'un Gouvernement qui peut et doit gouverner. Ce n'est pas un Gouvernement qui « fait », ce n'est pas un Gouvernement qui administre : c'est un Gouvernement qui gouverne.

---

1. *Op. cit.*
2. *Op. cit.*

Cette distinction, essentielle, entre la structure, l'Etat et l'objectif, la bonne gouvernance, Osborne et Gaebler l'illustrent par l'image d'un canot : la fonction de pilotage du gouvernail est distincte de celle des rameurs. Ce que l'Etat doit conserver c'est la fonction majeure de pilotage au service de la collectivité, sachant qu'il peut concéder sous son contrôle et au meilleur prix, les fonctions d'exécution à la société civile.

Ces principes simples que nous connaissons en droit administratif français sous la forme malheureusement trop limitée des concessions de services publics, ont inspiré hors de nos frontières un redéploiement sans précédent de l'action publique, une amélioration incontestable des services rendus, en même temps que de très importantes économies budgétaires pour la collectivité.

Ils impliquent très concrètement deux questions distinctes, que malheureusement on n'a guère posées jusqu'ici en France :

– quelles missions convient-il de conserver absolument à l'Etat ?

– comment faire en sorte que celles qui lui sont confiées le soient plus efficacement, et de la façon la moins onéreuse possible ?

S'agissant du premier point, il appartient au politique de prendre ses responsabilités devant le pays.

Sachant que la dilatation permanente des missions et des charges de l'Etat aboutit, comme on l'a vu, à ruiner notre économie et à affaiblir en fait l'autorité publique, il me paraît indispensable d'évoluer vers une réduction drastique du périmètre de l'Etat. Ramené à ses fonctions régaliennes (sécurité intérieure et extérieure), libéré de la totalité de ses missions de service public, lesquelles seraient rendues à l'économie marchande (quitte à maintenir pour les plus stratégiques d'entre elles un lien de « souveraineté » sous la forme d'une *« golden share »*), cet Etat verrait ses missions sociales évoluer en fonction des besoins des citoyens, non des siens propres. C'est le cas de la politique de la ville dont j'ai indiqué plus haut [1] qu'elle devrait compter au nombre des toutes premières priorités de l'action publique, de même que la politique de la famille, vitale pour l'avenir même de la Nation. En revanche, il me paraît indispensable d'introduire une mise en concurrence saine dans le domaine de l'éducation, donc de mettre fin au prêt-à-penser monopolistique générateur des faiblesses et des inégalités des chances que j'ai dénoncées plus haut. Enfin, une remise à plat du rôle de l'Etat dans la protection sociale me semble inévitable, ne serait-ce que par la situation de faillite du système actuel. Arrêtons-nous un instant sur ce point.

---

1. V. plus haut, chap. 9, p. 208 et s.

Repenser la protection sociale

En 1850, dans *les Harmonies économiques*, Frédéric Bastiat [1] préfigurait ainsi l'effet d'une protection sociale gérée en monopole par l'Etat :

« J'ai vu surgir spontanément des sociétés de secours mutuel, il y a plus de vingt-cinq ans, parmi les ouvriers et les paysans les plus démunis, dans les villages les plus pauvres du département des Landes... Dans toutes les localités où elles existent, elles ont fait un bien immense... Leur écueil naturel est dans le déplacement de la responsabilité. Ce n'est jamais sans créer pour l'avenir de grands dangers et de grandes difficultés qu'on soustrait l'individu aux conséquences de ses propres actes.

« Le jour où tous les citoyens diraient : " Nous nous cotisons pour venir en aide à ceux qui ne peuvent travailler ou ne trouvent pas d'ouvrage ", il serait à craindre... que bientôt les laborieux ne fussent réduits à être les dupes des paresseux.

« Les secours mutuels impliquent donc une mutuelle surveillance, sans laquelle le fonds des secours serait bientôt épuisé. Cette surveillance réciproque... fait la vraie moralité de l'institution. C'est cette surveillance qui rétablit la responsabilité...

« Or pour que cette surveillance ait lieu et porte ses fruits, il faut que les sociétés de secours soient libres, circonscrites, maîtresses de leurs statuts comme de leurs fonds. Supposez que le gouvernement intervienne ? Il est aisé de deviner le rôle qu'il s'attribuera.

« Son premier soin sera de s'emparer de toutes ces caisses sous prétexte de les centraliser ; et pour justifier cette entreprise, il promettra de les grossir avec des ressources prises sur le contribuable...

« Ensuite sous prétexte d'unité, de solidarité (que sais-je ?), il s'avisera de fondre toutes les associations en une seule soumise à un règlement uniforme.

« Mais je le demande, que sera devenue la moralité de l'institution quand sa caisse sera alimentée par l'impôt ; quand nul, si ce n'est quelque bureaucrate, n'aura intérêt à défendre le fonds commun ; quand chacun, au lieu de se faire un devoir de prévenir les abus, se fera un plaisir de les favoriser ; quand aura cessé toute surveillance mutuelle, et que feindre une maladie ne sera autre chose que de jouer un bon tour au gouvernement ?

« Le gouvernement, il faut lui rendre cette justice, est enclin à se défendre ; mais ne pouvant plus compter sur l'action privée, il faudra bien qu'il y substitue l'action officielle.

« Il nommera des vérificateurs, des contrôleurs, des inspecteurs. On

---

1. Cité par Claude Reichman dans *Sécurité Sociale, le vrai mal français*, édit. Les Belles Lettres, 1995.

verra des formalités sans nombre s'interposer entre le besoin et le secours...

« Les ouvriers ne verront plus dans la caisse commune une propriété qu'ils administrent, qu'ils alimentent et dont les limites bornent leurs droits. Peu à peu, ils s'accoutumeront à regarder le secours en cas de maladie ou de chômage non comme provenant d'un fonds limité, préparé par leur propre prévoyance, mais comme une dette de la société.

« Ils n'admettront pas pour elle l'impossibilité de payer, et ne seront jamais contents des répartitions. L'Etat se verra contraint de demander sans cesse des subventions au budget. Là, rencontrant l'opposition des commissions de finances, il se trouvera engagé dans des difficultés inextricables.

« Les abus iront toujours croissant, et on en reculera le redressement d'année en année, comme c'est l'usage jusqu'à ce que vienne le jour d'une explosion.

« Mais alors on s'apercevra qu'on est réduit à compter avec une population qui ne sait plus agir par elle-même, qui attend tout d'un ministre ou d'un préfet, même la subsistance, et dont les idées sont perverties au point d'avoir perdu jusqu'à la notion du droit, de la propriété, de la liberté et de la justice. »

S'agissant de notre « filet social » national, nous en sommes très précisément arrivés à ce point. Le système est en crise : il est perclus de dettes (autour de 40 milliards de déficits en 1997 au lieu des 17 prévus par la réforme Juppé), la famille est de plus en plus pénalisée, « privatisée » même, au point de menacer notre démographie, donc notre avenir collectif[1] ; la couverture santé est insatisfaisante, en plus d'être structurellement en faillite; quant au système de retraites, il est lui aussi au bord de l'implosion.

A certains égards, cette crise n'est pas spécifiquement française : oscillant entre les deux concepts d'assistance (aux plus défavorisés) ou d'assurance (universelle) qui fondent les différents systèmes de protection sociale, toutes les grandes démocraties connaissent de semblables difficultés de priorités et de financement[2]. Partout, la chute de la natalité combinée à l'allongement de la durée de la vie pose des problèmes considérables de financement, rendus plus aigus dans certains pays (la France notamment), en raison de la persistance d'un fort niveau de chômage et des particularités culturelles.

Mais notre système présente le grave inconvénient d'être de plus en plus coûteux (c'est pour une bonne part à notre dispositif de protection sociale que nous devons des taux de prélèvements obligatoires parmi les plus élevés du monde) et de moins en moins performant.

Le système français de 1945, inspiré de Beveridge est ainsi universel,

---

1. V. l'excellent article de M. Godet : « Halte à la privatisation des enfants », *le Monde*, 18 oct. 1997.
2. V. la synthèse présentée sur ce sujet dans : IFRI, RAMSES 1998, Dunod.

mais il n'est pas unitaire (régimes spéciaux); il est influencé par la cogestion allemande (paritarisme) mais il est de plus en plus financé par l'impôt (CSG et RDS); il est monopolistique puisque centré sur l'Etat, mais reconnaît le libéralisme dans la médecine et la liberté du consommateur de soins; enfin son coût de plus en plus lourd pénalise les salariés et les entreprises (en faveur des inactifs) et compromet l'emploi par le renchérissement permanent du coût du travail.

A ces particularités, s'ajoutent d'autres spécificités françaises liées à l'existence d'un réseau important d'hôpitaux publics à la fois très onéreux (par rapport au secteur privé), très inégalement utilisés, mais très difficiles à réformer, non seulement en raison des réticences syndicales de la fonction publique hospitalière, mais aussi parce que ce maillage sanitaire est considéré comme l'une des clés de l'aménagement du territoire. Souvent l'hôpital, dont le maire est le président du conseil d'administration, est le premier employeur local; il bénéficie en outre de la faveur des Français: pouvoir accoucher à proximité de son domicile en tout lieu du territoire, est désormais considéré comme un droit, même si telle maternité est notoirement sous-utilisée et donc partiellement dangereuse.

Les insuffisances actuelles de notre système de protection sociale et les bouleversements à attendre dans les années qui viennent exigent une réforme en profondeur.

Tout d'abord dans notre système de santé et ce pour trois raisons:

En premier lieu, la progression incontrôlée de nos dépenses de santé, qui est passée de 7,6 % du PIB en 1980 à 9,4 % en 1992.

Le Livre blanc sur le système de santé de 1995 plaçait la France au premier rang des pays européens en matière de dépenses de santé (9,8 % du PIB en 1993), sans que cet écart se justifie par une couverture maladie plus étendue ou par une qualité de soins supérieure.

Le taux de croissance des dépenses entre 1960 et 1990 atteint 4,7 % en France contre 3,4 % en Allemagne et 2,2 % en Grande-Bretagne. Cette progression s'explique chez nous par une augmentation du volume des soins: les actes médicaux augmentent en France de 4 % par an; chez nos voisins, elle s'explique par une augmentation du coût des soins.

Seconde raison: les perspectives démographiques.

Le vieillissement de la population française tel qu'illustré dans le tableau 12-1 ci-dessous, est une donnée bien connue des experts depuis des décennies.

TABLEAU 12-1: LE VIEILLISSEMENT DE LA POPULATION
FRANÇAISE A L'HORIZON 2020

	1990	2000	2010	2020
+ 60 ans	19,2	20,8	23,6	28
+ 75 ans	7,1	7,1	9	10

Part de la population totale en %
Source : rapport Soubie, Santé 2010

Il entraîne des conséquences aussi inévitables que dévastatrices en matière de protection sociale.

La consommation de soins est en effet trois fois plus élevée chez les personnes de plus de quatre-vingts ans, par rapport à celles âgées de vingt à trente ans.

Les maladies dégénératrices (cancers, maladies vasculaires) dépendantes de l'âge, représentent plus de 50 % de la mortalité annuelle et les deux tiers des décès des plus de soixante-cinq ans. Elles sont appelées à se développer : pour le début du XXIe siècle, le nombre de cancers devrait augmenter de 15 % en raison du vieillissement de la population.

Troisième raison enfin : l'accroissement des inégalités dans l'accès à la protection sociale.

Il ne semble pas, au regard des travaux récemment réalisés par les experts (et notamment dans le cadre du Livre blanc sur la santé), que la santé des Français soit meilleure que celle de leurs voisins.

En revanche, l'évolution du volume de soins par habitant, la hausse des coûts unitaires des soins et les perspectives démographiques évoquées ci-dessus vont affecter profondément le niveau de prise en charge des dépenses de santé, qui sont dès aujourd'hui moins favorables en France qu'en Allemagne et en Grande-Bretagne.

La mise en concurrence de plus en plus vive des systèmes de santé en Europe, à travers le marché unique, la libre circulation des personnes et l'Euro, ne permettront plus à notre pays même s'il en avait le souhait, d'augmenter indéfiniment les prélèvements obligatoires pour financer son système de santé. Il est donc plus que vraisemblable que, sans changement radical de notre système actuel, nous nous installerons dans une société duale où seuls ceux qui disposeront de revenus importants pourront accéder à des soins de qualité.

A côté de l'inévitable redéfinition de notre système de santé, la forme de notre régime de retraites s'avère tout aussi indispensable. Les perspectives démographiques ont, sur l'évolution de nos régimes de retraite, les mêmes effets dévastateurs que pour notre système de santé. Pour maintenir le pouvoir d'achat actuel des retraites, il faudrait d'ici à 2040 multiplier le taux moyen de cotisation par 1,5, voire par 2,5 dans les scénarios les plus pessimistes. Pour stabiliser le rapport actuel entre cotisants et retraités (deux actifs pour un retraité actuellement), il faudrait porter la durée de la vie active jusqu'à soixante-neuf ans en 2015 ! Or nous ne cessons de la raccourcir.

La France n'échappera donc pas à une remise à plat de l'ensemble de son système, et notamment à la définition d'un nouvel équilibre entre les notions d'assurance et de solidarité, et à l'intérieur de ce couple, du rôle de l'Etat et de la responsabilité individuelle des citoyens.

C'est sur ce plan que les remarques suivantes me paraissent nécessaires.

En premier lieu, la logique même de notre système est aujourd'hui ouvertement battue en brèche par les inflexions introduites par les Gouvernements successifs.

D'un côté, nous sommes sortis de la logique paritaire. L'impôt désormais prend, depuis le plan Juppé, de plus en plus le relais des cotisations. Il fait désormais l'objet d'un contrôle parlementaire annuel indispensable du point de vue de la démocratie : le budget total de la Sécurité sociale atteindra en 1998 1 660 milliards de francs, soit davantage que le budget de l'Etat (1 585 milliards de francs) ; les « cotisations effectives » (1 152 milliards) ne suffisant plus à couvrir les dépenses, un bon tiers des recettes provient désormais de l'impôt [1]. La logique d'une solidarité à laquelle contribuent tous les citoyens semble donc l'emporter sur le système originel basé sur les seules cotisations : elle vient d'être accentuée par le Gouvernement socialiste, qui a prolongé le RDS (soi-disant exceptionnel), tout en décidant le basculement d'une part supplémentaire du financement sur la CSG.

De l'autre cependant, la logique de solidarité ainsi instituée est contredite par le fait qu'un nombre de plus en plus important de prestations sont désormais soumises à conditions de ressources. Les familles en particulier sont les plus pénalisées, puisque le versement des allocations familiales – universel depuis 1945 – est désormais plafonné en fonction du revenu, tandis que le système d'aide à la garde d'enfants à domicile (AGED), financé par la branche famille, a lui aussi été fortement amputé à l'automne 1997.

Autrement dit, une fracture est en train de s'établir entre ceux qui paient les cotisations et les impôts *obligatoires*, et ceux qui recevront les prestations. Le principe fondamental selon lequel toute cotisation à la Sécurité sociale ouvre un droit, est donc enterré s'agissant de la famille. Dès lors, on voit mal comment ce qui s'applique aujourd'hui à la branche famille ne s'appliquerait pas demain à la branche santé : tout le monde sera obligé de payer (cotisations + impôts), mais les plus « riches » eux, ne bénéficieront plus (ou beaucoup moins) du système.

On voit sans peine ce que ce système a d'injuste : plutôt que de payer sans contrepartie, employeurs et employés et, en tout cas, tous ceux qui seront arbitrairement déclarés comme « riches » par l'Etat [2] auront tout intérêt à préférer un système d'assurance privée, moins onéreux et plus sûr en cas de maladie [3], ou à s'expatrier à l'étranger, comme le font déjà

---

1. V. le Rapport de mon collègue Alfred Recourt, député, au nom de la Commission des Affaires Culturelles, Familiales et Sociales sur le Projet de Loi de financement de la Sécurité Sociale pour 1998, n° 385, 23 oct. 1997.

2. D'autant que le seuil de la « richesse », fixé à 25 000 francs mensuels, pour l'attribution des allocations familiales, frappe la grande masse des ménages « moyens ».

3. C'est la raison pour laquelle le Parti communiste, qui a bien senti le danger d'une brèche dans le monopole étatique de la Sécurité sociale, s'est vigoureusement opposé au plafonnement des prestations familiales à l'occasion du débat budgétaire de l'automne 1997.

bon nombre de cadres et d'entrepreneurs qui s'installent au Royaume-Uni notamment.

Pour ces différentes raisons, l'introduction dans notre système de la notion de responsabilité individuelle, donc d'assurance personnelle des risques, m'apparaît à la fois inévitable et souhaitable. Ceci vaut, tant pour la santé, que pour l'assurance-vieillesse.

Comment ?

Pour l'assurance-maladie, l'objectif premier doit être de garantir le meilleur niveau de soins pour un coût donné, de sorte que chaque Français puisse avoir demain accès aux progrès considérables de la médecine : nouveaux médicaments, nouveaux instruments d'analyse et nouvelles techniques de soins.

Cet objectif passe donc par une amélioration de la gestion de notre système de santé, et ce dans trois directions.

Tout d'abord en instaurant une concurrence entre la Sécurité sociale et des caisses privées. Le refus de la concurrence, en ce domaine comme ailleurs, ne sert les intérêts que de ceux qui refusent tout jugement sur le rapport qualité/prix de leur gestion.

Ensuite en assainissant la gestion des hôpitaux publics. Leur gestion ne doit pas répondre à des objectifs d'emploi ou d'aménagement du territoire, mais uniquement à l'objectif de santé publique. Afin de mieux sélectionner les bonnes pratiques médicales et administratives, il est indispensable d'assurer la transparence des résultats et des coûts des services hospitaliers, par la mise en place d'une comptabilité analytique efficace, et d'organiser une analyse comparative systématique de ces indicateurs pour déterminer l'allocation des ressources. La répartition des hôpitaux sur le territoire doit être revue, en encourageant la spécialisation et la mobilité des personnels.

Il va sans dire que les prestations relevant d'une logique de solidarité doivent être réservées aux personnes résidant sur le sol national en situation régulière ; dans le même esprit, les conditions du regroupement familial des étrangers, récemment libéralisées à l'excès par la loi Chevènement, devront être rétablies.

Enfin en mettant un terme à la politique de contrôle des prix du médicament, qui n'ont eu pour seul effet que d'affaiblir les laboratoires français dans la concurrence internationale et de ralentir le progrès technique, donc les progrès de la santé publique.

Quant à une stabilisation de la part des dépenses de santé dans le produit intérieur brut, celle-ci est envisageable à court terme, compte tenu des gains de productivité à attendre de la mise en concurrence des caisses, de sorte que les Français seront mieux soignés à coût égal. A plus long terme, au regard des perspectives démographiques et technologiques précédemment évoquées, il est plus difficile de fixer ce genre d'objectif, qui supposerait un encadrement plus strict de l'offre de soins, et devrait donc faire l'objet d'un débat au sein de la représentation nationale.

Le même souci de responsabilisation des citoyens devra présider à la réforme de notre système de retraites.

Il faut dès aujourd'hui encourager les jeunes générations à constituer une épargne privée, pour compléter leur retraite le moment venu. C'est la seule manière de préserver notre système actuel, et donc de préserver la solidarité vis-à-vis des personnes âgées.

De ce point de vue, les préventions dogmatiques de l'actuel gouvernement vis-à-vis des fonds de pension (il est vrai récemment tempérées par le ministre des Finances) auront un impact négatif sur le pouvoir d'achat des classes moyennes lorsqu'elles atteindront l'âge de la retraite, puisqu'elles n'ont pas aujourd'hui la possibilité de gérer efficacement par elles-mêmes une épargne de précaution, contrairement aux personnes disposant des revenus et des patrimoines les plus importants.

Une fois encore, la justice sociale sert d'alibi à une politique injuste.

Enfin, il sera nécessaire de prendre en compte le vieillissement de la population, en repensant la transition entre la vie active et le passage à la retraite et en permettant aux actifs de travailler plus longtemps, comme le leur permet d'ores et déjà l'allongement de la durée de vie en bonne santé. Contrairement à la pensée dominante « politiquement correcte », c'est bien vers l'allongement de la durée de la vie au travail, et non vers son raccourcissement à 55, voire à 50 ans, que nous devrions nous diriger – à la fois pour des raisons économiques, mais bien souvent aussi, pour des raisons humaines.

S'il apparaît indispensable de faire évoluer l'équilibre global de notre système vers l'assurance et la responsabilité de chacun en matière de santé et de retraites, (la collectivité n'intervenant que pour les plus défavorisés), l'Etat conserve à mes yeux un rôle d'impulsion irremplaçable en matière de promotion de la famille, domaine qui engage l'avenir même de notre société.

Loin d'être « ringard », ce souci doit redevenir une priorité essentielle de l'action publique, ce qu'elle était lors de la fondation de la Sécurité sociale en 1945. Or depuis lors, notre système n'a cessé de dériver : la branche famille est de loin la plus faible et la plus négligée : elle ne représente plus qu'une fraction des 18 % du PIB consacrés aux retraités (il est vrai que les enfants ne votent pas !) ; tandis que la natalité de notre pays continue de stagner autour de 1,7 %, *en dessous donc* du seuil de renouvellement de la population – et ce dans l'indifférence générale [1]. Ce sont, de surcroît, les familles à revenu moyen qui sont les plus pénalisées par notre système fiscal et par les économies recherchées dans la protection sociale.

A terme, il faut avoir la lucidité (et le courage !) de le reconnaître,

---

1. Comme le note fort justement Michel Godet (article précité), l'on s'émeut davantage en France de l'effondrement du taux de fécondité des baleines (du moins parmi les écologistes), que du fait que notre pays est doucement en train de se suicider collectivement !

seules les familles les plus modestes, dont beaucoup proviennent de l'immigration (grâce au regroupement familial désormais extrêmement libéralisé par la loi Chevènement [1], et à l'accès automatique des étrangers aux prestations de la Sécurité sociale), bénéficieront en France de ce qui reste de politique familiale dans ce pays, tandis qu'on « privatisera » le fait d'avoir des enfants pour les classes moyennes françaises ! Il n'est pas besoin d'être grand clerc pour percevoir les risques d'une telle dérive : un pays qui privilégie les vieillards d'un côté, qui a renoncé à contrôler sérieusement son immigration de l'autre, tout en pénalisant ses familles « moyennes », est un pays qui joue avec son devenir... et politiquement avec le feu. C'est pourquoi il devient urgent de « renationaliser » (eh oui !) la politique familiale, en confiant à l'Etat la responsabilité de la définir, de la gérer et de la financer par le budget et donc par l'impôt.

Pour le libéral que je suis, la nécessaire réforme de notre système passe par une politique volontariste en faveur de la natalité et des familles, en même temps que par une politique claire et forte en matière d'immigration. Celle-ci, par un système de quotas, permettra à la collectivité comme c'est le cas dans d'autres démocraties matures, de décider et non de subir, qui doit faire partie de la communauté nationale, et qui peut avoir accès aux prestations sociales financées par les contribuables et les salariés. Autant de missions dont, malgré sa dilatation permanente, notre Mammouth national s'est désengagé allègrement ces dernières décennies.

Vers un Etat modeste

Recentrer l'Etat sur ses missions essentielles, on l'a vu, c'est également élaguer toutes celles qui ne le sont pas, ou qui pourraient être rendues à la société civile. Donc faire des choix. C'est également repenser les modes de fonctionnement de l'autorité publique en recherchant une meilleure efficacité, en même temps qu'un moindre coût.

On me dira que tout cela est impensable, irréalisable. Et pourtant, d'autres y sont parvenus.

A cet égard, l'exemple britannique mérite à tout le moins d'être médité en France [2].

A titre de comparaison, les dépenses publiques atteignent 42 % du PNB de l'autre côté du Channel, contre 55 % en France. Le taux maximum d'imposition de l'impôt sur le revenu y est de 40 % contre 57 %

---

1. V. plus haut, p. 214 et s..
2. Les chiffres cités ci-après m'ont été fournis à l'occasion de plusieurs missions d'information en Grande-Bretagne, ainsi qu'au cours du 6e Colloque franco-britannique (Versailles, janvier 1997).

en France, tandis que le taux de base est de 23 % au Royaume-Uni, contre 32 % chez nous. Les charges liées à la sécurité sociale ne se montent qu'à 18 % des salaires britanniques contre 42 % en France.

Autre sujet de méditation, les Britanniques sont parvenus en moins de vingt ans à réduire d'un tiers le nombre des fonctionnaires (non compris les forces de défense et les enseignants), leur nombre total passant de 748 000 en 1976 à 490 000 aujourd'hui.

Une réforme d'une telle ampleur n'a été rendue possible que parce que le pouvoir politique a pris l'initiative de remettre à plat l'ensemble du système, en posant devant la Nation, et pour chacune des fonctions remplies par l'Etat, les trois questions suivantes :

— le service en question doit-il être absolument rendu au public ?

— dans ce cas, l'Etat doit-il obligatoirement en être responsable ?

— dans l'affirmative, une agence d'exécution autonome pourrait-elle en être chargée, plutôt qu'un ministère ?

Parallèlement, chaque service de l'Etat, et à l'intérieur de chaque service, chacun des agents de ce service, se sont vu attribuer des objectifs spécifiques, leur action étant jugée sur les résultats, et la rémunération étant basée sur le résultat lui-même. De même, la plupart des hauts fonctionnaires sont désormais alignés sur un régime contractuel : ceux-ci peuvent être licenciés en cas de mauvais résultats, ou si le ministère en emploie en surnombre. La notion d'emploi à vie a disparu... Autrement dit, le mode de travail et le statut des fonctionnaires ont été peu ou prou alignés sur les missions du secteur privé avec les risques, mais aussi les satisfactions (motivation, progression au mérite, rémunérations) qui s'y attachent. Les privatisations ont été évidemment l'une des conséquences principales de cette politique : le gaz, l'électricité, l'eau, le charbon et l'acier, les Télécom, les transports aérien et ferroviaire ont été rendus au secteur marchand. Au total, un million d'emplois ont été transférés en moins de vingt ans du public au privé ! En 1979, les contribuables britanniques subventionnaient par leurs impôts les services publics en déficit à hauteur de 40 millions de livres ; en 1996, ces entreprises britanniques aujourd'hui privatisées rapportent 40 millions de livres au Trésor de Sa Majesté...

Au sein des services de l'Etat proprement dits, la politique suivie est partie de l'idée simple – mais juste ! – que 10 % des fonctionnaires seulement travaillent dans des domaines relevant des compétences propres de l'Etat (ce que les Britanniques appellent « *policy* »). Ce qui a conduit à créer 129 agences d'exécution gérées par des responsables autonomes, qui couvrent à présent les trois quarts de l'action publique anciennement dévolue à l'Etat et à son administration. Ces agences couvrent entre autres : la sécurité sociale (71 000 employés), la gestion des prisons, l'octroi des permis de conduire, l'agence de recherche de défense, les garde-côtes, la météorologie, et même l'aide au Tiers Monde, récemment privatisée par Tony Blair !

Les responsables de ces agences ont été sélectionnés à l'issue d'une compétition entre les secteurs publics et privés. Ils sont détenteurs de contrats à durée déterminée et leurs émoluments dépendent des résultats obtenus, en fonction des objectifs fixés par les ministres de tutelle. Le ministre définit la politique – c'est-à-dire la mission –, le chef d'agence a l'autorité et la liberté de la mener à bien y compris celle de fixer les salaires, les modes de recrutement et de promotion de ses agents. Le ministre quant à lui, demeure politiquement responsable devant le Parlement, et doit rester étroitement en contact avec l'agence, où il peut intervenir si besoin est.

Une telle réforme a naturellement soulevé certains problèmes : comme la définition de la ligne de partage entre la politique et l'exécution de celle-ci, ou la cohésion des différents corps de la fonction publique ; elle n'en est pas moins considérée en Grande-Bretagne comme un succès. Le Gouvernement de Tony Blair n'envisage d'ailleurs pas de la modifier... mais de l'amplifier.

Dernier volet de la politique suivie outre-Manche : « La compétition pour la qualité ». Ce programme vise à mettre littéralement sur le marché – sous forme d'appels d'offres – un certain nombre de missions jusqu'ici accomplies par les services de l'Etat.

Participent à ces appels d'offres aussi bien des administrations que des entreprises du secteur privé, et il n'est pas rare que des soumissionnaires issus de l'Administration l'emportent. Mais dans tous les cas, l'économie réalisée pour le contribuable est de l'ordre de 20 % ! Les services ainsi mis sur le marché comprennent la restauration, le nettoyage, les fournitures de bureau, mais également la gestion des technologies de l'information et même celle des services financiers de certaines administrations ! Une anecdote révélatrice : les ambassadeurs du Royaume-Uni, y compris celui en poste à Paris, roulent dans des Jaguar de location, entretenues par le secteur privé et qui n'appartiennent plus à l'Etat britannique...

Courte notation finale : contrairement à la légende complaisamment répandue de ce côté-ci de la Manche [1] :

— il y a beaucoup moins d'emplois précaires en Grande-Bretagne qu'en France : les emplois en intérim atteignent 6,8 % de l'emploi en Grande-Bretagne, contre 12,2 % en France ;

— les charges sur les salaires sont trois fois plus faibles pour l'employeur (15 livres pour 100 livres payées au salarié, contre 42 en France) ;

— enfin, et surtout : le salaire moyen *net* est supérieur outre-Manche, 10 700 livres pour un célibataire et 12 000 livres pour un couple avec deux enfants, contre l'équivalent de 8 200 et 9 800 livres en France...

---

1. Source : OCDE.

— au total : depuis 1979, le Royaume-Uni a créé autant d'emplois dans le secteur marchand que dans le reste de l'Union européenne.

Il aura fallu dix-huit ans et l'énergie de Margaret Thatcher pour que cette politique s'impose en Grande-Bretagne, et fasse à présent l'objet d'un consensus bi-partisan. Le résultat est là en tout cas : lors du « sommet de l'emploi » à Luxembourg en novembre 1997, l'Angleterre affichait un taux de chômage de 5,2 %, deux fois et demie inférieur à celui que nous connaissons...

A l'exemple britannique, s'ajoutent les nombreuses innovations introduites ces dernières années aux Etats-Unis quant à l'amélioration du mode de fonctionnement de l'action publique.

A partir de multiples expérimentations réalisées le plus souvent au niveau local (villes, Etats fédérés) depuis une vingtaine d'années [1], l'administration Clinton a fait voter à partir de 1993 une série de textes législatifs extrêmement novateurs qui mériteraient là encore d'être soigneusement étudiés en France.

Le principal de ces textes, la loi sur « l'Action et les Résultats de l'Etat » *(Government Performance and Results Act)* de 1993, établit un système très élaboré de contrôle permanent de l'efficience de l'action publique.

Ainsi, chaque ministère ou agence gouvernementale a-t-il été obligé de soumettre à partir du printemps 1997 un « plan stratégique » sur 5 ans détaillant ses missions, ses objectifs stratégiques à long terme, et la façon dont l'établissement public concerné entend remplir ses objectifs, y compris dans l'allocation de ses ressources en personnel, de ses dotations budgétaires et de son organisation interne.

Ces plans stratégiques sont alors répartis en contrats d'objectifs annuels, lesquels sont contrôlés à la fois par les Commissions compétentes du Congrès et par l'organisme de contrôle budgétaire fédéral (l'*Office of Management and Budget,* homologue de notre Cour des Comptes). De même, en fin d'exercice budgétaire, chaque ministère ou agence est censé présenter un rapport d'exécution sur l'année écoulée.

Ce dispositif vise avant tout à clarifier les missions de chaque organisme, mais surtout à mobiliser les ressources, en premier lieu les personnels, en fonction des objectifs assignés.

Parallèlement, un système très élaboré d'évaluation des résultats *(Performance Measurement)* a été mis au point sous la présidence du Vice-Président Al Gore avec la participation d'administrations, d'agences publiques mais également d'entreprises privées, l'objectif étant toujours le même : injecter dans le fonctionnement de la machine étatique le maximum de culture « entrepreneuriale » c'est-à-dire d'efficacité, pour un contrôle permanent, en temps réel, de l'efficience de l'action publique.

---

1. De très nombreux exemples sont relatés dans Osborne et Gaebler, *op. cit.*

On notera qu'une coopération multinationale mêlant administrations et entreprises a été menée ces dernières années entre les Etats-Unis, le Canada et le Royaume-Uni, mêlant des entités telles que British Telecom, les US Cost Guards; Xerox, Kodak, le Bureau des Brevets Canadien, etc.

Je ne peux que regretter pour ma part que le ministère de la Fonction publique en France, pas plus qu'aucune administration, ministère ou entreprise française n'ait participé à de tels exercices, pourtant fort instructif. Là encore, nous aurions pourtant beaucoup à apprendre : il n'existe pas en France de loi générale imposant l'élaboration de plans stratégiques ou prospectifs pour les administrations, pas plus que pour les entreprises publiques. Hormis les « contrats de plans » exigés par tel ministère de tutelle (la Poste par exemple) ou les perspectives d'évolution prévisionnelles imposées à la Sécurité sociale, au pays du « Plan », la planification et l'évaluation rigoureuse de l'action publique sont curieusement inexistantes [1]. Seul subsiste alors le contrôle épisodique et *a posteriori* de la Cour des Comptes dont on a vu toutes les limites.

Changer de République?

Mettre fin au règne des « grands commis », remettre à plat la relation Etat / collectivités territoriales en faisant progresser une authentique décentralisation de l'autorité publique, réduire la masse de l'Etat, donc celle des dépenses publiques, telles sont donc les trois principales pistes de la refonte nécessaire de la République.

Il en est pourtant une quatrième : nos institutions, que je n'évoquerai que précautionneusement, n'étant pas favorable par principe à ce que l'on touche trop, et trop souvent, à notre Loi fondamentale. Les lois de circonstance sont toujours à éviter; ce principe est plus nécessaire encore s'agissant de la Constitution : on ne réforme pas la Loi fondamentale pour résoudre des problèmes politiques à court terme. Il n'en demeure pas moins que quarante ans après la fondation de la Vᵉ République, il n'est pas interdit de s'interroger sur la bonne marche de notre système institutionnel, notamment face aux nécessaires réformes que le pays devra bien entreprendre un jour.

Les institutions de la Vᵉ République, jadis combattues par ceux qui dénonçaient le « coup d'Etat permanent » et du « pouvoir personnel », font aujourd'hui l'objet d'un large consensus dans l'opinion comme dans la « classe » politique. Et c'est tant mieux! Servent-elles pour autant bien le pays et surtout peuvent-elles permettre le gigantesque travail de réforme qui l'attend?

---

1. Des organismes tels que le CEA ou le CNES se sont cependant dotés de tels plans stratégiques, mais toujours pour le compte du ministère de tutelle.

La réponse à cette double question complexe est « Oui », si l'on considère que nos institutions sont stables et qu'elles autorisent, sans heurts, des alternances à répétition – système que les Français semblent affectionner puisque le pouvoir est apparemment (apparemment, seulement) partagé entre les deux « têtes » de l'Exécutif : Président et Premier ministre.

La réponse est « Non » si l'on considère que ce système institutionnel, jadis réputé pour sa stabilité (par opposition à l'instabilité ministérielle chronique de la IVe République), souffre aujourd'hui d'une forme à la fois nouvelle et bizarre d'instabilité : l'alternance par cohabitations à répétition.

Entre 1986 et 1997, on a ainsi assisté à pas moins de trois cohabitations en onze ans, et au défilé de pas moins de sept Premiers ministres... dont la « durée de vie » moyenne (M. Jospin non compris) est inférieure à deux ans...

Le rythme élevé de cette mortalité gouvernementale n'est pas étranger à l'incapacité de ce pays d'engager des grandes réformes de structures dont il a tant besoin... et qui toutes exigent du temps, et de la continuité dans l'effort. A titre de comparaison, Helmut Kohl est au pouvoir depuis seize ans et a pu gérer la fin de la Guerre froide et l'immense chantier de la réunification allemande ; les conservateurs britanniques (de Mme Thatcher à J. Major) ont pu opérer un changement radical de la société britannique (aujourd'hui confirmé par T. Blair), grâce à dix-huit années passées au pouvoir. Quant aux Républicains américains (Reagan et Bush), ils ont accompli trois mandats, tandis que Bill Clinton achève son deuxième mandat, en poursuivant très exactement le même type de politique, là encore sur vingt ans au total.

Comment ne pas voir qu'au fond, les Français ont renoué avec leur vieille maladie nationale de l'instabilité gouvernementale, mais sous la forme certes plus rassurante de la continuité apparente des différents mandats présidentiels ?

Je dis « apparente » parce que le système de cohabitation conduit, en réalité, à une vraie translation de pouvoir en direction du Premier ministre et de sa majorité parlementaire. Mais une translation tronquée à l'avance, car le Gouvernement en place vit en permanence dans l'attente du dénouement inévitable de la crise politique larvée, sous-jacente à notre système. Le résultat est particulièrement pervers : en l'attente d'une élection prochaine ou d'une crise institutionnelle, les deux camps s'observent : chacun tente de rassurer et de séduire l'opinion ; toute réforme structurelle est dès lors exclue...

De plus, chacun vit dans l'espoir de monter dans l'échelle sociale : le député veut devenir ministre ; le ministre, Premier ministre ; et le Premier ministre, Président de la République : ce qui réduit la politique à une querelle permanente de chefs, d'écuries présidentielles ou de « courants », au détriment de tout débat vraiment sérieux sur le fond de réformes. L'époque est à la personnalisation médiatique et aux petites phrases, l'essentiel est repoussé au lendemain de la prochaine élection.

Dans le cas des deux cohabitations sous F. Mitterrand (Chirac 1986-1988, et Balladur 1993-1995), leur terme coïncidant avec l'échéance présidentielle, c'est-à-dire avec l'alternance suprême dans notre système, c'est l'ensemble de la politique gouvernementale qui devenait otage de l'élection présidentielle attendue. En vérité, la campagne présidentielle suivante commence dès l'installation à Matignon du nouveau Premier ministre de cohabitation. Inévitablement, toute sa politique sera dictée par cette échéance. J'ai vécu de trop près la cohabitation de 1993-1995 pour ne point m'en souvenir, ni en conserver cette conviction que cohabitation et réformes de structures sont en France parfaitement antinomiques, dès lors, à tout le moins, que le Premier ministre de cohabitation est lui-même candidat à l'élection présidentielle... Et comment ne le serait-il pas ? J'ajoute, au passage, que la faveur que rencontre ce système dans l'opinion s'explique en grande partie par la neutralisation du pouvoir ainsi engendrée dans de telles périodes, et que les Français ont parfaitement intégrée. Qui dit cohabitation en vue d'une prochaine élection présidentielle, dit aussi qu'on s'interdit à l'avance de « faire mal » aux électeurs en initiant de vraies réformes de structures. Celles-ci seront donc repoussées à l'échéance suivante, et ainsi de suite...

Et la République demeure donc immobile, les « acquis » sont préservés, et même généreusement renforcés, car la cohabitation est d'abord une campagne électorale permanente ; les élites restent en place... et tout le monde est content !

S'agissant de la cohabitation inédite commencée le 2 juin 1997, sous l'ombre portée d'une crise politique larvée avec un Président de la République, certes affaibli par la dissolution ratée, mais toujours en place pendant toute la durée de la législature, cette situation n'est pas sans soulever des interrogations nouvelles. Sur le papier, ce système peut naturellement « tenir » cinq ans. Dans la réalité, les choses sont plus complexes : le Premier ministre est vulnérable puisque sa majorité est « plurielle » et qu'il doit en permanence négocier avec ses alliés, tant au Gouvernement qu'à l'Assemblée. Négociation d'autant plus nécessaire que sa politique économique et sociale est écartelée entre l'idéologie socialo-communiste qui cimente la coalition, et la démarche européenne libérale dans laquelle la France est engagée par ailleurs (Euro, 3 %, etc.). La position du Président de la République n'est pas non plus sans dilemme : le Président peut certes « laisser le temps au temps » et attendre que le Premier ministre et sa majorité paient le prix fort de leurs choix... et de leurs contradictions. Mais comment ne pas voir que dans l'intervalle la fonction présidentielle risque de sortir très affaiblie de cinq années où le Président serait progressivement marginalisé dans la conduite quotidienne des affaires du pays ?

En tout état de cause, une telle situation n'est guère propice, ni au débat de fond sur son avenir dont le pays a tant besoin, ni à la stabilité politique qu'exigeraient des réformes de fond (à supposer que L. Jospin ait l'intention de les mener...). La France, condamnée à naviguer à vue, redécouvre donc les délices des arrangements de partis, tandis que l'opinion se détache un peu plus de ceux qui sont censés trouver des solutions aux problèmes du pays.

Il n'est évidemment pas certain – je l'ai dit – qu'une réforme constitutionnelle, qui apparaîtrait de surcroît « de circonstance », puisse à elle seule régler l'ensemble des dysfonctionnements de notre vie politique – à commencer par le vide sidéral du contenu intellectuel et idéologique de la plupart de nos partis, et le manque de courage politique dont nos grands politiques ont fait preuve jusqu'ici face aux immenses problèmes d'ajustement auxquels la France est confrontée depuis deux décennies.

Je crois cependant qu'un certain nombre d'aménagements seraient susceptibles d'améliorer le fonctionnement de nos institutions actuelles.

Si, comme je le pense, l'objectif premier de notre vie publique est de préparer le mieux possible le pays aux réformes qu'il *doit* entreprendre, alors il nous faut viser un schéma institutionnel qui renforce la stabilité et l'action dans la durée de l'Exécutif, tout en renforçant en même temps le contrôle souverain du Parlement. A partir de tels critères, deux réformes paraissent s'imposer.

D'une part, la réduction du mandat présidentiel à cinq ans, l'élection présidentielle coïncidant avec celle de l'Assemblée, élue elle aussi pour cinq ans. Cette coïncidence ne suffisant pas à assurer celle des deux majorités (les Français étant fort capables, au contraire, d'élire le même jour un Président et une majorité parlementaire qui lui soit hostile), il faut envisager d'aller jusqu'au bout de la logique, c'est-à-dire envisager un système présidentiel à l'américaine : suppression du poste de Premier ministre, mais également du droit de dissolution. Ainsi pourrait-on bâtir un système d'équilibre des pouvoirs garantissant continuité et efficacité.

D'autre part, et dans l'intervalle, il est grand temps de mettre fin à une autre de nos « exceptions françaises », je veux parler du cumul des mandats, dont j'ai dit plus haut que sa suppression était l'une des conditions principales à l'établissement d'une authentique décentralisation dans notre pays. Partisan depuis longtemps d'une telle réforme (aux côtés de quelques rares collègues dont Alain Peyrefitte [1], Pierre Mazeaud ou Robert Pandraud), je regrette de voir cette idée aujourd'hui faire son chemin grâce à... Lionel Jospin.

Cette réforme s'impose d'abord par le simple bon sens : le travail

---

1. Lequel l'avait courageusement proposée dans son *Mal français* dès 1976 !

parlementaire (Assemblée plus circonscription) est fort lourd, et donc difficilement conciliable avec une autre activité à plein temps comme une fonction exécutive locale. Mais surtout, parce que les députés sont avec les sénateurs les seuls authentiques représentants de la souveraineté *nationale*, et que leur mandat ne se confond en aucune manière avec un mandat local.

Les électeurs ne s'y sont d'ailleurs pas trompés en juin 1997, en élisant de jeunes députés socialistes ou verts parfaitement inconnus localement, contre des députés sortants qui avaient souvent fortement investi sur le terrain (y compris en cumulant les mandats) !

Spécialité française qu'on ne retrouve dans nulle autre démocratie, (il ne viendrait à l'idée de personne en Allemagne d'être maire de Berlin et membre du Bundestag, ou aux Etats-Unis d'être gouverneur de New York et sénateur), le cumul aboutit en France à la décentralisation brouillonne et coûteuse analysée plus haut [1], et à rendre rigoureusement impossible toute clarification des rapports entre l'Etat et les collectivités territoriales.

Enfin, parce qu'il veut trop embrasser, le politique finit par ne plus rien diriger vraiment, au grand bénéfice de l'Administration qui renforce ainsi sa puissance. La reprise en main des « bureaux » par le politique passe donc nécessairement par l'arrêt du cumul.

Fort heureusement, ces idées de bon sens sont en train de faire leur chemin dans l'actuelle opposition, y compris au RPR malgré une très forte tradition « cumularde ». Philippe Séguin qui a courageusement renoncé à sa mairie d'Epinal s'en est fait récemment l'écho. Je le cite [2] :

« La décentralisation a tout changé. Les mandats locaux sont devenus souvent de véritables métiers à temps plein. Ils sont devenus aussi une sorte d'assurance en cas d'échec à un scrutin national. Le mandat local est devenu ainsi, dans bien des cas, le mandat principal, celui qui est censé garantir la pérennité politique de l'élu ; celui qui, de plus en plus souvent, détermine le vote : on a ainsi entendu certains de nos collègues nous expliquer – à tort, au demeurant – qu'ils ne pouvaient décemment voter contre les emplois Aubry, dès lors qu'ils s'apprêtaient à en solliciter pour la collectivité dont ils avaient la charge.

« Le politique s'est ainsi atomisé, et l'Administration a fini par se convaincre qu'elle était la seule incarnation de l'intérêt national, les parlementaires étant réduits, dans son esprit, à être les porte-parole des intérêts particuliers – qu'ils soient catégoriels ou géographiques – et lesdits parlementaires vouant d'ailleurs en retour aux susdits fonctionnaires des sentiments d'une égale aménité.

« L'Etat national risque ainsi, si nous n'y prenons garde, de devenir le seul niveau d'administration à ne pas disposer d'élus qui lui soient

---

1. V. plus haut, chapitre 10.
2. Discours devant les journées parlementaires du RPR, Saint-Jean-de-Luz, 6 oct. 1997.

totalement, exclusivement, voire même seulement prioritairement dévoués. »

Le Président de la République – et c'est tant mieux ! – a lui aussi rejoint le camp de la limitation du cumul en se déclarant favorable à l'interdiction pour un élu de cumuler deux fonctions exécutives, telles que ministre, maire, président de Conseil général ou régional... mais sans pour autant interdire à un élu national d'être également détenteur d'un mandat local [1].

Pour ma part, je suis parvenu à la conclusion que l'objectif souhaitable pour le pays serait, tout en permettant à un élu national de conserver un ancrage local (sous la forme d'un mandat de conseiller municipal, général ou régional), d'interdire tout cumul avec des responsabilités exécutives majeures telles que président de Conseil général ou régional, et maire de villes de plus 20 000 habitants (le seuil retenu dans l'actuelle législation).

Je ne sous-estime pas pour autant la difficulté de l'exercice : presque par définition pourrait-on dire, le Sénat est cumulard, quant à l'Assemblée, la pratique du cumul y est encore plus répandue [2]. Il est donc peu probable qu'une telle réforme puisse voir le jour aisément – je veux dire autrement que par la voie référendaire. Elle devrait en tout état de cause s'accompagner d'une coupure totale (telle qu'évoquée plus haut [3], du lien entre fonction publique et politique, ainsi que d'une vraie réflexion dans le pays, sur le statut de l'élu. Si les Français souhaitent à juste titre une « respiration nouvelle » et une meilleure représentativité de leurs élites politiques, loin de la domination sans partage des fonctionnaires – élus et autres cumulards, encore doivent-ils accepter l'idée que la démocratie a un prix...

---

1. V. *le Monde*, 22 novembre 1997.
2. On trouvera ci-dessous le point sur les mandats locaux détenus par les 577 députés au 30 octobre 1997 (source : Assemblée nationale).

TABLEAU 12-2 : MANDATS LOCAUX
DES DÉPUTÉS (AU 30 OCTOBRE 1997)

Maires	322
dont maires de villes de plus de 20 000 habitants	116
Maires adjoints	49
dont maires adjoints de villes de plus de 100 000 habitants	19
Conseillers de Paris	12
Conseillers généraux	223
dont présidents de Conseil général	16
Conseillers régionaux	71
dont présidents de Conseil régional	6

3. V. p. 271-273.

Troisième partie

POUR EN FINIR
AVEC L'HORREUR ÉCONOMIQUE
À LA FRANÇAISE

CHAPITRE 13

L'exception capitaliste française

Schizophrénie : « Psychose caractérisée par une dissociation des différentes fonctions psychiques et mentales, accompagnée d'une perte de contact avec la réalité et d'un repli sur soi du malade (autisme). »

Je vais sans doute choquer, et naturellement je prie le lecteur de ne point m'en excuser. Mais à regarder de près le fonctionnement de notre société, aux prises avec son sinistre économique et social à l'intérieur, et la réalité du monde à l'extérieur, c'est cette définition, extraite du dictionnaire [1], qui me paraît résumer le plus précisément le mal dont nous souffrons.

« Dissociation des fonctions » : la France vit chaque jour dans un système économique capitaliste désormais mondialisé ; elle se dit, et se croit même une nation moderne, fermement ancrée dans l'économie de marché. Mais tout dans ses structures intérieures, dans le fonctionnement quotidien de son gouvernement, de son Administration bien sûr, mais aussi de bon nombre de ses agents économiques (ménages et même entrepreneurs souvent), concourt à forger une réalité nationale aux antipodes de cette première « fonction ». Pour poursuivre ce parallèle, on pourrait dire qu'en France, la fonction économique est parfaitement dissociée de la fonction politico-sociale. Tandis que la première s'inscrit dans le capitalisme et s'efforce de réussir face à la compétition mondiale, la seconde relève du contraire : un *profond anti-capitalisme* dans nos mentalités, comme dans nos structures, dont la raison d'être ne paraît consister que dans la contradiction de la première.

S'ensuit naturellement « une perte de contact avec la réalité et un repli sur soi » : c'est la tentation permanente que nous connaissons bien à présent, de reporter sur l'étranger la cause de nos malheurs, et de mettre tout en œuvre pour maintenir, coûte que coûte, « notre modèle » – au mépris des réalités extérieures et intérieures. Ce phénomène, fascinant à observer d'un strict point de vue intellectuel, est une véritable tragédie pour notre pays. Il n'est cependant pas une fatalité.

---

1. Hachette, Edition 1991.

Il arrive parfois que les nations, comme les hommes, se trompent. Il faut alors savoir corriger ses erreurs à temps, avant que des conséquences plus graves encore ne surviennent. Dans la vie d'un homme, cela s'appelle la maturité ; dans l'histoire des nations, cela s'appelle le courage, qualité première du politique lorsqu'il s'agit d'entreprendre, non pas des « réformettes » à la marge, mais une profonde mutation du « système » lui-même. Courage de la lucidité tout d'abord : qui implique la remise en cause des habitudes, et parfois des structures auxquelles toute une société s'est accoutumée. Courage aussi dans la pédagogie et la bataille des idées, pour parvenir à force d'efforts répétés, à entraîner tout un peuple dans l'action réformatrice. Courage enfin d'accepter à l'avance la perspective de la sanction électorale au moment où la réforme est proposée, pendant tout le temps qu'il faut pour la conduire, mais plus sûrement encore, le jour où elle aura finalement réussi à s'imposer et à transformer le pays...

Une cécité collective

Ce qui me frappe en France, ce n'est pas tant notre capacité à nous tromper collectivement – quel peuple ne l'a pas fait au cours de son histoire ? – mais de persister aussi longtemps dans l'aveuglement. Mieux – sans doute est-ce là notre goût très cartésien pour la logique – nous possédons ce talent très sûr qui consiste à ériger l'erreur collective en véritable système de pensée. L'erreur devient alors le dogme, une sorte de vérité officielle, bientôt partagée par toute une société, rendant dès lors extrêmement difficile toute critique, toute remise en cause de l'intérieur.

Il en va malheureusement ainsi de notre « erreur économique » nationale.

Depuis une vingtaine d'années, la France connaît une explosion du chômage, une croissance atone et désormais des déficits très inquiétants dont l'augmentation, on l'a vu, est devenue mécanique (s'agissant notamment de la dette publique).

Les impôts, dont toute la classe politique reconnaît qu'ils ont franchi le seuil du tolérable, continuent pourtant de grimper, alors même que nous continuons d'emprunter chaque jour l'équivalent d'un milliard de francs pour financer le puits sans fond de nos dépenses publiques.

Or ce système-là, personne, en dehors de quelques individualités vite isolées ou rejetées, marquées de l'épithète infamante d' « ultra-libéraux », personne ne le remet sérieusement en question.

En matière économique, la « pensée dominante » française consiste à accepter le capitalisme *en théorie*, ou plus exactement à en accepter la partie la plus agréable : par exemple, la liberté du consommateur de choisir parmi les milliers de produits proposés au meilleur prix sur les rayons d'une grande surface ; celle du patient qui peut consulter autant de médecins *libéraux* qu'il le souhaite (tout en étant « remboursé » par la Sécurité sociale) ; en revanche, ce que nos concitoyens ont beaucoup plus de mal à accepter (ce que beaucoup refusent purement et simplement !), c'est l'autre versant de la liberté capitalistique : à savoir la notion de compétition et de sélection par le talent, le travail, en un mot le mérite ; la difficulté de se former et de « se vendre » en vue de trouver un emploi ; le risque, une fois cet emploi obtenu, de le perdre ; en un mot, l'instabilité inhérente au défi permanent qu'est l'univers de l'économie capitaliste.

Ce capitalisme-là est bon pour les autres mais difficilement tolérable chez nous tant il menace par ses effets notre façon de vivre et notre conception passionnément égalitariste de notre société.

D'où la tendance que nous avons à considérer le chômage que nous subissons de plein fouet, faute de nous préparer à la réalité que nous condamnons par ailleurs, comme une sorte d'agression imposée de l'extérieur, qu'il convient de refuser, de contester comme telle, voire même de déclarer hors la Loi.

Les responsables désignés à la vindicte publique aussi bien par les ténors de la Gauche que ceux de la Droite s'appellent, on l'a vu : la mondialisation, Maastricht, le libre-échange, la grande distribution, les banques, le Deutschemark auquel nous avons lié le « Franc fort », ou les taux d'intérêt, etc.

A aucun moment ne s'interroge-t-on, dans ce concert d'imprécations, sur notre système lui-même : celui-ci est par nature « républicain », car socialement équitable (croit-on), donc supérieur à tous les autres. Puisqu'il est *a priori* hors de question d'en modifier la logique, par exemple en touchant au dogme du salaire minimum pour faciliter l'emploi des travailleurs non qualifiés, ou au niveau dissuasif des charges sur le coût salarial, tout au plus convient-il « d'accompagner socialement » le fléau qui nous frappe, par une panoplie sans cesse plus fournie – et plus coûteuse – de dispositifs publics. D'où la prolifération des aides à l'emploi, d'aides aux chômeurs ou aux préretraités, voire des emplois publics eux-mêmes, ou de la réduction du temps de travail, autant de dispositifs qui au final rigidifient naturellement encore plus le système qu'il conviendrait de réformer.

Ainsi le débat économique et social en France se déroule-t-il, malgré l'apparence de clivages idéologiques entre la Droite et la Gauche, *à l'intérieur* d'un même cercle fermé, d'une idéologie nationale unique : celle du maintien du statu quo.

La conquête du pouvoir passant, pour tout leader politique qui se respecte, par l'engagement solennel, mille fois répété, qu'on ne touchera pas aux « acquis », et souvent même par la promesse de prestations ou de droits supplémentaires, le système ne cesse de se conforter... et notre économie de s'ossifier. Dès lors, l'objectif avoué de l'ensemble de nos formations politiques, des syndicats, et naturellement de l'Administration, consiste à préserver contre vents et marées les structures étatiques et sociales auxquelles nous sommes habitués. Le *conservatisme,* au sens littéral du terme, est ainsi érigé en idéologie nationale.

Fort heureusement, quelques voix à gauche commencent à s'élever, dressant le même constat. Ainsi, dans une remarquable étude récente [1], Denis Olivennes écrit :

« Chez la plupart de nos voisins, l'idée qu'il ne puisse pas y avoir de politique sociale digne de ce nom sans croissance et sans création d'emplois s'impose à tous. C'est même cette prise de conscience qui sous-tend le retournement intellectuel de la gauche dans ces pays : la redistribution suppose, comme préalable, de libérer les facteurs de création de richesses.

« Rien de tel chez nous. Cultivant son exception nationale, la France, dans une belle unanimité de ses partis de gouvernement, par-delà l'apparence de leur opposition et de leurs alternances, communie dans une révérence renouvelée pour l'intervention publique au cœur même des processus de production. Fondamentalement, le marché n'est considéré, chez nous, ni comme un système efficace du point de vue de l'allocation des ressources, ni comme un mécanisme juste de répartition des richesses. Il apparaît donc naturel et légitime d'intervenir, non *a posteriori* pour corriger ses effets pervers, mais directement pour l'orienter en fonction d'exigences de justice.

« Sans égard pour ses contre-performances désormais évidentes en termes de croissance et d'emploi, ce modèle continue, implicitement ou explicitement, à inspirer les politiques conduites, avec des nuances ou des différences, par la droite et par la gauche.

« Dans la plupart des autres pays européens, le primat du marché est le centre de gravité de l'échiquier politique. Chez nous, sous l'effet d'un " sinistrisme " traditionnel, c'est le dirigisme économique et l'interventionnisme social qui forment la clé de voûte du système politique.

« La véritable " pensée unique " n'est donc pas où l'on croit. Si, un temps, le débat sur la politique monétaire a pu masquer cette situation, en créant une opposition entre une orthodoxie supposée libérale et les tenants d'une " autre politique " (qui était en fait la même sauf sur la monnaie), le reflux des taux d'intérêt ramène aux vraies questions. Ses adversaires imputent à la politique dite du " franc fort ", au début des années 1990, 2 à 3 % de taux de chômage. En admettant cette analyse, il reste encore à expliquer 6 à 7 points d'écart avec le Japon, 4 à 5 points avec les Etats-Unis, 3 à 4 points avec le Royaume-Uni ou les Pays-Bas.

---

1. Denis Olivennes : *Le Modèle social français : un compromis malthusien,* Note de la Fondation Saint-Simon. Janvier 1998.

« Le " débat interdit " en France, pour reprendre la formule de Jean-Paul Fitoussi, n'est donc pas tant celui sur la politique monétaire – abondamment discutée – que celui sur les " fondamentaux " de notre modèle. Quiconque s'interroge sur l'intervention de l'Etat au cœur des mécanismes économiques est accusé, sans autre forme de procès, de vouloir promouvoir l'injustice sociale, et d'être le héraut d'un ultra-libéralisme destructeur, spectre fantasmatique que la droite et la gauche entendent chasser : la tâche est d'autant plus facile qu'il n'a jamais fait mine véritablement de venir hanter notre pays. »

En France, on peut débattre à l'infini de telle ou telle mesure – des trente-cinq heures, des emplois-jeunes ou de la retraite à cinquante-cinq ans – mais jamais de l'essentiel : c'est-à-dire de notre système lui-même, donc d'éventuelles alternatives à celui-ci. Ce n'est pas notre navire qui prend l'eau, c'est la mer autour de nous qui a tort !

Cet unanimisme, nous en voyons tous les jours la preuve dans nos journaux.

Au sommet de l'Etat, quand le Président de la République lui-même, après avoir dénoncé « les conservatismes français » se porte per-sonnellement garant des « acquis sociaux » dont jouissent les Français, c'est-à-dire du système même qu'il devient urgent de réformer ; à Mati-gnon, où le nouveau locataire des lieux proclame dans sa déclaration de politique générale en juin 1997 : « L'économie en France s'est toujours appuyée sur une volonté publique forte. Il ne faut pas rompre avec notre tradition... les services publics relèvent d'une conception fonda-mentale de la société à laquelle nous tenons par-dessus tout. »

Même son de cloche, *avant* les législatives de mai-juin 1997, de la part des grands ténors : de Mme Martine Aubry qui entendait « rompre avec le libéralisme [1] », à François Bayrou qui, avec des accents dignes de Viviane Forrester, justifiait dans son essai *le Droit au sens* [2], « ces plans sociaux qui enrichissent les boursiers dès l'annonce de milliers de licenciements », en passant par Philippe Séguin qui dans une confé-rence à Bruxelles [3] redoutait « la menace d'un capitalisme totalitaire », et jusqu'à François Léotard, théoriquement patron des libéraux fran-çais, qui déclarait dans un entretien au *Monde* [4] : « La soumission à l'économie me semble dangereuse ». Et le Président d'alors du Parti Républicain d'ajouter : « Je suis résolument du côté de la République. Aujourd'hui apparaît une notion nouvelle, que je qualifierai de démo-cratie de marché, qui affirme d'un côté, le principe du suffrage univer-sel et, de l'autre, celui du suffrage censitaire, c'est-à-dire de l'argent. Voilà ce qui menace la République. »

On pourrait continuer fort longtemps cette touchante énumération,

1. « Le Grand Jury RTL-*le Monde* », 5 janvier 1997.
2. Flammarion, 1996.
3. *Le Monde*, 8 janvier 1997.
4. *Le Monde*, 20 février 1996.

toute consensuelle : évoquer les diatribes anti-européennes des partisans de « l'autre politique » ; rappeler la convergence Chevènement-
Pasqua contre la monnaie unique et l'Europe « ultralibérale », à
laquelle s'est joint un temps Valéry Giscard d'Estaing lui-même, à
l'occasion d'un étrange débat sur la parité du Franc et de l'Euro...

Bref, la République a naturellement raison, la République est en
danger, le reste du monde a tort. En quatre siècles, les mots ont changé,
la République a remplacé le Roi, mais les réflexes sont identiques. Laf-
femas, contrôleur général du commerce, nommé en 1600, Richelieu
puis Colbert étaient eux aussi convaincus que l'économie, en France,
comme la protection de l'emploi, passaient d'abord par l'Etat ; qu'au
dynamisme de la Hollande et de l'Angleterre, la France devait
répondre par le règlement, l'organisation précise des manufactures et
des corporations subventionnées, que l'expansion économique était par
définition impossible, tout progrès de l'un se faisant nécessairement au
détriment de l'autre : ainsi le développement de la marine marchande
nationale ne pouvait se faire que sur la ruine des marines étrangères –
et réciproquement [1]...

L'épouvantail libéral

Peu avant les législatives, l'un de nos grands commentateurs politiques, lui-même partisan résolu de cette belle unité nationale, pouvait
écrire dans l'un de ses éditoriaux [2] : « Le néolibéralisme français, qui
opérait en France sous couvert d'une " pensée unique ", est-il en train
de sombrer ? Après Jacques Chirac et sa campagne présidentielle tout
entière conduite au nom du volontarisme politique et sanctionnée par
la victoire, voici les Européens de toujours, c'est-à-dire le Parti socialiste et Valéry Giscard d'Estaing, l'un avec son projet et son plaidoyer
contre l'Euro, l'autre avec son appel à la dépréciation immédiate du
franc, qui rivalisent en faveur d'une relance de la consommation. C'est
sans doute un grand tournant dans la vie politique française... La
France aura donc échappé à la cure libérale. » Et Serge July d'expliquer le naufrage de « la révolution libérale » en France en ces termes :
les sondages indiquent tous, « d'une part (que) le caractère inégalitaire
de l'adaptation néolibérale a atteint un niveau insupportable et, d'autre
part que l'Etat, malgré la déflation du politique, garde un crédit exceptionnel de réducteur des inégalités et de guide ».

Sur le premier point, Serge July a mille fois raison : la France n'a
jamais tenté l'expérience libérale. La timide tentative d'ouvrir en
France un débat sur l'approche libérale, malheureusement caricaturée

---

1. Inès Murat : *Colbert*, Fayard, 1980.
2. Serge July : « Colbert for ever ! » *Libération*, 21 novembre 1996.

par la Commission Minc[1], a vite tourné à l'épouvantail. Immédiatement identifié à la « pensée unique » accolée au Balladurisme, donc défait avec lui en mai 1995 par les électeurs de Jacques Chirac comme par ceux de Lionel Jospin, ce qui n'était que l'amorce d'une approche libérale de la réforme de notre système économique, n'est jamais parvenu à être autre chose qu'un repoussoir pour toutes les peurs de la société française.

Grâce à quoi, la République est devenue synonyme de conservatisme (maintien des acquis), l'égalité des chances a versé dans l'égalitarisme, la fraternité s'est confondue avec l'irresponsabilité et le droit de tous à tout ; quant au fameux « volontarisme politique », il signifie désormais dans la tête de nos concitoyens le « courage de dire non »... à la réalité ! Quelle étrange perversion des mots et de la notion même de politique, que de faire du « volontarisme » le synonyme du conservatisme, voire de l'autisme d'un aussi grand peuple ! La France, qui sut il y a deux siècles partir à la conquête du monde, en aurait-elle peur à ce point qu'elle ne verrait d'autre avenir que dans le repli ?

Sur son troisième point, Serge July a également raison : l'Etat, c'est vrai, garde un crédit exceptionnel chez nos concitoyens. Ceux-là mêmes qui dénoncent le plus ses abus, ses taxes, son inefficacité, réclament toujours plus de protection, d'espoir de sa part. Hors de l'Etat, point de salut français ! Décidément, le cordon ombilical d'une nouvelle citoyenneté reste encore à couper !

Mais c'est sur le deuxième point de son jugement que je me séparerais de l'excellent July. Les Français n'ont pas rejeté « le caractère inégalitaire de l'adaptation néolibérale », tout simplement parce que cette adaptation n'a pas eu lieu en France. Ni pendant la première cohabitation (1986-88), où Jacques Chirac et Edouard Balladur n'ont fait qu'entamer les privatisations tout en infléchissant légèrement la dépense publique, mais sans toucher vraiment au périmètre de l'Etat, ni aux fameux acquis, pas plus qu'au nombre de fonctionnaires. Ni pendant les différents gouvernements socialistes d'après 1983, qui se sont simplement contentés de gérer la crise à grand renfort de dépenses publiques supplémentaires, financées par toujours plus de charges et d'impôts (TVA, ISF, CSG, etc.).

En vérité, *l'expérience libérale n'a jamais été tentée en France*. Son histoire chez nous, intense et riche il y a deux siècles, est depuis lors celle d'une politique mort-née, d'un fantasme plutôt, qui en dernière analyse n'a fait que renforcer l'unanimisme à la fois agressif et désespéré qui caractérise notre « débat » socio-économique national.

A aucun moment – et sur ce point la Droite française porte une immense responsabilité – n'a été réuni en France le minimum de fondations intellectuelles et de capital politique qui aurait permis d'appré-

---

1. Rapport au Premier ministre, *La France de l'An 2000*, Commissariat Général au Plan, Odile Jacob-La Documentation Française, novembre 1994.

hender, de façon crédible pour l'opinion, les problèmes de notre temps sous l'angle d'une alternative libérale non pas importée de l'étranger, mais adaptée aux réalités de la France.

L'instinct conservateur

Au lieu de cela, la France a choisi de *conserver, mieux, d'ossifier,* son système envers et contre tout, tout en s'interdisant de se demander pourquoi il est en faillite. La technostructure qui désormais envahit les états-majors politiques de Droite comme de Gauche s'est ainsi maintenue au pouvoir sans problème, dans une irresponsabilité absolue. Et ce malgré d'incroyables dérives (Crédit Lyonnais, GAN, etc.) et l'état de sinistre social qu'elle a laissé se développer dans ce pays (nos 5 millions d'exclus). Une réponse illusoire vient toujours à point nommé remplacer la précédente pour rassurer l'opinion : tantôt la solution est dans les aides à l'emploi (dont chacun mesure aujourd'hui la totale inefficacité mais qu'on va naturellement continuer à financer et à amplifier sous Jospin [1]) ; tantôt dans le CIE, tantôt dans la réduction du temps de travail, les trente-cinq heures ou la loi Robien ; et puis bien sûr – serpent de mer récurrent – dans l'arrivée toujours « imminente » de la fameuse « croissance ».

A Bercy, comme à Matignon tous les six mois environ, on annoncera au bon peuple que la croissance tant attendue va « être au rendez-vous au prochain semestre » (tirée tantôt par l'Allemagne, ou par un billet vert qui remonte, quand ce n'est pas par quelques heureux « frémissements » de la consommation ou de l'investissement, que l'on aura cru déceler dans les statistiques). Dès lors tout rentrera dans l'ordre : les recettes fiscales, l'emploi, la consommation, et même « le trou de la sécu » qui se trouvera ainsi comblé. Las, la croissance ne revient pas... et la France s'enfonce dans la déprime, sans se demander pourquoi la croissance ne redémarre toujours pas, alors qu'elle fleurit ailleurs.

Si j'ai voulu écrire ce livre, au risque d'être parfaitement iconoclaste, c'est d'abord parce que, universitaire de formation, je ne supporte plus le petit jeu d'escamotage permanent de vérités pourtant évidentes. Parce que je suis profondément convaincu que la vraie cause de nos malheurs ne réside non pas ailleurs, mais bien chez nous. C'est bien notre système en effet, et non les « gnomes de Londres », la Bundesbank, le dollar ou les importations de Chine, qui est à l'origine des

---

1. Les aides à l'emploi sont examinées plus loin, v. ch. 15. En 1998, M. Jospin a prévu de reconduire les 150 milliards d'aides à l'emploi prévus précédemment, auxquels s'ajouteront les 10 premiers milliards (sur 35 par an) des fameux « emplois-jeunes » et un nombre non spécifié (et non financé !) d'autres milliards pour faciliter le passage aux trente-cinq heures...

médiocres performances de notre économie – en termes de créations d'emploi et de croissance.

Au bout du compte, la véritable explication de notre mal national tient à ce que notre système, bien qu'inséré par la force des choses dans l'économie capitaliste mondialisée, est en fait fort éloigné du capitalisme – il le refuse même ! – tant dans ses structures que dans les mentalités qu'il a engendrées dans notre peuple.

« *Le vieil anticapitalisme français* »

Cette conviction s'appuie tout d'abord sur une constatation d'ordre psychologique et sociologique. Fondamentalement la France, bâtie autour de sa religion de l'Etat, n'est pas une nation marchande[1].

La religion d'abord, le marxisme ensuite, y ont développé un mépris de « l'argent sale », le souci de le cacher quand on en possède, le sentiment d'une profonde injustice (mais non l'ambition anglo-saxonne de faire fortune) quand on n'en a point. Génération après génération, les Français ambitionnent pour leurs fils de bonnes et sûres carrières étatiques, plutôt que l'aventure entrepreneuriale.

La France n'admire pas ses grands capitaines d'industrie – elle en a fort peu au demeurant en comparaison avec ses concurrents ; tout au mieux les tolère-t-elle. Se méfiant des capitalistes, elle préfère confier les destinées de ses grands groupes publics ou parapublics à de hauts fonctionnaires parachutés de l'extérieur... avec, dans bon nombre de cas, le bonheur que l'on sait. Et quand un Président de la République de Gauche tente de réconcilier la France profonde avec le monde de l'entreprise, c'est Bernard Tapie qui est donné en exemple aux jeunes Français ! Le mal est donc ancien et profond.

Il y a vingt ans, Alain Peyrefitte[2] exhortait les Français à « aimer leur négoce, leur industrie, leur technique, donc leurs exportateurs, leurs industriels, leurs techniciens. Ils doivent admettre, ajoutait-il, que les lois du marché ne sont rien d'autre que les lois de la démocratie dans le domaine économique ».

Plus récemment, le regretté François Furet[3], analysant fort lucidement les grandes grèves de novembre 1995, y voyait « une crispation conservatrice » des Français. Ceux-ci, ajoutait-il, ont « senti qu'une de leurs traditions, qui va de Colbert à de Gaulle, se trouvait menacée : celle du rôle de l'Etat dans l'économie. Travailler au service de l'Etat reste dans notre pays plus digne de considération qu'être au service du privé. C'est *le vieil anticapitalisme français* ».

---

1. Plus haut, chapitre 7.
2. *Le Mal français, op. cit.*
3. Interview dans *le Figaro*, le 2 janvier 1996.

De Juppé à Jospin...

C'est à la fois ce vieil anticapitalisme, et notre religion de l'Etat qui expliquent que des hommes aussi différents qu'Alain Juppé et Lionel Jospin, idéologiquement adversaires, mais fondamentalement issus du même moule intellectuel – celui de l'ENA et de la haute fonction publique – aient eu pour premier réflexe, une fois installés à Matignon, le premier d'écrire aux Préfets pour leur demander de créer des emplois (!), le second d'annoncer que l'Etat créerait directement en lieu et place du marché des centaines de milliers d' « emplois-jeunes », et cela au nom du même « volontarisme politique ».

Ce vieil anticapitalisme, on le trouve également illustré dans cette campagne publicitaire de la CGC (les cadres donc!), qui, malgré la réputation de réalisme économique de cette centrale syndicale et ses croisades antérieures contre le « poids insupportable des impôts », a choisi elle aussi de déverser ainsi sa complainte antilibérale en ce début de 1997 : « Bosser dix heures par jour, samedi compris », affirme sur les affiches un cadre d'une cinquantaine d'années, « sans pouvoir l'ouvrir : ce n'est plus une vie [1]! ». A ce rythme, que va-t-il rester aux OS de la CGT : prêcher la Révolution?

La tradition anticapitaliste française, ce sont aussi ces phrases que j'extrais d'un éditorial publié dans *le Monde* [2] dû à la plume d'un « publicitaire et écrivain » que je ne connais pas, mais qui m'a paru refléter « l'esprit du temps » dans notre pays, surtout au lendemain des grèves de novembre-décembre 1995 :

« Si être un pays " avancé ", c'est être ce que la France devient, une société anonyme obligatoirement compétitive sous la loi planétaire du marché, comme sous la chiourme d'une galère sans route, et s'y avancer chaque jour davantage, cela n'avance à rien (...). Profondément, la France n'a que faire du projet global de vie qu'on lui propose pour le siècle prochain... Inutile d'espérer en la pédagogie, elle n'a que trop bien compris : plus il sera clair, moins elle en voudra. Pourquoi? Parce qu'elle a derrière elle un millénaire de visées vers un certain bonheur, où l'économie n'entrait que comme un moyen, et deux siècles de liberté à quoi elle a la faiblesse de tenir, deux choses sur quoi elle a la très forte intuition de ne pas s'être trompée. »

Face à de telles envolées, à de telles certitudes millénaristes, on comprend que la France, fille de la Révolution, n'ait que faire du capitalisme : d'un côté la liberté et la République, de l'autre les marchés totalitaires; d'un côté l'Etat-nation juste et protecteur, de l'autre le grand capital apatride !

On touche là du doigt le fond de la schizophrénie française : à la réa-

---

1. L'affiche en question est reproduite dans *la Tribune*, le 9 janvier 1997.
2. Jean-Pierre Dautin : « Penser avec les pieds » (en effet!), *le Monde*, le 24 février 1996.

lité d'une nation totalement immergée dans la compétition capitaliste mondiale, s'oppose quotidiennement un système qui rejette absolument cette logique-là, sans oser d'ailleurs proposer d'alternative autre que le maintien d'un statu quo intenable!

« Le patronat : être ou ne pas être capitaliste ? »

On comprend dès lors que dans un tel environnement national, rarissimes soient nos intellectuels, nos politiques, et même nos grands patrons du secteur privé qui, jusqu'à une date toute récente, ont osé s'avancer en avocats même timides de la cause libérale.

Quand Jean Gandois, alors Président du CNPF, évoqua le sujet dans un entretien publié avant la dissolution, ce fut avec une prudence toute diplomatique [1] : « Oui, dans les chiffres, la France est un pays capitaliste, (mais) pas tout à fait dans les têtes. Notre économie est totalement insérée dans l'économie mondiale. De ce point de vue, la France est un pays capitaliste. Mais les mentalités ne sont pas en accord avec les pratiques quotidiennes du travail, de la consommation, du mode de vie. Il n'y a pas vraiment de rejet du capitalisme, mais il n'y a pas non plus de foi capitaliste, au sens où on l'entend dans les pays anglo-saxons. »

Au demeurant, ajoutait avec lucidité celui qui devait démissionner avec fracas un an plus tard, première victime des trente-cinq heures : « Les patrons français sont d'un grand pragmatisme. Les chefs d'entreprise sont imprégnés des mêmes valeurs et des mêmes traditions que leurs concitoyens. Ils sont habitués à vivre dans un pays où l'Etat joue un grand rôle. Ils reconnaissent à celui-ci un rôle d'arbitre et de gardien des règles du jeu concurrentiel. Ce qu'ils regrettent, c'est l'archaïsme des méthodes de l'administration et la confusion courtelinesque des textes et des règlements. »

En réalité, les patrons ont longtemps « fait avec ». Il y a même, m'a confié l'un d'eux, « des entreprises qui vont bien dans un pays qui va mal : qu'elles réussissent aussi bien malgré les contraintes que nous ne cessons d'ajouter sur elles, tient d'ailleurs du miracle ! »

Ayant compris que la révolution libérale n'était pas pour demain, et ayant renoncé, faute de relais politiques à Droite (et encore moins à Gauche bien sûr), à prendre l'initiative d'une pédagogie nationale sur un sujet dont ils craignaient par ailleurs qu'elle puisse se retourner contre eux (ce en quoi ils n'avaient pas tout à fait tort), les patrons s'étaient résignés, ou tout simplement accommodés, à notre étrange anticapitalisme national.

---

1. Interview dans *l'Express*, le 12 septembre 1996.

Les uns, quand ils dirigent de très grands groupes, concentrent leurs efforts sur le front des marchés étrangers, y compris par des délocalisations ou des achats d'entreprises hors de France, en attendant des jours meilleurs dans leur pays d'origine : l'internationalisation devient alors l'assurance-vie de l'entreprise, et sa source principale de profits. Avec, pour certains d'entre eux, un soutien non négligeable de l'Etat. Au total, d'ailleurs, lorsqu'ils se frottent à la compétition internationale, nos entrepreneurs montrent qu'ils peuvent parfaitement relever le défi. Quant aux autres, surtout s'ils sont de par leur métier les fournisseurs de l'Etat et des collectivités publiques (services et infrastructures, armement), ils ne peuvent que jouer le jeu du système en tentant d'en tirer les meilleurs bénéfices, s'agissant des multiples subventions et autres aides à l'emploi, qui se traduisent en général pour eux par autant d'effets d'aubaine. Le clivage apparu au sein même du patronat à l'occasion de la fameuse Conférence salariale du 10 octobre 1997 qui devait « produire » les trente-cinq heures en même temps que la démission du président Gandois, est à cet égard parfaitement révélateur.

Révélateur de ces divisions internes, mais peut-être en même temps annonciateur d'une véritable révolution dans l'histoire des relations sociales en France depuis 1945. Bien malgré lui en effet, Lionel Jospin, en imposant les trente-cinq heures, a provoqué un changement radical d'hommes, de générations et surtout de philosophies à la tête du CNPF. L'élection en décembre 1997 d'un authentique libéral, d'Ernest-Antoine Seillière, à la présidence du patronat signifie peut-être le réveil des entrepreneurs français face à l'économie administrée ; la volonté de peser pour la première fois sur le débat public face aux thèmes de la pensée dominante illustrés par les trente-cinq heures.

Le retard français

Le même Ernest-Antoine Seillière, un an avant son élection à la tête du CNPF, voyait dans notre anticapitalisme national le produit d'une histoire dominée par l'Etat.

« Dans notre pays, affirmait-il [1], tout a été fait, depuis cinquante ans, pour affaiblir, voire éliminer les grands acteurs du capitalisme privé au profit des institutions contrôlées par l'Etat et des réseaux de collecte d'épargne affectés à des financements publics. On voit là les conséquences du colbertisme, toujours vivace à Gauche comme à Droite. La France n'a presque plus de grands capitalistes. Et cela prendra du temps d'en faire émerger de nouveaux. »

Le diagnostic malheureusement n'est que trop exact. Tandis qu'on a

---

1. Interview dans *Capital*, décembre 1996.

vu surgir aux Etats-Unis surtout (grâce au NASDAQ), en Asie, mais aussi en Europe (de l'Italie à l'Europe du Nord), une nouvelle et nombreuse génération de très grands entrepreneurs, la France a beaucoup de mal à assurer la relève des grands noms qui, souvent partis de zéro, firent la France des trente glorieuses : les Marcel Fournier et les frères Defforey (Carrefour), Gilbert Trigano (Club Med), Antoine Riboud (BSN Danone), Eugène Scheller (L'Oréal), Marcel Bich (Bic) et autres Dubrûle et Pelisson (ACCOR) ou Marcel Bleustein-Blanchet (Publicis) et bien d'autres [1].

Ceci expliquant sans doute cela, une intéressante étude sur la constitution et le renouvellement des patrons à la tête des 200 plus grands groupes français [2] révèle que l'Etat reste le lieu de détection et de sélection principal des cadres dirigeants, et ce... dans 50 % des cas [3] ! Cette spécialité française constitue un sujet constant d'étonnement pour les grands patrons étrangers. Formés pour la plupart d'entre eux à l'intérieur des grands groupes qu'ils dirigent et dont ils ont gravi un à un les échelons, il est pour eux proprement impensable de confier les rênes de l'entreprise à un fonctionnaire parachuté des hautes sphères de l'Etat. Cees Van Leede, ancien chef du patronat néerlandais, me confiait récemment : « Une telle mesure tuerait toute motivation pour des cadres de l'entreprise qui se verraient ainsi privés, à jamais, du but suprême : celui de participer à l'équipe dirigeante. »

L'effarant retard de notre capitalisme industriel s'exprime également par un ensemble de lacunes graves : à commencer par un système éducatif « nationalisé » pour l'essentiel et totalement coupé de la réalité du monde économique ; ceci vaut également pour nos capacités fort importantes de recherche scientifique qui ne trouvent que rarement à se concrétiser dans la réalité industrielle [4]. Ceci vaut enfin pour notre système bancaire qui, à quelques rares exceptions près, est en capilotade, résultat prévisible des nationalisations de 1981, lesquelles, en supprimant la concurrence, ont ouvert la voie à tous les abus. Logique du système : la Banque française est d'abord au service de l'Etat – du recyclage de ses dettes, comme de ses hauts fonctionnaires du Trésor –, ensuite au service des amis du pouvoir en place, et enfin seulement au service de l'économie et de nos entrepreneurs. Tandis qu'aux Etats-Unis un homme et une idée trouvent immédiatement à se financer sur la base d'un authentique partenariat entre l'entrepreneur et son financier, la création d'entreprises en

---

1. V. Claude Baroux, *la Vie française*, 29 juin-5 juillet 1996.
2. M. Bauer et B. Bertin-Mourot, *op. cit.*
3. V. plus haut, ch. 11.
4. V. J.-L. Levet, *op. cit.*, p. 32.

France relève du chemin de croix... ou du pianotage sur les subventions publiques ! Colbert toujours [1]...

Combien de fois n'ai-je entendu des patrons de PME se plaindre que leur banquier, au lieu de les soutenir, précipitaient le dépôt de bilan de l'entreprise pour recouvrer leurs créances ! Au lieu de se diriger vers le financement de richesses nouvelles par le biais de l'investissement en actions, notre système bancaire, comme nos grandes compagnies d'assurances nationalisées, ont préféré les obligations d'Etat... ou la spéculation immobilière des années 80, avec les résultats que l'on sait. Il est vrai qu'il est plus facile de revendre entre soi six ou sept fois le même immeuble en réalisant à chaque fois la « culbute », que de financer des projets industriels. Ma circonscription, avec les 600 à 700 000 mètres carrés de bureaux vides que contiennent les VIIIe et IXe arrondissements de Paris, est hélas le monument déserté de cette « œuvre financière » réalisée pour l'essentiel par des groupes nationalisés dirigés par des hauts fonctionnaires, aux frais des contribuables ! Il aura donc fallu attendre la cascade de scandales et de déroutes financières révélés en 1993-95, pour qu'enfin les privatisations soient accélérées dans ce secteur et que l'on crée en France (en 1996) un début de « venture capital » avec le système des fonds de pension aujourd'hui menacé par les socialistes...

De même, la structure de nos grands groupes industriels demeure-t-elle toujours fortement marquée par l'Etat, à la fois par le poids exorbitant du secteur nationalisé, mais aussi jusqu'à très récemment par le système dit des « noyaux durs » qui a présidé à la première vague de privatisations.

Un capitalisme sans capital

Initié pendant la première cohabitation (1986-88), et théoriquement prévu pour éviter des prises de contrôle étrangères sur les fleurons de notre industrie, ce système de participations croisées par la « barbichette [2] » (« Tu prends 5 % de mon capital, je prends quelques pour

---

1. Je ne résiste pas au plaisir de citer une lettre de Colbert en date du 2 octobre 1671 adressée à l'Intendant Besson, dans laquelle le ministre de Louis XIV exprime sa colère devant les effets du système de subventions publiques aux manufactures qu'il a lui-même mis en place. « Les marchands, écrit-il, ne s'appliquent jamais à surmonter par leur propre industrie les difficultés qu'ils rencontrent dans leur commerce, tant qu'ils espèrent trouver des moyens plus faciles par l'autorité du Roi. Il est impossible que ces établissements ne reçoivent directement divers changements de temps en temps, et si ceux qui les soutiennent n'ont pas l'industrie, lorsqu'une consommation leur manque, d'en trouver d'autres, il n'y a point d'autorité et d'assistance qui puissent suppléer ce défaut ». Cité dans *Colbert*, Inès Murat, *op. cit.*

2. *Lettre A*, 14 mars 1996.

cent chez toi, et je suis à ton Conseil »), a eu pour conséquence de stériliser le capital de nombre de grandes entreprises qui en avaient pourtant le plus grand besoin pour développer leurs activités... Sans parler bien sûr des points de chute confortables que ce système a permis de trouver aux amis politiques des deux camps, ainsi qu'à une brochette d'inspecteurs des Finances, dont certains avaient eux-mêmes préparé lesdites privatisations...

Si sous la pression de la compétition internationale, ces différentes nébuleuses sont en train d'exploser depuis deux ans, nos grands groupes n'en demeurent pas moins fortement dominés par la « consanguinité » de leurs équipes dirigeantes et de leurs conseils d'administration [1], dangereusement sous-capitalisés par rapport à leurs concurrents étrangers. Au point qu'on a pu parler pour la France d'un « capitalisme sans capital [2] ».

Ainsi, si l'on se réfère au classement des 1 000 premières firmes mondiales réalisé par l'hebdomadaire américain *Business Week* en 1996, la première compagnie tricolore, LVMH, n'arrive qu'en 113ᵉ position. Quant à la valeur boursière totale des 43 entreprises françaises intégrant ce classement [3], elle est 15 fois inférieure à celle des firmes américaines, et près de 8 fois inférieure à celle des firmes nippones faisant partie des 1 000 entreprises classées. Au total, les 17 firmes de Hong Kong figurant dans ce classement valent presque autant, en termes de capitalisation boursière, que l'ensemble des sociétés françaises qui y sont mentionnées !

C'est dire si notre structure capitalistique nationale est faible, comparée aux concurrents contre lesquels nous devons chaque jour nous battre... et défendre l'emploi.

Cette première notation sur la sociologie de notre « anticapitalisme national » lève un premier coin de voile sur la réalité de notre mal-être économique.

Celle-ci, en effet, est toute simple dès lors que l'on veut bien ouvrir les yeux, et sortir du cercle consensuel de la pensée dominante : la France souffre non pas d'un excès de libéralisme, *mais de son contraire*, et notamment, des trois piliers principaux de sa déconfiture actuelle : le poids à la fois exorbitant par sa taille, et ruineux au plan de ses résultats financiers, de son secteur nationalisé ; en second lieu, le poids de ses prélèvements obligatoires, des contraintes administratives de toutes sortes, des obstacles structurels qui pénalisent l'emploi marchand, qui

---

1. Une enquête du cabinet Vuchot, Ward Howell, citée dans *le Monde* du 7 novembre 1997, note que « la consanguinité des conseils reste une caractéristique du système français », avec notamment une surreprésentation des grands corps (X-ENA), dépassant 60 % chez Saint-Gobain, et 100 % à la Générale des Eaux.

2. *Lettre A*, 29 février 1996.

3. Contre 97 entreprises britanniques, lesquelles réalisent 10 fois plus de profit que les 43 firmes françaises classées.

étouffent son économie et fabriquent indirectement de nouveaux chômeurs ; elle souffre enfin de la multiplication de mécanismes de charité
publique qui sont autant de désincitations au travail.

Faute de place, je ne ferai que passer rapidement en revue ces trois
piliers de la crise systémique du modèle économique français, sachant
que chacun d'eux pourrait faire l'objet, non d'un chapitre, mais
d'ouvrages entiers.

CHAPITRE 14

Pour un service au public!

La vache sacrée

L'une des pièces maîtresses de notre anticapitalisme national en même temps que le symbole souvent cité de notre « exception française » réside sans conteste, dans notre fameuse notion de « service public ».

Elevée au rang de vache sacrée, de véritable tabou auquel nul ne saurait toucher sous peine de blasphème antirépublicain, cette notion demeure, on va le voir, passablement floue. Censée recouvrir le secteur du même nom, elle désigne tantôt l'entreprise chargée d'une « mission d'intérêt général », tantôt une activité régalienne à vocation monopolistique (la construction de missiles nucléaires par exemple), tantôt une activité parfaitement concurrentielle, comme le transport ou la banque. Nous verrons plus loin que l'histoire des nationalisations est tout aussi ambiguë, héritière à la fois de la période de reconstruction de l'immédiat après-guerre, et du grand rêve de l'économie « mixte » de 1981. Toujours est-il que la République française se retrouve à l'aube du troisième millénaire propriétaire (propriétaire-débitrice devrais-je dire) d'un secteur public à la fois considérable, par sa taille et son poids sur l'économie nationale... et profondément en crise.

Le poids tout d'abord.

D'après Christian Stoffaës [1], le poids des *seules* entreprises commerciales de réseaux (transports, énergie, Poste et Télécom) dans l'économie française (en laissant donc de côté le secteur bancaire et des assurances nationalisées, ainsi que les entreprises publiques du secteur de l'armement et de la haute technologie) s'élève à :

— 6 % du PNB en volume financier, soit 400 milliards de francs;

---

1. V. Commissariat Général au Plan : *Services Publics, Questions d'avenir*, sous la direction de C. Stoffaës, Odile Jacob, 1995.

— 4 % de l'emploi national, soit 800 000 emplois (l'effectif total [1] du secteur public étant de 1,5 million de personnes);

— 8 % de l'investissement productif, soit 110 milliards de francs.

A ma connaissance, la France est le pays développé dont le secteur public est le plus diversifié dans les différents secteurs de l'économie, le plus important enfin par son poids sur l'ensemble de la vie économique de la nation.

L'autre caractéristique essentielle de ce système est qu'il est confronté en cette fin de siècle à une crise véritablement existentielle – au sens où son existence même est très sérieusement remise en question sous l'effet combiné de trois forces incoercibles : l'énormité de ses déficits financiers (à la limite de la faillite chronique) tout d'abord; en second lieu, l'évolution extrêmement rapide de la technologie, qui remet en cause la viabilité d'un certain nombre d'activités conduites par un Etat qui n'a plus les moyens d'assurer son rôle d'actionnaire; enfin, le mouvement mondial – et européen – de déréglementation visant à mettre fin aux monopoles nationaux.

En dépit de ces vastes chamboulements, et l'on trouve là un autre exemple frappant des blocages français, personne n'ose sérieusement proposer la suppression totale du système et le remplacement de ces « dinosaures » par des solutions privées [2].

Là comme ailleurs, la France est au milieu du gué, à l'image de la fameuse politique du « ni-ni » inaugurée lors du deuxième septennat de François Mitterrand. Certes le grand souffle idéologique des nationalisations de 1981 est depuis longtemps épuisé, et personne, sauf peut-être au PCF, n'ose encore sérieusement préconiser une nouvelle vague de nationalisations – même si Air France, récemment « renationalisée » vient de payer le prix de cette idéologie; les privatisations entamées en 1986-88 puis à nouveau depuis 1993 ont été généralement bien acceptées par l'opinion (comme le montre le succès populaire rencontré par l'ouverture du capital de France Télécom en octobre 1997); mais le système dans son ensemble n'évolue que très lentement et à la marge, parvenant à se survivre à lui-même, quasiment intact malgré l'accumulation de pertes et de scandales retentissants.

Pour une part, cet étrange statu quo s'explique par la résistance des personnels effrayés pour l'avenir de leurs emplois : les grèves de novembre-décembre 1995 à la SNCF et à la RATP, la séquestration du Gouverneur du Crédit Foncier un an plus tard, ont quelque peu refroidi les ambitions réformatrices des politiques. D'autant que la puissance syndicale et la menace de grèves concernent des secteurs vitaux pour le pays : transports urbains, ferroviaires ou aériens; télévision, télécoms, énergie. La France est la seule démocratie moderne

---

1. V. Franck Borotra, alors ministre de l'Industrie, intervention au colloque « Les nationalisations, cinquante ans après », Assemblée nationale, mai 1996.

2. Voir l'éditorial de Pierre Briançon, *Libération*, le 9 mai 1996.

au monde où quelques dizaines de personnes, non élues, peuvent littéralement bloquer le pays et prendre en otage son économie et la population. Redoutable dissuasion contre toute velléité de réformes venues du politique...

Ce statu quo s'explique également par la situation financière même de bon nombre des entreprises concernées. Bien souvent, la privatisation ne serait possible qu'après injection de vastes quantités d'argent public... dont l'Etat ne dispose plus (c'est le cas notamment du Crédit Lyonnais), ou après la remise sur pied de l'entreprise à l'issue d'un plan de redressement long et ardu, là encore financé par de généreuses subventions publiques (20 milliards de francs dans le cas d'Air France, par exemple).

Mais l'obstacle majeur à une véritable évolution de notre secteur public réside avant tout dans nos structures de pouvoir et dans nos mentalités.

Pierre Briançon résume fort bien le poids de cette sociologie [1] : « Depuis plus de cinquante ans, ces services avaient prospéré sur une alliance tacite entre le colbertisme historique et le syndicalisme d'après guerre, entre les pulsions dirigistes de la technobureaucratie d'Etat et les aspirations au fonctionnariat de générations de Français débarquant sur le marché du travail. Ces services partageaient quelques caractéristiques : un monopole absolu sur un secteur d'activité économique, un statut d'exception pour leurs salariés, et l'absence, sinon de contraintes, du moins de sanctions en cas de mauvaise gestion ou de ratage stratégique, le tout étant garanti par la générosité budgétaire de l'Etat. »

Qu'on s'en réjouisse, ou qu'on le regrette (comme c'est mon cas), force est de constater que ce système est désormais profondément ancré dans nos institutions, et plus encore peut-être dans notre mentalité nationale. Ce consensus apparent est conforté par l'absence de tout véritable débat sur le sujet, qui informerait nos concitoyens sur le coût réel des « services » qu'ils sont appelés à financer année après année (voire semaine après semaine dans le cas de la SNCF, qui coûte 1 milliard de francs tous les sept jours !)

Quoi qu'il en soit, Jacques Chevallier note fort justement que « toucher au service public est considéré comme un acte sacrilège, risquant de saper les fondements de l'Etat »; Elie Cohen, quant à lui, va plus loin : le service public à la française, écrit-il [2], « est au sens fort une idéologie ».

---

1. *Ibid.*
2. *La Tentation hexagonale*, Fayard, 1997.

L' « idéologie » du service public

Quelle idéologie ? Difficile de le dire avec précision. On y trouve à la fois des principes constitutionnels, au demeurant fort louables : l'égalité d'accès de tous les usagers sur le territoire national (Poste ou télécoms par exemple) à des prix abordables (ce qui est loin d'être toujours vrai en situation de monopole) ; un souci d'aménagement du territoire : chaque commune de France doit avoir *sa* poste et si possible *sa* gare ; une notion de propriété publique, qui pourtant ne se confond pas avec la mission elle-même et qui relève davantage de l'idéologie [1] ; un mythe collectif construit au fil du demi-siècle écoulé de progrès technologiques par l'Etat (le Concorde ; le TGV ou le nucléaire) ; un modèle enfin de relations sociales et « d'acquis » pour les salariés du public (Renault, ou la SNCF), une « vitrine sociale » que la République aurait vocation à étendre à l'ensemble des autres secteurs économiques de la nation.

Plus intéressante que le contenu mal défini de ce « pot-pourri » idéologico-réglementaire, est sa puissance impressionnante tant sur les politiques que sur l'opinion. Adossée aux vieilles traditions colbertistes du pays, l'union sacrée de la caste de technocrates issus de nos grands corps, et dont la vocation principale est de diriger ces grands ensembles publics, et des centrales syndicales beaucoup plus présentes dans ces entreprises qu'elles ne le sont dans le privé, a su imposer à la nation tout entière le secteur public comme une réalité positive et intangible, quels qu'en soient le coût et les résultats. Mieux, dans notre discours politique, dans nos réflexes mêmes, le service public est devenu une composante à part entière des institutions de la République, justifié comme tel par tous les gouvernements successifs depuis cinquante ans ; compris comme tel par une opinion publique qui demeure jusqu'à aujourd'hui, et malgré les abus et autres gouffres financiers, profondément attachée à ce système.

Ainsi, en novembre-décembre 1995, les employés de la SNCF et de la RATP avaient pris le pays tout entier en otage non pas pour exiger l'extension de leurs régimes spéciaux de retraite (cinquante ans pour les roulants) à l'ensemble des salariés français, mais au contraire pour que l'Etat, c'est-à-dire les contribuables, continuent de financer *leur*

---

1. Je note que Lionel Jospin (discours de politique générale du 20 juin 1997) reprend lui-même cette distinction : « Il convient de distinguer les services publics et le secteur public », sans cependant en tirer les conséquences puisqu'il ajoute plus loin : « En l'absence de justification tirée de l'intérêt national, nous ne sommes pas favorables à la privatisation de ce patrimoine commun que sont les grandes entreprises publiques en situation de concurrence. »

système par nature très déficitaire [1]. Malgré cela, la revendication corporatiste a été soutenue par l'opinion, qui a en quelque sorte fait grève par procuration. De même, un sondage CSA réalisé en octobre 1996 à l'occasion de la privatisation de Thomson, révélait que 66 % des Français étaient favorables à ce que « l'Etat garde une entreprise publique en difficultés financières et qu'il la renfloue » plutôt que de la revendre à des groupes privés (22 %)...

De la plate-forme politique du PCF à celle du RPR, de Lionel Jospin qui y voit une « conception fondamentale de notre société », à Alain Juppé qui voulait inscrire la défense du service public à la française dans notre Constitution pour mieux le protéger des assauts des libéraux de Bruxelles, la classe politique – à quelques très rares exceptions près – participe elle aussi de ce splendide exemple de consensus bipartisan. N'est-ce point Charles Pasqua lui-même qui d'un coup de plume efface les sinistres financiers de ce système par cette belle formule : « On essaie vainement de concilier le service public avec la rentabilité, alors que ces objectifs sont difficilement compatibles [2]. »

Porteur des missions de la République, le service public n'a pas en effet à être géré de façon équilibrée : le déficit, payé année après année non pas par le client de la SNCF ou d'Air France, mais par le citoyen, fait partie intégrante de l'idéologie en question !

Mieux, une partie de nos meilleures élites, celles-là mêmes qui dirigent ces grandes entreprises, se sont récemment installées dans le rôle de missionnaires autodésignés du modèle du service public à la française ; leur ambition : convaincre le reste de l'Europe d'adopter notre système. Napoléon a exporté le Code civil, la Ve République exportera, grâce à Maastricht, son secteur public !

Je me souviens d'avoir assisté à un étonnant colloque à l'ENA en novembre 1996 – donc au moment même où explosaient en cascade les scandales et les déficits du Crédit Lyonnais, du Crédit Foncier, du GAN, sans parler de la réforme de la SNCF –, où j'ai entendu le directeur de l'ENA, M. Lebris, s'exclamer : « La belle idée du service public, idée française, sera demain l'exigence de l'Europe, pour un projet de société européenne. » Et l'un des orateurs principaux, Christian Stoffaës déjà cité, de répondre en écho, dans l'une de ces formules creuses dont nos technocrates se sont fait une spécialité : « Plus de service public en Europe, et plus d'Europe dans les services publics ! » Pour qui connaît un peu les mentalités chez nos principaux partenaires, qui tous se dirigent à grands pas vers la privatisation et déréglementation des grands monopoles nationaux, le credo étatiste français ainsi exprimé avait de quoi laisser rêveur...

---

1. Voir le Rapport annuel de la Cour des Comptes sur la Sécurité sociale (sept. 1997). Les chapitres XIII et XIV éclairent utilement les régimes spéciaux de la SNCF et de la RATP.
2. *Le Monde*, le 22 janvier 1994.

Brève histoire d'une coûteuse illusion

Le poids des habitudes au cours du demi-siècle écoulé n'est évidemment pas étranger à ce credo national. Les nationalisations, puisqu'il faut commencer par elles, ne furent curieusement qu'esquissées avant guerre et ne débutèrent vraiment qu'en 1945. Face aux réticences des radicaux d'une part, et à l'opposition du PCF (qui jusqu'en 1937 combattait l'Etat patron en tant qu'instrument de pouvoir de la bourgeoisie), le Gouvernement du Front populaire s'était contenté de limiter les nationalisations aux industries aéronautiques (tout en conservant ses anciens dirigeants, dont Marcel Dassault) et à la SNCF, à l'époque une société mixte [1].

En vérité, la constitution du secteur public français se déroulera en deux grandes phases distantes de trente-cinq ans : pendant la période 1944-46 qui suivit la Libération, puis en 1981-82, au début du premier septennat de François Mitterrand.

Explicitement inscrite dans la Charte du Conseil National de la Résistance, très populaire parmi les Français de 1945 (70 % y étaient favorables selon les sondages de l'époque), la grande vague de nationalisations de l'après-guerre bénéficiait aussi du soutien de toutes les formations politiques : du PCF aux socialistes, en passant par le MRP et jusqu'à de Gaulle lui-même. Elle n'en cachait pas moins une forte ambiguïté dans les motivations de chacun : pour les uns, il s'agissait d'abord de sanctionner les traîtres et les « grands trusts » qui s'étaient vautrés dans la collaboration, tandis que la classe ouvrière, comme le dira François Mauriac, avait concentré sur elle « l'honneur de la France [2] » ; pour les autres, l'objectif était de relancer l'économie et de financer la reconstruction au moyen de grandes réformes de structure ; pour d'autres enfin, il fallait inventer de nouveaux modèles sociaux en faisant « retour à la nation » des grands moyens de production (que celle-ci n'avait d'ailleurs jamais possédés). La faiblesse du patronat et l'inexistence d'un courant libéral feront le reste. Entre septembre 1944 et février 1945, les houillères du Nord-Pas-de-Calais et les usines Renault sont nationalisées. Suivra en mars 1945 l'annonce par le général de Gaulle à l'Assemblée constituante d'un programme plus vaste : énergie, transports et banques. En décembre 1945, les quatre principales banques de dépôt sont nationalisées, suivies par le Gaz, l'Electricité, les Assurances et les Charbonnages. Le programme s'achèvera en 1948 avec la marine marchande, Air France et la RATP.

La République renaissait, mais plus que jamais par l'Etat : vaste

---

1. V. Alain Beltran : « L'histoire des nationalisations », in François-Michel Gonnot, *Les nationalisations cinquante ans après : bilan et perspectives* (Actes du Colloque, mai 1996).
2. Antoine Cassan : « Les vraies origines du malaise français », *l'Esprit libre*, octobre 1995.

complexe étato-industrialo-financier, économie structurée autour du Commissariat au Plan (crée le 3 janvier 1946); ordonnance sur les prix [1].

Après maints avatars, le mouvement en faveur des nationalisations réapparut comme un élément clé d'une plate-forme commune de Gauche dans les années 60 et 70 (notamment à l'occasion de la signature du Programme commun de 1972). Lors de la réactualisation de ce programme en 1977, le désaccord sur le nombre des nationalisations envisagées fut cité comme l'une des causes principales de l'échec de cette réactualisation. Le symbole n'en constitua pas moins l'un des piliers du programme de la Gauche en 1981.

François Mitterrand élu, jamais en tout cas ne verra-t-on un transfert de propriété d'une telle ampleur en Europe Occidentale. Destiné à doter l'Etat des moyens d'une véritable politique industrielle, tout en accordant des droits nouveaux aux salariés, ce programme entraîna le transfert à l'Etat de 39 banques, deux compagnies financières (Paribas et Suez), et cinq sociétés industrielles (CGE, Pechiney, Rhône-Poulenc, Saint-Gobain et Thomson) sans parler d'autres sociétés telles Usinor-Sacilor, Bull ou Matra qui, par d'autres dispositifs, rejoignirent également le giron étatique.

En 1982, après avoir déboursé 53 milliards pour financer ses acquisitions, l'Etat français contrôlait 50 % des investissements du pays, 96 % du secteur bancaire, et dans 11 branches industrielles majeures, plus de 50 % de la part de ces secteurs!

On sait ce qu'il advint de cet ambitieux programme (ou rêve?) : loin d'avoir permis de relancer l'emploi, le système mis en place en 1981 ne fit que creuser davantage le chômage, tout en faisant exploser les déficits publics, sans pour autant parvenir à constituer les grandes « filières nationales » dont rêvait la Gauche, dans l'informatique et l'électronique notamment [2]. Dès 1985, Laurent Fabius demandait aux entreprises publiques de sortir du rouge et de faire du profit. Un an plus tard, à la faveur de la première cohabitation, Jacques Chirac et Edouard Balladur lancèrent un vaste programme de privatisations portant sur 65 entreprises, lui-même interrompu par le krach boursier d'octobre 1987, puis par la réélection de François Mitterrand en mai 1988 [3].

---

1. Cette ordonnance, abolie en Allemagne dès 1948, ne fut supprimée en France qu'en 1986... Quant au Commissariat au Plan, il existe toujours, même si son utilité paraît à tout le moins surréaliste en 1998...

2. Le déficit cumulé des entreprises nationalisées en 1981-82 atteignait deux ans plus tard, en 1984, 410 milliards de francs, pertes, subventions d'exploitation de l'Etat et contributions de l'Etat aux régimes de retraite compris (!). V. B. Jacquillat, *Désétatiser, op. cit.*

3. En un an, 13 groupes furent retournés au privé, avec un réel succès dans l'actionnariat public, soit 120 milliards de capitalisation boursière et 40 % du programme initial prévu.

Le bilan financier

Au-delà de cette histoire en dents de scie, qui se poursuit aujourd'hui même avec la nouvelle alternance de Gauche de 1997, nous voici pourtant au pied du mur.

Bien malgré nous d'ailleurs ! Le service public à la française est en train d'imploser sous l'impact des révolutions technologiques (c'est le cas des télécoms, ou de la télévision par exemple), mais aussi face au choc frontal de l'ouverture à la concurrence. D'ores et déjà, le transport aérien, non seulement international mais national, est totalement ouvert, comme en témoigne l'irruption de British Airways dans le ciel français ; il en sera de même demain pour le téléphone comme pour les grands réseaux de distribution d'électricité ou de transport ferroviaire, ainsi que d'autres domaines tels que l'assurance ou la banque. Tant mieux pour le consommateur !

L'autre grande raison qui pousse à une remise à plat de l'ensemble de notre secteur public tient à la double crise financière que connaissent l'Etat et le secteur public lui-même.

La première a été évoquée précédemment [1], je m'arrêterai donc un instant sur la seconde.

A regarder les chiffres, il apparaît très clairement que le bout de la logique d'un financement systématique et perpétuel par le contribuable, est d'ores et déjà atteint, tant est sérieuse l'accumulation de déficits et de dettes de la plupart de nos grandes entreprises publiques.

La photographie globale de ce secteur, telle qu'effectuée en novembre 1995 par le ministère des Finances [2] (avant les décisions de restructuration et de privatisation prises par le Président nouvellement élu) révèle les effets d'une véritable déroute financière sur la quasi-totalité du secteur. Les 30 groupes publics étudiés sur la période 1984-94 [3] ont bénéficié en effet d'un total de 578 milliards de francs de fonds publics sous forme de subventions ou de dotations en capital.

Sur cette somme, qui représente à titre d'exemple trois annuités du budget total de la défense nationale, 460 milliards ont été à la seule SNCF... tandis qu'Usinor-Sacilor bénéficiait de 27,7 milliards, Renault de 15,42 milliards, Air France de 13,18 milliards (auxquels s'ajouteront 6,5 milliards en 1995).

En retour, si j'ose dire !, les entreprises publiques ont versé en dix ans 42,45 milliards de dividendes à l'Etat, soit *douze fois moins* que ce que les contribuables ont dû débourser pour financer leurs fameux services publics (l'essentiel de ces retours provenant d'EDF, avec 22,7 mil-

---

1. V. chap. 8.
2. Un résumé de ce rapport, destiné aux Présidents des deux assemblées, a été publié dans *la Tribune*, le 9 novembre 1995.
3. Dans sept secteurs industriels et financiers : armement, transports, énergie, biens intermédiaires et équipement, technologies de l'information, électronique, banques et assurances.

liards). Plus grave encore, cette pluie de deniers publics n'a sans doute pas suffi, puisque ces mêmes groupes se sont par ailleurs massivement endettés pendant la période (engageant donc là encore la garantie de l'Etat... c'est-à-dire celle du contribuable). Le montant de l'endettement est ainsi passé de 116 milliards fin 1984, à 559 milliards (cinq fois plus!) dix ans plus tard – « la palme » revenant à la SNCF : 196 milliards, et à EDF : 159,4 milliards.

Fort heureusement pour les gestionnaires de ces sociétés publiques et les pouvoirs publics chargés de les contrôler, les dettes de ces entreprises n'entrent pas dans le calcul des critères d'endettement public de Maastricht. On respire! Dans le cas contraire, la barre des 63 % d'endettement global par rapport au PNB aurait été franchie dès 1997...

Que les défenseurs du service public se rassurent en tout cas : le Gouvernement Juppé avait inscrit pour 1997, 27 milliards de subventions supplémentaires au secteur public [1], lesquelles devaient naturellement être maintenues – pour les mêmes raisons – par son successeur socialiste... Dans le même temps, Lionel Jospin prévoyait également d'alourdir la pression fiscale sur les entreprises et les familles de 60 milliards : corvéables à merci, l'économie marchande et le contribuable sont comme toujours au rendez-vous ! En revanche, la totalité des sommes récoltées par l'Etat pour la vente de 25 % du capital de France Télécom (soit 42 milliards) ira combler les trous d'autres entreprises publiques (GIAT, GAN, Thomson notamment)...

Deuxième observation, comme le montre le tableau ci-dessous, la privatisation de telles entreprises se traduit le plus souvent là encore, par un coût supplémentaire pour le contribuable, ces entreprises devant être recapitalisées pour trouver preneur.

TABLEAU 14-1 : LE BILAN POUR L'ÉTAT
DES PRIVATISÉES DE 1996

En millions de francs	Coût initial	Dividendes reçus*	Dotations versées*	Gain de la privatisation	Bilan 1981-1996
AGF	N.S.[1]	0	0	8 400	8 400
Thomson[2]	– 3 400	411	– 10 000	– 14 300	– 27 289
SMC	– 1 030	56	– 2 959	– 850	– 3 933
SFP	N.S.[1]	0	– 1 700	– 1 100	– 2 800
CGM	N.S.[1]	0	– 7 340	– 1 250	– 8 590
TOTAL	-	-	-	– 9 100	– 34 212

(1) La nationalisation est antérieure à 1981
(2) L'Etat reprend en outre les parts de Thomson dans le Lyonnais (3,3 milliards de francs) tandis que France Télécom ainsi que le CEA rachètent les parts de Thomson dans SGS (4 milliards de francs)
* Depuis 1981
Source : la Tribune, 24 oct. 1996

---

1. *La Tribune*, le 20 septembre 1996.

La difficulté, comme l'a découvert à ses dépens Alain Juppé, consistant à expliquer pourquoi un fleuron de l'industrie française comme Thomson vaut 14 milliards de dettes...

Le « *ratage* » de Thomson

Le plus tragique dans cette affaire Thomson, sur laquelle il me faut m'arrêter un instant, est qu'elle aura, par la maladresse du gouvernement de l'époque, conduit à une pédagogie exactement inverse de celle qui aurait dû être menée auprès de l'opinion.

Sur le fond, bien entendu, Alain Juppé avait mille fois raison de chercher à privatiser l'entreprise. Fin 1995, l'endettement de Thomson SA (holding qui regroupe le fleuron militaire Thomson CSF, et Thomson Multimédia (TMM) (électronique grand public) s'élevait à 31 milliards de francs. (Ce chiffre est celui de la Commission de privatisation qui devait « recaler » le projet de privatisation du Premier ministre le 3 décembre 1996.)

Hormis ces 31 milliards de dettes, Thomson avait déjà coûté au contribuable 28 milliards de francs de subventions depuis la nationalisation en 1982, auxquels devait s'ajouter une recapitalisation par l'Etat de 11,4 milliards pour trouver un repreneur pour TMM. Lorsque Alain Juppé annonce en février 1995 son intention de privatiser Thomson, il tente donc fort justement d'opérer une vente globale de Thomson CSF et de TMM, pour éviter que la branche d'électronique grand public, très déficitaire, et opérant de surcroît dans un marché saturé, ne reste « sur le dos » du contribuable, tandis que la « perle » Thomson CSF, aurait trouvé preneur sans difficulté. L'Etat, au demeurant a d'autres missions que de financer à perte la fabrication de téléviseurs et de décodeurs, pour l'essentiel d'ailleurs à l'étranger ! (45 000 emplois sur 50 000 sont localisés en Asie et aux Etats-Unis...) Il était donc grand temps, comme devait l'annoncer le Premier ministre de l'époque, que le contribuable français cessât de payer indéfiniment les erreurs de gestion des entreprises publiques.

La méthode malheureusement multipliera cafouillages et erreurs : cafouillages quant à l'image de neutralité du gouvernement face aux deux repreneurs en lice, au demeurant également capables : Lagardère Groupe d'un côté, Alcatel de l'autre, lesquels seront ainsi conduits à se livrer une redoutable bataille... Cafouillages qui auraient pu être évités si l'on avait procédé par appel d'offres et non de gré à gré. Erreurs de communication ensuite (c'est la phrase du Premier ministre expliquant que Thomson ne valait qu' « un franc symbolique »), et surtout l'ignorance souveraine des pouvoirs de la Commission de privatisation, pourtant habilitée par la Loi à décider en dernier ressort, et sans appel, du bien-fondé des choix gouvernementaux. On peut certes discuter tant de la composition de ladite Commission (faite essentiellement de hauts fonctionnaires à la retraite), du contenu de sa décision (qui s'est bornée à confirmer les chiffres du gouvernement tout en le désavouant, mais sans proposer la moindre solution de rechange), toujours est-il que la Commission eut le dernier mot, et que ce mot fut négatif. Ce rejet constitua une défaite politique majeure et si j'ose dire auto-infligée, pour le Gouvernement Juppé. Pire encore, l'affaire Thomson, comme le révélèrent les sondages [1], transformera en procès des privatisations ce qui aurait dû être une vaste opération de pédagogie publique sur la catastrophe financière et industrielle qu'avait constituée dans le secteur de l'électronique, la nationalisation du groupe Thomson en 1982.

Les faits demeurant après les législatives ce qu'ils étaient au début 1995, je découvris sans surprise lors d'une réunion de la Commission de la Défense de l'Assemblée en juillet 1997, que le Gouvernement Jospin, malgré moult déclarations électorales en sens inverse, n'avait d'autre choix que de reprendre la privatisation de Thomson... Instruit par l'expérience, l'habillage politique de l'opération fut cependant plus habile que précédemment... Rondement menée, mais ne procédant pas davantage par appel d'offres, celle-ci aboutit en octobre 1997 au choix inverse de celui d'Alain Juppé : le Groupe Alcatel.

Les gouffres du secteur bancaire

Le ratage politique de la privatisation de Thomson est d'autant plus regrettable qu'il coïncidait avec l'avalanche de scandales et de déficits invraisemblables révélés entre-temps dans le secteur public bancaire et des assurances : 150 milliards de francs au moins pour le Crédit Lyonnais sous la présidence de Jean-Yves Haberer (1988-93), lequel demeure toujours Président d'honneur de cette banque ; auxquels il convient hélas d'ajouter :

— 35 milliards de pertes pour le GAN, sous la présidence de François Heilbronner (inspecteur des Finances comme son collègue Haberer) ;

— 23 milliards de pertes pour le Crédit Foncier de France, dont le Gouverneur Georges Donin (1982-94) est lui aussi inspecteur des Finances ;

— 14 milliards de pertes pour le Comptoir des Entrepreneurs sous la présence de Jean-Jacques Piètre (1990-93), ancien conseiller du Gouvernement Mauroy ;

— 11 milliards de francs pour la Banque Worms, présidée par Jean-

---

1. V. plus haut, p. 321.

Michel Bloch-Lainé (1984-1992), également inspecteur général des Finances...

Ceci pour le haut du podium, si l'on ose dire. « L'ardoise » est en effet plus lourde si l'on inclut la Société Marseillaise de Crédit (– 3 milliards), la Banque du Phénix (AGF) (– 3 milliards), le CEPME (– 1,9 milliard) ou la Banque Hervet (– 1,2 milliard)[1].

Au fil des scandales, des rapports d'enquêtes parlementaires (dont celui présidé par Philippe Séguin sur le Lyonnais), des multiples enquêtes de la presse, un coin du voile a pu enfin être levé sur les dysfonctionnements du système financier public.

Je ne retiendrai ici que quelques leçons, à mes yeux essentielles pour l'avenir.

La première est que la maîtrise étatique du système financier, prévue à l'origine pour permettre au pouvoir politique de diriger l'économie du pays (telle était la grande ambition de 1981), a conduit au résultat exactement inverse : une gabegie massive d'argent public au service d'intérêts à court terme demandés par le politique (le raid raté sur la Générale de Belgique ou le financement du circuit de Magny-Cours, entre mille autres exemples de ce type), mais surtout au service de la mégalomanie d'une poignée de hauts fonctionnaires irresponsables, puisque ne « jouant » pas leur argent, mais celui du contribuable. Ainsi, dans la France de l'an 2000, la charcuterie du coin de la rue est-elle mieux gérée que certaines de nos plus grandes banques : le charcutier, lui, gère le fruit de son travail !

La deuxième leçon, en effet, est bien celle des liens incestueux entre la haute fonction publique et le politique (les seconds souvent issus des premiers, plaçant leurs amis à des postes stratégiques). Ironiquement, les nationalisations de 1982 inaugurèrent ainsi la grande réconciliation de la Gauche avec l'argent (avec *notre* argent, hélas), mais de quelle manière et à quel prix !

Troisième leçon : l'absence de contrôle de l'Etat actionnaire ; soit par le jeu des rapports incestueux (là encore !) entre inspecteurs des Finances (ceux du Trésor hésitant à contrôler leurs collègues devenus les PDG les plus puissants de France), soit par la faute du politique, effrayé à la fois d'effaroucher la vache sacrée du service public et tenté d'en tirer avantage politiquement.

Les plus graves erreurs de gestion, les spéculations les plus éhontées (notamment dans le secteur immobilier), quand il ne s'est pas agi de manœuvres frauduleuses (telles que présentations de faux bilans ou détournements de plusieurs milliards de francs dans le cas du Crédit Lyonnais), ont ainsi pu être commises sans que personne y trouve à

---

1. Estimations publiées dans *le Figaro-Economie*, le 15 mai 1996.

redire dans l'appareil d'Etat français... et sans que personne soit sanctionné par la justice jusqu'à aujourd'hui[1] !

Opacité des décisions, copinages, dérives spéculatives et irresponsabilité garantie : le résultat est consternant.

Le secteur des Assurances est à cet égard particulièrement édifiant. Il y a seulement quinze ans, trois compagnies publiques dominaient l'assurance française : UAP, AGF, GAN. Les assureurs privés français survivants des nationalisations de 1981 n'étaient que marginaux (AXA, Victoire), de même que les étrangers (Allianz ou Generali). Fin 1997, l'UAP privatisée en 1994 a été avalée par AXA ; les AGF privatisées en 1996 viennent d'être dépecées entre l'italien Generali et l'allemand Allianz ; quant au GAN criblé de dettes, il tombera probablement dans le giron allemand (Allianz) ou hollandais (ABN-AMRO). Pour le secteur bancaire, à elle seule la dette du Crédit Lyonnais (150 milliards) équivaut à près de la moitié de l'impôt sur le revenu de 1996[2]. Au total, ce qu'il faut bien appeler la faillite du secteur bancaire nationalisé coûtera 10 000 francs à chaque Français !

Et pourtant, je me souviens d'Edmond Alphandéry alors ministre des Finances, et de Jean Peyrelevade, nouveau patron du Lyonnais, devant les caméras de télévision à la veille de l'élection présidentielle de 1995 promettant d'un air gêné : « Non, le Crédit Lyonnais ne coûtera pas un centime au contribuable... »

Et les échos qui nous parviennent aujourd'hui sur le fonctionnement du CDR nous font craindre, hélas, de n'avoir pas encore touché le fond...

Veut-on une autre explication de la démoralisation de nos concitoyens, de leur profonde méfiance à l'égard de leurs gouvernants ?

La SNCF, quintessence du système

Mais, objectera-t-on, y compris au sein de ma propre famille politique, la déroute du secteur bancaire nationalisé, si elle reflète les errements socialistes des années 80, ne condamne pas pour autant notre modèle républicain de service public. Celui-ci mérite sans doute d'être « toiletté », modernisé, moralisé même, mais pas question de le supprimer : il y va des valeurs de la République !

Fidèlement attachée à l'héritage des nationalisations de 1946, la Droite française – et le RPR en tout premier lieu – n'a toujours pas, en effet, coupé le cordon ombilical avec « l'économie mixte » et son corollaire le dirigisme industriel.

---

1. A l'exception d'un ancien Directeur Général du Crédit Lyonnais, mis en examen... en octobre 1997.
2. L'estimation est de mon collègue Patrick Devedjian, *le Point*, le 22 mars 1997.

Exemple de justification : ministre de l'Industrie, Franck Borotra s'efforcera ainsi de distinguer entre les « nationalisations idéologiques de 1982 » soldées par un échec, et « le socle dur du service public » organisé en 1946 dans certains grands secteurs monopolistiques, « qui, lui, est un succès et doit être poursuivi [1] ». Présenté comme « un choix de société... un élément de la cohésion sociale », ce service public hautement revendiqué par la République, s'opposera ainsi au « libéralisme sauvage » et aux zélateurs de la déréglementation de Bruxelles.

C'est cette distinction, aussi peu convaincante qu'arbitraire, que la Droite au pouvoir tentera de mettre en œuvre entre 1993 et 1997 : privatisation des entreprises en secteur concurrentiel (Air France et France Télécom notamment), mais maintien dans le giron de l'Etat du « socle dur » de 1946, EDF et SNCF en tête, accompagnées de certains grands groupes stratégiques (nucléaire, dont la COGEMA, et défense).

Dans la pratique, la « frontière » séparant ces deux types d'entreprises apparaîtra pourtant de plus en plus difficile à identifier et à tenir. D'une part, compte tenu de leur situation financière et des résistances sociales, bon nombre d'entreprises sinistrées du secteur concurrentiel ne pourront pas être mises sur le marché : l'Etat, ne voulant pas aller jusqu'à la mise en faillite, continuera (continue toujours) de payer ; en revanche des groupes « stratégiques » tels que Thomson, voire même l'Aérospatiale (via les rapprochements envisagés avec des groupes européens privés) évolueront eux vers la privatisation, faute pour l'Etat actionnaire de trouver les moyens de les financer ; enfin, un troisième groupe composé des grandes entreprises de réseaux (EDF-GDF, la Poste et la SNCF) était supposé demeurer du ressort exclusif de l'Etat, même si en même temps – autre signe de la schizophrénie française – la République française entérinait à Bruxelles le démantèlement des monopoles étatiques – y compris dans la distribution d'électricité et les transports.

Voici donc pourquoi il m'a semblé utile, faute de pouvoir traiter ici, entreprise par entreprise, de l'ensemble de ce dossier, de consacrer les développements qui vont suivre au cas de la SNCF. A la fois parce que cette grande entreprise constitue à elle seule la « vitrine » de notre modèle de service public à la française, parce qu'elle subit aujourd'hui une crise exemplaire de l'ensemble de notre secteur nationalisé, et enfin parce qu'elle a fait l'objet d'un début de réforme au Parlement à laquelle j'ai eu la chance de participer.

Selon les auteurs – anonymes (!) – d'une remarquable étude sur cette entreprise [2], la SNCF représente le « prototype abouti »... exception culturelle oblige, des atouts et faiblesses de nos « grandes entreprises nationales, capables d'allier le souci de la performance technique

---

1. Intervention de Franck Borotra, *op. cit.*
2. V. *SNCF, le présent d'une illusion*, Note de la Fondation Saint-Simon, février 1997, également publiée dans *le Débat*, 95 mai-août 1997.

avec le mépris du client, de concilier une gestion laxiste avec une absence de dialogue social et, surtout, de s'approprier, à leur propre bénéfice, les grands mythes qui structurent la société française et sa classe politique ».

La SNCF, c'est 180 000 personnes (500 000 en 1937 et encore 360 000 en 1965 !), la mémoire des « luttes sociales » et de la Résistance (qui a valu à l'entreprise d'être décorée de la Légion d'honneur), une forte culture d'entreprise qui ont permis aux personnels de cette société de jouir d'un réel capital de prestige et de sympathie dans l'opinion. La SNCF, c'est [1] aussi 55 milliards de francs de chiffre d'affaires et plus de 22 milliards d'investissements, 31 983 kilomètres de lignes, 2 207 gares, 741 millions de voyageurs et 125,1 millions de tonnes de marchandises transportées en 1995. Au total, donc, un pilier du système public français, depuis sa nationalisation de 1937, en même temps qu'un acteur de poids dans l'économie du pays.

Ce mastodonte dont les statuts ont été maintes fois modifiés depuis soixante ans [2] traverse cependant depuis plusieurs années une crise extrêmement grave, qui remet en cause le devenir même de l'entreprise.

Plusieurs facteurs sont à l'œuvre qui viennent directement compromettre l'équilibre antérieur du système. En premier lieu, l'évolution de l'environnement technologique et de la concurrence dans les transports. Le transport ferroviaire se caractérise par des coûts élevés et fixes, et une capacité de traiter des volumes importants, autant de caractéristiques favorables aux rendements croissants mais qui, face à la diversification des modes de transport (route, aérien, automobile), représentent aujourd'hui un handicap sérieux. « Le chemin de fer » écrivent nos auteurs anonymes « est loin de représenter, dans le monde contemporain, la technique susceptible de couvrir toute la palette des besoins de transport exprimés... Plus encore, confronté à des demandes multiples, et en pratique contradictoires, c'est un mode qui, du fait de ses rigidités, implique en permanence des arbitrages, une régulation, dont on peut se demander si, au vu des performances actuelles de la SNCF, ils sont assurés dans des conditions optimales de coût et d'efficacité [3] ».

– Deuxième facteur, précisément, « les performances ». C'est ici que le bât blesse de façon spectaculaire : en tendance sur les cinq dernières

1. Ou plutôt c'était, avant la loi créant « Réseau Ferré de France », établissement public séparé de la SNCF qui prend désormais en charge les infrastructures... en même temps que l'Etat reprend les dettes (voir plus loin).

2. Sur les modifications de la Convention du 31 août 1937 et la loi d'orientation des transports intérieurs (LOTI) du 30 décembre 1982, voir le Rapport de mon collègue Alain Marleix (n° 3325), au nom de la Commission de la Production et des Echanges, sur le projet de loi portant création de « Réseau Ferré de France », le 30 janvier 1997.

3. *SNCF, le présent d'une illusion, op. cit.*

années, le trafic exprimé en km-voyageurs a décru de 2,6 % par an (malgré la croissance enregistrée sur le trafic TGV). En matière de fret, la perte de trafic, accélérée par la déréglementation du transport routier marchandises dans les années 1980 et un recours accru à l'importation pour les produits de base, est plus ancienne encore. Depuis vingt-cinq ans, le trafic exprimé en tonnes-km, a décru en tendance de 2,5 % par an, ce malgré une croissance moyenne du PIB de l'ordre de 2,5 % par an.

– Troisième facteur : l'augmentation des charges de fonctionnement, à commencer par les dépenses de personnel. Tandis que la SNCF voyait fondre ses parts de marché, le poids des traditions salariales et syndicales de l'entreprise a maintenu une augmentation mécanique des coûts salariaux de 2 % par an, au point que la masse salariale de l'entreprise (43,8 milliards en 1995) devenait quasiment équivalente à son chiffre d'affaires (52,8 milliards [1]) ! Pour reprendre l'étude déjà citée [2] : « En fait, les suppressions d'emplois (par non-remplacement de départs) gagent à peine l'accroissement de la rémunération des présents par la voie de mesures collectives (augmentations générales) ou individuelles (avancement, promotion, ancienneté). »

Conséquence des trois facteurs précédents, qui vient aggraver le tableau d'ensemble : non seulement l'entreprise dégage des pertes d'exploitation considérables (– 16,6 milliards en 1995, – 15,2 milliards en 1996), mais son endettement a lui aussi explosé. Celui-ci a doublé en dix ans en francs constants. Bien que cette dette ait été allégée en 1991 de 38 milliards de francs par une dotation d'Etat, le total de la dette de la SNCF s'élevait à 199, 430 milliards de francs en 1996, générant 15 milliards de francs de charges financières chaque année ! *Aucune entreprise ne peut survivre avec une dette quatre fois supérieure à son chiffre d'affaires, et qui génère des frais financiers équivalents au quart de ce chiffre d'affaires.*

Comme le résume le tableau 14-2, ci-dessous, si l'on additionne les subventions diverses versées par l'Etat et les collectivités locales, ainsi que les contributions de l'Etat au financement des trop fameux « régimes spéciaux » de retraite de l'entreprise, *une année de fonctionnement de la SNCF coûte au contribuable la bagatelle de 45 milliards de francs, soit la quasi-totalité du chiffre d'affaires de l'entreprise... ou la totalité de sa masse salariale...*

Voici pour les faits.

---

1. *La Tribune*, le 11 juin 1996.
2. *SNCF, le présent d'une illusion, op. cit.*

TABLEAU 14-2 : SNCF : INDICATEURS 1986-1996

(en millions de francs)

	1986	1987	1988	1989	1990	1991	1992	1993	1994	1995	1996
Chiffre d'affaires	60 649	59 185	59 651	60 375	60 161	58 706	59 547	55 700	55 998	52 870	52 162
Résultat net	- 4 965	- 1 234	- 677	161	19	7	- 3 178	- 8 108	- 8 479	- 16 881	- 12 514
Capacité d'autofinancement	429	2 643	4 463	6 090	4 308	3 303	1 645	- 2 048	- 1 300	- 6 064	- 4 334
Investissements *	13 670	13 500	17 081	17 490	23 034	27 494	28 719	23 915	19 207	18 628	22 310
Dette au 31/12 *	103 502	104 739	109 556	112 053	117 841	91 761	113 843	144 124	160 684	180 776	199 430
Frais financiers	12 751	13 854	13 271	13 025	13 995	9 842	11 882	13 228	12 225	15 241	14 343
Versements de l'Etat et des collectivités publiques *	26 759	26 685	24 397	24 748	24 674	24 766	25 350	25 279	26 238	27 451	26 979
*** Dont compensations tarifaires intégrées dans le CA	7 102	6 930	6 803	6 860	7 266	7 172	7 237	7 103	7 380	6 923	7 311
Hors contribut. aux charges de retraites	15 522	13 944	13 569	15 173	15 826	15 829	14 964	13 800	14 066	13 937	13 663
Concours except. de l'Etat au service de la dette à partir de 1991	3 843	4 403	4 635	4 686	4 422	4 410	4 463	4 494	4 436	4 424	4 442

* Les augmentations observées lors des exercices 1988 à 1990 sont dues d'une part à une donation en capital de l'Etat en 1988 et 1989 affectée au financement des grandes opérations périodiques de régénération de voies (GOP), et d'autre part au transfert de ces mêmes GOP de l'exploitation vers l'investissement en 1990. Ces deux opérations ont diminué d'autant les versements de l'Etat (contribution aux charges d'infrastructure), par débudgétisation dans un premier temps, entérinée en 1990 par le transfert à l'investissement.
** En 1991, transfert de 38 milliards de francs de report à nouveau négatif au service annexe d'amortissement de la dette.

Source : Rapport présenté par Alain Marleix au nom de la Commission de la Production et des Echanges de l'Assemblée nationale, sur le projet de loi portant création de « Réseau Ferré de France » (30 janvier 1997)

Reste que, comme on l'a vu à différentes reprises au fil des chapitres précédents, dans la France bloquée de cette fin de siècle, les faits n'ont qu'un intérêt apparemment secondaire, les résistances sectorielles, combinées à l'idéologie l'emportant régulièrement sur le simple bon sens.

Alors que la France est percluse de déficits, alors que l'Etat est contraint de tailler dans ses missions régaliennes (affaires étrangères et défense notamment, réduites aujourd'hui à fermer des consulats, des lycées français à l'étranger, ou à ne plus faire naviguer nos navires et voler nos avions de guerre, faute de crédits), alors que le poids des impôts étouffe l'économie, l'idée ne vient apparemment à personne de mettre fin à cette saignée permanente qui consiste à ponctionner chaque semaine 1 milliard de francs des finances de l'Etat pour faire rouler des trains de plus en plus délaissés par le public et les transporteurs.

Tout se passe comme si la SNCF, par une sorte de fatalité républicaine, devait coûter 45 milliards de francs à l'Etat chaque année, non compris son propre endettement. Tandis que l'Allemagne a redressé ses chemins de fer, que l'Angleterre les a privatisés (une filiale de la CGE française exploite d'ailleurs deux lignes concédées par Railtrack [1]), que la plupart des grandes nations européennes ont engagé de vastes réformes de structures du ferroviaire [2], la France, quant à elle, n'a fait qu'amorcer avec beaucoup de prudence un début de réforme par la Loi de février 1997 portant création de RFF.

Les raisons de ces blocages sont désormais bien connues. En premier lieu « le complexe obsidional, l'attitude paranoïaque [3] » (je cite nos fameux auteurs anonymes) tant de la technostructure de la SNCF que des organisations syndicales, pour qui toute tentative de réforme d'une entreprise qui sombre est un complot, une trahison de l'idéologie du rail. En novembre-décembre 1995, la démonstration a été faite de la puissance de cette stratégie pourtant suicidaire...

En second lieu, la mécanique bien huilée – et relayée par la Gauche – du chantage à « la mise à mort du service public », et par voie de conséquence (autre chantage auprès des élus) de l'aménagement du territoire (« vous payez ou je ferme » !).

En troisième lieu, phénomène que vient de dénoncer la Cour des Comptes dans son rapport de 1996, la fuite en avant dans des inves-

---

1. V. audition de M. Henri Proglio (CGE) devant la Délégation pour l'Union Européenne de l'Assemblée (21 novembre 1996). L'objectif du Gouvernement britannique est de ramener à zéro les subventions aux chemins de fer dans un délai de sept ans.

2. V. l'intéressant rapport du sénateur Nicolas About : « Les chemins de fer en Europe : l'heure de la vérité et du courage », Délégation du Sénat pour l'Union Européenne N° 76, 1996-97.

3. *SNCF, le présent d'une illusion, op. cit.*

tissements « hi-tech » (TGV en particulier) à partir de calculs économiques volontairement mirifiques, voire carrément manipulés[1].

Conséquence : c'est en marchant sur des œufs que le Gouvernement Juppé a entrepris son *début* de réforme : certes le colosse SNCF sera désormais divisé en deux, les infrastructures passant à RFF, mais en échange, le Gouvernement a repris à son compte 125 milliards de dettes (!) et s'est engagé à ne toucher en rien aux « acquis des personnels ». Le rapport Marleix précité précise ainsi que : « séparer infrastructure et exploitation n'est pas porter atteinte au service public, à partir du moment où la SNCF conservera le monopole... Bien au contraire la SNCF conservera toutes ses prérogatives, demeurera l'opérateur quasi exclusif... »

Bien que très incomplète, cette réforme présente cependant un grand avantage : celui de mettre en place un contre-pouvoir à la SNCF, et de placer celle-ci devant ses responsabilités d'entreprise dans les activités de transport, comme dans son attitude commerciale.

Sur le fond, je doute cependant que le remède soit à la hauteur de la maladie. Les dettes que l'Etat reprend d'une main, l'amélioration de la gestion de l'entreprise, de la stratégie commerciale, du trafic, vont permettre à la SNCF d'obtenir de meilleurs résultats financiers : le déficit d'exploitation de la SNCF en 1997 est tombé à 1 milliard de francs (au lieu de plus de 15 en 1996). Mais on est loin du changement radical de culture dont l'entreprise a besoin pour inclure dans son fonctionnement même, l'idée d'une gestion saine et équilibrée au service d'une clientèle, et non de contribuables qui paieront indéfiniment.

Et ce d'autant plus, que le Gouvernement Jospin, s'il n'a fort heureusement pas touché au nouveau statut de la SNCF voté au début 1997, vient d'alourdir la masse salariale de l'entreprise en décrétant l'embauche de plusieurs milliers de jeunes en son sein au titre de la Loi Aubry – lesquels seront naturellement titularisés dans cinq ans !

Lors des séances de débat à l'Assemblée, sur le RFF, face aux députés de Gauche présents qui criaient au « démantèlement du service public », j'esquissai une intervention : je rappelai qu'au moment même où nous débattions, et tandis que le contribuable français finançait à perte « ses » trains, des entreprises privées françaises faisaient rouler des trains

---

1. Tout en rendant hommage à « la réussite technique du TGV », la Cour des Comptes estime, s'agissant du TGV Nord, que la SNCF a utilisé, pour justifier ses investissements, « des surestimations sortant du domaine normal de l'incertitude » (le trafic intérieur en 1994 se révélant inférieur de moitié aux prévisions de la SNCF, tandis que le trafic transmanche était lui, trois fois inférieur !) V. rapport précité de la Cour, ainsi que *le Monde,* 6-7 octobre 1996. De même, le grandiose projet « EOLE » qui, à trente métres, sous terre, relie la gare Saint-Lazare à la gare du Nord (en occasionnant bien des dommages sur certains immeubles de ma circonscription), coûtera à l'arrivée 12 milliards (pour un double tunnel de 3,5 km), au lieu des 6 annoncés en 1991...

privatisés en Grande-Bretagne en générant des profits! Bernard Pons, le ministre des Transports d'alors, effrayé par l'émoi que suscitèrent mes propos sur les bancs de l'Opposition (où l'on se mit à crier « Privatisation, privatisation, voici donc l'intention réelle du Gouvernement! »), crut bon de me prendre à part pour me demander de « ne pas envenimer les débats ». Ainsi va la pédagogie du libéralisme dans notre beau pays...

Pour un grand débat sur l'avenir du secteur public

Ainsi l'alternance de Gauche est-elle survenue en France sans que l'œuvre de réformes pourtant indispensables de l'ensemble de notre secteur public ait pu être menée à bien.

Le « principe de réalité » finira-t-il par rattraper nos nouveaux gouvernants? Je le souhaite pour ma part : les Français ont le droit de savoir combien coûtent les services publics auxquels ils sont légitimement attachés; ils sont également en droit de savoir que le service public ne se confond pas nécessairement avec la propriété publique : les « success stories » de British Airways et de British Telecom, entre autres, montrent que le citoyen-client n'a pas pour seule vocation que de payer indéfiniment, mais de devenir aussi un consommateur bénéficiant du meilleur prix.

Compte tenu de l'explosion des technologies, de la mort annoncée des monopoles nationaux et de l'ouverture à la concurrence, compte tenu également de l'état de nos finances publiques, la France peut-elle se permettre au nom d'une prétendue idéologie du service public, alibi de vieilles structures centralisatrices et d'intérêts catégoriels, de maintenir indéfiniment en l'état un système qui prend l'eau de toutes parts, et qui menace à terme la survie même de ces entreprises? Malgré le coup, peut-être fatal pour l'entreprise, qu'a constitué la décision de Lionel Jospin de maintenir Air France dans le giron de l'Etat en limogeant son président Christian Blanc, je veux croire que la querelle idéologique Droite-Gauche sur le sujet s'est quelque peu apaisée dans notre pays, comme le suggère le maintien des décisions de privatisation de France Télécom et de Thomson.

Je souhaite donc pour ma part, devant la gravité de la situation de la plupart de nos entreprises nationales, qu'un débat aussi serein que possible soit ouvert devant nos concitoyens, tant sur le coût-efficacité des services rendus, que sur nos grands choix industriels de demain.

On aura compris que ma conviction profonde va vers la privatisation par appels d'offres de la totalité de ce secteur – y compris des industries dites stratégiques.

Il ne sert à rien de réécrire l'histoire, et chacun, au gré de ses préférences partisanes, tirera le bilan qui lui convient de l'expérience française d'économie dirigée.

Mais en laissant de côté les aspects financiers évoqués précédemment et que l'on saurait difficilement contester, je voudrais cependant conclure ces réflexions par quelques brèves notations quant au bilan, notamment technologique de l'expérience étatique française.

Compte tenu de notre histoire et de nos traditions, il est incontestable que le modèle d'entreprises publiques à la française a rendu des services éminents dans la phase de reconstruction du pays et dans le contexte économique particulier qui était celui de la Guerre froide. Ceci est particulièrement vrai dans un certain nombre de secteurs de haute technologie (mais non dans la Finance et l'Assurance), où l'Etat a pu constituer, dans le nucléaire ou l'armement, de véritables filières industrielles nationales.

Reste que ce bilan, éminemment présent dans notre inconscient collectif, mérite d'être au minimum relativisé. Que vaut en effet, une réussite purement technique, financée à coups de milliards (Concorde et même le TGV), si elle ne se traduit pas aussi par une viabilité (à tout le moins), sinon un succès sur le plan économique ? Est-il normal que la plupart des citoyens contribuables qui bouchent par leurs impôts les trous d'Air France, n'aient en général pas les moyens de se payer un voyage en avion, et quand ils le font, préfèrent des « charters » moins chers que leur compagnie nationale ? Que vaut une percée nationale (telle que le Minitel) si elle ne franchit pas les frontières, et nous amène ensuite à rater le rendez-vous d'Internet ?

La France par exemple est fière à juste titre de sa filière électronucléaire, que la nationalisation de l'ensemble du cycle (des mines d'uranium au retraitement des combustibles, en passant par la construction des centrales, leur financement, leur exploitation, et même leur sûreté) a rendu possible. Mais qui dit que ce système soit le seul possible et nécessairement le meilleur, tant au niveau du coût du kWh (par rapport à un prix du pétrole qui a globalement stagné depuis 1973), qu'au niveau de certains choix technologiques fort coûteux (le cycle du plutonium et les surgénérateurs), aujourd'hui rayés d'un trait de plume (comme la fermeture de Super-Phénix), à la faveur d'un arrangement politicien au sein de la majorité « plurielle ». *Exit* 60 milliards de francs engloutis dans une cathédrale nucléaire qui n'aura jamais servi...

Dans les autres démocraties moins « dirigistes », le marché, la pression des écologistes, l'influence des pouvoirs locaux ont minoré (autour de 10 à 20 %) le poids de la production d'électricité nucléaire. Contre 75 % en France. Mais qui dit que ce seuil ne soit pas trop élevé en cas d'accident ? Et quel sera le coût total du programme une fois qu'on y aura inclus celui du démantèlement des centrales après leur durée normale de vie (trente ans) ?

Etant moi-même *pour* le nucléaire, je demeure cependant convaincu qu'une politique énergétique à l'échelle d'un pays doit également être diversifiée, et ne point trop dépendre d'une seule filière... Qu'elle mérite en tout cas d'être débattue, et non pas déléguée à un groupe de technocrates dans le secret de leurs cabinets.

Quoi qu'il en soit, il faut dès à présent assurer l'avenir de groupes industriels et de recherche fort importants pour le pays, tels que le CEA et ses filiales, la COGEMA ou le CNES. Or l'avenir de ces groupes n'est manifestement pas lié à l'Etat, mais au contraire à la performance et au développement industriel.

De même pour notre industrie d'armement, largement dominée par de grands groupes publics (Aérospatiale, GIAT, DCN, Thomson, SNPE...) qui certes, ont brillamment rempli leurs missions antérieures : la construction de la force de frappe ; une réelle autonomie nationale dans les principaux programmes d'armements. Mais à quel prix ? Sureffectifs notoires, absence de restructuration à l'échelle nationale et européenne, besoin urgent d'importantes recapitalisations pour financer l'effort de recherche et développement, alors même que notre budget de défense est en chute libre : autant de conséquences qui menacent aujourd'hui la survie même de cette industrie, dans un marché à l'exportation par ailleurs sensiblement réduit après la fin de la Guerre froide, et où dominent largement les mastodontes privés américains.

Dans tous ces secteurs, j'en suis convaincu, la France peut conserver un rôle leader, en Europe et dans le monde. Cela passe cependant par la libération de ces entreprises, leur restructuration, nationalement d'abord, puis sur une base européenne, en s'appuyant sur les forces du marché, non sur la tirelire – vide – des contribuables.

L'Etat peut et doit impulser de grandes orientations stratégiques en matière industrielle, par la politique de recherche d'une part, par ses commandes publiques d'autre part, mais il n'a pas à les gérer directement au quotidien. Je préfère un Etat recentré sur ses missions régaliennes donc plus fort, car capable de les financer, qu'un Etat en faillite chronique qui appauvrit ses policiers, ses juges et son armée, pour boucher les trous béants d'un secteur public malade et structurellement en état de dépôt de bilan.

Plus que jamais, ce jugement de Benjamin Constant mériterait d'être plus d'une fois médité [1] : « Toute industrie qui ne peut se maintenir indépendamment des secours de l'autorité, finit par être ruineuse. Le Gouvernement paie alors les individus pour que ceux-ci travaillent à perte. En les payant de la sorte, il paraît les indemniser ;mais comme l'indemnité ne se peut tirer que du produit des impôts, ce sont en définitive les individus, qui en supportent le poids. »

---

1. *Ecrits politiques*, Gallimard, 1997.

CHAPITRE 15

L'emploi plutôt que la charité publique

Ubu est roi !

Au mois d'août 1997, alors que la torpeur estivale régnait encore sur le pays, les Français découvrirent la toute dernière invention de leur technostructure socialiste en matière d'emploi des jeunes.

Pour paraphraser la célèbre publicité : « Marx lui-même n'avait osé le rêver, Lionel Jospin l'a fait ! » : pourvu que l'on soit âgé de moins de vingt-six ans (et même de moins de trente ans, si l'on n'a jamais travaillé suffisamment longtemps pour bénéficier d'une allocation chômage), l'Etat français vous recrutera pour cinq ans au SMIC (5 240 francs nets par mois) pour devenir « cavalier vert », « agent d'ambiance », « coordinateur de soutien scolaire », « agent d'entretien polyvalent », « agent de médiation à domicile », « coordinateur de projet éducatif », « agent accompagnateur », ou toute autre fonction du même acabit comprise dans deux douzaines de « métiers nouveaux » qu'offriront ministères, collectivités locales, établissements publics et autres associations agréées par l'Etat.

En son temps, Louis XIV avait lui aussi créé des charges particulièrement « exotiques », telles que « contrôleurs-visiteurs de beurre frais », « essayeur de beurre salé » ou « barbier-perruquier ». A cette différence près que le Roi-Soleil faisait payer les candidats à ces fonctions pour remplir les caisses de l'Etat, tandis que les « emplois Aubry » viendront creuser un peu plus le trou des finances publiques...

Le coût annoncé de l'opération se monte en effet à 35 milliards de francs pour l'Etat, plus 20 % pour les collectivités publiques, multipliés par cinq ans : au total les 350 000 heureux bénéficiaires coûteront au bas mot 220 milliards pendant la période, soit les deux tiers de la recette annuelle de l'impôt sur le revenu !

Si le sujet n'était aussi tragique pour notre pays, recordman du chômage des jeunes (25 % des moins de vingt-six ans), et où le niveau de vie des jeunes n'a cessé de se dégrader au fil des années [1], la réaction « normale », saine devant un meccano aussi délirant serait d'éclater de rire. Quoi ! Tandis que les Américains envoient un robot explorer Mars, la France de Voltaire, de Napoléon et du général de Gaulle, celle de Pasteur et de la fusée Ariane n'aurait donc rien d'autre à offrir à ses jeunes à l'aube du XXIe siècle, qu'un statut de sous-fonctionnaire au SMIC, le tout pour cinq ans, et dans des métiers aussi porteurs d'avenir que celui d' « agent d'ambiance », ou de « coordinateur » ? Quel grand projet collectif d'avenir est-ce là, qui consiste à sortir trois centaines de milliers de jeunes diplômés des statistiques du chômage, pour les « coller » temporairement – coïncidence qui n'en est pas une, ces cinq ans nous séparent précisément de la prochaine élection présidentielle... – dans une colonne « sous-fonctionnaires », aux attributions mal définies, et porteuse en tout cas de nulle formation, ni d'aucun avenir ?

La dérision pourtant n'est pas de mise ici, pas plus que l'indignation que l'on est en droit de ressentir à voir son pays s'embarquer ainsi sur une voie sans issue, et si lourde d'effets pervers pour notre société, nos jeunes, comme pour notre économie.

Si nous voulons vraiment en finir avec de tels errements à l'avenir, alors il nous faut nous interroger sur la philosophie même d'un tel programme. Cette dernière, on va le voir, va bien au-delà d'une simple gesticulation politicienne, habilement orchestrée médiatiquement : elle reflète en effet, au plus profond, les racines de notre mal national.

J'insiste sur ce point. Il serait bien sûr facile – et rassurant ! – d'expliquer cette dernière « innovation » socialiste par un simple dérapage idéologique de plus. En 1981, on l'a vu précédemment, les socialistes avaient massivement eu recours à l'embauche de fonctionnaires pour tenter d'endiguer le chômage – avec les résultats que l'on sait. Réélus en 1997, ils commettraient à nouveau la même erreur aujourd'hui, en prenant cette fois la précaution de ne pas titulariser tout de suite les jeunes concernés, laissant ce soin à leurs successeurs. Cette explication contient une part de vérité, bien sûr, mais une part seulement.

De même, l'on pourrait, comme l'a fait Philippe Séguin, expliquer les « emplois jeunes » par les « bêtises » hâtivement promises par les socialistes (en novembre 1996), à un moment où eux-mêmes n'imaginaient pas une seule seconde qu'ils pourraient gagner les Législatives initialement prévues pour 1998. Dès lors, la plate-forme économique adoptée alors (700 000 emplois-jeunes, la semaine de trente-cinq heures payées trente-neuf, et l'objectif maintenu des 32 heures) reflétait davantage la tentation de la fuite en avant démagogique, que la « culture de gouvernement » d'une équipe qui s'apprête à prendre les rênes du pays. Une fois élu, le nouveau Premier ministre se trouverait donc

---

1. Selon l'INSEE, celui-ci a reculé de – 17 % en dix ans, la proportion de pauvres parmi les jeunes atteignant 18 % ! V. *la Tribune*, le 25 septembre 1996.

donc pris au piège de ses promesses électorales, et devrait donc « improviser » sur les emplois-jeunes comme sur le reste. Ici encore, l'explication en termes de tactique « politicienne » est en partie fondée. Mais elle ne suffit pas.

L'ennui en effet – car la vérité est bien plus grave – est que la recette ubuesque que la France a mise en place (par la loi) pour « résoudre » le chômage des jeunes, ressort de quelque chose de bien plus profond et ancien.

En vérité, si un Gouvernement français peut en 1997, seul parmi l'ensemble des grandes nations industrialisées, lancer un tel programme digne des « chantiers de jeunesse » ou du soviétisme flamboyant, dans une sorte de grande lassitude générale, mêlée d'approbations (ceci même à Droite [1] !), si M. Jospin peut faire quelque chose d'aussi ouvertement contraire au bon sens, et ce, sans que le « système » réagisse, que les commentateurs assassinent instantanément de tels contresens dans leurs éditoriaux, sans que le patronat riposte fortement, sans que les jeunes eux-mêmes protestent contre le sous-avenir smicard qui leur est proposé, bref si la France est amorphe, c'est parce que précisément le « système » est habitué à voir s'empiler les uns après les autres des dispositifs étatiques du même ordre, tous aussi coûteux qu'inefficaces.

Ce point est essentiel. Car le plus grave dans cette affaire n'est *pas* la nouveauté du programme de M. Jospin, mais bien au contraire le fait qu'il constitue en quelque sorte le prototype le plus abouti d'un meccano économico-social auquel – aurai-je la franchise de le dire ? – la Droite française a eu elle aussi, malheureusement, sa part.

Pour qui est (un peu) familier du maquis que constituent les fameuses « aides à l'emploi » (spécialité bien française), les emplois-jeunes de M. Jospin ne sont en effet que la resucée – certes plus spectaculaire en termes médiatiques, et élargie en nombre, en types d'activités et en coût – de la formule des « 100 000 emplois de ville » mise en place en 1996 par... MM. Juppé, Gaudin et Raoult.

Beaucoup des emplois annoncés par Mme Aubry, au titre des Affaires sociales, sont au demeurant rigoureusement identiques (à la dénomination plus folklorique près) à ceux proposés hier par l'ancienne majorité aux « jeunes des quartiers ». Dans les deux systèmes, l'Etat paie ; les jeunes sont mis à la disposition de collectivités publiques ou d'associations. Dans les deux cas, ils ne produiront rien, et n'apprendront aucun métier digne de ce nom. Seule change la durée du contrat (cinq ans à présent).

Plus intéressant encore – hélas ! – est le fait que les contrats de ville s'inspiraient eux-mêmes d'un dispositif plus ancien : les TUC (Travaux d'Utilité Collective), inventés en octobre 1984 pour offrir aux jeunes un

---

1. Il s'est trouvé 48 députés d'opposition RPR-UDF pour s'abstenir et un député RPR pour voter en *faveur* du projet de loi Aubry !

travail à mi-temps « d'utilité publique », là encore au sein d'organismes publics financés par l'Etat.

Ce rappel est loin d'être anodin. La maladie des meccanos pseudo-économiques pour l'emploi, n'est hélas nullement récente : inventée à Gauche, elle a – malheureusement – été poursuivie à Droite. Au nom de la lutte contre le chômage, tous les gouvernements successifs depuis vingt ans ont eu tendance à mettre en œuvre une gamme extra-ordinairement fournie (et complexe !) d'interventions publiques, mêlant réduction du temps de travail, aides à l'embauche ou création pure et simple d'emplois, ou de pseudo-emplois financés par la collectivité. L'ensemble étant destiné à remplacer un marché jugé défaillant.

Au nom d'impératifs sociaux, l'Etat devient donc acteur économique à part entière – employeur même –, tâche qui, on va le voir, est à la fois extrêmement coûteuse et contre-productrice, puisqu'elle aboutit en dernière analyse à pénaliser l'emploi pour fabriquer nos « *Mc jobs* » à nous, nos « *working poor* », à cette différence près qu'ils sont, chez nous, payés par l'Etat, c'est-à-dire par le contribuable.

Simplement, M. Jospin a franchi, quant à lui, un échelon supplémentaire dans le meccano soi-disant social, avec des conséquences probablement plus anti-économiques que précédemment.

Orwell et le « cavalier vert »

Comme l'expliquent, dans leur rapport, les dix brillantes « personnalités qualifiées [1] », qui ont eu à « mettre en musique » le plan emplois-jeunes promis par le nouveau Premier ministre, « il ne suffit plus de laisser faire le temps ou le marché pour satisfaire les attentes légitimes de chacun ». L'Etat va donc prendre lui-même le relais de la société civile et du marché défaillants.

A lui « d'identifier les besoins des usagers, de construire une offre susceptible d'y répondre, de leur donner un contenu en termes de métiers... » Inventer des métiers de toutes pièces, sans la moindre valeur ajoutée bien sûr, les financer artificiellement par la dépense publique : voilà qui « constitue la logique de la démarche ». Orwell, dans *1984*, nous avait enseigné comment l'on peut réécrire l'Histoire ; M. Jospin lui, réinvente tranquillement les lois élémentaires de l'économie.

Profitable à court terme sur le plan politique pour M. Jospin – comment de pas comprendre en effet le soulagement de ces centaines de milliers de familles auxquelles l'Etat propose la prise en charge, même

---

1. Citées dans *le Monde* du 21 août 1997.

temporaire, de leurs jeunes – l'exercice cependant sera coûteux, très coûteux, sur le plan économique.

Par son seul volume financier tout d'abord : au moins 220 milliards, on l'a vu, sur cinq ans s'ajouteront aux dettes et déficits considérables déjà accumulés par l'Etat. Sans doute bien davantage si les 350 000 jeunes en question sont ensuite titularisés, donc payés à vie, retraites comprises, avec une hausse mécanique d'au moins 2 % l'an. Autre coût dérivé : celui de la ponction fiscale supplémentaire qui accompagne ce « plan » afin de le financer. Dès 1997, on l'a vu, ce sont 60 milliards de plus prélevés sur les entreprises et les familles. Conséquence : l'Etat détruira des dizaines de milliers de vrais emplois – via l'augmentation des charges sur les sociétés, la réduction de commandes publiques, notamment dans le secteur de l'armement [1] et la refiscalisation des emplois familiaux – pour financer les « faux » emplois promis aux jeunes.

On pourrait également insister à l'envi sur les effets pervers de ces nouveaux « emplois » dans les secteurs où existent déjà des salariés qui, eux, sont *vraiment* employés à des fonctions identiques ou voisines. Ainsi par exemple, « l'agent d'entretien polyvalent » qui effectuera, nous dit la définition du ministère des Affaires sociales, des « petits travaux d'entretien et de réparation (peinture, maçonnerie, plomberie, électricité) et assurera l'entretien des espaces verts » « pour des personnes dépendantes » : ne viendra-t-il pas faire double emploi (!), ou pire *prendre* l'emploi des PME en général chargées de ces tâches par les bailleurs sociaux ? PME qui, elles, paient « plein pot » les ouvriers qu'elles emploient ? Il en va naturellement de même pour la plupart des autres fonctions proposées, qui lorsqu'elles sont à peu près définies, correspondent (et pour cause) à une mission déjà effectuée par ailleurs. Conséquences prévisibles : ce que les experts appellent les effets d'aubaine ou de déplacement : tout comme la mauvaise monnaie chasse la bonne, l'emploi subventionné chasse toujours l'emploi réel.

Mais il y a sans doute pire que ce désastre économique prévisible. Le plus grave dans tout cela est le dommage causé aux jeunes eux-mêmes : ce que j'appellerai « l'effet de vide » auxquels ces jeunes seront brutalement confrontés dans cinq ans, à l'expiration de leurs contrats, alors qu'ils n'auront pour l'essentiel appris aucun métier digne de ce nom. Citons ici la lettre d'une jeune étudiante [2] à Mme Aubry publiée dans *Libération* : « Si le plan du Gouvernement destiné à offrir des emplois

---

1. Ainsi de l'annulation – décidée en même temps qu'était annoncé le plan emploi-jeunes – de 8 milliards de crédits d'équipements du Ministère de la Défense (v. *le Monde* du 21 août 1997). Sachant que chaque milliard de commandes dans l'armement équivaut à 2 500 *vrais* emplois dans cette industrie, ce sont 20 000 emplois au moins qui se trouvent ainsi compromis dans ce secteur. Il est vrai qu'avec les 8 milliards ainsi « récupérés », M. Jospin créera 80 000 faux emplois de sous-fonctionnaires... Gribouille toujours !

2. Lettre de Mlle Marion Msika publiée dans *Libération* du 3 septembre 1997.

aux jeunes, les " emplois Aubry ", mérite une critique, c'est celle de leur proposer de faux emplois. En effet, il apparaît clairement que la majorité de ces " nouveaux métiers ", comme ceux d' " agents d'ambiance ", de " trieurs de déchets " sont d'abord destinés à pallier les effets désagréables de la crise, sans toucher au mécanisme d'ensemble de la société.

« Pour certains de ces emplois, qui semblent requérir une formation spécifique (" coordination du soutien scolaire ", " médiateur pénal "), le " Plan Aubry " ne propose pas de formation longue (minimum deux ans), au risque de voir ces emplois pris par des diplômés, avec deux conséquences désastreuses : rater l'insertion de jeunes sans qualification et dévaloriser les diplômes (payés au SMIC).

« Durant ces contrats de cinq ans, la plupart des jeunes enrôlés par Martine Aubry s'abêtiront donc à exercer des sous-emplois et, au bout de ce tunnel, que deviendront-ils ? Etant passés à côté d'une vraie formation, d'un apprentissage, de l'acquisition d'un diplôme, un peu plus vieux, et lassés par cinq années de servitude mal payées, il leur sera alors quasiment impossible d'apprendre un métier qui leur permettrait de vendre un savoir-faire réel et non plus leur force physique ou leur capacité de soumission. Sans expérience professionnelle, le chômage un temps différé sera leur avenir. Finalement, en créant massivement des emplois sans contenu, rétribués par des salaires de misère, le " Plan Aubry " aura pour principal résultat d'accentuer l'exclusion de ceux qu'il prétend aider, les rejetant encore un peu plus en marge des secteurs actifs et valorisants de la société. »

On ne saurait mieux dire : *vox populi* !

Mais j'arrêterai là cette discussion du contenu de ce « plan ». Ce qui nous intéresse davantage c'est la philosophie – ancienne je l'ai dit – qui l'inspire, et le fait que les multiples interventions étatiques en matière d'emploi se soient systématiquement soldées par des échecs.

Quelle est donc cette approche, et pourquoi, si elle ne fonctionne décidément pas, persistons-nous collectivement dans l'erreur ?

La réponse à cette question passe d'abord par un détour – si j'ose dire ! – par la réalité, c'est-à-dire par les déterminants réels de l'emploi.

Les vraies clés de l'emploi

On y a fait allusion à plusieurs reprises au cours des chapitres précédents, les « recettes » de lutte contre le chômage, celles qui donnent des résultats hors de nos frontières, sont largement connues.

Rappelons-les brièvement.

Le poids des dépenses publiques

La première est la charge des dépenses publiques sur l'économie. Plus l'Etat est dépensier, plus la société est « shootée » à l'assistance, moins elle crée d'emplois – et réciproquement.

Le tableau 15-1 ci-dessous est sans équivoque : la courbe des prélèvements fiscaux et sociaux entre 1974 et 1997 en France est exactement parallèle à celle de la progression du taux de chômage.

TABLEAU 15-1 : CHÔMAGE ET PRÉLÈVEMENTS FISCAUX 1974-1994

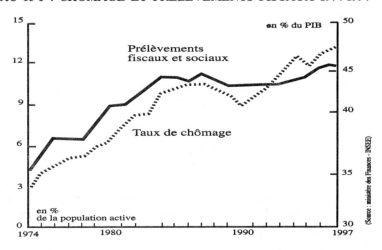

Ces mêmes conclusions sont confirmées par de très nombreuses comparaisons internationales.

Comme le démontrent les tableaux 15-2 et 15-3 ci-dessous, la France qui a vu les dépenses de ses administrations publiques augmenter de 7,7 points entre 1980 et 1995 a détruit 5 % d'emplois marchands pendant la même période. L'Angleterre et les Pays-Bas qui au contraire ont baissé leurs dépenses publiques, ont obtenu des résultats spectaculaires sur le front de l'emploi marchand (respectivement : + 9,4 % et + 18,1 %)

TABLEAU 15-2 : DÉPENSES TOTALES
DES ADMINISTRATIONS PUBLIQUES 1980-1995

En % du PIB	1980	1985	1990	1995	EVOLUTION 1980-1995
France	46,6	52,7	50,6	54,3	+ 7,7 points
Allemagne Ouest	48	47,2	45,3	48,4[1]	+ 0,4 point
Royaume-Uni	43,2	44,1	40,3	42,1	– 1,1 point
Italie	41,9	50,9	53,2	53,6	+ 11,7 points
Pays-Bas	56,5	58	55	53,2	– 3,3 points

(1) Allemagne entière : 49,3 %
Source : Economie Européenne (n° 59 – 1995), Cartes sur Table 1996, op. cit.

TABLEAU 15-3 : EMPLOI DANS LE SECTEUR MARCHAND 1980-1995

Millions	1980	1985	1990	1995	EVOLUTION 1980-1995
France	17,1	16,2	16,9	16,2	– 5 %
Allemagne Ouest	22,1	21,3	22,9	23,2	+ 4,9 %
Royaume-Uni	20	19,4	21,9	21,9	+ 9,4 %
Italie	18,4	18,6	19,1	17,8	– 3,2 %
Pays-Bas	4,5	5	4,9	5,3	+ 18,1 %

Source : *Comptes Nationaux de l'OCDE,* Cartes sur Table, 1996, op. cit.

La fiscalité

Le deuxième déterminant de l'emploi directement lié au précédent est la fiscalité. Trop d'impôt, on l'a dit, ne tue pas seulement l'impôt, mais aussi le travail.

Sans nous attarder trop longtemps sur ce sujet déjà évoqué précédemment, j'évoquerai ici quelques exemples simples.

Premier exemple : l'impact sur le revenu net des salariés. La dérive des prélèvements sociaux depuis vingt-cinq ans a abouti à confisquer la moitié du pouvoir d'achat des salariés français, avec cette double conséquence, typique de la situation française : la consommation des ménages s'en trouve pénalisée d'une part, ce qui pèse sur la création de nouvelles richesses ; et d'autre part, le coût du travail ne cessant d'augmenter (contrairement aux revenus de la rente, infiniment mieux traités par le fisc [1]), l'embauche n'en devient que beaucoup plus onéreuse pour les entreprises.

Ce phénomène, rappelé au tableau 15-4 ci-après, est bien connu : la France souffre moins de salaires trop élevés que d'un coût de travail (salaires + charges) prohibitif pour l'emploi.

---

1. Hormis la CSG assise sur tous les revenus, et bien entendu la TVA prélevée sur la consommation, l'essentiel des prélèvements en France (1 500 milliards contre environ 300 pour l'impôt sur le revenu, soit cinq fois plus) sont des prélèvements sociaux assis sur les salaires. Les revenus du travail sont donc infiniment plus taxés en France que la rente tirée de placements.

TABLEAU 15-4 :

L'ÉCART ENTRE SALAIRE BRUT ET SALAIRE NET EN FRANCE (1970-1994)

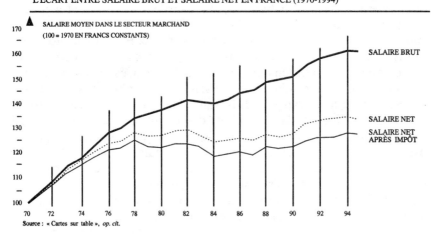

Source : « Cartes sur table », *op. cit.*

Deuxième exemple, la surtaxation des cadres et des entrepreneurs qui tirent la création de richesses donc l'emploi.

Tandis que la moitié des foyers fiscaux ne paient pas l'impôt sur le revenu en France, 5 % des revenus élevés paient 55 % de cet impôt. Sont ainsi particulièrement pénalisés ceux qui prennent des risques et créent des entreprises, avec l'effet d'exode des meilleurs, et de délocalisation des entrepreneurs que l'on commence à constater dans le pays, la fiscalité étant devenue l'un des éléments concurrentiels d'une économie mondialisée.

TABLEAU 15-5 : L'ÉCART ENTRE LE TAUX MARGINAL
ET LE TAUX MOYEN D'IMPOSITION SUR LE REVENU

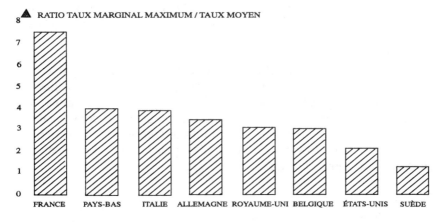

Source : « Cartes sur Table », op. cit.

Troisième exemple : la fiscalité locale, dont on a évoqué plus haut l'explosion en France à mesure que la décentralisation entrait dans les faits [1]. Ainsi pour l'essentiel sur ce que les spécialistes appellent « les quatre vieilles » (taxe d'habitation, taxes sur le foncier bâti et non bâti, taxe professionnelle), la fiscalité locale aboutit à des aberrations bien connues, mais que nul ne paraît pourtant prêt à corriger en profondeur. La taxe d'habitation dans des communes pauvres atteint 10 000 francs par an pour un appartement de 100 mètres carrés (à Sarcelles par exemple), contre cinq fois moins à Paris ou à Neuilly. Quant à la taxe professionnelle que François Mitterrand qualifiait fort justement (mais sans qu'il eût l'idée de la supprimer) d' « impôt imbécile », celle-là est une véritable machine anti-économique puisque assise, non sur les résultats de l'entreprise (comme en Allemagne ou en Italie par exemple), mais sur les investissements : nombre d'employés et machines. Combien de fois ai-je vu tel commerçant ou tel boulanger, pénalisés, voire même contraints de fermer boutique pour avoir engagé un apprenti ou investi dans un nouvel équipement...

On pourrait multiplier les exemples des aberrations de notre système fiscal que tout le monde juge inadapté, vieillot et pénalisant pour l'activité économique du pays, mais que naturellement personne n'ose réformer en profondeur, chaque gouvernement se contentant d'empiler « sa » strate aux précédentes.

Ainsi de l'immobilier : la France réussit la performance de cumuler la TVA la plus élevée (derrière la Belgique) sur les immeubles industriels et commerciaux (20,6 %), mais aussi des droits de mutation records (19,5 %) contre 1 % en Grande-Bretagne et 2 % en Allemagne. Résultat : les sociétés étrangères préfèrent s'installer à Londres ou Berlin, avec leurs emplois !

Sur le même registre, que dire des ravages causés par l'ISF et surtout par son déplafonnement par le Gouvernement Juppé lors du budget 1996 ! Jusque-là les socialistes, dans leur grande bonté à l'égard des « possédants », avaient limité les prélèvements (impôt sur le revenu + impôt sur la fortune) à 85 % des ressources par foyer fiscal. C'est une majorité de Droite qui, par démagogie, a supprimé le plafond en novembre 1995 et qui ayant reconnu son erreur, l'a maintenue l'année suivante en refusant de voter un amendement du Sénat... par crainte d'être accusée de faire le jeu des « riches », par crainte des médias, par crainte d'elle-même ! Et pourtant, le cumul des impositions peut atteindre dans certains cas 100 à 400 %, obligeant le contribuable à vendre ses actifs pour payer ses impôts, y compris en détruisant au besoin, un outil de travail. Ici l'impôt n'est plus l'impôt ; il équivaut à de la spoliation pure et simple.

---

1. V. plus haut, chapitre 9.

A la suite de ces mesures, combien de Français ont-ils délocalisé leur épargne ? Combien de richesses et d'emplois ont fui notre économie ?

Les salaires

Parmi les « acquis », que dis-je les tabous absolus de notre société figure le SMIC, objet de « coups de pouce » réguliers de la part du pouvoir politique (en moyenne, une augmentation de + 2 % par an). C'est ainsi que depuis vingt ans, le SMIC a été multiplié par deux, tandis que le salaire moyen n'augmenterait quant à lui que de 60 %.

Il est presque sacrilège dans ce pays d'affirmer que le SMIC, tout en protégeant les salariés (car renforçant leur pouvoir de négociation), pénalise aussi l'emploi, et singulièrement l'emploi non qualifié, parmi les jeunes surtout. L'affaire du CIP (sous le Gouvernement Balladur) immédiatement rebaptisé « SMIC-jeunes », a montré l'énorme résistance sociale à toute réforme de ce système. Et pourtant, les faits sont têtus.

De nombreuses études, émanant notamment de l'OCDE[1], montrent que le SMIC se situant désormais à la moitié du salaire médian français, a non seulement conduit à « un écrasement des salaires », mais surtout à l'augmentation du nombre de personnes (non qualifiées et jeunes surtout) qui ne trouvent pas à entrer sur le marché du travail à un tel niveau de rémunération – et surtout de coût salarial. Car il ne faut jamais oublier qu'un SMIC payé un peu plus de 5 200 francs[2] au salarié revient en fait à près de 9 000 francs à l'employeur, compte tenu du poids exorbitant des charges.

Plutôt que de supprimer le SMIC (comme l'ont fait les Britanniques en 1993), ou de le baisser à un niveau nettement plus faible (comme aux Etats-Unis, à cinq dollars de l'heure), toutes choses jugées politiquement infaisables en France, les gouvernements successifs ont donc préféré poursuivre sa hausse régulière, tout en multipliant de très coûteux (et inefficaces) dispositifs de déductions de charges sur les premiers emplois, ou sur les emplois non qualifiés payés au SMIC. Politique de Gribouille donc, qui consiste à rendre d'une main une partie de ce qui est ponctionné de l'autre. Comme le dit justement Raymond Barre : « La protection de l'emploi est devenue en réalité la progression du chômage[3]. » Dans la pratique de tous les jours, l'embauche au SMIC, surtout par de toutes petites entreprises qui démarrent ou qui

---

1. V. également Daniel Cohen : *Les salaires ou l'emploi ?* Note de la Fondation Saint-Simon, mai 1995.
2. Le taux horaire du SMIC en janvier 1998 était de 39,43 francs.
3. Interview du *Figaro*, le 25 juin 1996.

ont des difficultés à survivre, est devenue une frontière de plus en plus difficilement franchissable. Elle le sera encore plus lorsque ce même SMIC s'appliquera pour 35 heures ouvrées.

Même si cela peut paraître choquant au regard de la pensée dominante actuelle, dans la réalité de tous les jours, le SMIC a donc instauré un fossé de plus en plus profond entre ceux qui ont un travail et qui sont protégés, et ceux qui attendent à la porte avec pour seul horizon, non pas une insertion économique par l'embauche, mais un dispositif social – la charité publique – plus ou moins « bidon ».

Le tableau 15-6, ci-dessous, le montre clairement.

TABLEAU 15-6 : ÉVOLUTION RELATIVE DU SMIC
ET DU TAUX DE CHÔMAGE EN FRANCE

	SMIC/salaire moyen (%)	taux de chômage total (%)	taux de chômage des jeunes/taux de chômage total
1970	38,7	2,7	1,8
1973	38,8	2,8	1,9
1975	42,6	2,9	2,1
1980	45,2	5,8	2,5
1982	47,2	7,4	2,4
1985	51,5	9,7	2,5
1988	51,4	10,5	2,1
1990	50,6	9,4	2,1
1991	50,2	8,9	2,1
1992	50,3	9,4	2,1
1993	50,5	10	2,1
1994	50,2	11,7	2,2
1995	50,5	12,3	2,2

Source : Etudes Economiques de l'OCDE « France » (1995)

Plus éloquente encore est la comparaison entre la situation française et celle des Etats-Unis. Entre 1978 et 1995, l'Amérique a fait le choix de l'emploi en modérant la hausse des salaires ; en France au contraire, la progression de la valeur ajoutée a bénéficié aux salaires, mais en renchérissant le coût du travail, donc en pénalisant l'emploi. En vingt ans, le salaire moyen (en pouvoir d'achat) a augmenté de 20 % en France et le nombre d'emplois salariés n'a progressé que de 4 %. Dans la même période, les Etats-Unis ont vu leur salaire moyen croître de 5 %, mais l'emploi salarié de 37 %[1] ! On trouvera une représentation graphique de cette double évolution dans les tableaux 15-7 et 15-7a, ci-dessous.

---

1. Michel Godet, « Les quatre France », *op. cit.*

TABLEAU 15-7: ÉVOLUTION DES RÉMUNÉRATIONS ET DE L'EMPLOI
DANS LE SECTEUR PRIVÉ
FRANCE-ÉTATS-UNIS, 1978-1995

| | FRANCE | | ÉTATS-UNIS | |
	salaire moyen [1]	emploi	salaire moyen [1]	emploi
1978	100	100	100	100
1982	106,1	100	99,6	103,8
1985	108	97,3	101,5	113,9
1988	112,2	100,1	103,9	123,4
1990	115,4	104,8	102	128,1
1991	116,9	104,9	101,8	126,4
1992	118,5	104	104	126,5
1993	119,7	101,4	104,1	129,1
1994	119	101,8	104,2	133,3
1995	120	103,8	104,7	136,8

(1) En pouvoir d'achat.
Source : *Etudes Economiques de l'OCDE « France » (1995)*

TABLEAU 15-7 A :

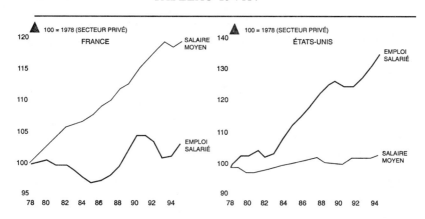

Veut-on un exemple concret de cette réalité ? Une étude récente de
Mc Kinsey [1] démontre que le différentiel salaire minimum plus charges,
entre la France et les Etats-Unis conduit dans le secteur de la grande
distribution, et à magasins équivalents, à employer en moyenne 15 %
de personnel *en moins* en France. Toys'R Us, par exemple, emploie en
France environ 30 % de personnel en moins, dans exactement le même
magasin qu'aux Etats-Unis. Je cite la suite de l'étude : « Ajoutons que
la réglementation très restrictive des implantations commerciales pèse
directement sur l'activité, dans la mesure où elle aboutit à augmenter le
coût des terrains. Au total, une structure de coûts plus lourde a effectivement empêché de nombreux " formats " commerciaux novateurs à
fort niveau de service de se développer en France... »

---

1. Mc Kinsey Global Institute, « Supprimer les entraves à la croissance et à l'emploi en
France et en Allemagne », mars 1997.

Education-recherche, secteur bancaire, procédures administratives et droit social

Poids des charges et des prélèvements obligatoires, fiscalité, coût du travail et niveau des salaires : à ces éléments déterminants de l'emploi – ou du chômage chez nous ! – s'ajoutent plusieurs autres facteurs, dont certains ont déjà été mentionnés au fil des chapitres précédents : la flexibilité (mais non la réduction obligatoire) du temps de travail [1], la faiblesse de notre secteur bancaire [2], ou les médiocres résultats de notre système éducatif qui pénalisent lourdement nos jeunes [3].

Pour ne pas lasser le lecteur, je me bornerai à quelques brèves observations sur les trois autres points.

La simplification des formalités administratives tout d'abord.

Le sujet est malheureusement aussi ancien qu'il est bien connu en France. En 1992, dans un rapport du Conseil d'Etat rédigé par Françoise Chandernagor, ce magistrat notait, non sans humour : « Mis bout à bout, les formulaires que doit remplir une entreprise moyenne pour la taxe professionnelle représentent 3,6 mètres de long, auxquels il convient d'ajouter 2,4 mètres, si cette même entreprise veut créer un nouvel emploi dans une zone faisant l'objet de mesures d'aménagement... Sans compter les 3 mètres de notices explicatives qu'il lui faudra déchiffrer avant de remplir les formulaires [4]. » Depuis cette date, les Gouvernements Balladur et Juppé ont tenté d'œuvrer vers « la simplification administrative » pour le citoyen comme pour l'employeur. On est encore loin du compte ! Engager chez soi une aide ménagère ou une garde d'enfants vous expose à une redoutable paperasserie face à une palette d'organismes qui, découvrant l'existence d'un emploi, se précipitent pour réclamer « leur » cotisation. La création d'une entreprise en France est un chemin de croix bureaucratique : elle demande quelques minutes aux Etats-Unis ou en Grande-Bretagne. Quant à la gestion des fiches de paie, elle est simplement courtelinesque.

La réglementation de la seule Sécurité sociale comporte aujourd'hui 130 000 pages et s'accroît de 3 000 pages par an ! A elle seule, la déclaration d'embauche d'un salarié implique pour l'employeur quatre formulaires pour quatre administrations différentes. J'ai devant moi, au moment où j'écris ces lignes, la fiche de paie que l'un de mes électeurs, artisan commerçant, délivre chaque mois à l'un de ses employés. Celle-ci tient sur deux pages et comporte pas moins de 33 lignes différentes et 8 colonnes... 30 lignes sur 33 représentent des prélèvements, déductions et autres charges sur le salaire... Si je ne les approuve pas,

---

1. V. chap. 3.
2. V. chap. 13.
3. V. chap. 9.
4. Cité dans *Valeurs actuelles* du 7 mai 1994.

on peut comprendre que certains jeunes entrepreneurs français aient jeté l'éponge, et décidé de déménager leur PME de l'autre côté de la Manche [1].

Dans la véritable guerre économique dans laquelle nous sommes engagés, la France souffre également de fort mal gérer l'information au plan stratégique (l'Etat, pourtant omniprésent, diffuse mal les informations qu'il détient dans sa propre machine bureaucratique elle-même, et encore moins en direction des entreprises [2]), et surtout elle gère encore plus mal ses capacités pourtant considérables *de recherche et d'innovation*. Les firmes françaises investissent moins que leurs concurrentes étrangères en matière de R et D (voir tableaux 15-8 et 15-9 ci-dessous) et restent très dépendantes de la recherche d'origine étatique.

TABLEAU 15-8 : RECHERCHE-DÉVELOPPEMENT
FINANCÉE PAR L'INDUSTRIE
(pourcentage du PIB)

	1981	1992
France	0,8	1,06
Allemagne	1,43	1,52
Etats-Unis	1,18	1,66
Japon	1,44	2,1

Source : OCDE

TABLEAU 15-9 : DÉPENSES DE RECHERCHE-DÉVELOPPEMENT
ET PRODUCTION INDUSTRIELLE
(données en moyenne annuelle 1980-1992)

	Dépenses de Recherche-Développement sur financement public (% du PIB)	Dépenses de Recherche-Développement sur financement privé (% du PIB)	Croissance de la production industrielle (%)
France	1,37	1,05	+ 0,8
Allemagne	1,03	1,78	+ 1,8
Etats-Unis	1,37	1,4	+ 2,6
Japon	0,83	2,4	+ 2,9

Source : OCDE

L'image traditionnelle d'une France riche de « cerveaux », enviée pour sa recherche fondamentale, mais largement inapte à transformer

---

1. *L'Expansion* du 26 septembre-9 octobre 1996 analyse le cas d'un jeune patron français, Olivier Cadic, président d'un nouveau mouvement intitulé « La France libre d'entreprendre » qui, en déménageant ses activités de Dijon à Glasgow, a quadruplé le résultat de son entreprise.

2. V. sur le sujet, l'analyse éclairante de J.-L. Levet, *Sortir la France de l'impasse, op. cit.*, chapitre 1.

l'innovation en biens de consommation, producteurs de richesses et d'emplois, demeure malheureusement exacte pour l'essentiel. Ceci résulte de plusieurs facteurs : le premier, illustré par les tableaux 15-10 et 15-11 ci-dessous, tient à la coupure malheureuse qui perdure en France entre l'Université et l'entreprise (deux univers que j'ai vus fonctionner en symbiose quotidienne à Harvard ou au MIT il y a vingt-cinq ans déjà) ; le fait également que nos scientifiques soient en majorité employés par l'Université et nos grands organismes publics de recherche, plutôt que par le monde de l'entreprise.

TABLEAU 15-10 : RÉPARTITION DES SCIENTIFIQUES
ET DES CHERCHEURS EN FONCTION DE LEUR ACTIVITÉ (1994)

Pourcentage	FRANCE	ALLEMAGNE	ETATS-UNIS	JAPON
Entreprises	45,9	58,6	80,8	69,4
Universités	32,5	25,8	12,2	21,8
Organismes publics de recherche	20	15,1	6,1	6
Autres	1,6	0,5	0,9	2,8

Source : OCDE

TABLEAU 15-11 : POINTS FORTS COMPARÉS
DANS 136 TECHNOLOGIES CLÉS

	FRANCE		EUROPE	
	Domaine scientifique	Domaine industriel	Domaine scientifique	Domaine industriel
Ensemble (136)	66	24	69	47
Santé et technologies du vivant (22)	13	1	16	7
Environnement (13)	8	3	9	9
Technologies de l'information et de la communication (32)	9	3	6	2
Transports (15)	9	4	10	5
Énergie (11)	6	7	6	8
Matériaux (11)	4	1	7	5
Bâtiment et infrastructures (6)	3	1	5	3
Technologies organisationnelles et d'accompagnement (14)	8	3	2	2
Production, instrumentation et mesure (12)	6	1	8	6

Source : « Les 100 technologies clés pour l'industrie française à l'horizon 2000 » (Ministère de l'Industrie 1995)

Un second handicap tient au fait que la recherche publique française irrigue mal notre tissu industriel. Certes, des efforts ont été entrepris ces dernières années pour orienter la recherche publique vers les entreprises : plus de 3 500 contrats, engageant un effort financier de 600 millions de francs de la part des entreprises, ont été signés entre le CNRS et l'industrie. Le problème cependant est que les financements publics demeurent pour l'essentiel concentrés sur deux branches industrielles (aéronautique et électronique), qui reçoivent à elles seules 85 % de cette manne, alors qu'elles ne réalisent que 40 % de l'effort de recherche total des entreprises. Au total, seules 185 entreprises françaises se partagent 90 % du financement public de la recherche.

Les rigidités engendrées par notre *législation sociale* jouent enfin un rôle non négligeable dans nos difficultés à générer de nouveaux emplois. Ouvrir ce débat, comme l'a découvert Alain Juppé à ses dépens à la fin 1996, c'est se heurter, pourtant, immanquablement à un autre de nos tabous sociaux. Le 5 novembre 1996, s'exprimant devant le Conseil National du RPR, le Premier ministre d'alors s'exclamait fort justement : « Il faut assouplir un certain nombre de règles. Combien d'artisans n'avez-vous pas rencontrés qui vous disent : " Ah, si on pouvait être plus libres de nos mouvements quand on embauche, ou recruterait ! Mais on ne le fait pas aujourd'hui parce que si, dans six mois, notre plan de charges n'est pas bon, on est bloqué par toutes sortes de réglementations. " »

L'intention en effet, était bonne. Comme bon nombre de mes collègues députés, j'ai mille fois entendu cette complainte et sa conclusion : « Trop compliqué, trop cher, pire qu'un divorce en cas de licenciement : je préfère ne pas développer ma petite entreprise et ne pas embaucher. » Et pourtant, aussitôt lancé, le débat sur « la flexibilité », notion pourtant admise comme allant de soi chez bon nombre de nos partenaires, a été immédiatement refermé, sans que nul ne s'avise de toucher à nos sacro-saintes lois sociales. Mieux encore, si j'ose dire, certains à Gauche, depuis l'alternance de juin 1997, brandissent la menace de ressusciter l'autorisation administrative de licenciement, abrogée par Jacques Chirac Premier ministre en 1986.

Ces rigidités, chacun les connaît : des seuils sociaux trop bas, qui obligent actuellement l'entreprise à procéder à l'élection d'un délégué du personnel au-delà de dix salariés, et d'un comité d'entreprise quand ses effectifs dépassent cinquante personnes ; le recours beaucoup trop limitatif aux CDD (contrats à durée déterminée), infiniment plus porteurs d'accès à l'emploi pourtant (notamment auprès des jeunes) qu'un contrat à durée indéterminée. Pour l'heure le CDD est limité dans le temps (18 mois), ne peut être renouvelé qu'une fois, et n'est autorisé que dans deux cas très circonscrits (le remplacement d'un salarié absent temporairement, ou bien faire face à une commande nouvelle et inattendue). Si bien que comme le dit le consultant Bernard Brunhes « tout le monde triche ! même le service public [1]... ».

Enfin, la rigidité la plus sensible, en cette période de hausse continue du chômage : la procédure de licenciement. Qu'on me comprenne bien : l'objectif n'est pas d'organiser la précarité en France, au nom de la flexibilité ; mais il est bien au contraire de faciliter l'emploi, en évitant des mesures de protection sociale qui, en définitive, se retournent contre ceux qu'elles sont censées protéger. Le problème en France ne

---

1. *Le Nouvel Economiste*, le 17 janvier 1997.

réside pas dans l'impossibilité supposée de licencier : le licenciement est possible aussi bien pour une PME que, on le voit malheureusement trop souvent, par le biais des multiples plans sociaux régulièrement annoncés par des entreprises plus importantes. Le problème est ailleurs : dans l'insuffisance de dialogue social et de représentation syndicale, ainsi que dans la lourdeur de la procédure de licenciement qui, depuis la loi Aubry de janvier 1993, a fait du juge l'arbitre ultime du contrôle jadis exercé par les inspecteurs du travail.

Je n'évoquerai que d'un chiffre la chute du taux de syndicalisation, récemment confirmé par les élections prud'homales de la fin 1997 : aux termes d'un rapport rédigé par Dominique Labbé pour le ministère du Travail [1], le nombre des salariés syndiqués a chuté de 25 à moins de 10 % de la population active depuis le début des années 70 (dont 5 % dans le secteur privé !). En 1949, sur 12 millions d'actifs, 4 millions étaient syndiqués ; en 1993, le nombre des actifs est passé à 19,5 millions, tandis que le nombre des syndiqués chutait à 2 millions. Ce qui n'a nullement empêché, dans le même temps, l'inflation bureaucratique des grandes centrales (la CFDT avait 30 permanents en 1970 ; elle en a 3 000 aujourd'hui tandis que FO s'assurait jusqu'en 1996 des positions stratégiques et juteuses dans les organisations paritaires de la Sécurité sociale (CNAM [2]).

Le phénomène ne s'explique ni par l'individualisme, ni par la désaffection idéologique, ni même par la montée du chômage, car le taux de syndicalisation n'a pas chuté hors de nos frontières où les mêmes facteurs sont pourtant à l'œuvre. Selon l'auteur du rapport, la vraie explication tient au fait que « le syndicalisme français fonctionne aujourd'hui sans adhérents, parce qu'il n'en a pas besoin », la législation sociale assurant par divers biais (décharges d'horaires, mise à la disposition, financement) la pérennité de ces armées mexicaines, tandis que l'habitude de négociations nationales ou par branches élimine le besoin de syndicalisation au niveau de l'entreprise. Le résultat, c'est que le jeu syndical aboutit à bloquer toute tentative de faire évoluer un dispositif social dont chacun voit bien qu'il constitue une « machine à perdre », et à perdre des emplois en particulier.

En matière de licenciements, faute de dialogue sur la pérennité et les choix stratégiques de l'entreprise, l'intervention syndicale se borne le plus souvent à épuiser les procédures administratives et judiciaires, et c'est le juge en dernière instance qui est amené, par le biais d'arguments procéduraux, à se prononcer sur la gestion du personnel, et éventuellement, des années plus tard, à forcer l'entreprise à réintégrer les salariés licenciés, y compris après la fermeture de l'usine concernée (jurisprudence Sietam de la Cour de Cassation).

La loi Aubry (article L 321-4-1 du Code du travail) obligeant

---

1. Cité dans *le Figaro Magazine*, 24 février 1996.
2. V. Philippe Manière, « L'amnésie de Marc Blondel », *le Point*, 22 novembre 1997.

l'employeur à prévoir le reclassement du personnel dont le licenciement pourrait être évité, les juges se sont montrés particulièrement
vigilants sur la procédure suivie... comme sur le fond. A l'entreprise de
démontrer (comme Moët et Chandon, la Samaritaine, Lafarge, Disney-
land, Alcatel-Alsthom, les Galeries Lafayette et bien d'autres, en ont
fait l'expérience) les difficultés économiques du groupe (et pas seulement de la filiale concernée), les perspectives à moyen et long terme,
les dispositifs mis en place avant de licencier... Résultat : le débat sur la
flexibilité s'est déplacé dans les prétoires : 160 000 affaires supplémentaires s'ajoutent chaque année à l'engorgement des 270 conseils
prud'homaux ; quant à la Cour de Cassation, celle-ci reçoit chaque
année 600 pourvois qui s'ajoutent aux 10 000 dossiers en souffrance [1].

Par un curieux détour de nos pratiques sociales, la France rejoint
ainsi le phénomène bien connu de « judiciarisation » des relations
sociales aux Etats-Unis, où comme le montre un ouvrage récent [2], les
procédures devant les tribunaux en matière de discrimination (sexuelle,
raciale ou autres) dans l'entreprise sont désormais légion.

Au total, on le voit, tout est organisé, conçu, imposé en France pour
construire une machine à décourager, pénaliser, détruire, même casser
l'emploi marchand. Il n'y a donc rien de surprenant, hélas, à ce que la
France détienne le record du chômage en Europe (derrière l'Espagne
et la Finlande), ou que nos jeunes préfèrent être salariés qu'entrepreneurs, et salariés du public plutôt que du secteur privé. Mais il y a pire :
tandis que la machine économique est enrayée, voire brisée dans son
élan par l'Etat employeur, l'Etat fiscal et l'Etat réglementaire, l'Etat-
providence lui, organise de son côté une machine infernale à fabriquer
la désincitation sociale au travail : c'est la « République des assistés »,
vers laquelle il nous faut maintenant nous tourner.

---

1. *L'Expansion*, 5 au 19 février 1997.
2. V. Walter K. Olson, « The Excuse Factory ; How Employment Law is Paralysing the
American Workplace », *Newsweek*, 21 juillet 1997.

CHAPITRE 16

Pour en finir avec la République des assistés

Au royaume des « aides à l'emploi »

La première difficulté pratique (si j'ose dire) pour qui veut tenter de comprendre notre système d'aides à l'emploi est d'en recenser exactement le nombre et la nature.

Une commission parlementaire qui s'est récemment penchée sur le sujet (sous la direction de Michel Péricard et Hervé Novelli [1]), a découvert à sa grande stupeur que les estimations des spécialistes auditionnés eux-mêmes variaient entre 40 et 2 300 ! J'ai moi-même sous les yeux le « Guide des aides à l'emploi » publié par le ministère du Travail (édition 1996, hors commerce) destiné à ses propres fonctionnaires, qui dresse sur 229 pages la liste d'une soixantaine de mesures et leurs bases juridiques (décrets et circulaires, etc.). Dans la pratique, comme l'ont découvert beaucoup d'usagers [2], « la plupart des aides ne semblent parfois connues que de l'Administration qui les gère », le ministère du Travail (on y reviendra) ne les supervisant pas toutes.

Renonçant à m'aventurer seul dans ce maquis inextricable, je m'appuierai donc sur les travaux de la Commission Péricard, non pour dresser ici l'énumération de ces mesures (je n'ai prévu qu'un seul tome à ce volume !), mais pour tenter d'en comprendre le sens, d'en évaluer le coût pour notre société, et l'impact réel sur l'emploi qu'elles sont censées « aider ».

Citons d'emblée les conclusions de la Commission :

« Au fil de ses travaux, la Commission a acquis la conviction que la plupart des aides à l'emploi n'étaient pas de véritables aides à l'emploi, en ce qu'elles répondaient le plus souvent à une logique sociale et non de création d'emploi. »

« Cet empilement de dispositifs », ajoute la Commission, « est coû-

---

1. Rapport n° 2943, au nom de la Commission d'enquête de l'Assemblée nationale sur les aides à l'emploi, Président Michel Péricard, Rapporteur Hervé Novelli, 28 juin 1996.
2. V. *l'Expansion*, le 21 mars 1996.

teux – entre 100 et 150 milliards de dépense budgétaire, selon les défi-nitions –, soit la moitié de l'impôt sur le revenu; peu efficace lorsqu'on observe les chiffres du chômage, et porteur d'effets pervers. ».

Triste tableau donc!

Mais essayons d'approfondir davantage.

Les premières mesures visant à aider la création d'emplois remontent au milieu des années 70, au lendemain du second choc pétrolier, période où l'on commença à comprendre que « la crise » serait durable... et le chômage aussi. A partir de 1975-77, l'action de l'Etat (en plus de l'indemnisation généreuse du chômage : 90 % du salaire brut pendant 1 an) porte alors sur les préretraites dès cinquante-cinq ans, et sur les jeunes, pour lesquels trois types de dispositifs seront utilisés :

— des stages en entreprise destinés à remédier à une insuffisance de formation, stages rémunérés par l'Etat à hauteur de 70 à 90 % du SMIC;

— des contrats permettant d'assurer une « insertion » profes-sionnelle;

— des exonérations de charges patronales, enfin, pour faciliter l'embauche et abaisser le coût du travail.

A la fin des années 70, 1,5 million de jeunes auront été concernés par ces formules.

On le voit, le cœur même du dispositif que nous connaissons aujourd'hui est demeuré essentiellement le même depuis vingt ans, avec des inflexions bien sûr : tantôt le dispositif était davantage social (sous les socialistes), tantôt l'accent était mis sur le volet économique en direction des entreprises (1986-88, 1993-97).

Avec les socialistes, commence en 1981 l'embauche massive de fonc-tionnaires déjà analysée [1] (la part de l'emploi public passe alors de 20,2 % à 24,5 % de la population active), les stages en direction des jeunes sont réorganisés, des entretiens prévus pour chaque personne concernée... Parallèlement, l'accent est mis (loi du 2 août 1989) sur l'accompagnement social des plans de restructuration des entreprises.

Avec l'arrivée d'Edouard Balladur à Matignon, le système, tout en demeurant en place, s'enrichit de dispositifs à vocation plus écono-mique en direction des entreprises. La loi quinquennale du 20 décembre 1993 prévoit notamment la fiscalisation progressive des allo-cations familiales (processus qui sera gelé par Alain Juppé en 1996 au niveau de 1,2 et 1,3 SMIC pour l'exonération des cotisations). Après l'élection de Jacques Chirac, la loi du 4 août 1995 organise une « ris-tourne dégressive » en faveur des bas salaires, ristourne qui sera fusion-née en 1996 avec « l'abattement famille ».

Parallèlement, le dispositif créé en 1989 d'exonération totale des coti-

---

1. V. plus haut, chap. 8.

sations patronales de Sécurité sociale pendant deux ans pour l'embauche du premier salarié, est élargi aux CDD d'au moins douze mois.

D'autres mesures sont mises en œuvre dans le même sens : emplois familiaux facilités par l'incitation fiscale (aujourd'hui largement mises en pièces par le Gouvernement Jospin) ; création du chèque emploi-service ; déclaration unique de cotisation sociale à l'embauche (1994) ; annualisation-réduction du temps de travail jusqu'à la loi Robien de juin 1996.

Parallèlement, des mesures ciblées sont lancées pour les chômeurs de longue durée (stages d'insertion et de formation à l'emploi, lesquels remplacent trois catégories différentes de stages préexistants...), et surtout le CIE (Contrat Initiative Emploi) promis par le candidat Chirac (aide forfaitaire de l'Etat de 2 000 francs, plus exonération des charges patronales pour deux ans à la hauteur d'un SMIC). Ce système sera par la suite ouvert (mai 1996) aux jeunes sans qualification, privés d'indemnité chômage.

Voici donc, tracé à très grands traits, l'essentiel du dispositif mis en place depuis une vingtaine d'années et que l'on retrouvera reflété dans le tableau 16-1 ci-dessous.

TABLEAU 16-1 : PRINCIPALES AIDES À L'EMPLOI DE 1973 À 1996

I – EMPLOI AIDÉ	DÉBUT	FIN
Exonérations et Primes à l'embauche des Jeunes		
Exo. embauche (Pactes Jeunes et Plan Avenir Jeunes)	1977	1982
Exo. 25 % embauche des jeunes	1986	1987
Exo. 50 % embauche des jeunes	1986	1987
Exo. pour l'embauche d'apprentis	1977	–
Exo. jeunes sans qualification	1991	1993
Aide au premier emploi des jeunes	1994	–
Contrat Initiative Emploi	1996	–
Exonérations et Primes à l'embauche de Chômeurs de Longue Durée (CLD)		
Prime embauche cadre ou salariés âgés + 45 ans	1979	1981
Exo. 50 % embauche de CLD	1987	1988
Contrat de réinsertion en alternance	1987	1989
Contrat de retour à l'Emploi	1989	1994
Contrat Initiative Emploi	1995	–
Autres Exonérations et Primes à l'embauche/ Création d'Activités		
Prime d'incitation à la création d'emploi	1975	1977
Prime à l'embauche du 1er salarié artisanat (Pactes)	1979	1981
Prime à la création d'emploi dans l'artisanat	1983	1984
Exo. embauche 1er salarié	1989	–
Exo. embauche 2e ou 3e salarié	1992	1996
Abattement temps partiel	1992	–
Abattement de cotisations familiales	1993	–
Ristourne dégressive	1995	
Aide à la Création d'Entreprise		
Aide aux chômeurs créateurs d'entreprise	1979	–
Fonds départemental d'initiative Jeunes	1985	1993

Emplois familiaux	1992	–
Convention de Coopération	1994	–

Contrat en Alternance

Contrat d'Apprentissage (cf. Exonérations)	1973	–
Contrat Emploi-Formation (Pactes et Plan Avenir Jeunesse et Contrat Emploi Adaptation)	1975	1984
Contrat Emploi Orientation	1983	1985
Contrat de Qualification	1985	–
Contrat d'Adaptation	1985	–
Contrat d'Orientation	1992	–

Stage en Entreprise

Stage pratique (Pactes et Plan Avenir Jeunes)	1977	1982
Stage d'Initiation à la vie professionnelle	1985	1992

Accompagnement des Restructurations

Allocation temporaire dégressive	1973	–
Dispenses d'Activité Sidérurgie (50-54 ans)	1977	1990
Congé de Conversion	1985	–
Préretraite progressive	1982	–
Aide au passage à mi-temps	1991	1994
Aide au passage à temps partiel	1994	

Insertion par l'Economique

Emplois d'Utilité collective	1979	1981
Emplois d'Initiative locale	1981	1987
Entreprise d'Insertion (salarié d')	1990	
Association intermédiaire (salarié d')	1989	

Emploi non marchand aidé

Jeune volontaire	1982	1986
Travail d'utilité collective	1985	1990
Programme d'insertion locale	1987	1990
Programme local d'insertion des femmes	1986	1990
Complément local de ressources	1986	1990
Contrat Emploi Solidarité	1990	–
Emploi consolidé	1992	–
Vacataires « Barre »	1977	1978

II – FORMATION PROFESSIONNELLE	DÉBUT	FIN

Stages Jeunes

Stages « Granet »	1975	1977
Stages des Pactes nationaux pour l'emploi	1977	1981
Stages du Plan Avenir Jeunes (insertion)	1981	1982
Stages du Plan Avenir Jeunes (qualification)	1981	1982
Stages 16-18 ans, 16-25 ans, 18-25 ans fonds de la formation professionnelle et de la promotion sociale (FFPPS)	1982	1994
Actions de formation alternée du CFI Jeunes	1989	–
Programme PAQUE	1992	1994
Dispositif de l'Education Nationale	1986	–

Stages de Formation (Hors programme Jeunes et CLD)

Stages de l'AFPA	1972	–
Stages Adultes du FFPPS	1972	–
Stages en faveur des cadres	1972	–
Stages organisés par les Régions	1983	–
Allocation de Formation Reclassement (AFR)	1988	–

Prévention du Chômage de Longue Durée

Stage de mise à niveau (ANPE)	1976	1990
Stages d'accès à l'emploi (ANPE)	1991	–
Stages de reclassement professionnel	1989	1993
Stages d'insertion et de formation à l'emploi (individuels)	1994	–

Stages Chômeurs de Longue Durée

Stages FNE/CLD	1983	1989
Stages modulaires (ANPE)	1985	1989

Stages de réinsertion en alternance (FFPPS)	1987	1989
Actions d'insertion et de réinsertion	1990	1993
Stages femmes isolées	1987	1993
Stages d'insertion et de formation à l'emploi (collectifs)	1994	–

Accompagnement des Restructurations

| Convention de conversion | 1987 | – |

III – CESSATION ANTICIPÉE D'ACTIVITÉ	DÉBUT	FIN

Préretraites 60-64 ans

Garanties de Ressources Licenciement + Eco	1972	1983
Garanties de Ressources Démission	1977	1983
Allocation Spéciale du FNE	1972	1981

Préretraites Totales 55-59 ans

Allocation spéciale du FNE	1981	–
Contrats de solidarité préretraites-démission	1982	1984
Cessations anticipées d'activité-sidérurgie	1979	1990

Préretraite totale 57 ans et demi – 60 ans

| Allocation de remplacement pour l'Emploi | 1995 | – |

Source : Rapport Péricard, op. cit.

Si la liste exacte de ces différentes mesures participe de l'art du labyrinthe, même pour le spécialiste, leur chiffrage est un exercice plus périlleux encore. Cela tient à plusieurs facteurs, à commencer par la multiplicité des intervenants : bon nombre de ces aides sont en effet initiées, gérées ou distribuées par des structures autres que le ministère du Travail : primes aux agriculteurs, primes de montagne, primes à l'aménagement du territoire, sans parler des exonérations zones franches pour les banlieues (ou la Corse !), toutes dépendant d'autres ministères ; à celles-ci s'ajoutent les aides émanant des collectivités locales (départements et régions) également très présentes (à défaut d'être toujours efficaces, on l'a vu [1]) sur le front de la « revitalisation des entreprises » ; les aides communautaires au titre du FSE (Fonds Social Européen) ; ou encore l'intervention d'organismes associés tels que l'ANPE, l'AFPA, les ASSEDIC... Bref, une forêt de sigles et d'institutions dont les attributions, naturellement, s'entrecroisent et se chevauchent en permanence : au total 750 agences de l'ANPE, 400 antennes ASSEDIC, 700 antennes du réseau jeunes (PAIO et Missions locales), soit 40 000 personnes (!) au moins, qui sont employées à plein temps en France au sein de ce que la technostructure a appelé pompeusement le SPE ou « Service Public de l'Emploi »...

A cette première difficulté, s'agissant d'évaluer le coût du système, s'ajoutent celles nées des méthodes comptables utilisées par les multiples intervenants. Ainsi, pas plus la réduction d'impôt au titre des emplois familiaux (4 milliards en 1995), que les exonérations de cotisations sociales dans certains dispositifs non compensés par l'Etat, ne sont comptabilisées dans le total des aides à l'emploi.

---

1. V. plus haut, chap. 10.

A partir des travaux de la DARES (Direction de l'Animation de la Recherche, des Etudes et des Statistiques) du ministère du Travail, « la dépense publique pour l'emploi », c'est-à-dire tout ce que l'Etat verse soit pour indemniser les chômeurs ou inciter au retrait d'activité (dépenses passives), soit pour maintenir l'emploi, subventionner des embauches, y compris la formation professionnelle et le fonctionnement de l'ANPE elle-même (dépenses actives), tout cela coûte 297 milliards de francs en 1994. Ces 297 milliards, aujourd'hui équivalents au total des recettes de l'impôt sur le revenu, ont connu une progression très rapide (elles ont été multipliées par quatre depuis 1993), largement supérieure en tout cas à la croissance économique.

Comme le montrent les tableaux 16-2 et 16-3 ci-dessous, cette somme est essentiellement répartie en deux parties désormais égales : indemnisation du chômage plus incitation au retrait d'activité (51,5 %) ; et dépenses dites « actives » pour l'autre moitié (la part des secondes ayant fortement baissé en proportion au fil des années, ce qui montre là encore la dérive sociale, plutôt qu'économique de ces dispositifs).

TABLEAU 16-2 : STRUCTURE DE LA DÉPENSE POUR L'EMPLOI
(en pourcentage)

	1973	1980	1991	1992	1993	1994
Dépenses passives	34,1	57,6	56,3	55,1	52,8	51,5
Indemnisation du chômage	18,1	40,4	42,6	44,0	43,1	41,4
Incitation au retrait d'activité	15,5	17,3	13,7	11,0	9,8	10,1
Dépenses actives	65,9	42,4	43,7	44,9	47,2	48,5
Maintien de l'emploi	1,4	3,9	1,5	1,6	2,2	2,0
Promotion de l'emploi et création d'emploi	4,9	4,1	7,7	8,7	10,5	12,2
Incitation à l'activité	0,8	2,1	1,9	1,7	1,7	1,8
Formation professionnelle	56,2	30,6	31,0	31,2	31,0	30,7
Fonctionnement du marché du travail	2,6	1,6	1,8	1,8	1,8	1,9
TOTAL	100,0	100,0	100,0	100,0	100,0	100,0

Source : Comptes de l'Emploi, DARES

TABLEAU 16-3 : ÉVOLUTION DES COMPOSANTS
DE LA DÉPENSE POUR L'EMPLOI
(en millions de francs)

	1973	1980	1991	1992	1993	1994
Indemnisation du chômage	1 890,3	26 153,0	101 771,7	115 109,1	123 286,9	118 239,1
Incitation au retrait d'activité	1 576,9	11 178,5	32 653,2	28 879,4	27 987,1	28 912,1
Maintien de l'emploi	138,9	2 511,3	3 482,7	4 056,7	6 223,6	5 730,4
Promotion de l'emploi et création d'emploi	500,9	2 666,8	18 280,5	22 733,8	30 196,2	34 719,0
Incitation à l'activité	78,6	1 387,1	4 432,3	4 440,7	4 928,7	5 009,1
Formation professionnelle	5 718,5	19 815,8	74 058,5	81 585,6	88 639,2	87 722,1
Fonctionnement du marché	264,7	1 063,09	4 234,0	4 739,8	5 010,3	539,5
TOTAL	10 168,8	64 776,4	238 913,0	261 545,2	286 271,9	285 730,3

Source : Comptes de l'Emploi, DARES

Ces chiffres étant établis, et en laissant de côté les dépenses d'indemnisation du chômage, la vraie question est de savoir quelle est l'utilité des 150 milliards de dépenses « actives » que nous consacrons chaque année à l'emploi. A regarder les chiffres du chômage, et son doublement depuis 1981, le moins que l'on puisse dire, c'est que l'efficacité du dispositif ne saute pas précisément aux yeux, surtout si l'on garde en mémoire la somme totale investie depuis une vingtaine d'années : entre 1 000 et 2 000 milliards de francs !

On peut naturellement arguer que la courbe du chômage aurait été pire encore sans cette intervention de l'Etat. A quoi l'on peut rétorquer que cette pluie de deniers publics a dû être ponctionnée sur l'économie réelle, alourdissant du même coup les charges sur l'emploi existant et à venir : combien de vrais emplois marchands ont été perdus ou n'ont jamais pu voir le jour du fait de financements aussi importants ainsi détournés de l'économie réelle... ?

En bonne logique, si l'Etat accepte de réduire les charges sur telle ou telle catégorie de salaires, c'est bien parce que l'on admet que ces prélèvements trop élevés tuent effectivement l'emploi, au moins dans ce secteur particulier. Par exemple, lorsque l'Etat défiscalise l'emploi d'aides de garde d'enfant à domicile pour les ménages, c'est bien parce que ces familles, incapables de supporter le coût du salaire *et* des charges de leur employé, recouraient soit au travail au noir, soit à des dispositifs publics utiles (crèches ou haltes garderies) mais très coûteux. Pourquoi alors ne pas généraliser la mesure à l'ensemble des salaires, comme c'est le cas aux Etats-Unis ou en Grande-Bretagne, où les charges sur les salaires sont infiniment plus faibles que chez nous ? Si, au nom de la même logique, l'on crée 44 zones franches (sans compter la Corse) pour stimuler l'économie locale dans les « quartiers sensibles », là encore parce que chacun est conscient que les impôts sont trop lourds pour inciter à l'implantation d'entreprises dans ces régions, pourquoi ce raisonnement ne s'appliquerait-il pas à d'autres quartiers, villes ou régions du pays ? Pourquoi, en un mot, ne pas généraliser le système et créer une grande zone franche à l'échelle du pays tout entier ?

De même pour les emplois-jeunes : si l'Etat prétend régler le chômage par la création d'emplois publics, pourquoi en créer seulement 350 000 (10 % du total des chômeurs) ? Pourquoi donc ne pas créer autant d'emplois publics qu'il y a de chômeurs : 3,5 millions ? Et pourquoi cibler les jeunes uniquement – le chômeur de quarante ans avec deux enfants ne mérite-t-il pas autant d'être aidé ? On mesure bien, par conséquent, le caractère parfaitement artificiel de ces demi-mesures : l'Etat essayant d'alléger ici d'une main, ce qu'il ne fait qu'alourdir et paralyser de l'autre.

Ces réserves apparaissent d'autant plus fondées que le mécanisme des aides se révèle fort peu convaincant dans la pratique. Prenons l'exemple des exonérations de charges sur les bas salaires, dont le coût total en 1996 était de 36,5 milliards de francs. Un rapport du CSERC[1] remis au Premier ministre le 31 mai 1996 montre que si 5 millions sur 14 millions de salariés du secteur privé étaient concernés par ces allége-ments, les effets sur l'emploi ne se feront sentir que modestement et ce, à moyen-long terme. Au total l'estimation du CSERC, comme celle de Bercy, tablent sur un coût initial de 10 milliards d'exonération de charges, en vue de permettre la création d'environ 50 000 emplois envi-ron, trois à cinq ans plus tard... Le coût net sur la durée du dispositif serait donc de 30 à 50 milliards de francs, environ 100 000 francs pour chaque emploi créé.

Ironiquement, ce chiffre correspond exactement au coût de chaque emploi-jeune créé par L. Jospin : seule la méthode change, les socia-listes obtenant un effet de masse beaucoup plus rapide (puisque l'embauche publique est immédiate) en versant cette somme aux col-lectivités locales, aux ministères et aux associations, plutôt que sous forme d'exonérations aux entreprises privées...

Sans entrer ici dans le détail d'une évaluation mesure par mesure (je renvoie le lecteur aux travaux de la Commission Péricard), il me paraît utile de reprendre l'estimation de la DARES sur l'effet global des aides à l'emploi sur le volume du chômage. En 1995, le bilan total de ces aides s'est traduit par un gain net de 72 000 emplois pour le pays, soit près de 100 000 emplois créés (via le CIE et l'abattement du temps par-tiel) et 27 000 chômeurs évités (le ralentissement par rapport à 1994 s'expliquant par la baisse des programmes de formation et de prére-traites). Rapportés aux 150 milliards investis, ces 72 000 emplois coûtent donc fort cher : plus de 200 000 francs pour chacun d'entre eux.

Une efficacité « relative » donc dans le meilleur des cas, d'autant que le système des aides entraîne des mécanismes désormais bien connus d' « effets d'aubaine », de « substitution », d' « éviction », ou de « des-truction » : la dernière mesure la plus généreuse, chassant auto-matiquement l'emploi précédent. Plus l'emploi est subventionné, plus il aura tendance à fausser le marché au détriment des personnels (souvent plus âgés) payés à plein.

Le cas des CES (au nombre d'un demi-million par an) est à cet égard éloquent. Je cite le rapport de mes collègues :

« Avec la multiplication des reconductions de CES... une sorte de sous-fonction publique précaire se développe progressivement, sans aucune garantie, dans des conditions humaines peu convenables, et dans des conditions de sécurité juridique mal assurées... La faiblesse du coût (dans certains cas le coût est nul) supporté par l'employeur pour les embauches, encourage le développement excessif de ces formules.

---

1. Conseil Supérieur de l'Emploi, des Revenus et des Coûts.

En outre, le volet formation du CES, qui pourrait favoriser une insertion durable à la sortie du contrat, est très peu développé... Le CES apparaît davantage comme un moyen de " sortir un temps du chômage " que comme une mesure s'inscrivant dans un processus de réinsertion. »

Quant à l'effet macro-économique du système, les auteurs sont encore plus sévères :

« L'impact global qui en résulte conduit à freiner, limiter, entraver ou empêcher le développement de la sphère marchande, à assécher et à stériliser l'initiative privée dans le secteur producteur de richesses, exportateur ouvert au monde, voire à réduire sa place et son importance dans l'économie. De plus, la multiplication de ces emplois, souvent plus " occupationnels " que réellement productifs, entraîne le développement d'une classe de " salariés pauvres ". On pourrait être tenté de parler abusivement (sic !) d'évolution à l'américaine. En effet, à la différence des Etats-Unis (ou du Royaume-Uni), où ces personnes sont employées dans le secteur marchand, dans notre pays elles sont employées dans le secteur non marchand. D'un côté une dépense publique, de l'autre une production de valeur ajoutée... »

On comprend avec quel degré de consternation et de gravité il convient d'apprécier le fameux plan emploi-jeunes de M. Jospin, évoqué au début du chapitre précédent...

Je conclurai d'une remarque ces développements sur notre édifice d'aides à l'emploi : malgré son infinie diversité, malgré son coût, ses multiples intervenants, il y a une chose que ce dispositif ne fait pas : la plus utile naturellement ! Celle d'aider les chômeurs à s'aider eux-mêmes en *créant leur propre emploi*. Or il faut savoir – et l'expérience de terrain le démontre constamment – que 75 % des créations d'entreprises soit 130 000 entreprises par an, n'emploient aucun salarié au début de l'activité. Non seulement l'entrepreneur est chez nous fortement pénalisé par rapport au salarié (puisqu'il vit quotidiennement un risque, et un risque personnel qui l'engage sur ses biens personnels, et pas seulement sur la valeur de l'entreprise), non seulement le créateur d'entreprise doit très souvent renoncer à « se payer » pendant les années de démarrage, mais il ne dispose en France *d'aucun* mécanisme d'aide. Seul demeure le « dispositif Madelin » qui permet de déduire le capital investi du revenu imposable (or les deux sont souvent fort modestes au démarrage...) ; quant au système ACCRE (aide à la création d'entreprise par un chômeur), il vient d'être supprimé (sous Juppé). Résultat : il n'est pas rare de rencontrer (sur les conseils d'ailleurs de l'ANPE) des jeunes créateurs d'entreprise qui vivent des ASSEDIC en attendant que leur « boîte » se développe suffisamment pour financer leur propre salaire !

L'autre enfer du RMI

« *La Nation assure à l'individu et à la famille les conditions néces-saires à leur développement... Tout être humain qui, en raison de son âge, de son état physique ou mental, de la situation économique, se trouve dans l'incapacité de travailler a le droit d'obtenir de la collectivité des moyens convenables d'existence.* »

Ce principe généreux, inscrit dans le Préambule de la Constitution du 27 octobre 1946, a trouvé sa concrétisation en France dans l'article 1er de la loi du 1er décembre 1988. Celui-ci stipule :

« Toute personne qui, en raison de son âge, de son état physique ou mental, de la situation de l'économie et de l'emploi, se trouve dans l'incapacité physique de travailler, a le droit d'obtenir de la collectivité des moyens convenables d'existence. L'insertion sociale et profes-sionnelle des personnes en difficulté constitue un impératif national. Dans ce but, il est institué un revenu minimum d'insertion...

« (Il) constitue l'un des éléments d'un dispositif global de lutte contre la pauvreté tendant à supprimer toute forme d'exclusion, notamment dans les domaines de l'éducation, de l'emploi, de la formation, de la santé et de logement. »

En moins de dix ans, le RMI est devenu l'un des éléments clés de notre contrat social collectif, une institution consubstantielle à l'idée que beaucoup de Français, probablement une forte majorité, se font aujourd'hui de notre République.

Instinctivement, la Nation a compris qu'un pas important venait d'être accompli dans la définition même de nos droits : les droits sociaux, qui jadis ne faisaient l'objet que de déclarations de principes par opposition aux libertés fondamentales garanties par l'Etat, sa police et sa justice, ont désormais une existence concrète par la Loi... et l'impôt, qui sert à les financer.

Cette évolution, capitale s'agissant de la nature même de notre démocratie, demeure, compte tenu de la montée de la précarité et de la pauvreté, fortement soutenue par nos concitoyens. Une bonne part du succès de la campagne de Jacques Chirac en 1995 s'explique d'ailleurs par l'importance donnée au thème de « la lutte contre la fracture sociale », le RMI étant l'un des piliers de ce contrat. Un an plus tard, trois Français sur cinq considéraient que le montant du RMI « n'était pas assez élevé [1] », et plaçaient pour la première fois la pauvreté dans notre pays, parmi les trois principaux sujets de préoccupation de nos concitoyens, derrière le chômage (49 %) et les maladies graves (31 %). 75 % des sondés considéraient les RMIstes comme des « personnes qui n'ont pas eu de chance », contre 25 % qui jugeaient qu'elles se trou-

---

1. Sondage réalisé par le CREDOC (Centre de Recherche et de Documentation sur les Conditions de Vie), V. *le Monde* du 28-29 avril 1996.

vaient dans cette situation « plutôt parce qu'elles n'ont pas fait d'efforts pour en sortir ». Ainsi est-ce avec la même sympathie compréhensive que la majorité de l'opinion accueillit le « mouvement des chômeurs » fin 1997-début 1998.

Ce rappel tant du Préambule de la Constitution que de l'attitude à la fois inquiète et généreuse de l'opinion n'est évidemment pas anodin. J'ai pleinement conscience, pour en avoir vu maints exemples autour de moi et sur « le terrain » des situations souvent dramatiques que connaît notre société ; je sais également ce que le RMI représente comme bouée de sauvetage pour les jeunes (35 % des allocataires ont moins de trente ans, et 14,6 % sont titulaires du baccalauréat !), ou pour les familles en grande difficulté.

Et pourtant, cet enfer-là, si j'ose m'exprimer ainsi, a deux visages. Ultime maille du filet social pour ceux qui en ont réellement besoin, le RMI a également engendré au fil du temps des situations et des comportements sociaux qui sont malheureusement aux antipodes du but recherché à l'origine. Loin d' « insérer », le RMI sert aussi dans bien des cas, à perpétuer l'inactivité et l'assistanat organisé aux crochets de la collectivité. De cela aussi, il faut avoir le courage politique de parler [1], si l'on veut un jour sortir notre pays de *son* modèle d' « horreur économique ».

Quelques chiffres tout d'abord pour prendre la mesure de ce qu'est réellement devenu le RMI dans ce pays.

Au lendemain de sa création, le RMI n'avait « que » 405 000 allocataires. Ce chiffre a doublé en six ans pour atteindre 946 760 bénéficiaires [2]. Avec les personnes couvertes – conjoints et enfants à charge, plus de 1 800 000 personnes bénéficient du RMI en Métropole et dans les DOM (dans ces derniers, 16,7 % de la population est au RMI !). La très forte croissance du nombre des allocataires a naturellement entraîné une hausse parallèle des coûts budgétaires de ce dispositif : de près de 6 milliards de francs en 1984, le poids du RMI est passé à 23 milliards en 1996.

Ce dernier montant ne reflète cependant pas le coût total du dispositif pour la collectivité nationale. Le RMI ouvre en effet droit à un certain nombre d'autres prestations, telles que la dispense totale de la taxe d'habitation, la protection sociale gratuite aux titulaires ainsi qu'aux personnes à charge, sans parler des crédits d'insertion qui accompagnent le dispositif.

En 1994, le coût total du RMI était donc majoré de 30 %, passant de 19,5 milliards (allocations) à un total de 32,3 milliards se répartissant comme suit :

---

1. L'un des très rares responsables politiques français qui auront tenté d'ouvrir ce débat est Raymond Barre (v. son interview dans *le Figaro* du 25 juin 1996).
2. V. le rapport d'information de mon collègue Claude Girard (n° 2657) pour la Commission des Finances de l'Assemblée : « Evolution du RMI : bilan, perspectives, propositions », 20 mars 1996.

TABLEAU 16-4 : COÛT GLOBAL DU RMI (1994)
(en millions de francs)

	Etat	Départements	Ensemble
Allocation du RMI	19 530	–	19 530
Créance de proratisation DOM	750	–	750
Mesures pour l'emploi	4 850	–	7 850
Frais de gestion directe	250	–	250
Crédits d'insertion obligatoires	–	3 200	3 200
Assurance personnelle et aide médicale	150	2 800	2 950
Majoration d'aide au logement	850	–	850
TOTAL	**26 380**	**6 000**	**32 380**

Source : *Délégation interministérielle au RMI*
Rapport Girard, op. cit.

Socialement utile, voire indispensable, pour de nombreuses personnes en grande difficulté, le RMI n'en a pas moins engendré de réelles dérives dans notre société.

La première, bien connue, est la dérive du « I » du RMI. Bien que chaque titulaire, au moment de déposer son dossier auprès des services sociaux concernés, soit légalement tenu de conclure un « contrat d'insertion » dans les trois mois suivant le paiement de l'allocation, le fameux « volet insertion » reste trop souvent parfaitement théorique. La responsabilité de l'insertion incombant, de manière assez floue d'ailleurs, à la fois aux préfets et aux présidents de Conseils généraux, l'évaluation du projet d'insertion sombre souvent dans la lourdeur des mécanismes institutionnels, sans réelle adéquation avec les besoins de l'allocataire. En vérité, le RMI est vécu tant par les allocataires que par l'Administration, comme une allocation de survie, sans conditions d'aucune sorte autres que les conditions légales d'éligibilité. Dans la pratique, la volonté d'insertion, les efforts manifestés dans ce sens, ne sont plus guère pris en compte.

Cet état d'esprit même, ainsi que l'inefficacité du dispositif public d'insertion (et surtout d'évaluation de celle-ci), sont la source d'une autre dérive grave : la fraude. En principe, l'allocation de RMI présente par définition une nature différentielle, et vise par conséquent à compléter d'autres prestations, à la hauteur du revenu minimum fixé par décret. De ce fait, le système fonctionne sur la base d'une réévaluation permanente, chaque trimestre. Encore faut-il que le bénéficiaire n'omette pas de déclarer telle ou telle autre prestation dont il peut être bénéficiaire par ailleurs, telles qu'invalidité, vieillesse ou indemnisation du chômage.

Une enquête [1] des inspections générales des Finances et des Affaires

---

1. Citée dans le Rapport Girard.

sociales démontre par exemple que sur les 8 % de RMIstes disposant par ailleurs d'indemnités des ASSEDIC, plus du quart de ces personnes omettent de les déclarer en tout ou en partie. Pour l'Administration le montant total des paiements indus atteindrait au total 3 à 5 % du montant global de l'allocation, ce qui se monte tout de même à 1 milliard et demi de francs (sur la base du coût total précité pour 1994). Une autre étude, due à deux parlementaires en mission [1], évalue à 7 % le niveau de la fraude du RMI, soit plus de deux milliards de francs.

La fraude, c'est aussi le plus souvent le cumul du RMI avec une activité économique souterraine : petit boulot « au noir » dans la majorité de ce type de cas, voire même dans certains quartiers, commerce de la drogue. Il n'est pas rare de voir (nombreux sont les élus des « quartiers » qui connaissent de pareils cas) des familles installées dans le RMI, et par le biais des enfants, dans le commerce des stupéfiants. Les bénéficiaires cumulent alors, au vu et au su de tout un quartier, le catalogue complet des prestations publiques (aide au logement, Sécurité sociale, allocations familiales, etc.), plus les revenus, souvent élevés, produits par différents trafics. Comme me l'a dit un jour un Directeur d'une antenne de l'ANPE dans l'un de ces quartiers : « Des offres d'emploi payées au SMIC, j'en ai, mais elles font rire certains de mes jeunes " clients " : eux ils gagnent leurs " 5 000 balles " en dealant, et en une seule journée ! »... C'est cela *aussi* la réalité du RMI : celle qui alimente ensuite certains scores records du FN...

Ce qui nous mène au problème clé que pose le RMI, mais qu'il est considéré comme malséant de soulever : celui de l'effet désincitatif du RMI à retrouver un emploi déclaré, et à retourner dans l'économie fiscalisée. Sans aller jusqu'à « la confession publique d'un col blanc RMIste heureux » qui avouait mener grand train à Paris et dans sa résidence de la Côte d'Azur en cumulant RMI et diverses activités de consultant au noir, ou payées en Suisse [2], chacun connaît ou a entendu autour de soi la remarque suivante : « en retravaillant, je perdrais de l'argent. Je préfère rester au chômage », ou bien « je préfère rester au RMI [3] ».

Ce phénomène de seuil, bien connu des économistes sous le nom de « trappes à pauvreté », ne joue pas à plein, fort heureusement, pour la majorité des allocataires du RMI, qui sont en général (39 %) des hommes seuls sans enfants. Dans ce cas, passer du RMI au SMIC (soit

---

1. Charles de Courson et Gérard Léonard : *Rapport sur les fraudes et les pratiques abusives* (mai 1996).

2. V. Jean-Charles Cidessa : *Journal d'un RMIste heureux*, *l'Esprit libre*, novembre 1995. Je n'ai malheureusement pas pu vérifier auprès de l'auteur si après la publication de son « journal », les services administratifs lui avaient ou non supprimé l'allocation...

3. V. l'enquête extrêmement révélatrice, véritable photographie du terrain des perversions de notre système, de Thierry Desjardins : *Lettre au Président sur le grand ras-le-bol des Français*, Fixot, 1995, v. également *le Monde*, 20 septembre 1995.

de 2 325,66 francs à 4 930 francs nets [1]) est économiquement incitatif : la différence étant de 2 600 francs. Mais comme le démontrent François Bourguignon et Pierre-André Chiappori [2], pour peu cependant que l'allocataire devenu smicard ait été aussi bénéficiaire d'une allocation logement – et que celle-ci subisse une diminution du fait de l'augmentation du revenu – ou que d'autres prestations (certains impôts locaux, droit aux logements sociaux) soient simultanément réduites, l'écart entre RMI et SMIC peut tomber à 1 500 francs. Gain finalement moins convaincant qu'il n'y paraît face aux servitudes d'un travail à plein temps...

Pire encore est la situation que trouvera le RMIste à qui l'on offrira un CDD à mi-temps, payé à la moitié du SMIC. Dans ce cas, en réalité très fréquent, puisque les RMIstes doivent souvent accepter un temps partiel pour retrouver une certaine « employabilité », le revenu disponible du RMIste devenu salarié serait inférieur (!) à l'allocation RMI elle-même. L'effet de démotivation est plus spectaculaire encore dans le cas d'un couple de RMIstes (20 % des allocataires) surtout avec des enfants [3].

Une enquête réalisée par l'ODAS, Observatoire de l'Action Sociale décentralisée, qui visait pourtant à démontrer que le RMI n'est pas une trappe à chômage [4] a néanmoins dû reconnaître qu'un chef de famille, marié, avec deux enfants, payé au SMIC, ne tirera que 450 francs de plus, pour ses cent soixante-neuf heures de travail mensuel, qu'un père de famille équivalent inscrit lui au RMI, et qui aura le temps de s'occuper à autre chose...

Quitter l'inactivité pour le travail expose en effet le RMIste à perdre une cascade d'avantages sociaux : gratuité des frais médicaux au lieu du tiers payant pour le salarié ; les saisies, suspendues quand on est au RMI, redeviennent possibles pour le smicard ; sans oublier la gratuité des transports en commun dans certaines villes, la garde d'enfant quasi gratuite, etc.

Une estimation du CNPF [5] est plus pessimiste encore, puisque dans le cas que l'on vient de citer, le passage du RMI au SMIC entraînerait une réduction nette du revenu du ménage en question un peu inférieure à 1 000 francs par mois.

Mais il y a pire, si le RMI pose problème en termes de retour à l'emploi, compte tenu des effets de seuil que l'on vient d'évoquer pour l'employé, l'effet de distorsion est plus important encore s'agissant de l'employeur. Pour lui, le passage d'un RMI à un SMIC, dont on a vu

---

1. Chiffres de 1995.
2. F. Bourguignon et P. A. Chiappori : *Fiscalité et redistribution, plans pour une réforme*, Note de la Fondation Saint-Simon, mars-avril 1997.
3. Le montant de l'allocation RMI se répartit ainsi : (voir tableau ci-contre).
4. V. *la Tribune* du 13 mars, et *le Monde* du 14 mars 1997.
5. Denis Kessler, *Cartes sur table*, *op. cit.*

TABLEAU 16-5 :

BARÈME DU RMI (Janvier 1998)

Éléments de calcul par personne		
	Métropole	D.O.M.
première personne	2 429,42	1 943,53
deuxième personne	1 214,71	971,76
troisième personne	728,82	583,05
troisième enfant	971,76	777,41
Forfait logement par ménage		
	Métropole	D.O.M.
1 personne	291,53	233,22
2 personnes	583,06	466,44
3 personnes et +	721,53	577,22

Montant du revenu assuré, par ménage

APRÈS abattement « forfait logement »

Francs / mois par ménage	Métropole		D.O.M.	
	Isolés	Couples	Isolés	Couples
Sans enfant	2 137,89	3 061,07	1 710,31	2 448,85
Un enfant	3 061,07	3 651,42	2 448,85	2 971,12
Deux enfants	3 651,42	4 380,24	2 921,12	3 504,17
Trois enfants	4 623,18	5 352,00	3 698,53	4 281,58
Quatre enfants	5 594,94	6 323,76	4 475,94	5 058,99
Cinq enfants	6 566,70	7 295,52	5 253,35	5 836,40
Par enfant en plus	+ 971,76	+ 971,76	+ 777,41	+ 777,41

SANS abattement « forfait logement »

	Métropole		D.O.M.	
	Isolés	Couples	Isolés	Couples
Sans enfant	2 429,42	3 644,13	1 943,53	2 915,29
Un enfant	3 644,13	4 372,95	2 915,29	3 498,34
Deux enfants	4 372,95	5 101,77	3 498,34	4 081,39
Trois enfants	5 344,71	6 073,53	4 276,75	4 858,80
Quatre enfants	6 316,47	7 045,29	5 053,16	5 636,21
Cinq enfants	7 288,23	8 017,05	5 830,57	6 413,62
Par enfant en plus	+ 971,76	+ 971,76	+ 777,41	+ 777,41

Source : ministère du Travail et des Affaires sociales

qu'il n'était pas totalement incitatif pour le salarié, se traduit par un coût (charges comprises) supérieur à 8 000 francs par mois. A cet égard, les tableaux 16-6 et 16-7 ci-dessous méritent d'être médités.

TABLEAU 16-6 : L'INSERTION PROFESSIONNELLE
ET LES REVENUS LES PLUS MODESTES [1]

Passage d'un RMI à :

En francs par an	un CES			un SMIC		
	avant	après	variation	avant	après	variation
Coût salarial	0	38 284	+ 38 284	0	99 967	+ 99 967
Revenu disponible net :						
– Célibataire (sans enfant)	40 743	50 723	+ 9 980	40 743	60 163	+ 19 420
– Célibataire (2 enfants)	97 530	94 776	– 2 754	97 530	87 661	– 9 689
– Couple marié (sans enfant)	51 222	56 330	+ 5 108	51 222	63 039	+ 11 817
– Couple marié (2 enfants)	75 528	81 635	+ 5 837	75 528	84 929	+ 9 401

Passage d'un CES à un SMIC

En francs par an	avant	après	variation
Coût salarial	38 284	99 967	+ 61 683
Revenu disponible net :			
– Célibataire (sans enfant)	44 213	60 163	+ 15 950
– Célibataire (2 enfants)	94 776	87 661	– 7 115
– Couple marié (sans enfant)	56 330	63 039	+ 61 683
– Couple marié (2 enfants)	81 365	84 929	+ 3 564

1. Variables retenues :
* *prélèvements :* cotisations sociales employeurs et employés, CSG, taxe d'habitation, impôt sur le revenu
* *revenus :* salaires, aide personnalisées au logement, RMI
Source : Rapport Ducamin (Commission d'étude sur les prélèvements fiscaux et sociaux parmi sur les ménages janvier 1995).

TABLEAU 16-7 : LES EFFETS PERVERS DU SYSTÈME RMI-CES-SMIC

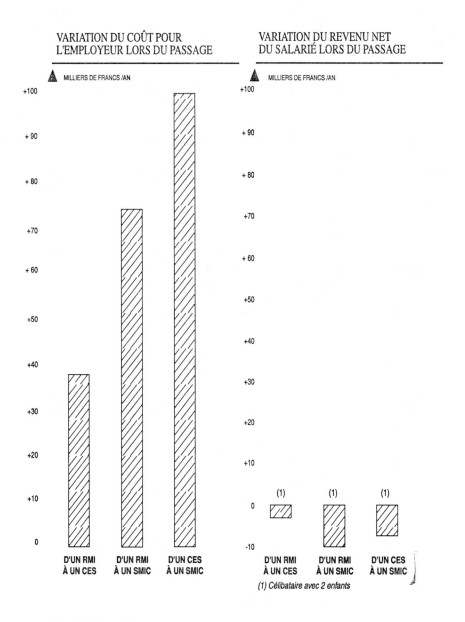

Source : Kessler, *op. cit*

Autrement dit, ce que nous avons en place en France, par le jeu combiné de notre système fiscal et de notre « filet » social, c'est à la fois :

— un niveau très élevé de coût du travail pour les emplois non qualifiés qui handicape l'embauche : c'est le problème du SMIC, dont on a vu que faute de le régler par sa suppression, on s'efforçait de le « contourner » par le biais d'exonérations de charges plus ou moins ciblées, fort coûteuses et modérément efficaces ;

— une « zone grise » entre RMI et SMIC qui tend fortement à la désincitation au retour à l'activité, surtout dans les familles RMIstes, ou quand l'emploi offert n'est qu'à temps partiel [1]. Cet effet de désincitation sera d'autant plus sensible après le passage aux 35 heures et l'avènement annoncé d'un 2e SMIC moins élevé, donc comparativement plus proche du RMI ; — à l'autre extrémité, la surtaxation des hauts revenus (cadres et entrepreneurs) aboutit là encore à une forte démotivation, puisque travailler plus équivaut dans certains cas à gagner la même chose, et toujours à payer davantage au fisc.

En d'autres termes, nous avons là à l'œuvre le cœur d'un mécanisme parfaitement anti-économique. Combiné au poids de plus en plus lourd des prélèvements obligatoires, ce système génère en fait la stagnation économique, la hausse régulière du chômage et l'appauvrissement de la société. Pire encore, si l'on introduit dans cette équation les flux migratoires que les lois Guigou et Chevènement vont encourager, nous obtenons cette situation socialement et politiquement intenable où de plus en plus d'étrangers provenant de pays pauvres viendront profiter chez nous de la générosité de notre « filet social », tandis que nos meilleurs cadres et entrepreneurs lassés de payer émigreront dans des nations plus dynamiques. Que tout cela ait été fait involontairement, mieux, avec les meilleures intentions sociales du monde, ne change rien au problème. L'enfer économique à la française est lui aussi pavé des meilleures intentions républicaines !

Il n'empêche qu'un tel système nous conduit droit à une impasse d'ampleur historique : non seulement nous sommes en train de rater le train de la révolution économique – donc stratégique mondiale – mais de surcroît nous aggravons chez nous la pauvreté, la marginalisation d'un nombre sans cesse croissant de Français condamnés, faute de mieux, à n'être que des sous-fonctionnaires, des sous-stagiaires, des

---

1. Bourguignon et Chiappori illustrent fort bien ce phénomène dans leur note précitée en l'appuyant sur l'exemple du Québec qui, entre octobre 1981 et septembre 1986, avait gelé, en valeur nominale, le salaire minimum en vigueur. Ce gel entraîna un effondrement de près de 40 % de son niveau réel. Quel en fut le résultat sur les taux de sortie de l'aide sociale (le RMI local) ? La baisse du revenu minimum s'est traduite chez les plus jeunes (moins de 30 ans) par une hausse des reprises d'emploi, tandis que chez les plus de 30 ans, l'effet de découragement l'emportait nettement. Et nos auteurs de conclure : « Ce qui suggère, a contrario, que le niveau initial du salaire minimum était responsable d'une part importante du chômage observé, et que ce dernier était manifestement involontaire. »

« allocataires » assistés en tous genres d'une République finissante qui a perdu ses repères, en même temps que son bon sens.

Et si, pour une fois, on cherchait vraiment d'autres voies à cette triste fatalité, à cette version pauvre et négative de « l'Exception française » ?

Sortir du piège

Deux semaines après la victoire socialiste aux législatives de juin 1997, le journal *Libération* eut le grand mérite – alors que la France entière vibrionnait du retour de l'étatisme de Gauche – de publier un éditorial de l'un des économistes américains les plus écoutés, professeur au MIT, Paul Krugman. L'auteur, qui n'avait pas oublié l'expérience socialiste de 1981, ne s'embarrassa guère de formules diplomatiques pour s'adresser à ses lecteurs français : « Les Français, écrit-il, n'ont pas le monopole des prétentions intellectuelles, ni des idées confuses. Peut-être même ne sont-ils pas plus susceptibles que d'autres peuples d'allier ces deux caractéristiques. Mais il y a quelque chose de particulier dans la manière dont la classe politique française aborde les questions économiques. Dans nul autre pays développé, l'élite n'a autant tendance à préférer les belles phrases à la réflexion, et à rejeter l'expérience au profit d'illusions de grandeur. » Ce jugement caustique nous ramène au cœur du « Mal français », particulièrement en matière d'emploi.

Au fil des chapitres précédents, nous avons passé en revue, certes trop brièvement, les six ou sept éléments clés qu'un Gouvernement digne de ce nom doit s'efforcer de réunir pour faire en sorte que le plus grand nombre possible de ses citoyens en âge de travailler puisse trouver à s'employer, pour constater, hélas, que notre pays faisait régulièrement tout l'inverse.

Baisser drastiquement les dépenses publiques et les prélèvements obligatoires, en resserrant le périmètre de l'Etat sur ses missions essentielles et en remettant de l'ordre dans l'inflation permanente des dépenses publiques ; reprendre l'ensemble de notre système fiscal pour dynamiser les forces créatrices de l'économie, au lieu de favoriser la rente ; faire en sorte que le niveau des salaires ne soit pas un obstacle à l'emploi, pas plus que les formalités administratives et la législation sociale ; moderniser notre système bancaire pour en faire un partenaire de la vie économique au lieu du prêteur sur gages qu'il est trop souvent à présent ; améliorer enfin la formation des jeunes citoyens, tout en rapprochant l'école, la recherche et l'entreprise : voilà au minimum quels devraient être les grands axes d'une politique de l'emploi pour la France. Pour ma part, je reprendrai intégralement à mon compte la philosophie exprimée par Gordon

Brown, le chancelier de l'Echiquier (travailliste !) devant son parti [1] : « Aucun Gouvernement ne crée d'emplois, mais il crée des possibilités de travailler. Nous ne serons pas un Gouvernement qui prétend qu'il peut vous protéger contre la perte de votre travail, mais qui reconnaît qu'il est de son devoir de vous aider à en trouver un nouveau. »

Ainsi qu'on l'a démontré tout au long de ce livre, nous sommes malheureusement à mille lieues de cela, et désormais (depuis juin 1997) collectivement engagés sur une voie rigoureusement opposée. La pression fiscale et les dépenses publiques sont reparties à la hausse ; les entreprises et les revenus moyens sont pénalisés. Loin d'être le moins du monde enrayée, la logique fondamentale de notre système, qui privilégie l'inactivité par rapport à l'emploi et la protection de ceux qui ont du travail par rapport à ceux qui en sont privés, est maintenue et même renforcée. Comme le constatait avec beaucoup de lucidité Daniel Cohen [2] : « De même que les Américains ne sont pas prêts à payer des impôts pour lutter contre les inégalités, les Français ne sont pas prêts à sacrifier leur propre fiscalité pour lutter contre le chômage. La lutte contre le chômage est mise au premier rang des préoccupations, mais il y a beaucoup d'hypocrisie dans cette hiérarchie. Implicitement, la lutte contre le chômage est toujours conditionnelle au maintien de la structure actuelle des inégalités salariales, du SMIC et de la protection sociale. *Le plus souvent, on peut dire que les instruments de la lutte contre le chômage effraient davantage que le chômage lui-même.* »

On ne saurait mieux dire. Dans un pays où en moyenne chaque ménage reçoit 50 000 francs par an de revenus sociaux [3] et où la moitié de la population en âge de travailler est directement payée, ou allocataire de l'Etat (6 millions de fonctionnaires + 3,5 millions de chômeurs + 2 millions de RMIstes), les gouvernants, quels qu'ils soient, se sont mis dans la tête – et ce avant même d'être élus ! – qu'il est désormais impossible de toucher aux tabous qui fondent notre « compromis social » même si cela doit se traduire inévitablement par un renchérissement constant du coût du travail, donc par un chômage structurel de plus en plus important.

Tenter de réformer les quelques piliers de ce compromis (à commencer par le SMIC, le RMI, et, bien entendu notre système de couverture sociale), équivaudrait à une atteinte contre la « République » elle-même, ladite République étant devenue le synonyme interchangeable de l'Etat-providence inefficace et ruiné qui est le nôtre. Le résultat, c'est que tout homme politique aspirant à de hautes destinées dans ce

---

1. Discours, 29 sept. 1997 à Brighton (v. *le Monde*, 1er oct. 1997).

2. D. Cohen : « Les salaires ou l'emploi ? », Note précitée de la Fondation Saint-Simon (mai 1995).

3. INSEE, Etude sur les revenus sociaux, in *Synthèses*, n° 6, novembre 1996. Par revenus sociaux, on entend retraite, préretraite, santé, chômage, RMI, allocations familiales...

pays peut, et doit, même, parler beaucoup de l'emploi, mais dans la pratique, en faire le moins possible pour toucher à la logique du système actuel, et encore moins en suggérer une autre, radicalement différente. Entre la politique du carnet de chèques et celle des réformes de structures, entre « la solution à 20 milliards » et « celle à deux millions de grévistes dans la rue », la question est tranchée avant même d'être posée : l'augmentation de la dépense s'impose *a priori* comme la seule variable d'ajustement social. Avec cette conséquence dramatique que la France réussit le tour de force de voir augmenter en même temps ses dépenses publiques, ses prélèvements, ses dettes... et son chômage ! D'où une autre conséquence de cette spirale de l'impuissance : la recherche désespérée par nos politiques de « solutions » miracles, attrayantes sur le plan politique puisque apparemment indolores pour les citoyens, comme la réduction et le « partage » autoritaires du travail, ou l'embauche de jeunes chômeurs par l'Etat.

Depuis une vingtaine d'années, à mesure que s'approfondit la crise à la fois morale et sociale du pays, notre système politique a donc dérivé vers une sorte d'immobilisme absolu, où les « alternances » succèdent aux « alternances », avec, en fait, un unique souci commun : surtout conserver intact « le système » tel qu'il est, en ajoutant toujours plus de mécanismes de « traitement social » ou d' « accompagnement » de la maladie, mais en s'interdisant de la traiter : tout remède étranger à notre système (je veux dire libéral) étant par avance jugé intolérable par le patient, dont on redoute par ailleurs de dangereuses irruptions. Le « système » fonctionne en fait en vase clos : plus le malade dépérit, plus on multiplie les calmants, et comme les « calmants » coûtent de plus en plus cher, le malade s'appauvrit encore plus.

Ainsi va la France : au plan politique, le conservatisme des partis dits de gouvernement fait peu à peu, avec l'absence de résultats sur le front de l'emploi (et pour cause !), le lit du Front national ; tandis qu'au plan de l'action publique, nous persistons à confondre ce qui relève du social, et qui relève de l'économique, le second faisant l'office du premier.

On ne sortira pas de ce piège dans lequel nous nous enfonçons chaque jour davantage, sans une véritable révolution culturelle dans ce pays, dont la première condition est le *courage* de ceux qui auront à la conduire.

De même que la défaite de juin 1997 était inscrite dans la capitulation du Gouvernement Juppé devant les grévistes de la SNCF et de la RATP en décembre 1995, de même la Droite républicaine doit comprendre aujourd'hui qu'elle ne reconquerra les leviers du pouvoir que si elle est capable de proposer une sortie *libérale* de la crise pour ce pays.

Cette sortie libérale passe d'abord, là encore !, par la pédagogie. Plus précisément ici, par la démonstration que notre système actuel n'est autre qu'une immense machine à casser l'emploi marchand, et à fabriquer des inactifs assistés, des allocataires invalides plutôt que des citoyens à part entière.

Elle passe notamment par la démonstration du caractère fondamentalement nocif, au plan économique comme au plan de nos valeurs sociétales, d'idées telles que l'emploi massif des jeunes par l'Etat ou la réduction obligatoire du temps de travail. Il importe en particulier de souligner l'extraordinaire confusion délibérément entretenue sur ce sujet en France : ce n'est pas la réduction (surtout si elle est obligatoire) du temps de travail qui crée de l'emploi, mais au contraire la *flexibilité* du marché du travail qui peut créer des emplois à temps partiel, ou réduit. Comme c'est le cas aux Pays-Bas où 60 % des 700 000 emplois créés ces dernières années sont à temps partiel (contre 18 % à plein temps).

De ce point de vue, le débat sur les trente-cinq heures, bien que mal engagé en France, peut peut-être s'avérer utile si, à l'occasion de la concertation avec les syndicats et les entreprises, émerge peu à peu l'idée que la flexibilité négociée des conditions de travail (y compris de sa durée via l'annualisation) peut améliorer la productivité dans telle ou telle branche, donc rendre possible le développement des entreprises et d'emplois nouveaux, même à temps partiel. A cet égard, l'Etat ne doit pas contraindre, mais encourager le développement d'un dialogue social permanent entre les syndicats et le patronat. La France doit sortir de la mystique destructrice de la lutte des classes et comprendre que les firmes françaises (employeurs *et* salariés), engagées comme elles le sont dans une véritable guerre économique à l'échelle mondiale, n'ont pas d'autre choix que d'améliorer sans cesse l'innovation, la productivité, la recherche de la qualité et la mise au point de nouveaux produits, faute de quoi ces sociétés disparaîtront, et l'emploi avec elles.

Deuxième axe : l'action. Sortir du piège de la machine à perdre implique, pour les pouvoirs publics, d'opérer un véritable changement de logique s'agissant de la lutte contre le chômage et sa conséquence : l'exclusion. A l'approche essentiellement caritative du problème (traitement social et assistanat), nous devons impérativement substituer *un traitement économique* qui vise en priorité d'une part à la création de richesses nouvelles, donc d'emplois nouveaux, et d'autre part, au retour à l'emploi, donc la meilleure « employabilité » possible pour nos concitoyens, jeunes ou moins jeunes d'ailleurs.

Créer des richesses implique de mettre en œuvre, chez nous, les recettes qui ont fait amplement leurs preuves ailleurs et qu'on a détaillées plus haut : réduction de la dépense publique et du périmètre de l'Etat, privatisations, allégement de la gangue administrative et fiscale qui pèse sur nos entreprises, meilleure formation de nos jeunes. En contrepartie, la collectivité pourrait économiser les 150 milliards engloutis chaque année dans les aides à l'emploi.

Au-delà, il s'agit de rompre avec le cercle infernal de l'assistanat-exclusion. Dans notre système actuel, dominé par les corporations et les groupes de pression, les exclus n'ont de relais dans aucun parti politique, aucune corporation professionnelle. Leurs seuls soutiens sont des associations caritatives, qui pèsent bien peu face aux puissants lobbies que sont par exemple les syndicats ouvriers et patronaux.

C'est la raison pour laquelle l'Etat-providence à la française, largement dominé par les groupes de pression issus de son propre sein (fonction publique, entreprises publiques), sans parler de la méconnaissance structurelle des lois de l'économie de marché parmi les hauts fonctionnaires qui le dirigent, a systématiquement favorisé les avantages acquis des catégories disposant d'un emploi ou en ayant disposé (retraités) au détriment de ceux qui en sont privés, soit par les aléas de la vie, soit parce qu'ils commencent leur vie professionnelle.

Le résultat, c'est que l'Etat-providence à la française pénalise le plus ceux qui ont le plus besoin de lui; que le fossé ne cesse de se creuser entre ceux qui disposent d'un emploi public sûr et garanti et ceux qui se battent dans le secteur privé (ces derniers étant de surcroît pénalisés par des salaires inférieurs et par une durée de travail supérieure de cent à deux cents heures par an par rapport au secteur public); entre ceux qui disposent aujourd'hui d'un travail et à qui l'on fera cadeau dès l'an 2000 d'une demi-journée de congé hebdomadaire supplémentaire, et ceux qui intégreront demain le marché du travail en gagnant moins; et plus nettement encore, entre ceux qui ont un emploi et ceux qui n'en ont pas; entre ceux enfin qui bénéficient d'une retraite et les jeunes dont le niveau de vie ne cesse de se dégrader.

Le pire sans doute est que le glissement d'ensemble de notre système s'effectue au nom des meilleurs principes « républicains ». Les avantages des fonctionnaires (de plus en plus exorbitants, y compris au niveau des rémunérations ou des régimes de retraite « spéciaux ») sont sanctifiés au nom du service de l'Etat ou du « service public à la française »; ceux des retraités sont par définition intouchables, puisque correspondant à des « droits » légitimement perçus à l'issue d'une vie de labeur; quant aux minima sociaux (à commencer par le SMIC), qui pourrait s'émouvoir d'un filet social destiné à permettre aux salariés les plus modestes de subvenir à leurs besoins essentiels, dans une société qui fait partie des plus riches du monde? Evidemment personne, car le problème ne se pose pas ainsi!

En d'autres termes, au nom des meilleurs principes d'équité et de justice sociale républicaine, notre société aboutit à fabriquer l'exclusion, et surtout le maintien dans l'exclusion, en rachetant notre mauvaise conscience collective par une politique de charité publique à la fois ruineuse et contreproductive, puisqu'elle engendre une véritable culture de l'assistanat et tous les maux bien connus qui s'y attachent (désespoir des uns, sentiment d'injustice des autres devant les « profiteurs » du système, immigrés en tête, etc.)

Ce sont les « quatre France » de Michel Godet : la France du *drame*, celle des exclus ; la France qui se *pâme* (la noblesse d'Etat privilégiée), celle qui *brame* (les retraités et les clercs), et celle qui *rame* et travaille dur dans le secteur marchand.

C'est cette solidarité dévoyée, produit d'un système social bloqué, qu'il appartient aux libéraux de dénoncer.

Il faut oser dire que le salaire minimum est sans doute l'instrument le plus puissant d'exclusion du monde du travail qui existe aujourd'hui : une entreprise astreinte à verser un salaire minimum n'embauchera que les personnes dont le travail (les économistes parlent de productivité) est suffisamment « rentable » pour justifier le salaire et les charges en question. Si, pour une raison ou pour une autre (formation professionnelle insuffisante, productivité inférieure à la moyenne), une personne n'atteint pas ce seuil de rentabilité fixé par l'Etat, elle se voit de fait fermer les portes du monde du travail. Si elle dispose d'un travail, la progression du SMIC entraînera son licenciement. Si elle est au chômage, elle ne trouvera aucun travail.

Existe-t-il un seul critère, moral ou économique, en vertu duquel l'Etat établit cette discrimination entre les citoyens « normaux », qui méritent de travailler, et les citoyens de second ordre, qui ne méritent pas d'accéder au monde du travail ?

L'hypocrisie de ce système est totale. L'Etat estime indispensable, au nom de la solidarité et de la morale, d'accorder à chacun un salaire minimum permettant de subvenir à ses besoins essentiels. Objectif effectivement louable. Mais au lieu de prendre ses responsabilités, l'Etat s'abrite derrière les entreprises, à qui il impose de servir ce salaire minimum tout en les contraignant de surcroît à baisser la durée du travail, donc à subir un surcoût de près de 12 %. Les entreprises sont donc toujours désignées à l'opinion publique comme responsables des embauches insuffisantes, en raison de leur soif immodérée de profit.

C'est cette logique-là, de solidarité dévoyée dans la conservation des privilèges des uns et le maintien à l'écart des autres, qu'il faut à présent remplacer par un régime de liberté économique, seul susceptible de créer des richesses nouvelles, donc de l'emploi.

S'agissant de la lutte contre le chômage et l'exclusion – le cœur même de la campagne de J. Chirac en 1995 –, il faut là encore changer de logique en aidant le travail, au besoin financièrement, plutôt qu'en continuant de subventionner l'inactivité.

Concrètement, il s'agirait pour l'Etat de remplacer le SMIC par un mécanisme de salaire complémentaire, versé à toutes les personnes dont les revenus seraient inférieurs à un seuil donné. Réservé aux personnes qui disposent d'un emploi, son principal intérêt consiste à ne pas enfermer les plus démunis dans ce que l'on appelle la « trappe à pauvreté », c'est-à-dire dans une situation où il est plus avantageux de ne pas travailler que de reprendre un emploi. On l'a déjà noté : un RMIste qui reprend un emploi se voit en effet supprimer une partie importante des aides dont il bénéficiait et voit le montant des impôts qu'il doit payer augmenter très fortement. Travailler lui coûte donc de l'argent. Ce qui est à la fois choquant sur le plan moral et profondément absurde sur le plan économique.

Ce mécanisme de salaire complémentaire, ou impôt négatif, mis en œuvre aux Etats-Unis depuis près de dix ans *(Earned Income Tax Credit)*, n'est évidemment pas miraculeux. S'il présente l'avantage de la simplicité pour les personnes qui en bénéficient (pas d'imprimé spécifique à remplir ni d'enquête sociale à subir, les formalités se limitent à remplir comme de coutume sa déclaration d'impôts) et de l'efficacité dans la distribution (on a constaté aux Etats-Unis que l'EITC touche plus de 80 % des bénéficiaires potentiels, contre environ 50 % pour d'autres formes d'aide sociale), il comporte aussi plusieurs inconvénients.

D'abord, son coût, qui progresse de manière considérable avec le niveau de revenu minimum que l'on estime juste de garantir aux citoyens. Il devra donc faire l'objet d'un chiffrage précis par les services compétents de l'Etat et par des économistes indépendants.

Ensuite, le décalage d'un an propre au système fiscal : puisque les impôts sont payés une année considérée sur la base de la déclaration des revenus de l'année précédente, il devrait en aller de même pour le versement complémentaire. Des aménagements pourraient être apportés pour la première année, par la prise en compte de la situation de l'année antérieure, et, en ce qui concerne les versements, par mensualisation des impôts.

Enfin, les risques de fraude. Ils ne sont pas propres à ce mécanisme, mais à toute aide publique. Ils exigeraient simplement que l'Administration prenne en compte le risque de voir apparaître de « faux travailleurs » là où auparavant elle voyait apparaître de « faux chômeurs » ; cela demandera à tout le moins une adaptation.

Ces indications montrent bien qu'il ne s'agit pas d'une solution miracle. Mais peut-on à ce seul motif renoncer à mettre en œuvre une solution qui n'a jamais été essayée, et qui a l'avantage essentiel de permettre une véritable insertion sur le marché du travail plutôt que le maintien dans l'inactivité ?

De même, il est tout aussi impératif de faire en sorte que le RMI retrouve sa fonction initiale qui était celle d'un minimum social réservé aux personnes en très grande difficulté. Il faut refuser le choix de société vers lequel, insensiblement, nous sommes en train de dériver : après des siècles de civilisation reposant sur un système de valeurs où le travail occupait une place centrale dans la *dignité* de l'homme, nous sommes passés à un système où toute peine ne mérite plus salaire, parce que tout individu ne mérite plus un emploi ; d'un système de valeurs reposant sur une donnée abstraite et désincarnée, le travail, nous sommes passés à un système de valeurs qui classe les individus comme des machines, simplement en fonction de leur productivité. Le travail, denrée en voie d'extinction devant être réservé à quelques-uns, tandis que les autres se partageraient ce qui reste ! A la simple différence qu'une machine peu productive n'est pas interdite de fonctionnement dans nos usines...

Il faut refuser ce système de « valeurs » qui considère qu'il est moralement et économiquement préférable de payer à ne rien faire les individus insuffisamment productifs, plutôt que de les faire accéder au marché du travail. Ce scandaleux eugénisme social n'est-il pas, dans son esprit, à rapprocher des stérilisations autoritaires conduites dans les années 50 et 60 par certains pays sur des personnes jugées « indignes » de certains attributs de la vie et de la citoyenneté ?

A New York, le maire Rudolph Giuliani n'a pas hésité en 1995 à braver le « politiquement correct ». Son « *Work Experience Program* » WEP, lie l'octroi du revenu minimum (« *Welfare* », soit 700 dollars mensuels environ) à l'accomplissement de 60 heures de travail d'intérêt collectif (nettoyage des rues notamment) tous les quinze jours. L'absentéisme est sévèrement réprimé : ne pas se présenter pendant deux semaines se traduit, la première fois, par la perte de 2 mois d'allocations, la deuxième par la perte de 3 mois, la troisième 6 mois. Au-delà le dossier est clos. En quatre ans, New York a retrouvé sa propreté, 300 000 personnes ont quitté les listes du Welfare et Guiliani vient d'être réélu. Ce qui marche aux Etats-Unis doit-il donc, par définition, être exclu en France ?

Visitant il y a quelque temps une maison de retraite de l'Assistance Publique à Sarcelles, j'interrogeai son directeur : « Pourquoi, par une aussi belle journée, ne sortez-vous pas vos pensionnaires ? Vous avez pourtant un magnifique parc, et il est désert ! » Réponse : « C'est que nos petits vieux ont besoin d'être accompagnés, et je n'ai pas assez de personnel. J'ai bien quelques personnes bénévoles, mais en nombre insuffisant. » Je levai les yeux : autour de nous, à quelques centaines de mètres s'élevaient des HLM, dont beaucoup regroupent chômeurs et RMIstes chez eux...

Remplacer le RMI par un RMA (Revenu Minimum d'*Activité*) en liant ce dispositif à l'accomplissement d'un travail, y compris d'utilité collective, inciter le passage du RMA au premier emploi par l'impôt négatif, tels seraient au minimum les moyens à réunir, pour là encore, sortir de notre logique perverse.

On le voit, la solidarité exige la liberté. Etouffer la seconde, c'est condamner la première en même temps que notre société tout entière.

Conclusion

Un contrat de liberté pour la France

> « Les Nations de nos jours ne sauraient faire que
> dans leur sein, les conditions ne soient pas égales ; mais
> il dépend d'elles que l'égalité les conduise à la servi-
> tude ou à la liberté, aux lumières ou à la barbarie, à la
> prospérité ou aux misères. »
>
> ALEXIS DE TOCQUEVILLE

A l'heure des conclusions, c'est-à-dire de l'action !, alors qu'il s'agit de sortir la France de sa lente et funeste spirale de déclin, de reconstruire un véritable projet politique et idéologique alternatif pour notre société, l'ambition paraît presque vertigineuse. Le chantier des réformes est immense : à la mesure des obstacles et des résistances qu'on a pu mesurer au fil des chapitres qui précèdent.

Le retour de la Gauche au pouvoir le 1er juin 1997 est encore trop récent pour susciter dans le pays un sursaut de simple bon sens : exiger à tout le moins un débat sur l'avenir du pays.

Tandis que la France s'abandonne, dans le doux ronronnement du socialisme « modeste » de Lionel Jospin, aux délices des emplois-jeunes et au mirage des trente-cinq heures, évoquer une alternative libérale – moins d'Etat, moins de charges, plus de libertés – paraît, je le sais bien !, presque incongru. Les convaincus « votent avec les pieds » et commencent à émigrer en masse pour échapper aux rigueurs du fisc et à une société immobile [1]. Les intellectuels se taisent : à la radio, à la télévision il n'est question que du « partage du travail » et de « nouvelle politique des revenus » redistribués par l'Etat au grand amusement des observateurs et de nos concurrents à l'étranger, qui s'émerveillent devant cette capacité unique qu'ont les Français d'aller seuls, jusqu'au

---

1. V. sur ce point le dossier du *Nouvel Economiste*, 3 oct. 1997.

bout de leur aveuglement [1]. Quant à la Droite française, encore sonnée par la défaite, elle semble davantage préoccupée par ses querelles intestines, ou par ses arrangements institutionnels («fusion ou pas fusion», tel fut le grand débat de l'été 1997!), que capable de s'intéresser au fond : c'est-à-dire à la mise en forme d'un vrai projet de société à la hauteur de la crise systémique dans laquelle notre pays est plongé.

A cet endormissement national s'ajoute le fait que la pensée libérale, seule alternative possible au lent étouffement étatique du pays, est aujourd'hui – je ne le sais, là aussi, que trop! – minoritaire dans l'opinion, comme dans la classe politique française. Dans le pays où il est né, où il a fondé la Révolution il y a deux siècles, le libéralisme français est à présent brocardé, caricaturé, au point de servir d'épouvantail, tantôt «orléaniste», tantôt «américain» (selon le cas!), aux nombreux avocats de l'immobilisme français et ce, au sein même de la «vieille Droite». Une Droite, ou plutôt des Droites, à la fois pénétrées d'une longue tradition étatiste, intellectuellement complexées et usées, soumises de surcroît à la pensée dominante d'inspiration collectiviste ; dangereusement travaillées enfin par le virus de l'ultra-nationalisme et de la xénophobie.

Je ne mesure donc que trop l'immense travail de pédagogie collective qui reste à accomplir, à commencer par les formations politiques et l'électorat de la Droite elle-même, pour que la France connaisse enfin son alternance libérale.

Réhabiliter le libéralisme

Dresser le constat d'un système à bout de souffle, d'une «machine à perdre», à fabriquer du chômage et la paupérisation, comme on l'a fait tout au long de ce livre, ne suffit pas. Pas plus qu'il ne suffit d'articuler, comme je m'y suis efforcé, un projet différent de société fondé d'abord sur l'homme et sa liberté, sur la réduction du poids de l'Etat sur notre société, et sur la libéralisation de notre économie.

Une étape essentielle de cette pédagogie exige de contrer les peurs si profondément ancrées chez nombre de nos concitoyens ; d'expliquer pourquoi une société de liberté est porteuse d'épanouissement et de prospérité, non de précarité et d'exclusion. En un mot, la première étape de cette pédagogie commence par la réhabilitation, en France, de l'idée libérale.

C'est la question essentielle : c'est elle qui sous-tend, en effet, le type même de société – de «Pacte sociétal» – auquel nous aspirons, les uns et les autres, pour la France. Voulons-nous une société produite par

---

1. V. «France : most in EU oppose a 35 hour week», *International Herald Tribune*, 9 oct. 1997.

l'Etat, encadrée et gérée par lui ? Ou une société fondée sur la libre adhésion de chacun à un corpus de valeurs communes : une société de libertés, où l'Etat ne serait que *l'instrument* de la société civile, non son propriétaire ou son tuteur ?

Ce débat, pourtant capital, puisqu'il conditionne à la fois nos libertés de citoyens mais aussi la taille de l'Etat et des dépenses publiques, donc la vitalité de notre économie à l'heure de la mondialisation, ce débat commun à l'étranger, n'est curieusement pas de mise en France.

Je dis « curieusement » parce que c'est en France surtout qu'est né ce débat, il y a deux siècles, lorsque après Rousseau et Montesquieu, des hommes tels que Benjamin Constant, Alexis de Tocqueville, puis Jean-Baptiste Say, Frédéric Bastiat et bien d'autres encore [1] jetèrent les bases conceptuelles de ce qui devait devenir notre démocratie.

Un esprit curieux retrouvera d'ailleurs, en relisant nos Constitutions successives depuis 1789-1791, chaque étape de ce débat, comme inscrit dans le marbre sacré de nos Lois fondamentales. Ainsi du droit « naturel, imprescriptible » de propriété [2], du devoir de « secours publics » y compris celui de « fournir du travail aux pauvres valides qui n'auraient pu s'en procurer [3] », et jusqu'à l'objectif assigné à la République par la Constitution du 4 novembre 1848, « d'augmenter l'aisance de chacun par la réduction graduée des dépenses publiques et des impôts [4] » !

On mesure le chemin parcouru (à rebours) depuis cent cinquante ans : quel responsable politique français de premier plan oserait aujourd'hui ressusciter ce dernier texte, adopté par nos pères au lendemain des graves troubles de 1848, pour proposer d'en faire une partie intégrante de nos engagements fondamentaux de société ?

Inscrire « la réduction graduée des dépenses publiques et des impôts » pour « augmenter l'aisance de chacun », est-ce donc une ambition si indécente dans la France de 1998 ? Ou bien faut-il lui préférer comme l'avait un instant proposé le Premier ministre Alain Juppé, l'inscription de nos services publics « à la française », voire des trente-cinq heures !, comme l'un de nos droits constitutionnels fondamentaux ?

La question est moins polémique qu'il n'y paraît. L'une de nos caractéristiques nationales essentielles, l'une des explications les plus profondes à mes yeux à ce que nous appelons notre « exception française » tient précisément au fait que nous avons tout oublié, mieux, nous avons

---

1. Je renvoie le lecteur aux remarquables ouvrages de Louis Girard (*les Libéraux français, op. cit.*) et de Pierre Manent, *Histoire intellectuelle du Libéralisme*, Calmann-Lévy 1987, et *les Libéraux*, Hachette 1986, et plus récemment d'Alain Madelin *et al.* : *Aux sources du modèle libéral français*, Perrin, 1997.

2. Inscrit dans la Déclaration des Droits de l'Homme et du Citoyen du 26 août 1789.

3. Introduit pour la première fois dans la Constitution du 3 septembre 1791, repris ensuite en 1793 et étendu en 1848 (Art. VIII du Préambule et Art. 13), puis bien entendu dans le préambule de la Constitution de 1946.

4. Préambule, Art. 1.

entièrement gommé notre mémoire collective, notre héritage politique et intellectuel libéral. Accolé (très abusivement) à l'Orléanisme, donc à la réaction, par René Rémond dès 1954 [1], le mot « libéralisme » évoque quasi unanimement en France l'arrogance élitiste d'un Guizot ou d'un Thiers, le conservatisme bourgeois, quand ce n'est pas la soumission au « grand capital » étranger. La couverture récente d'un hebdomadaire [2] qualifiait même les Libéraux français (dont l'auteur de ces lignes) de « secte », d' « organisation secrète » (qui) « déteste la France », et « véhicule une formidable haine de toute spécificité nationale non conforme » (sic !).

Notre trou de mémoire collectif envers ceux qui comptent parmi nos plus grands penseurs politiques ou les inventeurs de la science économique moderne (tels J.-B. Say ou Frédéric Bastiat) est évidemment injuste.

Marcel Gauchet [3], pourtant éloigné de l'école libérale, nous invite d'ailleurs fort honnêtement à « une remise en cause en règle d'une représentation aujourd'hui si largement démentie de l'histoire révolutionnaire ». Pour Gauchet, « marquée de confuse infamie », « la réflexion libérale qui a accompagné l'avènement de l'univers démocratique n'a droit (par opposition au socialisme), qu'à la portion congrue dans la recension de nos racines ».

Mais plus que l'injustice à l'égard des concepteurs de nos libertés fondamentales, l'étrange impasse française sur nos racines libérales est une question en soi, révélatrice d'un « mal français » beaucoup plus profond. Certes, l'échec politique des « Républicains modérés » au cours du xixe siècle, qui ne surent s'imposer face aux tenants de la réaction d'un côté, ni à la montée du socialisme de l'autre, n'a pas été sans influence sur notre trou de mémoire collectif. De même, la tendance bien connue de notre intelligentsia, longtemps fascinée par le soviétisme, à la réécriture de notre Histoire n'a pas peu contribué, comme le suggère Marcel Gauchet, à occulter les racines libérales de notre démocratie : « L'adoration du Général Staline (conduisant) à justifier le despotisme napoléonien tout aussi indispensable pour les conquêtes progressives de la Révolution " bourgeoise ", que la tyrannie concentrationnaire pour ancrer " le pouvoir prolétarien ". »

L'éviction du libéralisme du débat politique français renvoie cependant à quelque chose de plus profond que l'histoire heurtée de notre xixe siècle, ou du terrorisme intellectuel de notre intelligentsia après 1945 [4]. Ce qui frappe en France, c'est la permanence d'un choix collectif presque instinctif pour une société de défiance imposée par le haut,

---

1. R. Rémond, *la Droite en France*, Nouvelle édition : *les Droites en France*, Aubier, 1982.
2. *Marianne*, 18-24 août 1977.
3. Préface, *op. cit.* aux *Ecrits politiques* de Benjamin Constant.
4. Je renvoie sur ce point à l'excellent travail de Jean-François Sirinelli : *Intellectuels et passions françaises*, Fayard, 1990, notamment p. 170 et s.

la fascination à l'égard du césarisme du chef, Roi-Empereur ou Président « royal », le goût pour la rupture même violente, par opposition à une société d'échanges et de dialogue, à un Etat au service du peuple, à la démocratie parlementaire, autorisant une réforme permanente et négociée de la société.

Tout cela explique que le grand vainqueur des deux siècles écoulés depuis la Révolution n'est pas la démocratie libérale, mais une espèce bien française de Socialisme d'Etat, véhiculé par la Gauche bien sûr, mais aussi par une bonne partie de la Droite.

Tout cela explique que, dans notre inconscient collectif, l'histoire même de la Révolution ait été soigneusement réécrite : les pires excès de la Terreur, pourtant dénoncés par les penseurs libéraux du XIXᵉ siècle, ont été largement gommés[1] de l'inconscient collectif; l'Empereur fait toujours figure de héros national sans taches (il suffit pour s'en convaincre de constater le succès de certaines biographies récentes[2]) : évoquer le despotisme, les guerres ruineuses et les échecs économiques de l'Empire, sans parler de l'extrême étatisation qui en est résultée, frôle le sacrilège ! Quant à Napoléon III, malgré Sedan, malgré une bien tardive démocratisation du régime, la réhabilitation est désormais chose faite par la plume de Philippe Séguin, qui souligne l'ampleur de son œuvre sociale (droit de grève, logements sociaux, condition ouvrière[3]). Plus proche de nous, si l'effondrement du totalitarisme soviétique a finalement donné raison à Aron contre Sartre, c'est malgré tout ce dernier qui continue de dominer notre « establishment » intellectuel, bien davantage que le philosophe de la raison avec lequel j'eus la chance de travailler au début de ma vie professionnelle.

C'est tout cela aussi qui explique qu'à présent, sans l'ombre d'un scrupule, sans la moindre « repentance » pour les erreurs passées, communistes et socialistes français continuent sans complexe de porter le drapeau d'une idéologie défunte, porteuse de mort et de pauvreté. Pour un Furet ou un Revel[4] qui se souviennent encore de cette histoire-là, combien se permettent au nom de « l'exception étatiste française », de tourner en dérision, avec la bénédiction des médias, les idées de liberté qui pourtant fondèrent la République !

Est-ce à dire, alors, que le combat d'idées que j'évoquais plus haut comme la condition préalable à toute réforme en profondeur de ce pays, est perdu d'avance ?

Qu'il n'existe en France aucun espace, ni intellectuel, ni politique,

---

1. Au point que lors des célébrations du Bicentenaire, en 1989, il fut impossible d'ouvrir un débat national sur le sujet : D'où est née notre Démocratie ? De la Déclaration des Droits, de la Terreur, de l'Empire ?

2. Je pense au « best-seller » récent d'un homme de Gauche tel que Max Gallo (*Napoléon*, Robert Laffont, 1997).

3. Philippe Séguin : *Louis Napoléon le Grand*, Grasset, 1990.

4. Jean-François Revel : *le Voleur dans la maison vide, Mémoires*, Plon, 1997.

entre conservateurs étatistes de Droite et conservateurs étatistes de Gauche? Et qu'au total, l'avenir de ce pays tient dans une seule alternative : soit la lente asphyxie, sous son propre poids, d'une société surétatisée – « l'Etat total » de Carl Schmitt [1] –, soit la conquête puis la destruction de la République par un nouveau César (on voit bien lequel!) qui imposerait par la violence d'Etat, des réformes extrêmes, car trop longtemps différées?

La « passion révolutionnaire », pour paraphraser Tocqueville, l'emportera donc toujours chez nous sur la « passion démocratique »?

L'enjeu libéral

Cette interrogation nous ramène directement au présent. Qu'on me permette ici d'affirmer cette conviction : l'Opposition de Droite républicaine ne reviendra au pouvoir (à moins bien sûr d'un improbable effondrement de la Gauche, ou d'une improbable car suicidaire décision d'alliance avec le Front national) que si elle est capable de s'engager préalablement et avec courage dans un profond travail de reconstruction de son corpus idéologique et politique en direction du Libéralisme; elle ne réussira ensuite à vaincre l'énorme force de *réaction* des corporatismes que si elle parvient à forger d'ici là la force de caractère qui lui a fait si cruellement défaut jusqu'à présent.

L'ère des demi-mesures, des catalogues de mesurettes techniques improvisées à la dernière minute, enrobées d'un aimable flou artistique et de phrases creuses mais faussement consensuelles, est révolue. Tout comme est derrière nous l'époque des « programmes » faits de bric et de broc, contradictoires, dont les dirigeants savent à l'avance qu'ils ne pourront pas les appliquer. Le peuple de France, notre société fatiguée, bloquée, attendent cette fois des solutions claires : si la Droite républicaine se montre incapable de les fournir de façon crédible (et rapide!), si elle continue de se complaire dans ses divisions internes et ses querelles de chefs, alors je crains fort, quant à moi, que nos concitoyens lassés et désespérés ne se tournent vers d'autres. Prenons garde : le « point de basculement » n'est pas si loin, où l'Extrême Droite apparaîtra comme l'unique alternative à la Gauche au pouvoir!

J'écris tout cela, on l'aura compris, avec toute la gravité que m'inspire la situation présente. Tandis que la Gauche ne fait qu'ajouter à l'étatisme, au matraquage fiscal, aux rigidités structurelles qui minent notre société, fabriquant toujours plus de paupérisation et de chômeurs pour demain, tout en multipliant, pour entretenir les divisions de la Droite, les signes au Front national (régularisation des sans-papiers,

---

1. C. Schmitt : *la Notion de politique*, Calmann-Lévy, 1972.

nouvelles lois sur la nationalité et l'immigration, « publicité » complaisante faite aux municipalités FN...), j'observe avec effroi des formations de Droite encore déboussolées par la défaite, et incapables de se repenser vraiment. Des appareils sans idées ni débats, qui persistent dans les querelles de personnes et les gadgets institutionnels, pendant que se poursuit inexorablement l'hémorragie des électeurs dégoûtés et désespérés, vers le Front national... Autant de caractéristiques mises une nouvelle fois en évidence à l'occasion des élections régionales de mars 1998.

L'ancienne majorité, ai-je affirmé dès l'introduction de ce livre, a perdu les élections d'abord parce qu'elle n'a pas eu le courage de conduire *la politique de Droite* pour laquelle elle avait été élue. La réforme de l'Etat, condition absolue de la baisse des charges qui étouffent notre société, n'a pas eu lieu ; les impôts ont dû être augmentés, tandis que les timides ouvertures en direction d'une économie libérale ont été plus que contredites, écrasées, par nombre de signaux en sens inverse : du recul de l'Etat devant les grévistes de novembre-décembre 1995, aux pièges de l'interventionnisme public (loi Robien, emplois-ville, sacralisation des services publics), pour ne citer que quelques exemples. Et surtout, la *logique* étatiste, collectiviste et caritative de notre système sociétal n'a été à aucun moment remise en cause.

Tout cela, me dira-t-on, est quelque peu injuste : la Gauche elle-même n'a-t-elle pas, depuis son élection, multiplié les reniements (de Vilvorde à l'Europe, en passant par les privatisations), sans que personne n'y trouve à redire : au contraire, on l'en félicite !

C'est vrai, le peuple français a la cécité sélective : les reniements des uns sont accueillis comme l'heureux « apprentissage du réalisme », tandis que les revirements, les hésitations ou l'impotence des autres, sont compris comme autant de trahisons ! Mais qu'importe : telle est notre réalité. Voilà qui, en tout cas, devrait obliger les dirigeants de la Droite à cesser de fuir l'essentiel : c'est-à-dire à cesser de considérer la politique uniquement comme une technique de prise de pouvoir, et les partis politiques comme des armées muettes de militants dociles et corvéables à merci, tout juste bons à coller des affiches et organiser de grands « meetings » électoraux ! Du moins le RPR, a-t-il commencé cet apprentissage du débat sous la direction de Philippe Séguin en découvrant même au début de 1998 en même temps que quelques principes libéraux, des valeurs – Nation, travail, mérite, famille, responsabilité du citoyen et de l'élu – qu'il avait un tant soit peu oubliés...

La politique, pour revenir à l'essentiel, c'est-à-dire, chez nous, au Gaullisme, ce n'est pas seulement conquérir le pouvoir pour le pouvoir. C'est d'abord se préparer à gouverner, pour réformer *la France* en permanence, pour la rendre plus forte, pour faire rayonner son génie sur la scène du monde en ne perdant jamais de vue que tout cela n'a de sens que pour servir *l'homme* au cœur de la société.

La réforme impossible

On me rétorquera que même si l'ambition est louable, même si elle est nécessaire, celle-ci est hors de portée, tant sont profondes les résistances internes de ce pays. Mettre en œuvre une « révolution libérale » même à la française, c'est se condamner à coup sûr à voir la moitié des Français (qui peu ou prou vivent de l'Etat) descendre dans la rue ; c'est aussi se condamner plus sûrement encore à ne jamais gagner les élections...

En d'autres termes, les responsables politiques seraient contraints de n'agir que subrepticement et à la marge, de n'être en fait que les gestionnaires impuissants du déclin programmé de la France.

A près de cent soixante-dix ans de distance, le diagnostic que dressait, au retour d'Amérique, Alexis de Tocqueville sur l'état de notre pays résonne aujourd'hui d'une étonnante actualité [1].

« La société est tranquille, non point parce qu'elle a la conscience de sa force et de son bien-être, mais au contraire parce qu'elle se croit faible et infirme ; elle craint de mourir en faisant un effort : chacun sent le mal, mais nul n'a le courage et l'énergie nécessaires pour chercher le mieux ; on a des désirs, des regrets, des chagrins et des joies qui ne produisent rien de visible, ni de durable, semblables à des passions de vieillards qui n'aboutissent qu'à l'impuissance. »

On sait quelle fut alors la pente sur laquelle s'engagea la France du XIXe siècle au sortir de la Révolution et de l'Empire, jusqu'à la fondation de la IIIe République. Entre l'immobilisme et la réaction d'un côté, la pression révolutionnaire de l'autre, la France accouchera dans la violence répétée du despotisme et de la défaite militaire (Sedan), quand ce ne fut pas de l'insurrection et de la Guerre civile comme en 1848 et 1870.

Loin de moi l'idée de bâtir d'artificiels parallèles historiques : l'histoire, on le sait bien, ne repasse pas les mêmes plats. Mais l'inconscient collectif des peuples fournit quant à lui souvent d'étonnantes similitudes du moins dans les attitudes, les réactions du corps social, sinon dans les résultats de telle ou telle crise ou processus historique.

Ainsi l'actuel acharnement à la conservation d'un système paralysé de toutes parts, dont chacun voit bien qu'il est totalement débordé, dépassé par la révolution industrielle mondiale de cette fin de siècle, n'est pas sans rappeler la tranquille autosatisfaction de la Restauration. A bien des égards, notre Ve République finissante a des allures de Monarchie de juillet : les fonctionnaires, comme le disait Rémusat dès 1830, sont plus que jamais « l'aristocratie de notre démocratie » ; seuls les « ultras » (ironiquement) ont changé de camp. Hier, la monarchie

---

1. Introduction à *De la Démocratie en Amérique*, dont les tomes I et II sont publiés en 1835.

restaurée tirait sa légitimité et sa raison d'être de la sauvegarde des privilèges d'une élite aristocratique, puis bourgeoise. Aujourd'hui, la conservation des privilèges publics, des corporations étatiques, des subventions de toutes sortes, tient lieu de religion nationale en même temps qu'elle sert à légitimer, au nom de l'égalitarisme, l'extraordinaire dilatation de l'Etat, son omniprésence au quotidien dans la vie de chaque Français.

« Telle est l'impasse dans laquelle nous sommes », écrit justement mon collègue britannique Robert Skidelsky[1] : « L'Etat-providence croît parce qu'il est nécessaire et il est nécessaire, parce qu'il croît. »

C'est là précisément que s'arrête le parallèle historique : contrairement à Charles Pasqua qui croyait déceler dans la France de 1996, « une situation prérévolutionnaire », notre immobilisme moderne a ceci de particulier qu'il est d'abord redistributeur et qu'il entretient le plus grand nombre, non pas dans la prospérité bien sûr, mais dans une forme de dépendance à la charité publique. Tout le monde dans ce pays, « touche » peu ou prou quelque chose de l'Etat (même si l'on vient de décider de supprimer aux « riches » – c'est-à-dire les ménages dont les revenus dépassent 25 000 francs par mois – les allocations familiales). Ce que nous appelons les « exclus » sont en fait dans leur immense majorité les « inclus » d'une façon ou d'une autre, de notre système de protection sociale.

Le vrai clivage en France n'est pas entre les « riches » et les « pauvres », les « possédants » et les « salariés », ni même comme on l'a souvent prétendu, entre les salariés et les chômeurs, mais entre ceux qui paient pour le système (pas les très riches ou les rentiers, mais surtout les salariés-cadres, ou petits entrepreneurs du secteur marchand aux revenus moyens-supérieurs), et ceux qui vivent de la manne ainsi redistribuée. Les premiers étant par définition minoritaires, et par nature peu enclins à menacer la paix civile, il n'y a guère de « révolution » à redouter de ce côté-là. Sauf si la résignation présente devait se muer, demain, en un basculement massif de ces classes moyennes désespérées vers le Front national. Qu'importe donc que cette société sous perfusion permanente ne résolve en rien ses inégalités. Qu'importe, comme l'écrit François Furet, que cette France-là soit devenue le règne de la démagogie en politique ! Qu'elle sombre dans la perte de ses repères moraux ; et que surtout, elle finisse en faillite : Les « riches » se délocalisant ou cessant de travailler autant, les jeunes cadres créateurs choisissant d'émigrer pour échapper à l'étouffoir fiscal autant qu'à une société immobile ; les entreprises « dégraissant », tandis que l'Etat ne financera plus ce système, après avoir épuisé l'impôt, que par des déficits et l'emprunt !

Gare à ceux, en revanche, qui essaieraient de toucher à la religion de

1. Robert Skidelsky : « L'Etat sans la Providence », *le Débat*, n° 95, mai-août 1997.

l'égalitarisme par l'Etat, ou aux « acquis » de telle ou telle catégorie. *La réaction* – au sens propre, car c'est bien de cela qu'il s'agit – serait alors immédiate : fonctionnaires, employés des services publics, bénéficiaires de telle ou telle allocation ou subvention se rebelleraient immédiatement, prenant au besoin le pays en otage.

Si bien, on le voit, que ce qui menace ce pays, ce n'est ni un nouveau 1848 (Mme Aubry ayant réinventé à sa manière les Ateliers nationaux pour nos jeunes), ni même une autre fête soixante-huitarde : mais un lent processus d'asphyxie collective, tant économique que politique. Ce qui menace la France, ce n'est point « la Révolution », mais l'érosion interne de notre démocratie, à mesure que des couches entières de Français « moyens » désespérés par le système, autant que par les partis de Droite républicains, iront grossir les rangs de l'abstention ou du Front national ; c'est aussi à l'extérieur, l'érosion lente mais sûre de sa puissance, c'est-à-dire de son *importance* aux yeux de nos partenaires, alors même que le destin français est de plus en plus conditionné par l'intégration européenne, et au-delà, par les rapports de forces mondiaux.

La logique d'une France qui s'enfonce dans la dette et la déresponsabilisation de ses concitoyens, c'est celle du repli (d'Afrique et d'ailleurs), de l'intégration subie en Europe (faute d'être capable d'imposer – avec quoi ? – nos vues et lesquelles ?) ; celle d'un pays-musée qui vivra surtout de l'agro-alimentaire et du tourisme, de certaines industries de pointe aussi, lesquelles, faute de financement, finiront par passer sous contrôle étranger, tandis que le gros de la population continuera d'être (mal) alimenté de subventions publiques de plus en plus aléatoires (je pense à notre Sécurité sociale ou à notre régime de retraites par répartition).

Faudra-t-il aller jusqu'au bout de cette pente molle, mortelle mais presque indolore, d'un déclin apparemment inexorable puisque rien ni à Gauche (bien sûr), ni à Droite, n'est venu l'enrayer ?

Ou bien un obstacle imprévu rencontré sur la route de l'Histoire transformera-t-il cette lente dérive en un nouveau désastre national ? Dans ses *Ecrits sur la France*, en pleine Occupation, Pierre Brossolette[1] voyait dans « le défaut général de caractère... la veulerie et l'égoïsme » la cause principale de la mort de la IIIe République à Vichy, et avant elle, de l'effondrement du Second Empire à Sedan. Il n'imaginait pas que la IVe République s'achèverait pour les mêmes raisons à Alger 16 années plus tard. En sera-t-il de même, demain pour cette Ve Répubique désespérément figée ?

Dans sa remarquable préface à la publication des *Ecrits politiques* de Benjamin Constant, Marcel Gauchet[2] nous rappelle, fort à propos,

---

1. Guilaume Piketty : *Pierre Brossolette, un héros de la Résistance*, O. Jacob, 1998.
2. *Op. cit.*

qu' « un peuple souverain est un peuple en péril, comme nul autre, d'aliénation de sa souveraineté ».

La démocratie française de cette fin de siècle rappelle – combien tristement ! – le modèle le plus abouti du « despotisme administratif » que redoutaient tant les Libéraux d'il y a deux siècles, Tocqueville en tête. Un Etat, qui à force de « dilatation physique » de par « son rôle de réglementation, d'organisation, de défense de la vie sociale [1] », aurait fini par déposséder, par dévorer même, « la société civile », c'est-à-dire les citoyens, dont il n'était supposé être au départ que « l'instrument ».

Relisons cette vision, hélas prophétique, de Tocqueville :

« Au-dessus (des citoyens) s'élève un pouvoir immense et tutélaire, qui se charge seul d'assurer leur jouissance et de veiller sur leur sort. Il est absolu, détaillé, régulier, prévoyant et doux. Il ressemblerait à la puissance paternelle si, comme elle, il avait pour objet de préparer les hommes à l'âge viril ; mais il ne cherche, au contraire, qu'à les fixer irrévocablement dans l'enfance (...) Il travaille volontiers à leur bonheur ; mais il veut en être l'unique agent et le seul arbitre ; il pourvoit à leur sécurité, prévoit et assure leurs besoins, facilite leurs plaisirs, conduit leurs principales affaires, dirige leur industrie, règle leurs successions, divise leurs héritages ; que ne peut-il leur ôter entièrement le trouble de penser et la peine de vivre ?

« C'est ainsi que tous les jours il rend moins utile et plus rare l'emploi du libre arbitre ; qu'il renferme l'action de la volonté dans un plus petit espace, et dérobe peu à peu chaque citoyen jusqu'à l'usage de lui-même. L'égalité a préparé les hommes à toutes ces choses : elle les a disposés à les souffrir et souvent même à les regarder comme un bienfait. »

Tocqueville précise un peu plus loin que « cette sorte de servitude, réglée, douce et paisible (...) pourrait se combiner mieux qu'on ne l'imagine avec quelques-unes des formes extérieures de la liberté, et qu'il ne lui serait pas impossible de s'établir à l'ombre même de la souveraineté du peuple ». Et l'auteur de conclure, plus cruellement encore :

« Dans ce système, les citoyens sortent un moment de la dépendance pour indiquer leur maître, et y rentrent. »

Tel est bien en effet l'état de notre démocratie deux siècles après que les penseurs libéraux du XVIIIe et du XIXe siècle en eurent jeté les bases.

Au nom des libertés collectives (c'est-à-dire sociales), les libertés individuelles jadis sacrées, ne sont plus aujourd'hui que « l'emballage » formel d'une société à ce point dévorée par l'Etat qu'elle se confond à présent avec lui.

Certes, ces libertés individuelles sont formellement garanties : mais dans la France de 1997 on embastille encore sur simple dénonciation ;

---

1. M. Gauchet, *op. cit.*

la présomption d'innocence ne signifie plus rien de l'aveu même des juges [1], et la mise en examen d'un homme public équivaut à un lynchage médiatique ; certes la démocratie formelle, symbolisée par les alternances à répétition, fonctionne apparemment à merveille : sauf que la moitié de nos concitoyens se détourne des urnes, et que fondamentalement, les « alternants » au gouvernement mènent peu ou prou la même politique, celle de la pensée dominante : toujours plus d'Etat, de règlements, de taxes, de déficits... et de chômeurs.

La seule variable possible étant l'augmentation perpétuelle des dépenses donc des charges, et comme chacun a droit à tout, dès lors que ce droit est présenté comme une revendication collective émanant d'une minorité organisée (droit au logement, droit au foulard, droit à des papiers, droit à une prime de fin d'année pour les chômeurs !), l'Etat relaie par de nouvelles lois, des nouvelles attributions (et de nouvelles subventions !), la dictature de telle ou telle minorité nouvelle.

L'arbitraire [2] devient ainsi peu à peu la règle, au fil des modes du moment, et au mépris de l'intérêt général.

Le plus cruel dans tout cela est que les droits sociaux – non seulement le devoir de l'Etat de porter secours aux plus démunis, mais aussi celui de donner, outre l'instruction, du travail à tous, et même un revenu à tous, que l'on travaille ou pas – ces droits-là introduits progressivement dans nos textes constitutionnels depuis 1848, ont servi de combustible inépuisable à un Etat qui génère, par la dilatation même de sa taille et de ses missions, plus de pauvres qu'il ne parvient à en secourir. Le Léviathan se mord la queue : si les Américains ont leurs « *working poor* », les nôtres sont inactifs, fabriqués par l'Etat, et (mal) entretenus par la charité publique.

On peut certes souhaiter un tel processus ; y voir comme Marcel Gauchet, « la relève pacifique de la société par l'Etat », c'est-à-dire la « dépossession organisatrice » des libertés des citoyens par « une autorité intégralement bienveillante ». On peut juger aussi que l'idéal libéral caricaturé en France ne vaut guère mieux qu'une « secte », comme l'écrit Jean-François Kahn [3], de valets du grand patronat ou de fanatiques du modèle anglo-saxon ; que la France bien au contraire est plus que jamais la nation des conquêtes sociales, le modèle même d'une nouvelle forme de démocratie moderne – et achevée –, celle dont rêve Lionel Jospin : juste équilibre entre des libertés individuelles solidement ancrées et les libertés sociales du plus grand nombre ; entre le marché et le développement sans cesse plus poussé d'acquis sociaux : trente-cinq heures, réduction du temps de travail, assistance aux plus démunis, etc.

---

1. V. les travaux de la Commission Truche (1997), ainsi que Eric Zemmour, *le Coup d'Etat des Juges*, Grasset, 1997.
2. A.G. Slama : « Le garde-barrière et le contrôleur », *le Figaro*, 25 sept. 1997.
3. *Marianne*, *op. cit.*

A constater la popularité de M. Jospin en cet hiver 1997-98, je mesure l'audience d'un argumentaire aussi rassurant chez nos concitoyens. Quoi de plus tentant, de plus attractif, qu'un conservatisme qui se donne l'apparence de la justice sociale, et qu'un immobilisme travesti en réforme « raisonnable », qui gomme soigneusement toute référence idéologique ? N'a-t-on pas vu, dans une touchante unanimité, telle ou telle personnalité prétendument « libérale » soutenir par exemple, le plan emplois-jeunes du nouveau Gouvernement socialiste [1] ?

Nous sommes bien là au cœur de notre problème national. Pour avoir moi-même participé à la rédaction de « programmes politiques », de « plates-formes électorales » à la veille d'importantes échéances électorales, pour avoir vu à l'Assemblée nationale défiler les « mesures » proposées par les Gouvernements successifs pour lutter contre le chômage ou relancer l'économie, je suis désormais convaincu que la bataille principale, préalable, en France est celle des idées, notre problème étant moins d'aménager le système à la marge, que de changer radicalement sa logique.

Prise isolément, chaque mesure, chaque tentative de réforme a sa propre justification, parfois fondée. Tout le problème, c'est que le plus souvent les mesures se succèdent sans cohérence d'ensemble, et surtout sans cohérence financière globale. L'Etat-providence à la française passe son temps à déplacer des crédits, à supprimer tel dispositif, pour, avec le même argent (en fait toujours un peu plus), en créer un nouveau, ce qui fait qu'en définitive, la mesure initialement prévue est défigurée à l'arrivée. Pourquoi ? Parce que l'arbitrage financier rendu à Matignon ou à Bercy relève d'une logique différente qui est précisément de conserver le système en place, puisque précisément personne n'ambitionne (sauf, hélas à l'extrême droite !), une remise à plat du système dans son ensemble.

C'est pourtant bien là, et là seulement, qu'il nous faut commencer, en présentant une alternative d'ensemble cohérente au système actuel.

Le but de cet ouvrage était d'en proposer une première contribution : en revenant aux valeurs de liberté qui furent celles de la Révolution française ; en esquissant un autre Etat, une autre démocratie pour notre pays à l'aube du troisième millénaire, en un mot, une autre ambition pour la France ; en démontrant enfin que la libération de l'économie, non la contrainte et la charité publique, produisent le travail et la prospérité pour le plus grand nombre. Refuser la pente apparemment inéluctable et indolore du déclin ; adapter la France au monde nouveau qui nous entoure ; jeter les bases, sinon d'un programme de gouvernement, du moins d'un projet de société qui assure la grandeur du génie français et de notre peuple, tels étaient les objectifs – ambitieux, certes

---

1. Je pense à MM. de Charette et Rafarin notamment, v. *le Parisien*, 28 août 1997.

– qui m'ont guidé tout au long de ce travail. Ma conviction est que le peuple de France est un grand peuple, qui a tous les atouts en main pour réussir son entrée dans le troisième millénaire.

Encore faut-il l'aider à sortir de sa torpeur, à retrouver le goût de la liberté et de l'effort. Bref, lui indiquer le chemin de l'ambition.

Table des graphes et tableaux

Cet ouvrage a été réalisé par la
SOCIÉTÉ NOUVELLE FIRMIN-DIDOT
Mesnil-sur-l'Estrée
pour le compte des Éditions Grasset
en mars 1998

Imprimé en France
Dépôt légal : mars 1998
N° d'édition : 10715 – N° d'impression : 41143
ISBN : 2-246-53161-6